ファイナル チェックシート
― 用語の違いを説明しよう ―

「脱うろ覚え」を目的とし，次の２種類の，似ている用語を列挙しました。狙われるところ・解答時に迷うところであるため，この用語の違いを，明確に説明できるように，本書を復習しましょう。

◆**見た目**が似ている用語
例 フィッシング・スミッシング・ファーミング

◆**意味**・**語源**が似ている用語
例 ペネトレーションテスト・ファジング
例 ワンタイムパスワード・シングルサインオン

- □ 機密性 ➡p.028
- □ 完全性
- □ 可用性 ➡p.029

- □ 真正性 ➡p.030
- □ 責任追跡性
- □ 否認防止
- □ 信頼性

第1章 サイバー攻撃手法

- □ ハッカー ➡p.104
- □ クラッカー
- □ スクリプトキディ

- □ マルウェア ➡p.106
- □ ワーム ➡p.107
- □ トロイの木馬
- □ ダウンローダ
- □ ドロッパ

- □ スパイウェア ➡p.111
- □ アドウェア
- □ ランサムウェア ➡p.110

- □ 偽セキュリティ対策ソフト型ウイルス ➡p.110
- □ 遠隔操作型ウイルス ➡p.112
- □ ポリモーフィック型ウイルス

- □ 辞書攻撃 ➡p.115
- □ パスワードリスト攻撃 ➡p.116
- □ ブルートフォース攻撃
- □ リバースブルートフォース攻撃

- □ フットプリンティング ➡p.120
- □ フィンガプリント ➡p.177

- □ ダークウェブ ➡p.121
- □ ダークネット ➡p.285

- □ ポートスキャン ➡p.121
- □ スキャベンジング ➡p.153

- □ ウォードライビング ➡p.121
- □ ドライブバイダウンロード ➡p.136

- □ テンペスト ➡p.122
- □ サイドチャネル

- □ 中間者攻撃 ➡p.125
- □ 踏み台 ➡p.126
- □ 第三者中継

- □ IPスプーフィング ➡p.126
- □ スニッフィング ➡p.121

- □ セッションハイジャック ➡p.127
- □ セッション固定攻撃 ➡p.128
- □ ドメイン名ハイジャック ➡p.151
- □ クリックジャッキング ➡p.135
- □ ショルダハッキング ➡p.152
- □ ハッキング ➡p.104

第2章 暗号と認証

第3章 情報セキュリティ管理

- □ JVN ➡p.251
- □ J-CRAT
- □ J-CSIP
- □ SOC
- □ NOTICE ➡p.252
- □ ISAC

第4章 情報セキュリティ対策

- □ 入口対策 ➡p.266
- □ 内部対策
- □ 出口対策 ➡p.265

- □ SMTP-AUTH ➡p.267
- □ POP before SMTP
- □ OP25B
- □ SPF ➡p.269
- □ DKIM
- □ DMARC ➡p.270

- □ URL フィルタリング ➡p.272
- □ コンテンツフィルタリング
- □ パケットフィルタリング ➡p.290

- □ 電子透かし ➡p.275
- □ ステガノグラフィ
- □ 暗号 ➡p.158

第5章 情報セキュリティ製品

- □ IDS ➡p.298
- □ IPS ➡p.299

- □ インターネットVPN ➡p.304
- □ IP-VPN

- □ プロキシサーバ ➡p.314
- □ リバースプロキシサーバ

- □ シャドーＩＴ ➡p.315
- □ サンクションＩＴ

- □ ゼロトラスト ➡p.317
- □ ゼロ知識証明 ➡p.318

第6章 セキュリティ関連法規

- □ サイバーセキュリティ基本法 ➡p.330
- □ ＩＴ基本法 ➡p.336

- □ 内閣サイバーセキュリティセンター（NISC） ➡p.331
- □ NIST ➡p.164

- □ オプトイン方式 ➡p.335
- □ オプトアウト方式

- □ 個人情報 ➡p.333
- □ 特定個人情報
- □ 要配慮個人情報
- □ 個人識別番号
- □ 個人番号 ➡p.336

- □ ｅ-文書法 ➡p.336
- □ 電子帳簿保存法

- □ 派遣契約 ➡p.342
- □ 請負契約 ➡p.343
- □ 準委任契約
- □ 出向契約 ➡p.344

第7章 テクノロジ系

- □ デュアルシステム ➡p.352
- □ デュプレックスシステム ➡p.353

- □ ホットスタンバイ ➡p.353
- □ ウォームスタンバイ
- □ コールドスタンバイ

- □ フォールトアボイダンス ➡p.356
- □ フォールトトレラント
- □ フェールセーフ
- □ フェールソフト
- □ フールプルーフ ➡p.357

- □ MTBF ➡p.358
- □ MTTR

- □ レスポンスタイム ➡p.359
- □ ターンアラウンドタイム
- □ スループット

- ☐ ロールバック ➡p.363
- ☐ ロールフォワード ➡p.364

- ☐ フルバックアップ ➡p.365
- ☐ 差分バックアップ ➡p.366
- ☐ 増分バックアップ

- ☐ データウェアハウス ➡p.367
- ☐ データマート
- ☐ データマイニング
- ☐ ビッグデータ
- ☐ データディクショナリ

- ☐ ゲートウェイ ➡p.374
- ☐ ルータ ➡p.375
- ☐ ブリッジ
- ☐ スイッチングハブ
- ☐ リピータハブ

- ☐ レイヤ3スイッチ ➡p.375
- ☐ レイヤ2スイッチ

第8章 マネジメント系

- ☐ PMBOKガイド ➡p.382
- ☐ ITIL ➡p.387

- ☐ プロジェクト統合マネジメント ➡p.382
- ☐ プロジェクトステークホルダマネジメント
- ☐ プロジェクトスコープマネジメント
- ☐ プロジェクト資源マネジメント
- ☐ プロジェクトタイムマネジメント
- ☐ プロジェクトコストマネジメント ➡p.383
- ☐ プロジェクトリスクマネジメント
- ☐ プロジェクト品質マネジメント
- ☐ プロジェクト調達マネジメント
- ☐ プロジェクトコミュニケーションマネジメント

- ☐ クリティカルパス ➡p.384
- ☐ 最短所要時間

- ☐ SLA ➡p.387
- ☐ OLA ➡p.388

- ☐ インシデント管理 ➡p.388
- ☐ 問題管理
- ☐ 構成管理
- ☐ 変更管理
- ☐ 可用性管理
- ☐ キャパシティ管理 ➡p.389
- ☐ サービスレベル管理

- ☐ RTO ➡p.389
- ☐ RPO

- ☐ 情報セキュリティ管理基準 ➡p.394
- ☐ 情報セキュリティ監査基準

- ☐ 内部統制 ➡p.395
- ☐ ＩＴ統制

- ☐ 予防統制 ➡p.395
- ☐ 発見統制

- ☐ ＩＴ業務処理統制 ➡p.395
- ☐ ＩＴ全般統制

- ☐ ＩＴガバナンス ➡p.396
- ☐ コーポレートガバナンス
- ☐ 情報セキュリティガバナンス

第9章 ストラテジ系

- ☐ BPR ➡p.402
- ☐ BPM ➡p.403
- ☐ BPO

- ☐ 要求分析 ➡p.405
- ☐ 要件定義

- ☐ 機能要件 ➡p.405
- ☐ 非機能要件

- ☐ RFI ➡p.406
- ☐ RFP
- ☐ RFQ

- ☐ BCP ➡p.409
- ☐ BCM

- ☐ 損益計算書 ➡p.410
- ☐ 貸借対照表
- ☐ キャッシュフロー計算書

情報処理技術者試験学習書

［対応試験：SG］

出るとこだけ！
情報セキュリティマネジメント
科目A 科目B

2025年版

橋本祐史

本書内容に関するお問い合わせについて

このたびは翔泳社の書籍をお買い上げいただき、誠にありがとうございます。弊社では、読者の皆様からのお問い合わせに適切に対応させていただくため、以下のガイドラインへのご協力をお願い致しております。下記項目をお読みいただき、手順に従ってお問い合わせください。

●ご質問される前に

弊社Webサイトの「正誤表」をご参照ください。これまでに判明した正誤や追加情報を掲載しています。

正誤表　https://www.shoeisha.co.jp/book/errata/

●ご質問方法

弊社Webサイトの「書籍に関するお問い合わせ」をご利用ください。

書籍に関するお問い合わせ　https://www.shoeisha.co.jp/book/qa/

インターネットをご利用でない場合は、FAXまたは郵便にて、下記"翔泳社 愛読者サービスセンター"までお問い合わせください。
電話でのご質問は、お受けしておりません。

●回答について

回答は、ご質問いただいた手段によってご返事申し上げます。ご質問の内容によっては、回答に数日ないしはそれ以上の期間を要する場合があります。

●ご質問に際してのご注意

本書の対象を超えるもの、記述個所を特定されないもの、また読者固有の環境に起因するご質問等にはお答えできませんので、予めご了承ください。

●郵便物送付先およびFAX番号

送付先住所　〒160-0006　東京都新宿区舟町5
FAX番号　03-5362-3818
宛先　（株）翔泳社 愛読者サービスセンター

はじめに

情報セキュリティの必要性は分かっていても，いざ試験勉強となると，気乗りしない人も多いでしょう。そこで，本書は「**初心者が挫折（ざせつ）しない本**」を目標にかかげ，次の点を心がけて執筆しました。

●「初心者が挫折しない本」を目標に

- 合格に必要な最低限の知識のみに絞る。また，深く説明し過ぎない。
- 初心者にとって難解に見える「知ってて当然」の表現をなくす。
- 記憶しやすくするために，似て非なる用語の違い・用語の語源を説明する。

また，科目Ｂ（問49～問60）は「読めば分かる」という方法では通用しない，「読んでも分からない」問題が出題されます。対策しにくい科目Ｂが合格不合格の分かれ目です。そこで，本書では科目Ｂを制するために，次の内容を盛り込みました。

●科目Ｂを制する

- ［序章１ 科目Ｂ トラップ対策］（➡p.033）で，出題者が問題を難しくするために仕掛けた**トラップ**（罠（わな））の特徴と事例をまとめて説明する。
- ［序章２ 科目Ｂ 虎の巻］（➡p.055）で，「出題者が受験者に問いたい内容」について，過去問題をもとに徹底的に分析し，覚えやすい形式で収録する。
- **〈科目Ｂ〉**の**解説**では，解答の根拠にとどまらず，その根拠の見つけ方・手がかりを説明する。それが分かれば，別の問題でも正解できるようになるため。

本書により，**最短経路**で試験の**合格**を手にできることでしょう。

2024年10月
橋本 祐史

Contents

情報セキュリティマネジメント試験とは

試験について，よくある質問をＱ＆Ａ形式で説明します。

情報セキュリティマネジメント試験とは？

平成28年（2016年）春期から，情報処理技術者試験に加わった国家試験です。サイバー攻撃・従業者による情報漏えいなどから，企業・役所を守るために必要な管理体制・取組みに関する知識・スキルがあることを認定します。

受験の対象者は？

技術者向けではありません。情報システムの開発部門でなく，業務部門における情報セキュリティリーダを育成する目的の試験です。業務部門とは，ＩＴを専門とせず，ＩＴを利用する側，つまり総務・企画・営業などを指します。

試験名称にある「マネジメント」とは？

情報セキュリティ対策を組織ぐるみで実践するために必要な管理体制・取組みのことです。マルウェア対策ソフト・ファイアウォールなどの技術的対策だけでは，サイバー攻撃や内部不正を防ぎきれないため，組織内で規程やルールを作り，周知徹底し，さらにそれを改善していく活動のことです。

難易度は？

情報セキュリティマネジメント試験は，レベル２の位置付けです。その他の試験と比較すると，次のとおりです。

- レベル１であるＩＴパスポート試験よりも深い知識が必要。
- レベル２である基本情報技術者試験と同等程度の深さの知識が必要。

なお，レベルとは経済産業省により策定された「共通キャリア・スキルフレームワーク」で，初級のレベル１から，レベル７までが設定されています。

ＩＴパスポート試験との違いは？

出題範囲が大きく異なります。

- ＩＴパスポート試験は，範囲が広く，テクノロジ系（技術）・マネジメント系（経営管理）・ストラテジ系（経営戦略）など幅広い知識が必要。
- 情報セキュリティマネジメント試験は，情報セキュリティ分野とその関連分野だけで，深度は深いものの範囲自体は狭い。

基本情報技術者試験との違いは？

同じレベル２である基本情報技術者試験との違いは，次のとおりです。

- 情報セキュリティマネジメント試験では，学習に時間がかかる擬似（ぎじ）言語（データ構造とアルゴリズム）が出題されない。
- 基本情報技術者試験は，ＩＴパスポート試験と同じく，範囲が広く幅広い知識が必要。

情報処理安全確保支援士試験との違いは？

情報処理安全確保支援士試験は，安全な情報システムの開発者向けで，レベル４の位置付けであり，難易度が高いです。また，情報処理安全確保支援士制度は，情報セキュリティの専門人材を登録・公表することで，人材の質を見える化（可視化）し，一般企業が安心して情報システム開発を依頼できる体制を整備するものです。

情報セキュリティマネジメント試験の不利な点は？

その他の試験に比べて，不利な点は，次のとおりです。

- 選択問題がなく全問解答必須のため，難しい問題であっても，すべての問に解答しなければならない。
- 2023年に大きな制度変更があり，他の試験に比べて実施回数が少ない。そのため，傾向が詳細までは把握できない。予想が難しい。
- 科目Ｂは，すべて長文問題のため，読解力が求められる。

合格のメリットは？

合格により得られるものの例は，次のとおりです。

- 割いた時間と労力が「**合格**」という形になり，達成感と自信を手にできる。
- 経済産業大臣の名前が入った**合格証書**が交付される。企業や社会から信頼される。
- 情報セキュリティ管理に関する知識・スキルを体系的に習得できる。
- 実際の事例に基づく出題内容のため，業務に役立つ実践力が身につく。
- ニュースや記事で目にしても，今までは気に留めなかった情報セキュリティに関する話題が理解できるようになる。
- **次なるステップ**への向上心が高まる。

試験形式は？

情報セキュリティマネジメント試験では，**科目Aと科目Bの総合評価点が基準点（600点）以上の場合に合格**となります。試験時間・出題数・基準点などは，次のとおりです。

	科目A （問1～問48）	**科目B** （問49～問60）
試験時間	120分 （両科目はひとつの試験時間内にまとめて実施される）	
出題形式	多肢選択式 （四肢択一）	多肢選択式
出題数	48問 （全問必須解答）	12問 （全問必須解答）
評価対象別の出題数	受験者の評価用　：54問 今後出題する問題の評価用：　6問	

⬇　⬇

IRTに基づいた総合評価点

⬇

合格条件	科目Aと科目Bの総合評価点が **基準点（600点）以上の場合に合格。**

解答した問題の一部は，今後出題する問題の評価用であり，受験者の評価点を求めるためには使われません。しかもそれがどの問題かは不明です。つまり，受験者はどの問題を採点すれば自分の得点となるのか不明のため，正確な**自己採点**はできないでしょう。また，同じ理由で異なる試験問題を解答した場合，仮に正解数が同じでも，得点が同じになるとは限らないでしょう。

IRTとは？

IRT（Item Response Theory：項目応答理論）とは，各受験者の設問に対する正答・誤答に基づいて，設問の特性と受験者の能力を分けて推定する統計理論です。ＩＴパスポート試験をはじめ，多くのCBT方式・IBT方式の試験で採用されています。

まず「今後出題する問題の評価用の解答データ」をもとに，各設問の品質を推定します。例えば，難しすぎる・やさしすぎる・能力の高い受験者と低い受験者で正答率があまり変わらない設問などです。それをもとに設問ごとに**項目パラメタ**を算出します。

IRTに基づいた評価では，各設問に配点（素点（そてん））は設定せず，各設問の項目パラメタを用いたIRTの数式により受験者の能力値を推定し，それをもとに**評価点**を求めます。

IRTにより，受験者が，異なる試験問題に解答しても，不公平なく評価点を求められます。

申込み方法は？

株式会社シー・ビー・ティ・ソリューションズ（CBT-Solutions）のWebサイト上で試験申込みを行います。CBT方式による試験実施については，試験実施者である独立行政法人 情報処理推進機構（IPA）が，試験運営会社である同社に試験実施業務を委託しています。そのため，受験者は，同社のWebサイト・試験会場・試験システムなどを使用して，情報セキュリティマネジメント試験を受験します。

- **試験会場検索・申込み**
  https://cbt-s.com/examinee/

次のWebサイトで最新情報を確認してください。

- **情報処理推進機構（IPA）のWebサイト**
  https://www.ipa.go.jp/shiken/

試験会場に空きがあれば，ほぼ毎日受験可能です。また，仮に不合格でも，1か月後以降に再受験が可能です。

試験の背景

試験の背景・位置付け・その他の試験との比較を通じて，受験の意義を確認します。

◆ 人材不足

サイバー攻撃の被害が増大する一方で，それに立ち向かう情報セキュリティ人材が不足しています。なかでも不足が目立つのが，情報セキュリティリスク管理を担う人材，つまり，部門内において**情報セキュリティリーダ**となる人材です。つまり，普段は情報システム部門以外の業務（総務・企画・営業など）を担当しつつ，部門内の情報セキュリティを管理し，情報セキュリティのトラブルの発生時には，部門長や情報セキュリティ技術者と連携して，被害の最小化を図る人材です。

また，情報処理技術者試験を行っている経済産業省では，審議会などを通じて，情報セキュリティ人材を次の３つに分類し，それぞれに対応する国家試験・制度を整備し，人材育成を行っています。

分類	説明	対応する試験・制度
高度セキュリティ技術者	サイバー攻撃の原因を特定する者。例えば，ホワイトハッカー・ＩＴトップガン。	（特殊な人材のため，対応する試験はなし）
情報セキュリティ技術者	安全な情報システムを作る者。	• 情報処理安全確保支援士制度（2017年から実施） • 情報セキュリティスペシャリスト試験（2016年まで実施）
情報セキュリティリーダ	情報セキュリティを利用者側で管理する者。	• 情報セキュリティマネジメント試験（2016年から実施）

◆ 試験の位置付け

13区分ある情報処理技術者試験などにおける，情報セキュリティマネジメント試験の位置付けは，次のとおりです。

- 「ＩＴの安全な利活用を推進するための基本的知識・技能」を測る試験。
- 基本情報技術者試験と同じレベル２である。
- レベル１であるＩＴパスポート試験の合格者の，次のステップを想定している。

表：情報処理技術者試験などの試験区分

表中の❶はレベル1を意味し初級者向け。以降，❷（レベル2），❸（レベル3），❹（レベル4）の順で難しくなる。

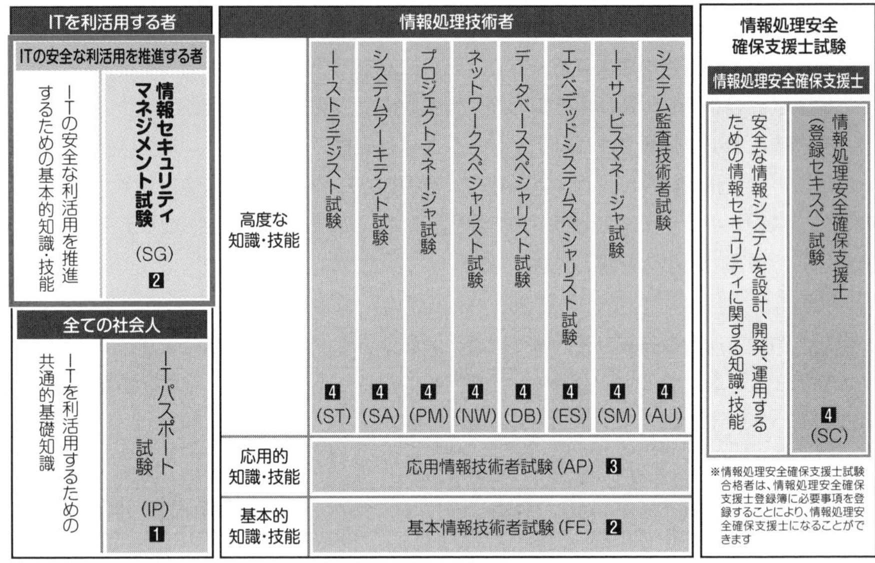

◆ 合格率・応募者数

情報セキュリティマネジメント試験と，その他の試験区分の令和5年度の合格率・応募者数・レベル（共通キャリア・スキルフレームワークでの位置付け）は，次のとおりです。

試験	合格率	応募者数	レベル
情報セキュリティマネジメント試験	72.6%	39,824人	レベル2
ＩＴパスポート試験	50.3%	297,864人	レベル1
基本情報技術者試験	47.1%	140,774人	レベル2
応用情報技術者試験	25.0%	105,571人	レベル3
情報処理安全確保支援士試験	20.9%	37,697人	レベル4

科目A 傾向と対策

科目Aの傾向と対策をまとめました。傾向を理解し，その対策を的確に打つことで，最短経路で合格に近づけます。

◆ 科目A 傾向

科目Aの傾向は，次のとおりです。

- 科目Aは，48問（問1～問48）出題される。
- 知識問題がほとんどを占める。知っていれば解ける問題がずらりと並ぶ。
- 苦手意識の強い受験者が多い，計算問題・数学記号を使った問題・図や表を読み取る問題の出題数は少ない。
- 複数の知識・解法が問われる問題は少なく，1つのみの知識・解法で解ける問題が多い。

- 試験の「出題範囲」や「シラバス」の用語例から逸脱した内容は，あまり出題されない。受験者・関係者からのクレームになりかねないため。
- 最新の用語が出題されるわけではない。ある程度の周知期間を経た用語が出題される。
- 文字を見ただけでは内容が分かりにくい用語が出題されがち。
  例 サポートユーティリティ，APT，ソーシャルエンジニアリング

◆科目A 分析

過去問題を難易度別に，次の３種類に分類して分析します。

●難易度別の分類

やさしい …本書に掲載された用語を覚えておけば，**ズバリ正解**できる。また，的中率も高く，学習のやりがいがある問題。

ふつう …問題文を読解したり，情報セキュリティの考え方をもとにしたりすれば，正解できる**変化球問題**。

難しい …「出題範囲」「シラバス」に掲載された用語例から逸脱した内容で，的中率が低く，正解はむずかしい**難問・悪問**。

過去問題における難易度別の問題数を年度別にまとめた表は，次のとおりです。

29問は，本書の内容だけでズバリ正解できる問題。

過去問題	やさしい	ふつう	難しい	問題数	
令和６年公開問題	5問	4問	3問	12問	現制度
令和５年公開問題	8問	1問	3問	12問	
令和４年サンプル問題	29問	12問	7問	48問	
令和元年秋	30問	7問	13問	50問	旧制度
平成31年春	28問	13問	9問	50問	
平成30年秋	25問	10問	15問	50問	
平成30年春	36問	10問	4問	50問	
平成29年秋	26問	11問	13問	50問	
平成29年春	33問	8問	9問	50問	
平成28年秋	34問	12問	4問	50問	
平成28年春	39問	7問	4問	50問	

全48問でなく12問のみ公開された。

やさしい だけで，合格点にほぼ到達する。

ふつう を正解し，正解数を上積みできれば安心。

この分析により，次のことが分かります。

> 過去問題のうち，難しい（悪問・難問）に振り回されることなく，本書の内容でズバリ正解できる やさしい で正解すれば，合格点に到達する。

◆ 科目A 学習法

科目Aの学習法は，次のとおりです。

- **満点を目指そうとしない。**難問にこだわり過ぎると非効率となり，合格のためには逆効果となりうるため。
- 例えば，不正解用に作られた選択肢の用語まで覚える必要はない。**本書に掲載された用語だけで合格点**以上は正解できるため，本書の用語を覚える。
- 情報セキュリティ以外の分野は，難しいが多い。幅広い内容が出題されるため，対策しにくい。情報セキュリティ分野で得点を稼ぐとよい。
- **似ている用語の違い**を明確にする。
- **語源で覚える。**語源から用語のイメージが湧くものが多いため。
- **すきま時間・細切れ時間に学習する。**科目Ａは，科目Ｂに比べて１問が少量であり，細切れ時間に適するため。

- おすすめする学習の手順は，次のとおり。
  ① 本書に掲載された内容を覚える，理解する。
  ② 次の方法で，復習する。
    - 本書の表紙の次ページにある［ファイナル チェックシート］を活用する。
    - 本書末尾の［索引］を確認する。抜け・忘れの用語を見つけて，復習する。
  ③ 本書の**練習問題**（各節の最後に掲載）と**模擬問題**（➡p.417）・**サンプル問題**（➡p.493）を繰り返し解く。厳選された過去問題であり，最重要であるため。
  ④ 本書の姉妹書『**情報処理教科書 出るとこだけ！　情報セキュリティマネジメント［科目A］［科目B］予想＋過去問題集**』（2025年刊行予定）に掲載された次の問題に取り組み，復習する。合計500問を掲載。

	科目A対策	科目B対策
第１章　予想問題	48問	12問
第２章　令和５年公開問題	12問	3問
第３章　令和６年公開問題	12問	3問
第４章　過去問題〈科目B〉	—	10問
第５章　過去問題〈午前〉	400問	—
	計472問	計28問

科目B 傾向と対策

科目Bの傾向と対策をまとめました。科目Aを確実に得点することはもちろんですが，科目Bが合格不合格の明暗を分けるため，その対策にも力を注ぐとよいでしょう。

◆科目B 傾向

科目Bの傾向は，次のとおりです。

- 科目Bは，12問（問49～問60）出題される。
- ＩＴを用いた技術面の対策だけでなく，人による管理面の対策が適切かを問う問題が出題される。具体的には，情報資産の管理・部門内の情報セキュリティの確保・情報セキュリティ事故発生時の対応・従業員の意識向上などについて，業務の現場のケーススタディにより出題され，現状が適切かどうか，改善策は何かが問われる。
- 知識問題はあまり出ない。知識でなく，問題文内で関連する記述を探し，それを根拠に解答する必要がある。
- 科目Aは４コの選択肢から選ぶ形式だが，科目Bは最大10コの選択肢から選ぶ形式のため，むずかしい。

- 誤答を誘うために，出題者がトラップ（罠(わな)）を仕掛けた問題を出題する。
- サイバー攻撃手法を理解し，脅威を事前に把握しておくと，内容を理解しやすい。

◆科目B 学習法

科目Bの学習法は，次のとおりです。

- 本書の［序章１ 科目B トラップ対策］（➡p.033～054）を読む。
- 本書の［序章２ 科目B 虎の巻］（➡p.055～100）を読む。
- 科目Aの学習と並行して，科目Bの対策にも取り組む。科目Bは，科目Aと比べて，じっくりと腰を据(す)えて解答・復習する必要があるため。

- 問題を次の視点を意識しながら解答する。
  - 正解・不正解でなく，**解答の根拠**・根拠の**見つけ方**にこだわって解答する。
  - 「常識的に」「たぶん」などを根拠に解答をしない。
  - 出題者が仕掛けたトラップ（罠）を探す。ありがちな一般論を根拠にした，思い込み・勘違いを誘う選択肢を探す。
  - 根拠が問題中のどこに隠されているかを詳細まで探す。**根拠が複数箇所**にあることがほとんどのため，そのすべてを探す。

- **復習に時間をかける**。その問題しか解けない，場当たり的な解き方でなく，別の問題でも使える解き方に注目する。

◆ 科目Bへの視点

2022年までの情報セキュリティマネジメント試験〈午後〉の解説をもとに，科目Bの解答・復習で参考となる視点を抜粋しました。

●問題文の下部から上部へと，対応箇所をたどる。

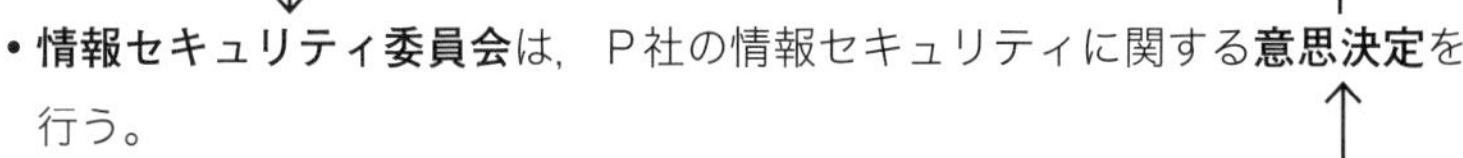

- **情報セキュリティ委員会**は，Ｐ社の情報セキュリティに関する**意思決定**を行う。
- 上記の**意思決定**には，“**暫定策**を適用する際のリスク評価結果や残留リスクの**承認**”…などを含む。

④WAFを**暫定策**として活用する

つまり，必要な対応は，ウの「**情報セキュリティ委員会**による，リスク対応の観点からの**承認**」です。それ以外は，関連する記述がありません。よって，正解は**ウ**です。

（平成29年秋 午後問２の解説より）

●空所の前後の記述をよく読む。

▶ トラップ [a]の前後の記述をまとめると，「メリットは，[a]，及び〇〇です。前者のメリットは，××でもあります」という形式です。つまり，[a]が，××により説明されていることに気づきにくくする目的で，あえて2文に分割したり，「前者」という表現を使ったり，解答の根拠である××を[a]のうしろに隠したりしています。

（平成29年春 午後問3の解説より）

●組合せの選択肢には，片方は正しいが，もう片方は誤りの表現をあえて出題する。

▶ トラップ 評価結果（OK・NG・NAなど）と，評価根拠の両者が正しい組合せの選択肢を選びます。よくある出題パターンは，片方は正しいものの，もう片方は誤りである場合です。その選択肢は，不正解です。片方が正しいからといって，もう片方の検討を怠ると，出題者のトラップにハマります。

（平成28年春 午後問3の解説より）

●複数箇所にある解答の根拠をくまなく探す。

▶ トラップ a1の根拠は，問題文と表1にあります。a2の根拠は，表1にあります。このように，解答の根拠を複数箇所に散らばらせることで，その発見を難しくしています。解答の根拠を1つ見つけただけでやめず，複数箇所を地道に探す姿勢が求められます。

（平成28年秋 午後問1の解説より）

●根拠の個数を数えて，そのすべてを満たす選択肢を選ぶ。

▶ トラップ 二つの条件を両方満たす対策にもかかわらず，両方の確認を怠ることを狙ったトラップです。この場合，一つ目は条件を満たすか，二つ目は条件を満たすかを調べるために，根拠の個数を数えて，そのすべてを満たす選択肢を選ぶ必要があります。

	一つ目	二つ目
(ⅰ)	○データの漏えい・消失のリスクが低減可能。	○データの漏えいによる不正を減らせるため，コーポレートガバナンスの強化になる。
(ⅱ)	○データの漏えい・消失のリスクが低減可能。	×ファイルごとに異なるパスワードを用いて手動で暗号化すると，全社的な業務の効率化に反する。
(ⅲ)	○データの漏えい・消失のリスクが低減可能。	○データの漏えいによる不正を減らせるため，コーポレートガバナンスの強化になる。
(ⅳ)	×機密性が高い情報を営業員の判断でノート型のPCに格納すると，データの漏えい・消失のリスクが高まる。	×営業員の判断で行うと，不正行為になりかねず，コーポレートガバナンスの強化に反する。
(ⅴ)	○データの漏えい・消失のリスクが低減可能。	○データの漏えいによる不正を減らせるため，コーポレートガバナンスの強化になる。
(ⅵ)	○データの漏えい・消失による被害のリスクが低減可能。	○対応フローを策定すると，対応から漏れや抜けが減らせるため，コーポレートガバナンスの強化になる。
(ⅶ)	○データの漏えいのリスクが低減可能。	○のぞき見による不正を減らせるため，コーポレートガバナンスの強化になる。

このうち，二つの条件を両方満たすものは，(ⅰ)，(ⅲ)，(ⅴ)，(ⅵ)，(ⅶ)です。

(平成30年春 午後問3の解説より)

その他の解説の抜粋は，次のとおりです。

●用語を知らないからとあきらめずに，問題中の記述から手がかりを探す。

（平成29年春 午後問3の解説より）

●空所だけでなく，空所がない値を検証し，解答の根拠を見つける。

（平成29年秋 午後問1の解説より）

●問われる内容が，この試験問題だけのものか，一般論としてのものかを見極める。

（平成29年秋 午後問1の解説より）

●関連する記述を見つけ，その記述と選択肢を緻密（ちみつ）に対応付ける。

（平成29年秋 午後問2の解説より）

●不明確な部分があっても，明確である組合せを，解答群から選ぶことにより，正解を絞れることがある。

（平成29年秋 午後問3の解説より）

●似た選択肢で違いが不明確な場合，設問で問われた点に即した選択肢かどうかで選ぶ。

（平成29年秋 午後問3の解説より）

●日付は，時系列に並べ直して書き出すとよい。

（平成30年春 午後問2の解説より）

◆ 学習スケジュール

学習には，少量を3か月かけて学習するじっくり型と，一気に1か月で詰め込む短期集中型があるでしょう。状況に応じて選びましょう。

	3か月前	2か月前	1か月前	受験月
じっくり型（3か月）				
短期集中型（1か月）				
受験				受験日

本書の使い方

◆ 本書の構成

本書は，①序章１と序章２・②第１章～第９章・③模擬問題とサンプル問題 で構成されています。

①序章１と序章２　(➡p.033，p.055)

合格不合格の分かれ目である科目Ｂの対策法です。出題者が仕掛けた**トラップ**（罠（わな））の特徴と事例をまとめて説明しています。

> 科目Ｂが難しく見えるのは，様々なトラップが仕掛けられているからです。
> 序章１の科目Ｂ対策１～４で，トラップの見抜き方とその対策法を詳しく解説します。

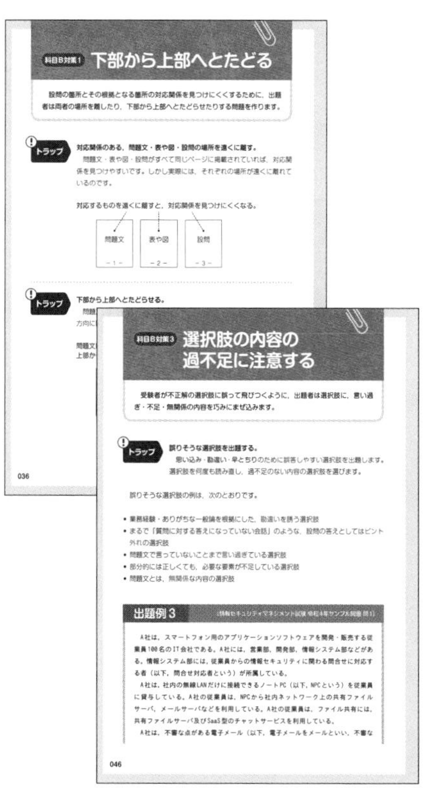

科目B対策1 下部から上部へとたどる

設問の箇所とその根拠となる箇所の対応関係を見つけにくくするために，出題者は両者の場所を離したり，下部から上部へとたどらせたりする問題を作ります。

トラップ **対応関係のある，問題文・表や図・設問の場所を遠くに離す。**
問題文・表や図・設問がすべて同じページに掲載されていれば，対応関係を見つけやすいです。しかし実際には，それぞれの場所が遠くに離れているのです。

対応するものを遠くに離すと，対応関係を見つけにくくなる。

問題文 －１－　表や図 －２－　設問 －３－

トラップ **下部から上部へとたどらせる。**

036

科目B対策3 選択肢の内容の過不足に注意する

受験者が不正解の選択肢に誤って飛びつくように，出題者は選択肢に，言い過ぎ・不足・無関係の内容を巧みにまぜ込みます。

トラップ **誤りそうな選択肢を出題する。**
思い込み・勘違い・早とちりのために誤答しやすい選択肢を出題します。選択肢を何度も読み直し，過不足のない内容の選択肢を選びます。

誤りそうな選択肢の例は，次のとおりです。

- 業務経験・ありがちな一般論を根拠にした，勘違いを誘う選択肢
- まるで「質問に対する答えになっていない会話」のような，設問の答えとしてはピント外れの選択肢
- 問題文で言っていないことまで言い過ぎている選択肢
- 部分的には正しくても，必要な要素が不足している選択肢
- 問題文とは，無関係な内容の選択肢

出題例３　〔情報セキュリティマネジメント試験 令和４年サンプル問題 問１〕

A社は，スマートフォン用のアプリケーションソフトウェアを開発・販売する従業員100名のIT会社である。A社には，営業部，開発部，情報システム部などがある。情報システム部には，従業員からの情報セキュリティに関わる問合せに対応する者（以下，問合せ対応者という）が所属している。
A社は，社内の無線LANだけに接続できるノートPC（以下，NPCという）を従業員に貸与している。A社の従業員は，NPCから社内ネットワーク上の共有ファイルサーバ，メールサーバなどを利用している。A社の従業員は，ファイル共有には，共有ファイルサーバ及びSaaS型のチャットサービスを利用している。
A社は，不審な点がある電子メール（以下，電子メールをメールといい，不審な

046

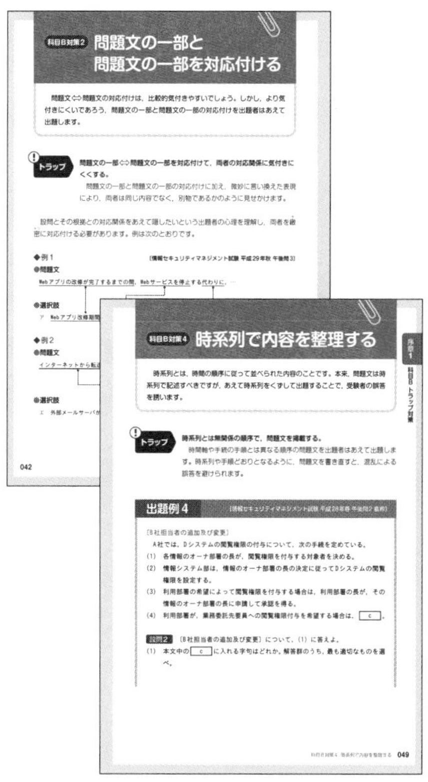

科目B対策2 問題文の一部と問題文の一部を対応付ける

問題文⇔問題文の対応付けは，比較的気付きやすいでしょう。しかし，より気付きにくいであろう，問題文の一部と問題文の一部の対応付けを出題者はあえて出題します。

トラップ **問題文の一部⇔問題文の一部を対応付けて，両者の対応関係に気付きにくくする。**
問題文の一部と問題文の一部の対応付けに加え，微妙に言い換えた表現により，両者は同じ内容でなく，別物であるかのように見せかけます。

設問とその根拠との対応関係をあえて隠したいという出題者の心理を理解し，両者を緻密に対応付ける必要があります。例は次のとおりです。

◆例１　〔情報セキュリティマネジメント試験 平成29年秋 午後問3〕
◎問題文
Webアプリの改修が完了するまでの間，Webサービスを停止する代わりに，…
◎選択肢
ア　Webアプリ改修期間

◆例２
◎問題文
インターネットから転送
◎選択肢
エ　外部メールサーバが

042

科目B対策4 時系列で内容を整理する

時系列とは，時間の順序に従って並べられた内容のことです。本来，問題文は時系列で記述すべきですが，あえて時系列をくずして出題することで，受験者の誤答を誘います。

トラップ **時系列とは無関係の順序で，問題文を掲載する。**
時間軸や手続の手順とは異なる順序の問題文を出題者はあえて出題します。時系列や手順どおりとなるように，問題文を書き直すと，混乱による誤答を避けられます。

出題例４　〔情報セキュリティマネジメント試験 平成28年春 午後問2 抜粋〕

〔B社担当者の追加及び変更〕
A社では，Dシステムの閲覧権限の付与について，次の手続を定めている。
(1)　各情報のオーナ部署の長が，閲覧権限を付与する対象者を決める。
(2)　情報システム部は，情報のオーナ部署の長の決定に従ってDシステムの閲覧権限を設定する。
(3)　利用部署の希望によって閲覧権限を付与する場合は，利用部署の長が，その情報のオーナ部署の長に申請して承認を得る。
(4)　利用部署が，業務委託先要員への閲覧権限付与を希望する場合は， c 。

設問２　〔B社担当者の追加及び変更〕について，(1) に答えよ。
(1)　本文中の c に入れる字句はどれか。解答群のうち，最も適切なものを選べ。

序章1 科目B トラップ対策

科目B対策4 時系列で内容を整理する　049

トラップの種類ごとに，その対策法を図を交えて解説します。

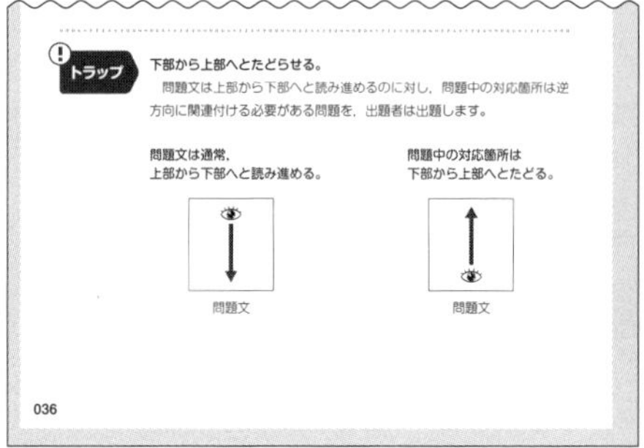

トラップ

下部から上部へとたどらせる。

問題文は上部から下部へと読み進めるのに対し，問題中の対応箇所は逆方向に関連付ける必要がある問題を，出題者は出題します。

036

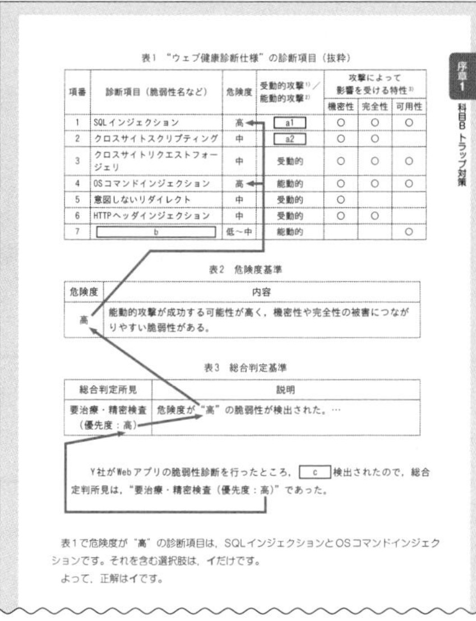

序章1 科目B トラップ対策

表1 "ウェブ健康診断仕様"の診断項目（抜粋）

項番	診断項目（脆弱性名など）	危険度	受動的攻撃[1]／能動的攻撃[2]	攻撃によって影響を受ける特性[3]		
				機密性	完全性	可用性
1	SQLインジェクション	高	a1	○	○	○
2	クロスサイトスクリプティング	中	a2	○	○	
3	クロスサイトリクエストフォージェリ	中	受動的	○	○	○
4	OSコマンドインジェクション	高	能動的	○	○	○
5	意図しないリダイレクト	中	受動的	○		
6	HTTPヘッダインジェクション	中	受動的	○	○	
7	b	低～中	能動的			○

表2 危険度基準

危険度	内容
高	能動的攻撃が成功する可能性が高く，機密性や完全性の被害につながりやすい脆弱性がある。

表3 総合判定基準

総合判定所見	説明
要治療・精密検査（優先度：高）	危険度が"高"の脆弱性が検出された。…

Y社がWebアプリの脆弱性診断を行ったところ， c 検出されたので，総合判定所見は，"要治療・精密検査（優先度：高）"であった。

表1で危険度が"高"の診断項目は，SQLインジェクションとOSコマンドインジェクションです。それを含む選択肢は，イだけです。

よって，正解はイです。

事例をもとに，トラップとその対策法から，正解の導き方までを解説します。

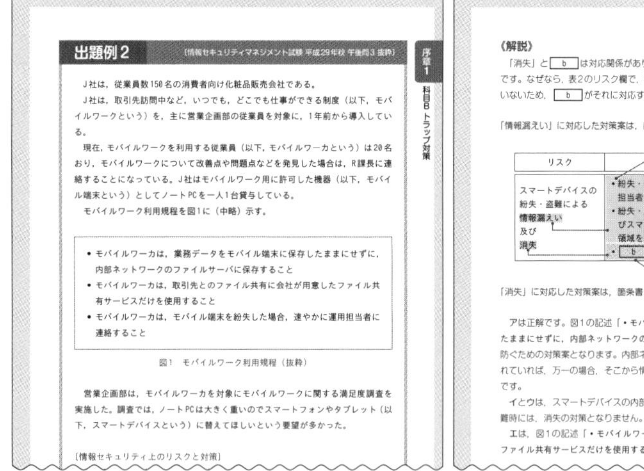

出題例2

〔情報セキュリティマネジメント試験 平成29年秋 午後問3 抜粋〕

序章1 科目B トラップ対策

J社は，従業員数150名の消費者向け化粧品販売会社である。

J社は，取引先訪問中など，いつでも，どこでも仕事ができる制度（以下，モバイルワークという）を，主に営業企画部の従業員を対象に，1年前から導入している。

現在，モバイルワークを利用する従業員（以下，モバイルワーカという）は20名おり，モバイルワークについて改善点や問題点などを発見した場合は，R課長に連絡することになっている。J社はモバイルワーク用に許可した機器（以下，モバイル端末という）としてノートPCを一人1台貸与している。

モバイルワーク利用規程を図1に（中略）示す。

- モバイルワーカは，業務データをモバイル端末に保存したままにせずに，内部ネットワークのファイルサーバに保存すること
- モバイルワーカは，取引先とのファイル共有に会社が用意したファイル共有サービスだけを使用すること
- モバイルワーカは，モバイル端末を紛失した場合，速やかに運用担当者に連絡すること

図1 モバイルワーク利用規程（抜粋）

営業企画部は，モバイルワーカを対象にモバイルワークに関する満足度調査を実施した。調査では，ノートPCは大きく重いのでスマートフォンやタブレット（以下，スマートデバイスという）に替えてほしいという要望が多かった。

〔情報セキュリティ上のリスクと対策〕

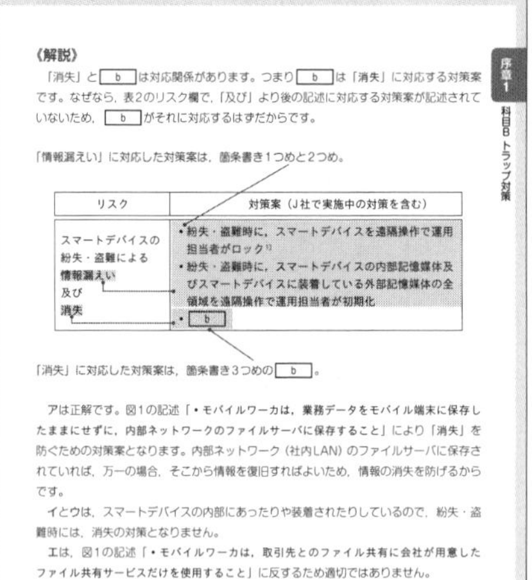

序章1 科目B トラップ対策

《解説》

「消失」と b は対応関係があります。つまり b は「消失」に対応する対策案です。なぜなら，表2のリスク欄で，「及び」より後の記述に対応する対策案が記述されていないため， b がそれに対応するはずだからです。

「情報漏えい」に対応した対策案は，箇条書き1つめと2つめ。

リスク	対策案（J社で実施中の対策を含む）
スマートデバイスの紛失・盗難による情報漏えい及び消失	・紛失・盗難時に，スマートデバイスを遠隔操作で運用担当者がロック[1] ・紛失・盗難時に，スマートデバイスの内部記憶媒体及びスマートデバイスに装着している外部記憶媒体の全領域を遠隔操作で運用担当者が初期化 ・ b

「消失」に対応した対策案は，箇条書き3つめの b 。

アは正解です。図1の記述「・モバイルワーカは，業務データをモバイル端末に保存したままにせずに，内部ネットワークのファイルサーバに保存すること」により「消失」を防ぐための対策案となります。内部ネットワーク（社内LAN）のファイルサーバに保存されていれば，万一の場合，そこから情報を復旧すればよいため，情報の消失を防げるからです。

イとウは，スマートデバイスの内部にあったりや装着されたりしているので，紛失・盗難時には，消失の対策となりません。

エは，図1の記述「・モバイルワーカは，取引先とのファイル共有に会社が用意したファイル共有サービスだけを使用すること」に反するため適切ではありません。

序章2では，「知ってて当然」のように，問題文に掲載される用語・考え方をまとめています。試験対策としてだけでなく，実際の仕事の現場でも活かせる内容です。

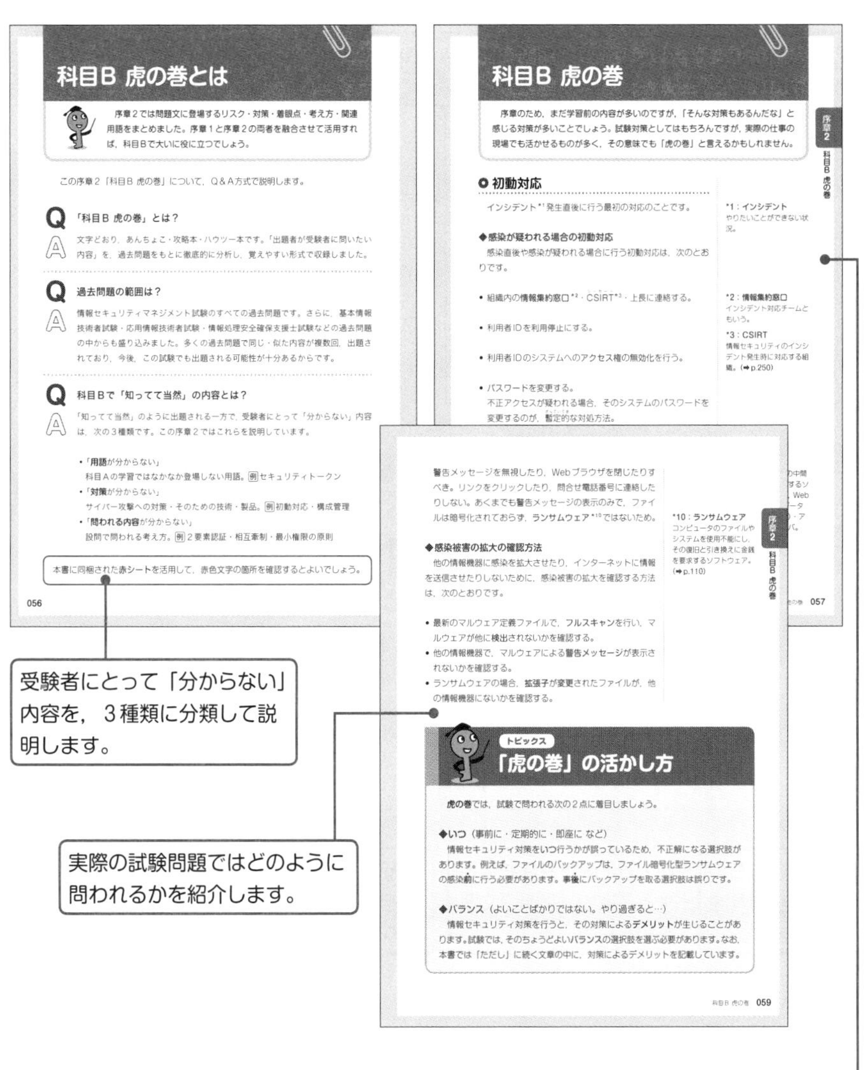

科目B 虎の巻とは

序章2では問題文に登場するリスク・対策・着眼点・考え方・関連用語をまとめました。序章1と序章2の両者を融合させて活用すれば，科目Bで大いに役に立つでしょう。

この序章2「科目B 虎の巻」について，Q&A方式で説明します。

Q 「科目B 虎の巻」とは？

A 文字どおり，あんちょこ・攻略本・ハウツー本です。「出題者が受験者に問いたい内容」を，過去問題をもとに徹底的に分析し，覚えやすい形式で収録しました。

Q 過去問題の範囲は？

A 情報セキュリティマネジメント試験のすべての過去問題です。さらに，基本情報技術者試験・応用情報技術者試験・情報処理安全確保支援士試験などの過去問題の中からも盛り込みました。多くの過去問題で同じ・似た内容が複数回，出題されており，今後，この試験でも出題される可能性が十分あるからです。

Q 科目Bで「知ってて当然」の内容とは？

A 「知ってて当然」のように出題される一方で，受験者にとって「分からない」内容は，次の3種類です。この序章2ではこれらを説明しています。

- 「用語が分からない」
  科目Aの学習ではなかなか登場しない用語。例 セキュリティトークン
- 「対策が分からない」
  サイバー攻撃への対策・そのための技術・製品。例 初動対応・構成管理
- 「問われる内容が分からない」
  設問で問われる考え方。例 2要素認証・相互牽制・最小権限の原則

本書に同梱された赤シートを活用して，赤色文字の箇所を確認するとよいでしょう。

056

科目B 虎の巻

序章のため，まだ学習前の内容が多いのですが，「そんな対策もあるんだな」と感じる対策が多いことでしょう。試験対策としてはもちろんですが，実際の仕事の現場でも活かせるものが多く，その意味でも「虎の巻」と言えるかもしれません。

序章2 科目B 虎の巻

初動対応

インシデント*1発生直後に行う最初の対応のことです。

◆感染が疑われる場合の初動対応

感染直後や感染が疑われる場合に行う初動対応は，次のとおりです。

- 組織内の情報集約窓口*2・CSIRT*3・上長に連絡する。
- 利用者IDを利用停止にする。
- 利用者IDのシステムへのアクセス権の無効化を行う。
- パスワードを変更する。
  不正アクセスが疑われる場合，そのシステムのパスワードを変更するのが，暫定的な対処方法。

*1：インシデント やりたいことができない状況。

*2：情報集約窓口 インシデント対応チームともいう。

*3：CSIRT 情報セキュリティのインシデント発生時に対応する組織。(➡p.250)

警告メッセージを無視したり，Webブラウザを閉じたりすべき。リンクをクリックしたり，問合せ電話番号に連絡したりしない。あくまでも警告メッセージの表示のみで，ファイルは暗号化されておらず，ランサムウェア*10ではないため。

◆感染被害の拡大の確認方法

他の情報機器に感染を拡大させたり，インターネットに情報を送信させたりしないために，感染被害の拡大を確認する方法は，次のとおりです。

- 最新のマルウェア定義ファイルで，フルスキャンを行い，マルウェアが他に検出されないかを確認する。
- 他の情報機器で，マルウェアによる警告メッセージが表示されないかを確認する。
- ランサムウェアの場合，拡張子が変更されたファイルが，他の情報機器にないかを確認する。

*10：ランサムウェア コンピュータのファイルやシステムを使用不能にし，その復旧と引き換えに金銭を要求するソフトウェア。(➡p.110)

トピックス

「虎の巻」の活かし方

虎の巻では，試験で問われる次の2点に着目しましょう。

◆いつ（事前に・定期的に・即座に など）

情報セキュリティ対策をいつ行うかが誤っているため，不正解になる選択肢があります。例えば，ファイルのバックアップは，ファイル暗号化型ランサムウェアの感染前に行う必要があります。事後にバックアップを取る選択肢は誤りです。

◆バランス（よいことばかりではない。やり過ぎると…）

情報セキュリティ対策を行うと，その対策によるデメリットが生じることがあります。試験では，そのちょうどよいバランスの選択肢を選ぶ必要があります。なお，本書では「ただし」に続く文章の中に，対策によるデメリットを記載しています。

科目B 虎の巻 059

受験者にとって「分からない」内容を，3種類に分類して説明します。

実際の試験問題ではどのように問われるかを紹介します。

本書で詳しく説明しているページです。

②第1章～第9章　(➡p.101)

「出るとこだけ」に掲載内容を厳選しています。合格に必要な最低限の知識のみに絞り，深く説明し過ぎないようにすることで，「初心者でも挫折(ざせつ)しない本」を目指しました。

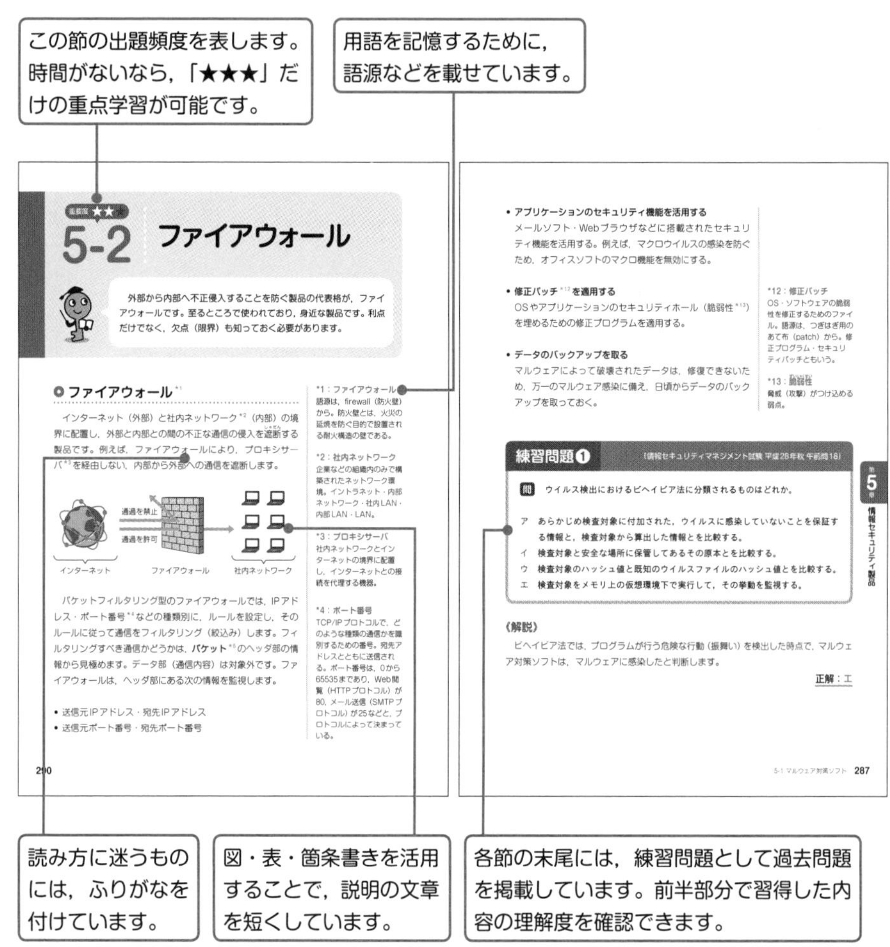

重要度★★

5-2 ファイアウォール

外部から内部へ不正侵入することを防ぐ製品の代表格が，ファイアウォールです。至るところで使われており，身近な製品です。利点だけでなく，欠点（限界）も知っておく必要があります。

ファイアウォール*1

インターネット（外部）と社内ネットワーク*2（内部）の境界に配置し，外部と内部との間の不正な通信の侵入を遮断(しゃだん)する製品です。例えば，ファイアウォールにより，プロキシサーバ*3を経由しない，内部から外部への通信を遮断します。

パケットフィルタリング型のファイアウォールでは，IPアドレス・ポート番号*4などの種類別に，ルールを設定し，そのルールに従って通信をフィルタリング（絞込み）します。フィルタリングすべき通信かどうかは，**パケット***5のヘッダ部の情報から見極めます。データ部（通信内容）は対象外です。ファイアウォールは，ヘッダ部にある次の情報を監視します。

- 送信元IPアドレス・宛先IPアドレス
- 送信元ポート番号・宛先ポート番号

*1：ファイアウォール
語源は，firewall（防火壁）から。防火壁とは，火災の延焼を防ぐ目的で設置される耐火構造の壁である。

*2：社内ネットワーク
企業などの組織内のみで構築されたネットワーク環境。イントラネット・内部ネットワーク・社内LAN・内部LAN・LAN。

*3：プロキシサーバ
社内ネットワークとインターネットの境界に配置し，インターネットとの接続を代理する機器。

*4：ポート番号
TCP/IPプロトコルで，どのような種類の通信かを識別するための番号。宛先アドレスとともに送信される。ポート番号は，0から65535まであり，Web閲覧（HTTPプロトコル）が80，メール送信（SMTPプロトコル）が25などと，プロトコルによって決まっている。

290

- **アプリケーションのセキュリティ機能を活用する**
  メールソフト・Webブラウザなどに搭載されたセキュリティ機能を活用する。例えば，マクロウイルスの感染を防ぐため，オフィスソフトのマクロ機能を無効にする。
- **修正パッチ*12を適用する**
  OSやアプリケーションのセキュリティホール（脆弱性*13）を埋めるための修正プログラムを適用する。
- **データのバックアップを取る**
  マルウェアによって破壊されたデータは，修復できないため，万一のマルウェア感染に備え，日頃からデータのバックアップを取っておく。

*12：修正パッチ
OS・ソフトウェアの脆弱性を修正するためのファイル。語源は，つぎはぎ用のあて布（patch）から。修正プログラム・セキュリティパッチともいう。

*13：脆弱性(ぜいじゃくせい)
脅威（攻撃）がつけ込める弱点。

練習問題①　〔情報セキュリティマネジメント試験 平成28年秋 午前問18〕

問　ウイルス検出におけるビヘイビア法に分類されるものはどれか。

ア　あらかじめ検査対象に付加された，ウイルスに感染していないことを保証する情報と，検査対象から算出した情報とを比較する。
イ　検査対象と安全な場所に保管してあるその原本とを比較する。
ウ　検査対象のハッシュ値と既知のウイルスファイルのハッシュ値とを比較する。
エ　検査対象をメモリ上の仮想環境下で実行して，その挙動を監視する。

《解説》

ビヘイビア法では，プログラムが行う危険な行動（振舞い）を検出した時点で，マルウェア対策ソフトは，マルウェアに感染したと判断します。

正解：エ

第5章 情報セキュリティ製品

5-1 マルウェア対策ソフト　287

③ファイナルチェックシート

本書の表紙の次ページにあるチェックシートです。「脱うろ覚え」を目的とし，似ている用語を列挙しました。この用語の違いを明確に説明できるように，本書を復習しましょう。

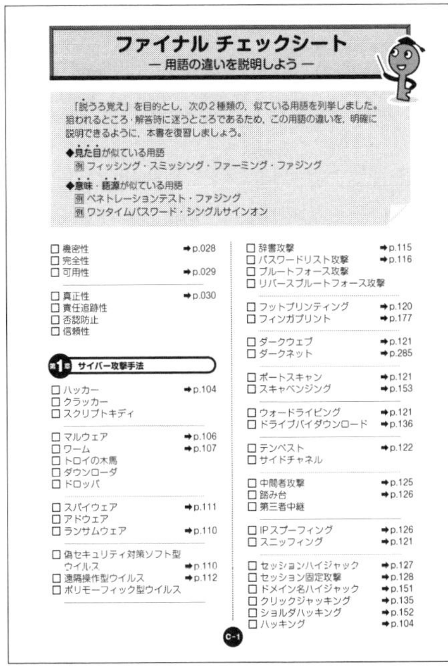

ファイナル チェックシート
— 用語の違いを説明しよう —

「脱うろ覚え」を目的とし，次の２種類の，似ている用語を列挙しました。狙われるところ・解答時に迷うところであるため，この用語の違いを，明確に説明できるように，本書を復習しましょう。

◆見た目が似ている用語
例 フィッシング・スミッシング・ファーミング・ファジング

◆意味・語源が似ている用語
例 ペネトレーションテスト・ファジング
例 ワンタイムパスワード・シングルサインオン

□ 機密性 ➡p.028
□ 完全性
□ 可用性 ➡p.029

□ 真正性 ➡p.030
□ 責任追跡性
□ 否認防止
□ 信頼性

第1章 サイバー攻撃手法

□ ハッカー ➡p.104
□ クラッカー
□ スクリプトキディ

□ マルウェア ➡p.106
□ ワーム ➡p.107
□ トロイの木馬
□ ダウンローダ
□ ドロッパ

□ スパイウェア ➡p.111
□ アドウェア
□ ランサムウェア ➡p.110

□ 偽セキュリティ対策ソフト型ウイルス ➡p.110
□ 遠隔操作型ウイルス ➡p.112
□ ポリモーフィック型ウイルス

□ 辞書攻撃 ➡p.115
□ パスワードリスト攻撃 ➡p.116
□ ブルートフォース攻撃
□ リバースブルートフォース攻撃

□ フットプリンティング ➡p.120
□ フィンガプリント ➡p.177

□ ダークウェブ ➡p.121
□ ダークネット ➡p.285

□ ポートスキャン ➡p.121
□ スキャベンジング ➡p.153

□ ウォードライビング ➡p.121
□ ドライブバイダウンロード ➡p.136

□ テンペスト ➡p.122
□ サイドチャネル

□ 中間者攻撃 ➡p.125
□ 踏み台 ➡p.126
□ 第三者中継

□ IPスプーフィング ➡p.126
□ スニッフィング ➡p.121

□ セッションハイジャック ➡p.127
□ セッション固定攻撃 ➡p.128
□ ドメイン名ハイジャック ➡p.151
□ クリックジャッキング ➡p.135
□ ショルダハッキング ➡p.152
□ ハッキング ➡p.104

C-1

□ DoS攻撃 ➡p.130
□ DDoS攻撃 ➡p.131

□ フィッシング ➡p.133
□ スミッシング ➡p.136
□ ファーミング ➡p.134
□ ファジング ➡p.246

□ クリックジャッキング ➡p.135
□ クリプトジャッキング ➡p.154

□ SEOポイズニング ➡p.136
□ DNSキャッシュポイズニング ➡p.150

□ クロスサイトスクリプティング ➡p.139

□ クロスサイトリクエストフォージェリ ➡p.140

□ SQLインジェクション ➡p.140
□ OSコマンドインジェクション ➡p.141

□ ディレクトリリスティング ➡p.142
□ ディレクトリトラバーサル

□ エスケープ処理 ➡p.143
□ サニタイジング
□ プレースホルダ

□ 標的型攻撃 ➡p.145
□ やり取り型攻撃 ➡p.146
□ 水飲み場型攻撃 ➡p.147

□ 標的型攻撃メール ➡p.145
□ 迷惑メール ➡p.152

第2章 暗号と認証

□ 共通鍵暗号方式 ➡p.162
□ 公開鍵暗号方式 ➡p.166

□ DES ➡p.164
□ AES
□ RSA ➡p.169

□ デジタル署名 ➡p.179
□ デジタル証明書 ➡p.185

□ メッセージ認証符号 ➡p.194
□ メッセージダイジェスト ➡p.177

□ 多要素認証 ➡p.198
□ 多層防御 ➡p.266

□ ２要素認証 ➡p.198
□ ２段階認証

□ ワンタイムパスワード ➡p.198
□ シングルサインオン ➡p.199

第3章 情報セキュリティ管理

□ トップマネジメント ➡p.217
□ トップダウン

□ 基本方針 ➡p.222
□ 対策基準
□ 実施手順

□ リスク選好 ➡p.240
□ リスク忌避

□ リスクマネジメント ➡p.227
□ リスクアセスメント ➡p.228

□ リスク保有 ➡p.237
□ リスク受容 ➡p.239

□ リスク分析 ➡p.231
□ リスク評価 ➡p.235

□ ペネトレーションテスト ➡p.246
□ ファジング

□ 情報セキュリティ事象 ➡p.248
□ 情報セキュリティインシデント
□ アクシデント

□ 自己点検 ➡p.248
□ CSA

□ CVE ➡p.247
□ CWE

□ CSIRT ➡p.250
□ JPCERT/CC

C-2

④模擬問題　(➡p.417)

選りすぐりの過去問題とその解説を掲載しています。本書を学習する前に試験の概要を把握する目的や，学習の終盤に理解度を把握する目的で，取り組んでみましょう。

⑤サンプル問題　(➡p.493)

新試験開始直前の2022年12月26日に，情報処理推進機構（IPA）が公開した「令和4年 サンプル問題」の問題と解説を掲載しています。

◆ 付録 Webアプリ

本書の付録として，本書掲載の練習問題・模擬問題〈科目A〉・サンプル問題〈科目A〉のWebアプリをご利用できます。Webアプリのご利用にあたっては，SHOEISHAiDへの登録と，アクセスキーの入力が必要になります。画面の指示に従って進めてください。

- **付録 Webアプリ**
  https://www.shoeisha.co.jp/book/exam/9784798188874/
  利用期限：2025年12月31日
  ※図書館利用者の方はご利用いただけません。

情報セキュリティとは 重要度★★★

ここでは，実際の学習の前段階として，情報セキュリティとはそもそも何か，どのような場合に危険にさらされるのかという，情報セキュリティの枠組みを理解します。

◆ 情報セキュリティの定義

情報セキュリティは，その範囲が広く，受け取り方は人によってまちまちです。そのため，このままだと，ある事柄について，「情報セキュリティが危険にさらされている」と受け取る人もいれば，逆の人もいて，情報セキュリティの対策をやりにくくなります。

そこで，情報セキュリティに関する**国家規格**である**JIS Q 27000**シリーズでは，情報セキュリティを次のように定義しています。

> 情報セキュリティとは，**機密性**，**完全性**，**可用性**（かようせい）を維持すること。

この3要素を1つずつ詳しく説明します。

◆ 機密性

ある**情報資産**にアクセスする**権限をもつ人**だけがアクセスでき，それ以外の人には公開されないことです。

- パスワードを知る利用者のみがアクセスでき，パスワードを知らない人はアクセスできないように設定し，機密性を維持する。
- システム内に保管されているデータが不正に取得されると，機密性が損なわれる。
- ネットワークの通信内容が盗聴されると，機密性が損なわれる。

機密性を維持する対策は，アクセス制御・利用者認証・暗号化などです。

◆ 完全性

情報資産の**正確さ**を維持し，**改ざん**させないことです。仮にデータが手元に届いても，実はそのデータが途中で何者かによって改ざんされた偽物だったら問題です。正真正銘，発送者から送られたものか，正確さを維持する必要があります。

- データが改ざんされていないことを保証するデジタル署名を使って，完全性を維持する。
- Webページが改ざんされると，完全性が損なわれる。

完全性を維持する対策は，デジタル署名・ハッシュ関数による改ざんの検出などです。

◆ 可用性（かようせい）

必要なときは情報資産にいつでもアクセスでき，**アクセス不可能**がないことです。機密性や完全性が維持されていても，システム自体が稼働不可では結局，情報資産を使えず，問題です。また，稼働不可を狙うサイバー攻撃もあり，情報セキュリティが危険にさらされています。

- 障害が発生しても引き続き稼働可能なシステムを構築し，可用性を維持する。
- サイバー攻撃を受け，システムが停止すると，可用性は損なわれる。

可用性を維持する対策は，システムの二重化・耐震耐火設備・UPS（無停電電源装置）の設置などです。

◆ 3要素ともすべて必要

機密性・完全性・可用性の3要素をすべて維持しなければ，情報セキュリティが危険にさらされます。1要素が不十分である次のケースは，問題になります。

- 確実に対象者に届く〔機密性はある〕が，内容に改ざんがある〔完全性がない〕ケース。
- たとえ改ざんなし〔完全性はある〕でも，誰でも見られる〔機密性がない〕ケース。
- たとえ暗号化されて〔機密性はある〕いても，故障するシステム〔可用性がない〕は結局，使い物にならないケース。
- 開けられない金庫〔完全性はある〕は，中身が使えない〔可用性がない〕ケース。

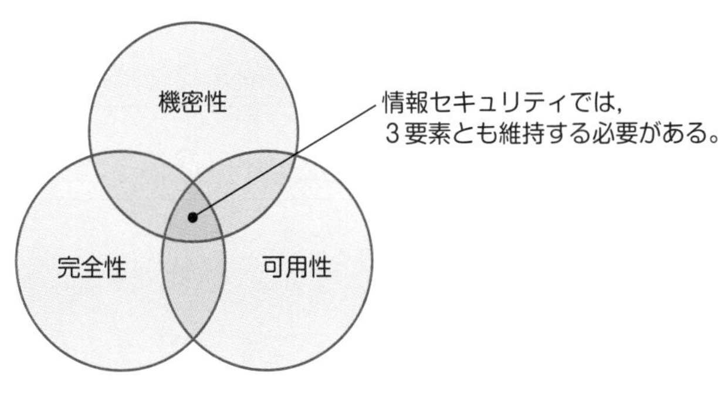

◆ 4特性

機密性・完全性・可用性だけでなく，情報セキュリティの定義に，次の4特性を含めることもあるとされています。

表：情報セキュリティの4特性

4特性	説明	対策
真正性（しんせいせい）	なりすましがなく，確実に本人であることを識別・認証すること。	パスワードを盗んだ別人によるなりすましを防ぐため，パスワードだけでなくICカードや生体認証（指紋認証など）を組み合わせた**多要素認証**を行うなど。
責任追跡性	いつ誰が**アクセス**し，何をしたかを**あとでたどれる**こと。	**ログ**（通信履歴）を残す・削除されないようにログの複写を保管するなど。
否認防止	責任追跡性でたどった証拠を「知らない」と言い訳されずに，客観的に**証明できる**こと。	「意図的に時刻を改ざんされた」と反論されないよう，関連する機器の時刻を合わせ，かつ改ざんできないように設定するなど。
信頼性	システムに**バグ**（欠陥（けっかん））がなく，**正常動作する**こと。	システム開発でテストを強化する・高信頼性の機器を使うなど。

◆ 情報資産・脅威・脆弱性

情報資産にある脆弱性を脅威が突くと，情報セキュリティが危険にさらされます。つまり，この三拍子（さんびょうし）がそろった場合に，情報セキュリティ事故が発生します。この3用語の説明は，次のとおりです。

表：情報資産・脅威・脆弱性

情報資産	価値がある**データ**や**システム**。単にコンピュータ内に保存されたものだけでなく，記憶媒体そのもの・紙に書かれた情報・人の記憶や知識を含む。
脅威（きょうい）	情報資産を危険にさらす**攻撃**。 例 不正アクセス・サイバー攻撃・誤操作。
脆弱性（ぜいじゃくせい）	脅威（攻撃）がつけ込める**弱点**。 例 セキュリティホール・プログラムのバグ（欠陥（けっかん））。

なお，脆弱性の「脆」は脆（もろ）いとも読みます。つまり，脆弱性の意味は「もろくて弱い」です。

新シラバス 用語集

2024年10月以降に実施する情報セキュリティマネジメント試験から，新たに「シラバスVer.4.0」が試験範囲となります。

この改訂に伴い，数多くの新用語が試験範囲に加わりました。ここでは，代表的な新用語と本書で説明したページをまとめました。

新用語	説明	問題
3-2-1ルール	p.082	
3Dセキュア2.0	p.201	p.434
C&Cサーバ	p.109	p.114
CRYPTREC	p.159	p.160 p.496
DHCP	p.373	
DKIM	p.269	
DMARC	p.270	
EDR	p.316	
eKYC	p.202	
FAR	p.207	
FIDO	p.198	
FRR	p.207	
ISAC	p.252	
ISMAP	p.249	p.256

新用語	説明	問題
J-CRAT	p.251	p.257
J-CSIP	p.251	p.258
NOTICE	p.252	p.426
OP25B	p.267	
OSコマンド インジェクション	p.141	
PGP	p.192	
PSIRT	p.250	p.425
RaaS	p.111	
RAT	p.112	
RLO	p.389	
S/MIME	p.191	
SBOM	p.247	p.423
SECURITY ACTION	p.515	
SHA-2	p.179	

新用語	説明	問題
SMTP-AUTH	p.267	p.503
SPF	p.269	p.276 p.429
Webアイソレーション	p.286	
WORM機能	p.083	
インターロック	p.279	
エシカルハッカー	p.104	
オープンリレー	p126	
クレデンシャル スタッフィング	p.117	
サイバーセキュリティ フレームワーク	p.252	
サイバーハイジーン	p.253	
シャドーIT	p.315	
スミッシング	p.136	
セキュリティクリアランス	p.250	
セキュリティゾーニング	p.278	
セキュリティトークン	p.064	
地政学的リスク	p.240	
ディープフェイク	p.150	
ディスインフォメーション	p.337	
敵対的サンプル	p.150	
デジタルタトゥー	p.337	

新用語	説明	問題
トラストアンカー	p.189	
二重脅迫	p.110	
パターンマッチング法	p.284	
ビヘイビア法	p.284	p.287
ヒューリスティック法	p.284	
ファイルレスマルウェア	p.111	
ファクトチェック	p.337	
フィッシング	p.133	
フェイクニュース	p.150	
プロンプト インジェクション	p.150	
ベイジアンフィルタリング	p.270	
マルインフォメーション	p.337	
ミスインフォメーション	p.337	
メッセージダイジェスト	p.177	
ラテラルムーブメント	p.266	
リークサイト	p.110	
リバースブルートフォース 攻撃	p.116	
リバースプロキシサーバ	p.314	
割れ窓理論	p.263	p.429

序章1

科目B トラップ対策

科目Bが，合格不合格の分かれ目です。科目Aは知識を覚えれば，すぐに得点がアップしますが，科目Bは，そう簡単ではありません。この章では，出題者が仕掛けるトラップ（罠）と，その対策法により，実戦力を身につけます。

科目Bの特徴と対策法

科目Aは，出題範囲が明確に定められているため，問題を難しくしにくいです。そこで，出題者は，科目Bを難しくすることに力を注いでいます。ここでは，そうした科目Bに立ち向かうために必要な読解の視点を説明します。

科目Bの特徴と対策法をQ＆A形式で説明します。

Q 科目Bの特徴は？

情報セキュリティマネジメント試験の全60問のうち，科目Bは12問を占めます。全体の２割しかないため，科目Bは軽視されがちですが，知識問題でなく**着眼点**と**読解力**を問う設問であり，難しいです。限られた時間で正確に高速に迷いなく，どう答えるかがポイントです。

Q なぜトラップを仕掛けるの？

合格率を100%にしたくないためです。国家試験である以上，出題者は，ある程度の合格率に抑えなければなりません。不合格者を増やす目的で，出題者はあえてややこしい問題にするために**トラップ**（罠(わな)）を仕掛けるのです。

Q 業務経験を根拠に，答えてはダメなの？

業務経験だけを根拠に答えてはいけません。なぜなら根拠が業務経験である試験問題は，受験者の経験に応じて正解が複数ありえるため，客観的でなく国家試験として大問題になりかねません。そのため出題されないのです。解答の根拠を見つけるために，前提となる知識である **［序章2　科目B　虎の巻］**（➡p.055）と，問題文の**読解**の**視点集**であるこの**序章1**を活用します。

トラップへの対策の具体例は？

出題者が仕掛けるトラップ（罠）への対策は，次のとおりです。

- ［科目B対策1］　下部から上部へとたどる （➡p.036）
- ［科目B対策2］　問題文の一部と問題文の一部を対応付ける （➡p.042）
- ［科目B対策3］　選択肢の内容の過不足に注意する （➡p.046）
- ［科目B対策4］　時系列で内容を整理する （➡p.049）

◆本書を読む前に

これまでに判明した正誤や追加情報を掲載しています。

https://www.shoeisha.co.jp/book/detail/9784798188874/

科目B対策1 下部から上部へとたどる

設問の箇所とその根拠となる箇所の対応関係を見つけにくくするために，出題者は両者の場所を離したり，下部から上部へとたどらせたりする問題を作ります。

対応関係のある，問題文・表や図・設問の場所を遠くに離す。

問題文・表や図・設問がすべて同じページに掲載されていれば，対応関係を見つけやすいです。しかし実際には，それぞれの場所が遠くに離れているのです。

対応するものを遠くに離すと，対応関係を見つけにくくなる。

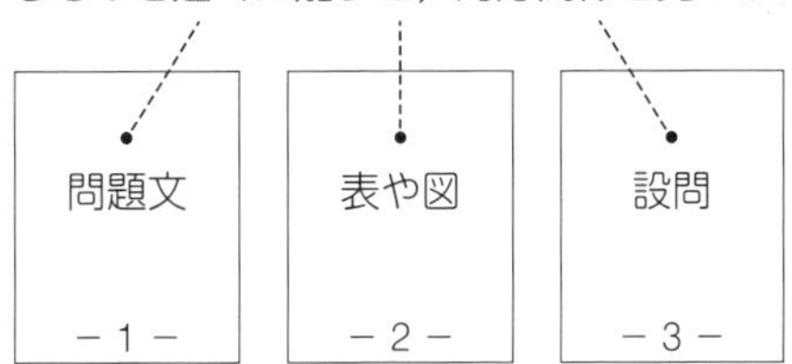

下部から上部へとたどらせる。

問題文は上部から下部へと読み進めるのに対し，問題中の対応箇所は逆方向に関連付ける必要がある問題を，出題者は出題します。

問題文は通常，上部から下部へと読み進める。

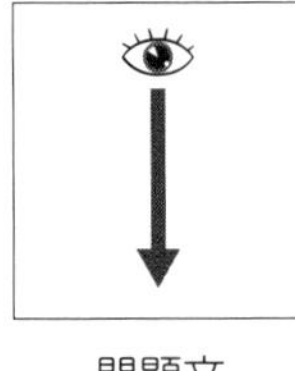

問題文

問題中の対応箇所は下部から上部へとたどる。

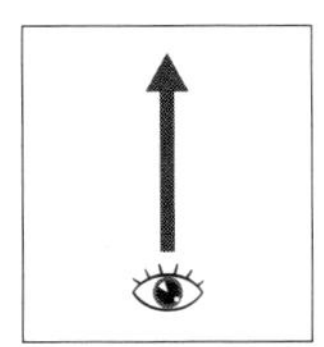

問題文

トラップ

解答の根拠を，複数箇所に散らばらせる。

例えば，概要を説明する文章と，詳細を説明する文章の場所を離します。これにより，離れた解答の根拠すべてを発見しなければならず，難易度が上がります。

その対策として，「**問題文を単独で読まない**」を実践するとよいでしょう。つまり，問題文に対応する表や図と，問題文とを交互に読むと効率的です。なぜなら，問題文の中に空所がある場合，その根拠は問題文と対応関係がある表や図に存在することが多いからです。

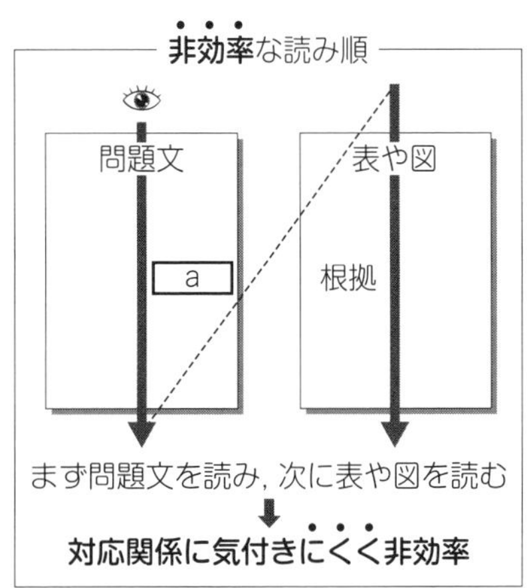

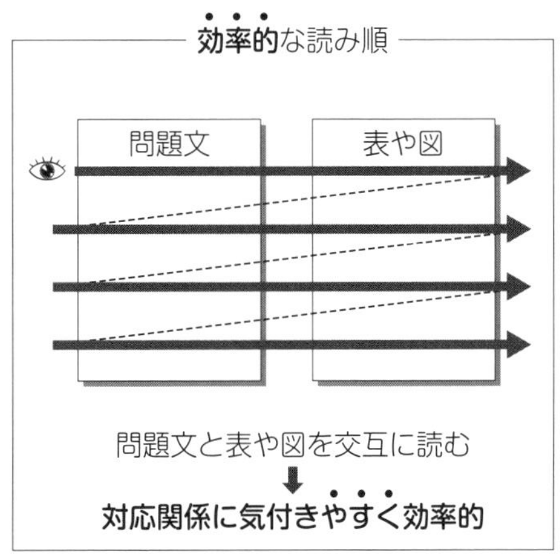

例えば，問題文の中に「○○を，表１にまとめた」と出てきたら，一旦問題文を読むのを停止し，表１と問題文とを比較しながら読むとよいです。

出題例 1 〔情報セキュリティマネジメント試験 平成29年秋 午後問2 抜粋〕

〔委託仕様書の検討〕

近年，Webアプリの脆弱性を悪用した攻撃が増えている。脆弱性の代表的な例としては，SQLインジェクションやクロスサイトスクリプティングが知られている。

S主任は，Webアプリの開発を外部に委託するに当たり，情報システム部のU課長に相談し，委託仕様書はIPAが公開している“ウェブ健康診断仕様”を参考にすることにした。また，検収の際はセキュリティ専門会社のY社に脆弱性診断を依頼することにした。“ウェブ健康診断仕様”とは，元々は地方公共団体が運営するWebサイトの基本的な対策状況を診断するための仕様であり，低コストで診断できるように，必要かつ最小限の診断項目，検査パターンを採用している。したがって，Webアプリの一般的な脆弱性診断サービスと比較すると簡素な診断項目となっている。

“ウェブ健康診断仕様”の診断項目を表1に示す。

表1 “ウェブ健康診断仕様”の診断項目（抜粋）

項番	診断項目（脆弱性名など）	危険度	受動的攻撃[1]／能動的攻撃[2]	攻撃によって影響を受ける特性[3]		
				機密性	完全性	可用性
1	SQLインジェクション	高	a1	○	○	○
2	クロスサイトスクリプティング	中	a2	○	○	
3	クロスサイトリクエストフォージェリ	中	受動的	○	○	○
4	OSコマンドインジェクション	高	能動的	○	○	○
5	意図しないリダイレクト	中	受動的	○		
6	HTTPヘッダインジェクション	中	受動的	○	○	
7	b	低～中	能動的			○

注記 本表は，P社の情報セキュリティ委員会が“ウェブ健康診断仕様”の内容，表現を自社向けに一部変更したものである。

注[1] 脆弱性を悪用する攻撃の成功には，攻撃者の用意した不正なリンクをクリックするなどの被害者の操作が必要である。

注[2] 脆弱性を悪用する攻撃の成功には，被害者の操作なしに，攻撃者がWebアプリに対して攻撃するだけでよい。

注[3] ○は影響を受けることを示す。

S主任は，表1を基に対処の必要な脆弱性を委託仕様書に列挙した。また，情報セキュリティを向上させる上で有効かつ適切な他の事項についても，委託仕様書に盛り込み，情報システム部のレビューを受けてから，開発会社のZ社にWebアプリの開発を委託した。

〔脆弱性診断結果〕

3か月後，S主任は，Z社が開発したWebアプリの検収に当たって，Y社に脆弱性診断を依頼した。Y社の脆弱性診断では，情報処理安全確保支援士が，“ウェブ健康診断仕様”に比べて診断項目が多い詳細な診断を実施する。

Y社の診断での“危険度基準”を表2に，“総合判定基準”を表3に示す。

表2　危険度基準

危険度	内容
高	能動的攻撃が成功する可能性が高く，機密性や完全性の被害につながりやすい脆弱性がある。
中	受動的攻撃が成功する可能性が高い脆弱性がある。 又は，機密性や完全性の被害にはつながりにくいものの，能動的攻撃が成功する可能性が高い脆弱性がある。
低	攻撃成功の可能性が低い脆弱性がある。 又は，攻撃が成功しても被害が軽微であると考えられる脆弱性がある。

注記　本表は，“ウェブ健康診断仕様”を基に，Y社が脆弱性診断の評価基準として作成した。

表3　総合判定基準

総合判定所見	説明
要治療・精密検査 （優先度：高）	危険度が“高”の脆弱性が検出された。直ちにWebアプリの改修などの措置を講じる必要がある。
要治療・精密検査 （優先度：通常）	危険度が“中”の脆弱性が検出された。Webアプリの改修などの措置を講じる必要がある。
差し支えない	危険度が“低”の脆弱性が検出された。Webアプリの改修などの措置を講じることが望ましい。
異常検出なし	脆弱性は検出されなかった。

注記　本表は，“ウェブ健康診断仕様”を基に，Y社が脆弱性診断の評価基準として作成した。

Y社がWebアプリの脆弱性診断を行ったところ，[c]検出されたので，総合判定所見は，“要治療・精密検査（優先度：高）”であった。

設問3 〔脆弱性診断結果〕について，(1) に答えよ。

(1) 本文中の[c]に入れる字句はどれか。解答群のうち，最も適切なものを選べ。

cに関する解答群

ア “HTTPヘッダインジェクション”の脆弱性が，1件
イ “OSコマンドインジェクション”の脆弱性が，1件
ウ “クロスサイトリクエストフォージェリ”の脆弱性が，1件
エ “クロスサイトリクエストフォージェリ”の脆弱性と“意図しないリダイレクト”の脆弱性が，それぞれ1件
オ 攻撃が成功しても被害が軽微であると考えられる脆弱性が，3件
カ 攻撃成功の可能性が低い脆弱性が，1件

《解説》

[c]の記述と，対応する値は**下部から上部へ**とたどる必要があります。具体的には，掲載順は上から表1➡表2➡表3であるのに対し，たどるのは表3➡表2➡表1の順です。次の矢印のとおりです。

表1 “ウェブ健康診断仕様”の診断項目（抜粋）

項番	診断項目（脆弱性名など）	危険度	受動的攻撃[1)]／能動的攻撃[2)]	攻撃によって影響を受ける特性[3)]		
				機密性	完全性	可用性
1	SQLインジェクション	高	a1	○	○	○
2	クロスサイトスクリプティング	中	a2	○	○	
3	クロスサイトリクエストフォージェリ	中	受動的	○	○	○
4	OSコマンドインジェクション	高	能動的	○	○	○
5	意図しないリダイレクト	中	受動的	○		
6	HTTPヘッダインジェクション	中	受動的	○	○	
7	b	低～中	能動的			○

表2 危険度基準

危険度	内容
高	能動的攻撃が成功する可能性が高く，機密性や完全性の被害につながりやすい脆弱性がある。

表3 総合判定基準

総合判定所見	説明
要治療・精密検査（優先度：高）	危険度が“高”の脆弱性が検出された。…

Y社がWebアプリの脆弱性診断を行ったところ，［ c ］検出されたので，総合判定所見は，“要治療・精密検査（優先度：高）”であった。

表1で危険度が“高”の診断項目は，SQLインジェクションとOSコマンドインジェクションです。それを含む選択肢は，**イ**だけです。

よって，正解は**イ**です。

科目B対策2

問題文の一部と問題文の一部を対応付ける

問題文⇔問題文の対応付けは，比較的気付きやすいでしょう。しかし，より気付きにくいであろう，問題文の一部と問題文の一部の対応付けを出題者はあえて出題します。

トラップ

問題文の一部⇔問題文の一部を対応付けて，両者の対応関係に気付きにくくする。

問題文の一部と問題文の一部の対応付けに加え，微妙に言い換えた表現により，両者は同じ内容でなく，別物であるかのように見せかけます。

設問とその根拠との対応関係をあえて隠したいという出題者の心理を理解し，両者を緻密に対応付ける必要があります。例は次のとおりです。

◆例 1

〔情報セキュリティマネジメント試験 平成29年秋 午後問3〕

●問題文

Webアプリの改修が完了するまでの間，Webサービスを停止する代わりに，…

●選択肢

ア　Webアプリ改修期間中のサービス中断を回避することができる。

◆例 2

〔情報セキュリティマネジメント試験 平成30年秋 午後問2〕

●問題文

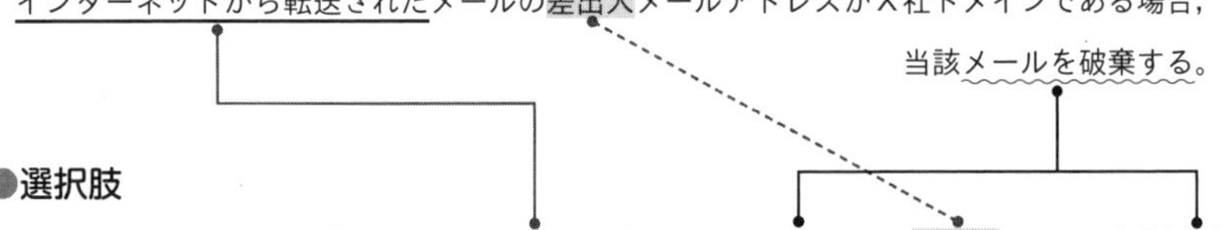

出題例 2 〔情報セキュリティマネジメント試験 平成29年秋 午後問3 抜粋〕

J社は，従業員数150名の消費者向け化粧品販売会社である。

J社は，取引先訪問中など，いつでも，どこでも仕事ができる制度（以下，モバイルワークという）を，主に営業企画部の従業員を対象に，1年前から導入している。

現在，モバイルワークを利用する従業員（以下，モバイルワーカという）は20名おり，モバイルワークについて改善点や問題点などを発見した場合は，R課長に連絡することになっている。J社はモバイルワーク用に許可した機器（以下，モバイル端末という）としてノートPCを一人1台貸与している。

モバイルワーク利用規程を図1に（中略）示す。

- モバイルワーカは，業務データをモバイル端末に保存したままにせずに，内部ネットワークのファイルサーバに保存すること
- モバイルワーカは，取引先とのファイル共有に会社が用意したファイル共有サービスだけを使用すること
- モバイルワーカは，モバイル端末を紛失した場合，速やかに運用担当者に連絡すること

図1　モバイルワーク利用規程（抜粋）

営業企画部は，モバイルワーカを対象にモバイルワークに関する満足度調査を実施した。調査では，ノートPCは大きく重いのでスマートフォンやタブレット（以下，スマートデバイスという）に替えてほしいという要望が多かった。

〔情報セキュリティ上のリスクと対策〕

営業企画部の情報セキュリティ責任者であるK部長は，スマートデバイスを人数を限定して試験的に利用させることにし，スマートデバイスの利用案をG主任と検討して，報告するようR課長に指示した。

表2　モバイルワークにスマートデバイスを利用した場合のリスクと対策案（抜粋）

リスク	対策案（J社で実施中の対策を含む）
スマートデバイスの紛失・盗難による情報漏えい及び消失	• 紛失・盗難時に，スマートデバイスを遠隔操作で運用担当者がロック[1)] • 紛失・盗難時に，スマートデバイスの内部記憶媒体及びスマートデバイスに装着している外部記憶媒体の全領域を遠隔操作で運用担当者が初期化 • [b]

注記　リスクに対して複数の対策案が示されている場合は，全て行うことを意味する。
注[1)]　スマートデバイスのロックとは，パスワードなどによって認証されないとスマートデバイスの操作ができないようにする機能のことである。

設問1　〔情報セキュリティ上のリスクと対策〕について，(1) に答えよ。

(1)　表2中の [b] に入れる字句はどれか。解答群のうち，最も適切なものを選べ。

bに関する解答群

ア　J社の内部ネットワークのファイルサーバに業務データを保存
イ　スマートデバイス内にフォルダを作成し，そこに業務データをバックアップ
ウ　スマートデバイスに常に装着されている外部記憶媒体に業務データをバックアップ
エ　モバイルワーカが個人で契約しているファイル共有サービスに業務データをバックアップ

《解説》

「消失」と［ b ］は対応関係があります。つまり［ b ］は「消失」に対応する対策案です。なぜなら，表2のリスク欄で，「及び」より後の記述に対応する対策案が記述されていないため，［ b ］がそれに対応するはずだからです。

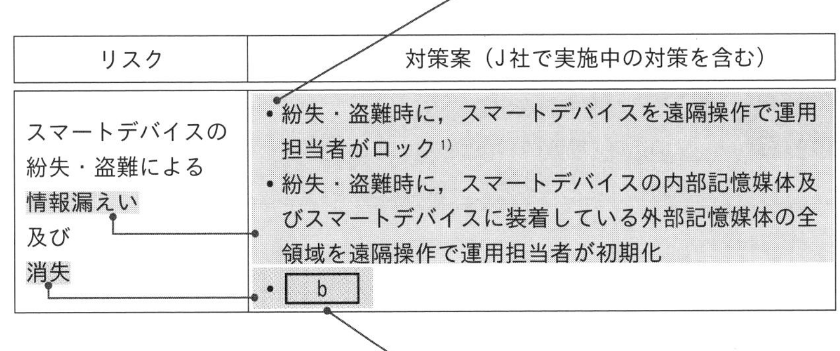

アは正解です。図1の記述「**・モバイルワーカは，業務データをモバイル端末に保存したままにせずに，内部ネットワークのファイルサーバに保存すること**」により「消失」を防ぐための対策案となります。内部ネットワーク（社内LAN）のファイルサーバに保存されていれば，万一の場合，そこから情報を復旧すればよいため，情報の消失を防げるからです。

イと**ウ**は，スマートデバイスの内部にあったりや装着されたりしているので，紛失・盗難時には，消失の対策となりません。

エは，図1の記述「**・モバイルワーカは，取引先とのファイル共有に会社が用意したファイル共有サービスだけを使用すること**」に反するため適切ではありません。

科目B対策3

選択肢の内容の過不足に注意する

受験者が不正解の選択肢に誤って飛びつくように，出題者は選択肢に，言い過ぎ・不足・無関係の内容を巧みにまぜ込みます。

誤りそうな選択肢を出題する。

思い込み・勘違い・早とちりのために誤答しやすい選択肢を出題します。選択肢を何度も読み直し，過不足のない内容の選択肢を選びます。

誤りそうな選択肢の例は，次のとおりです。

- 業務経験・ありがちな一般論を根拠にした，**勘違い**を誘う選択肢
- まるで「質問に対する答えになっていない会話」のような，設問の答えとしては**ピント外れ**の選択肢
- 問題文で言っていないことまで**言い過ぎ**ている選択肢
- 部分的には正しくても，必要な要素が**不足**している選択肢
- 問題文とは，**無関係**な内容の選択肢

出題例3

〔情報セキュリティマネジメント試験 令和4年サンプル問題 問1〕

A社は，スマートフォン用のアプリケーションソフトウェアを開発・販売する従業員100名のIT会社である。A社には，営業部，開発部，情報システム部などがある。情報システム部には，従業員からの情報セキュリティに関わる問合せに対応する者（以下，問合せ対応者という）が所属している。

A社は，社内の無線LANだけに接続できるノートPC（以下，NPCという）を従業員に貸与している。A社の従業員は，NPCから社内ネットワーク上の共有ファイルサーバ，メールサーバなどを利用している。A社の従業員は，ファイル共有には，共有ファイルサーバ及びSaaS型のチャットサービスを利用している。

A社は，不審な点がある電子メール（以下，電子メールをメールといい，不審な

点があるメールを不審メールという）を受信した場合に備えて，図1の不審メール対応手順を定めている。

【メール受信者の手順】
1 メールを受信した場合は，差出人や宛先のメールアドレス，件名，本文などを確認する。
2 少しでも不審メールの可能性がある場合は，添付ファイルを開封したり，本文中のURLをクリックしたりしない。
3 少しでも不審メールの可能性がある場合は，問合せ対応者に連絡する。

【問合せ対応者の手順】
（省略）

図1　不審メール対応手順

ある日，不審メール対応手順が十分であるかどうかを検証することを目的とした，標的型攻撃メールへの対応訓練（以下，A訓練という）を，営業部を対象に実施することがA社の経営会議で検討された。営業部の情報セキュリティリーダであるB主任が，マルウェア感染を想定したA訓練の計画を策定し，計画は経営会議で承認された。

今回のA訓練では，PDFファイルを装ったファイルをメールに添付して，営業部員1人ずつに送信する。このファイルを開くとPCが擬似マルウェアに感染し，全文が文字化けしたテキストが表示される。B主任は，A訓練を実施した後，表1に課題と解決案をまとめて，後日，経営会議で報告した。

表1　課題と解決案（抜粋）

課題No.	課題	解決案
課題1	不審メールだと気付いた営業部員が，注意喚起するために部内の連絡用のメーリングリスト宛てに添付ファイルを付けたまま転送している。	不審メール対応手順の【メール受信者の手順】の3を，“少しでも不審メールの可能性がある場合は，問合せ対応者に連絡した上で，[a]”に修正する。
課題2	（省略）	（省略）

設問 表1中の[a]に入れる字句はどれか。解答群のうち，最も適切なものを選べ。

解答群

ア 注意喚起するために，同じ部の全従業員のメールアドレスを宛先として，添付ファイルを付けたまま，又は本文中のURLを記載したまま不審メールを転送する。

イ 注意喚起するために，全従業員への連絡用のメーリングリスト宛てに添付ファイルを付けたまま，又は本文中のURLを記載したまま不審メールを転送する。

ウ 添付ファイルを付けたまま，又は本文中のURLを記載したまま不審メールを共有ファイルサーバに保存して，同じ部の全従業員がアクセスできるようにし，メールは使わずに口答，チャット，電話などで同じ部の全従業員に注意喚起する。

エ 問合せ対応者の指示がなくても，不審メールを問合せ対応者に転送する。

オ 問合せ対応者の指示に従い，不審メールを問合せ対応者に転送する。

《解説》

ア，**イ**，**ウ**，**エ**は，**言い過ぎ**の選択肢です。問合せ対応者に連絡した上で行うべきこととして，指示がないまま，**ア**，**イ**の「不審メールを転送する」，**ウ**の「不審メールを共有ファイルサーバに保存」，**エ**の「不審メールを問合せ対応者に転送する」というのは**余計なこと**をしています。また，その不審メールにより，さらなる被害の拡散につながりかねません。

オは，正解です。問合せ対応者に連絡した上で，問合せ対応者の指示に従い，不審メールを問合せ対応者に転送する，つまり，いくら注意喚起するためであっても，問合せ対応者の指示がないままでは不審メールを転送しないということです。

科目B対策4 時系列で内容を整理する

時系列とは，時間の順序に従って並べられた内容のことです。本来，問題文は時系列で記述すべきですが，あえて時系列をくずして出題することで，受験者の誤答を誘います。

時系列とは無関係の順序で，問題文を掲載する。

時間軸や手続の手順とは異なる順序の問題文を出題者はあえて出題します。時系列や手順どおりとなるように，問題文を書き直すと，混乱による誤答を避けられます。

出題例4

〔情報セキュリティマネジメント試験 平成28年春 午後問2 抜粋〕

〔B社担当者の追加及び変更〕

A社では，Dシステムの閲覧権限の付与について，次の手続を定めている。

(1) 各情報のオーナ部署の長が，閲覧権限を付与する対象者を決める。

(2) 情報システム部は，情報のオーナ部署の長の決定に従ってDシステムの閲覧権限を設定する。

(3) 利用部署の希望によって閲覧権限を付与する場合は，利用部署の長が，その情報のオーナ部署の長に申請して承認を得る。

(4) 利用部署が，業務委託先要員への閲覧権限付与を希望する場合は，[c]。

設問2 〔B社担当者の追加及び変更〕について，(1) に答えよ。

(1) 本文中の [c] に入れる字句はどれか。解答群のうち，最も適切なものを選べ。

cに関する解答群

ア　業務委託先の管理者が，利用部署の長に名簿を提出するとともに，情報のオーナ部署の長に申請する

イ　業務委託先の従業員が，利用部署の長に申請し，利用部署の長が，情報のオーナ部署の長に申請する

ウ　利用部署の長が，業務委託先から提出された申請書を情報のオーナ部署の長に転送する

エ　利用部署の長が，業務委託先の管理者から提出された利用者の情報に基づき，情報のオーナ部署の長に申請する

《解説》

問題文は，手続の手順どおりでなく，あえて手続の手順とは異なる順序で掲載されています。問題文を手続の手順どおりに書き直すと，Dシステムの閲覧権限の付与の手続は，次のとおりです。なおオーナとは所有者のことで，情報のオーナ部署とは情報を所有している部署のことです。

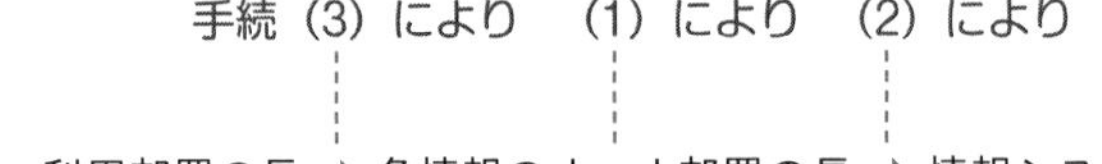

- 利用部署の長が申請 ➡ 各情報のオーナ部署の長が決定（承認） ➡ 情報システム部が閲覧権限を設定

アは，業務委託先の管理者が，情報のオーナ部署の長に申請してはなりません。

イは，業務委託先の従業員が，利用部署の長に申請してはなりません。

ウは，利用部署の長は，情報のオーナ部署の長に申請する必要があります。単に，転送するだけでは「申請」が**不足**しています。

エは，正解です。利用部署の長が，情報のオーナ部署の長に申請しています。

出題例 5 〔情報セキュリティマネジメント試験 令和元年秋 午後問1 抜粋〕

J社は，従業員数90名の生活雑貨販売会社であり，店舗とECサイト（以下，J社のECサイトをJサイトという）で生活雑貨を販売している。

〔Jサイトの情報セキュリティ対策〕

顧客用アカウントとその認証の仕様は顧客の利便性を考慮し，次のようになっている。

- 新規にアカウントを登録する際に，既に使われている利用者IDを指定すると，使用されている旨を画面に表示

〔情報セキュリティインシデントの発生〕

不正ログインへの対応が完了した後に開催された情報セキュリティ委員会で，今回のインシデントについて，情報システム部のU部長及びカスタマサポート部のM部長から調査結果が表1のとおり報告された。

表1　調査結果

攻撃	調査結果
攻撃1	Jサイトの2018年10月からのログインログを確認したところ，2018年11月5日の3:00～4:00に海外のあるIPアドレスから，不正ログインの試みと思われる攻撃が980件の顧客用アカウントに対して1件ずつあり，その全てがJサイトに実在する顧客用アカウントに対するものであった。980件の不正ログインの試みのうち，90件が成功していた。
攻撃2	Jサイトのアクセスログの中からアカウント新規登録画面へのアクセスのログを確認したところ，攻撃1と同一のIPアドレスから合計100,000件のアカウントの登録が2018年10月から試みられており，攻撃1の不正ログインで利用された980件が登録済みアカウントとしてエラーとなっていた。

〔攻撃1への対応〕

次は，攻撃1についてのE部長とCさんの会話である。

E部長：攻撃1には，Jサイトから漏えいした顧客用アカウントの認証情報が利用されているとは考えられませんか。

Cさん：考えられません。もし，漏えいした顧客用アカウントの認証情報が利用されているとしたら，ログインが全て成功しているはずです。しかし，ログインの9割は失敗しています。

E部長：攻撃1では，どのような方法が使われたと考えられますか。

Cさん：攻撃1では，最近よく聞く，[a]という方法が使われたと考えています。その方法を使った攻撃は，一般的に[b]場合に成功しやすいといわれています。

設問1 〔攻撃1への対応〕について，(1)～(2)に答えよ。

(1) 本文中の[a]に入れる字句はどれか。解答群のうち，最も適切なものを選べ。

aに関する解答群

ア Jサイトの顧客の個人情報が保存されているデータベースの管理用アカウントの認証情報を利用して不正アクセスする

イ Jサイトの顧客の個人情報が保存されているデータベースの脆(ぜい)弱性を利用して不正アクセスする

ウ Jサイトのパスワード入力時のパスワード判定ロジックの脆弱性を利用する

エ 認証情報のリストに不正にアクセスし，改ざんする

オ 認証情報のリストを入手して利用する

(2) 本文中の[b]に入れる字句はどれか。解答群のうち，最も適切なものを選べ。

bに関する解答群

ア 攻撃対象のサイトにSQLインジェクションの脆弱性がある

イ 攻撃対象のサイトのWAFのシグネチャやIPSのシグネチャの定期的な更新がされていない

ウ 攻撃対象のサイトの顧客が複数のオンラインサービスで認証情報を使い回している

エ 攻撃対象のサイトの顧客用アカウントの認証情報に単純で短いパスワードを設定できる

オ 攻撃対象のサイトの問合せフォームの処理に脆弱性がある

カ 攻撃対象のサイトのログイン処理に送信元IPアドレスによるアクセス制限機能がない

《解説》

攻撃1と攻撃2は，別々の攻撃でなく，同一犯が行ったものです。さらに，掲載順は攻撃1➡攻撃2ですが，これらの攻撃を時系列で表すと，攻撃2➡攻撃1の順であり，わざわざ異なる順序で掲載しているのです。具体的には，次のとおりです。

① 攻撃者は，別のサービスから流出したアカウントとパスワード（パスワードリスト）を持っている。

② 攻撃2で，攻撃者がうち100,000件のアカウントの登録をJサイトで試みる。流出したアカウントの中から，Jサイトで登録済みとしてエラーとなった（つまりJサイトに存在する）アカウント980件を把握する。

③ 攻撃1で，攻撃者がそのアカウント980件について，流出したパスワードで不正ログインを試み，うち90件が成功する。

その根拠は，攻撃2の調査結果の記述に「攻撃1と同一のIPアドレスから」とあることや，同じく「攻撃1の不正ログインで利用された980件が登録済みアカウントとしてエラーとなっていた」とあることからです。また，攻撃2が「2018年10月から」，攻撃1が「2018年11月5日」と記述されているため，攻撃2➡攻撃1の順だと分かります。

なお，上記の②で「Jサイトに存在するアカウント」と分かる理由は，「・新規にアカウントを登録する際に，既に使われている利用者IDを指定すると，使用されている旨を画面に表示」(〔Jサイトの情報セキュリティ対策〕) するという記載があるためです。

また，上記の①の「別のサービスから流出したアカウントとパスワード」を使った攻撃は，パスワードリスト攻撃です。**パスワードリスト攻撃** (➡p.116) とは，利用者ID・パスワードを**使い回す**利用者が多いことから，あるWebサイトやシステムから流出した利用者IDとパスワードのリストを使って，別のWebサイトやシステムへの不正ログインを試みる攻撃です。

◆(1) [a]

パスワードリスト攻撃の方法に関する記述を選びます。なお，[a]の前で，Cさんの発言「もし，漏えいした顧客用アカウントの認証情報が利用されているとしたら，ログインが全て成功しているはずです。しかし，ログインの9割は失敗しています」も根拠となります。

ア，**イ**は，顧客の個人情報が保存されているデータベースに不正アクセスしたのであれば，ログインは全て成功しているはずであるため，誤りです。

ウの「パスワード判定ロジックの脆弱性」や**エ**の「改ざん」は，パスワードリスト攻撃とは無関係のため，誤りです。

オは，正解です。パスワードリスト攻撃の方法の記述です。

◆(2) [b]

パスワードリスト攻撃に関する記述は，**ウ**の「使い回している」だけです。それ以外は，パスワードリスト攻撃とは無関係の記述です。

よって，正解は**ウ**です。

序章2

科目B 虎（とら）の巻

　科目Bでは「知ってて当然」のように，問題文に掲載される用語・考え方が存在します。序章2では，これらをまとめました。事前に学習しておけば，問題文の内容・背景を理解しやすくなり，高得点に結びつくでしょう。

　科目Aの学習前ですが，ここではあえて科目Bで問われる内容を掲載しています。後回しになりがちな一方で，合格不合格の分かれ目となる科目Bに着目するためです。

科目B 虎の巻とは

序章2では問題文に登場するリスク・対策・着眼点・考え方・関連用語をまとめました。序章1と序章2の両者を融合させて活用すれば，科目Bで大いに役に立つでしょう。

この序章2「科目B 虎の巻」について，Q＆A方式で説明します。

Q 「科目B 虎の巻」とは？

A 文字どおり，あんちょこ・攻略本・ハウツー本です。「出題者が受験者に問いたい内容」を，過去問題をもとに徹底的に分析し，覚えやすい形式で収録しました。

Q 過去問題の範囲は？

A 情報セキュリティマネジメント試験のすべての過去問題です。さらに，基本情報技術者試験・応用情報技術者試験・情報処理安全確保支援士試験などの過去問題の中からも盛り込みました。多くの過去問題で同じ・似た内容が複数回，出題されており，今後，この試験でも出題される可能性が十分あるからです。

Q 科目Bで「知ってて当然」の内容とは？

A 「知ってて当然」のように出題される一方で，受験者にとって「分からない」内容は，次の３種類です。この序章２ではこれらを説明しています。

- 「**用語**が分からない」
  科目Ａの学習ではなかなか登場しない用語。例 セキュリティトークン
- 「**対策**が分からない」
  サイバー攻撃への対策・そのための技術・製品。例 初動対応・構成管理
- 「**問われる内容**が分からない」
  設問で問われる考え方。例 ２要素認証・相互牽制・最小権限の原則

本書に同梱された**赤シート**を活用して，**赤色文字**の箇所を確認するとよいでしょう。

科目B 虎の巻

序章のため，まだ学習前の内容が多いのですが，「そんな対策もあるんだな」と感じる対策が多いことでしょう。試験対策としてはもちろんですが，実際の仕事の現場でも活かせるものが多く，その意味でも「虎の巻」と言えるかもしれません。

初動対応

インシデント[*1]発生直後に行う最初の対応のことです。

◆感染が疑われる場合の初動対応

感染直後や感染が疑われる場合に行う初動対応は，次のとおりです。

- 組織内の**情報集約窓口**[*2]・CSIRT（シーサート）[*3]・上長に連絡する。
- 利用者IDを**利用停止**にする。
- 利用者IDのシステムへの**アクセス権**の**無効化**を行う。
- パスワードを変更する。
  不正アクセスが疑われる場合，そのシステムのパスワードを変更するのが，暫定的（ざんていてき）な対処方法。
- **脆弱性修正プログラム**（**セキュリティパッチ**）を適用する。
  対象はOS・ミドルウェア[*4]・ソフトウェア。脆弱性に対応したセキュリティパッチがある場合，それを適用する。
- ソフトウェアの利用を**停止**する。
  脆弱性をもつソフトウェアの利用をとりあえず停止する。ただし，ビジネスに影響が出る場合，経営者・上長からの**事前**承認が必要。

***1：インシデント**
やりたいことができない状況。

***2：情報集約窓口**
インシデント対応チームともいう。

***3：CSIRT**
情報セキュリティのインシデント発生時に対応する組織。（➡p.250）

***4：ミドルウェア**
OSとソフトウェアの中間にあり両者を仲立ちするソフトウェア。例えば，Webサーバ・DBMS（データベース管理システム）・アプリケーションサーバ。

- ネットワークから切り離す。
  感染した情報機器をネットワークから切り離す。情報機器を**隔離**する，**オフライン**にするともいう。具体的には，**LANケーブル**を抜く，かつ，**無線LAN**を**オフ**にする。**マルウェア**[*5]が他の情報機器と通信し，被害を拡大させる事態を防ぐために。ただし，他の部署に影響が出る場合，他の部署からの事前承認が必要。

- 攻撃の送信元IPアドレスからの通信を**ファイアウォール**（FW）で**遮断**するように，担当者に依頼する。

◆やってはいけない初動対応

行うべきでない初動対応は，次のとおりです。

✕攻撃があったことをむやみに他人に**知らせる**。
情報集約窓口・CSIRT・上長でなく，それ以外の人にはむやみに連絡しない。その連絡用メール内の添付ファイルやリンクをクリックして，他の人に感染が拡大しかねないため。

✕感染した情報機器を**電源オフ**にする・**再起動**する。
メモリ上にある情報（攻撃手法・攻撃による流出情報）を残しておき，**デジタルフォレンジックス**[*6]で活用する。電源オフにすると，それらを実施できなくなる。また，電源オフにする間にマルウェアの被害が広がる可能性があるため。

✕感染したPCを**初期化**[*7]する。ファイルを操作する。
PCのHDD[*8]やSSD[*9]上に保存された情報（攻撃手法・攻撃による流出情報）を残しておき，デジタルフォレンジックスで活用するため。初期化・操作すると，それらを実施できなくなる。
ただし，証拠保全の必要性だけでなく，**業務を復旧**させる必要性の両面からその対応を決定する必要がある。

✕**Webブラウザ**に表示された警告メッセージのリンクをクリックする。

***5：マルウェア**
利用者の意図しない動作をするソフトウェア全般のこと。(➡p.106)

***6：デジタルフォレンジックス**
情報セキュリティの犯罪の証拠となるデータを収集・保全すること。(➡p.276)

***7：初期化**
ここではインストールし直すこと。

***8：HDD**
Hard Disk Driveの略。HDDとSSDを合わせて，内蔵ストレージともいう。

***9：SSD**
Solid State Driveの略。フラッシュメモリを用いてデータの読み書きを行う記録媒体。ハードディスクの代替として普及している。

警告メッセージを無視したり，Webブラウザを閉じたりすべき。リンクをクリックしたり，問合せ電話番号に連絡したりしない。あくまでも警告メッセージの表示のみで，ファイルは暗号化されておらず，**ランサムウェア**[*10]ではないため。

*10：**ランサムウェア**
コンピュータのファイルやシステムを使用不能にし，その復旧と引き換えに金銭を要求するソフトウェア。
(➡p.110)

◆感染被害の拡大の確認方法

他の情報機器に感染を拡大させたり，インターネットに情報を送信させたりしないために，感染被害の拡大を確認する方法は，次のとおりです。

- 最新のマルウェア定義ファイルで，**フルスキャン**を行い，マルウェアが他に**検出**されないかを確認する。
- 他の情報機器で，マルウェアによる**警告メッセージ**が表示されないかを確認する。
- ランサムウェアの場合，**拡張子**が**変更**されたファイルが，他の情報機器にないかを確認する。

トピックス

「虎の巻」の活かし方

虎の巻では，試験で問われる次の２点に着目しましょう。

◆いつ（事前に・定期的に・即座に など）

情報セキュリティ対策を**いつ**行うかが誤っているため，不正解になる選択肢があります。例えば，ファイルのバックアップは，ファイル暗号化型ランサムウェアの感染**前**に行う必要があります。事**後**にバックアップを取る選択肢は誤りです。

◆バランス（よいことばかりではない。やり過ぎると…）

情報セキュリティ対策を行うと，その対策による**デメリット**が生じることがあります。試験では，そのちょうどよい**バランス**の選択肢を選ぶ必要があります。なお，本書では「ただし」に続く文章の中に，対策によるデメリットを記載しています。

出題例 1 〔情報セキュリティマネジメント試験 平成28年秋 午後問3 抜粋〕

利用については図2に示すP社基盤情報システム利用規程（以下，利用規程という）を整備している。

> 4. 情報セキュリティインシデント（以下，インシデントという）の発生時には，その対応として第一に被害拡大防止に努め，第二に証拠保全に努めること。

図2　利用規程（抜粋）

〔インシデントの発見と初動対応〕

連絡を受けたB課長は，利用規程にのっとり，①Eさんに初動対応を指示し，併せてA部長に報告した。

設問 1　〔インシデントの発見と初動対応〕について，(1) に答えよ。

(1)　本文中の下線①について，次の（ i ）～（ v ）のうち，B課長がEさんに指示すべき初動対応だけを全て挙げた組合せを，解答群の中から選べ。

(i) EさんのPCのHDD内のフォルダとファイルに対して何も操作をしない。
(ii) EさんのPCの電源を強制切断し，かつ，電源ケーブルを電源コンセントから外す。
(iii) EさんのPCをLANから切り離す。
(iv) EさんのPCを再起動する。
(v) EさんのPCを使ってEさんの基盤情報システムへのログインパスワードを変更する。

解答群

ア（ i ）	イ（ i ），（ iii ）	ウ（ i ），（ iv ），（ v ）
エ（ ii ），（ iii ）	オ（ ii ），（ v ）	カ（ iii ），（ iv ），（ v ）
キ（ iii ），（ v ）	ク（ iv ），（ v ）	

《解説》

初動対応については，図2の4で，「…**インシデントの発生時には，その対応として第一に被害拡大防止に努め，第二に証拠保全に努めること**」と記述があります。それに該当する初動対応を選びます。

（ⅰ）は，正しいです。**証拠保全**に該当します。仮にHDD内のフォルダとファイルを削除すると，証拠を失いかねないためです。

（ⅱ）は，電源を強制切断すると，**被害拡大防止**にはなるかもしれませんが，PCのメモリ上にある情報を失い，証拠を失いかねません。

（ⅲ）は，正しいです。ネットワーク（LAN）から切り離すことは，**被害拡大防止**に該当します。

（ⅳ）は，再起動により，PCのメモリ上にある情報などの証拠を失いかねません。

（ⅴ）は，感染が疑われるEさんのPCを使って，ログインパスワードを変更すると，その途中でネットワークにつながるため，被害を拡大させかねません。

指示すべき初動対応は，（ⅰ），（ⅲ）だけです。

よって，正解は**イ**です。

◎ 構成管理

情報機器・ソフトウェア・関連資料についての**最新状況**を**構成管理データベース**[*11]に登録する活動です。インシデント発生時の**影響**範囲，その後の情報システム変更時の**対象**範囲を，そのデータベースをもとに**迅速に把握**・対応することを目的としています。また，同じ目的で，**IT資産管理ツール**を使うことがあります。

＊11：構成管理データベース
英語で，Configuration Management Database（CMDB）ともいう。

◆構成管理データベースに登録するもの

- OS・ミドルウェア・ソフトウェアを対象に，その**名称**と**バージョン**情報をデータベースに登録する。
- 常に最新状況に，情報を更新する。

マルウェア対策ソフト

マルウェアを検出・削除し，情報機器にマルウェアが感染することを防ぐための製品です。ワクチンソフトと同義語です。代表的なマルウェア検出方法として，パターンマッチング法と振舞い検知法があります。

- パターンマッチング法
  あらかじめマルウェアの特徴（シグネチャコード[*12]）を定義したマルウェア定義ファイルを用意し，それに合致するかどうかでマルウェアの有無を調べる方法。ただし，マルウェア定義ファイルに定義されていない未知のマルウェアは，検出できない。

***12：シグネチャコード**
マルウェアであると識別できる，プログラムコード中の特徴のある一部分。英語で，signature code。

- 振舞い検知法[*13]
  パターンマッチング法を補うための方法で，プログラムが行う危険な行動（振舞い）を検出した時点で，マルウェア対策ソフトは，マルウェアに感染したと判断する。**動的解析**の一種。例えば，ファイルの書込み・コピー・削除，通信量の異常増加を危険な行動とみなす。

  ただし，正規のソフトウェアの振舞いが異常と判定される場合がある。その場合，そのソフトウェアを判定対象の除外リストに登録し，誤検知が生じないようにする。

***13：振舞い検知法**
ビヘイビア法ともいう。語源は，behavior（振舞い）から。

マルウェア対策ソフトを使用する際の注意点は，次のとおりです。

- **マルウェア対策ソフト**[*14]の**マルウェア定義ファイル**[*15]を最新化する。最新のマルウェア情報をもとにスキャンをするために。

- **リアルタイムスキャン**だけでは，すり抜けるマルウェアもあるため，定期的に**フルスキャン**を行う。リアルタイムスキャ

***14：マルウェア対策ソフト**
いわゆるウイルス対策ソフトと同義。（➡p.284）

***15：マルウェア定義ファイル**
パターンファイルともいう。

ンとフルスキャンの違いは，次のとおり。

- **リアルタイムスキャン**
  読み書きしたり実行したりしたファイルを対象に行うスキャン。この時点では未知のマルウェアで，その後判明したマルウェアは，この時点のスキャンでは検知できない。

- **フルスキャン**
  HDDやSSDに保存されたすべてのファイルを対象に行うスキャン。最新のマルウェア定義ファイルに登録されたマルウェアを検知する。

- **脆弱性修正プログラム**（セキュリティパッチ）を適用する。
  対象はOS・ミドルウェア・ソフトウェア。脆弱性に対応したセキュリティパッチがある場合，それを適用する。

- 感染が疑われる場合，**オフライン**[*16]でマルウェア定義ファイルを更新し，フルスキャンを行う。
  具体的には，別の情報機器で最新のマルウェア定義ファイルをダウンロードし，USBメモリを経由して感染が疑われる情報機器にコピーする。マルウェア対策ソフトに手動で適用させたうえで，フルスキャンを行う。ネットワークを経由してマルウェア定義ファイルを適用させると，ネットワーク経由で他へマルウェア感染が拡大する危険性があるため。

- **定期的**に**バックアップ**する。
  被害に遭（あ）う場合に備え，**事前**にデータを複製（コピー）しておくこと。

***16：オフライン**
ネットワークから切り離された状況を意味する。ローカルと同義。反意語はオンライン。

2要素認証

なりすまし[*17]を防ぐために，認証方法（知識認証・所有物認証・生体認証）のうち，異なる認証方法を2つ組み合わせる方式です。例えば，顔により**生体**認証を行うだけでなく，パス

***17：なりすまし**
本人でないのに，本人のふりをすること。

ワードにより**知識**認証を行い，安全性を高めます。

利用者認証は，認証方法により，知識認証・所有物認証・生体認証の３つに分けられます。

- **知識**認証　：本人のみが知る**情報**により認証する。
- **所有物**認証：本人のみが持つ**物**により認証する。
- **生体**認証　：本人のみがもつ**身体**的特徴・**行動**的特徴により認証する。

◆２要素認証と２段階認証

関連する用語の違いは，次のとおりです。

- ２要素認証：異なる認証方法を２つ組み合わせる方式。
- ２段階認証：同一の認証方法を２つ組み合わせる方式。

◆所有物認証の例

２要素認証の例を挙げます。パスワードによる**知識**認証に加え，次の４つのうちのひとつを対象に，ログイン先から**認証キー**が送信されます。受け取った利用者は，この認証キーをログイン先の画面に入力することで，それを持っているという**所有物**認証となります。

- スマートフォンの**アプリ**
- **メール**
- SMS[*18]
- セキュリティトークン[*19]

また，認証キーは**ワンタイムパスワード**[*20]でもあります。その入力作業を所定の時間内に行うことで，利用者が今，入力したことが確かめられます。ただし，それらを紛失した場合，認証キーを画面に入力できなくなり，結果としてログインできなくなるという課題があります。

***18：SMS**
Short Message Service（ショートメッセージサービス）の略。電話番号を宛先にして短い文章を送受信できる。

***19：セキュリティトークン**

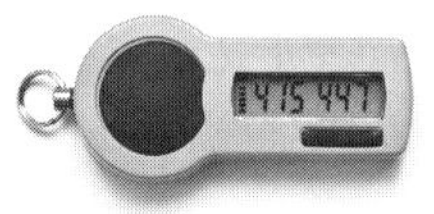

セキュリティトークン

***20：ワンタイムパスワード**
１回限り有効な使い捨てパスワード。認証のたびにパスワードを作り，時間が経過するとパスワードは無効になる。仮にパスワードが盗聴されても，次回は異なるパスワードに変わるため，不正利用を防止できる。

出題例2　〔情報セキュリティマネジメント試験 平成28年秋 午後問1 抜粋〕

〔問題点の整理，対策の検討〕

U課長は，Xサービスを B社へのファイル提供に利用したこと自体が誤りであったとして，表2のように，Xサービスを業務で利用することの問題点とその理由を指摘した。

表2　Xサービスを業務で利用することの問題点とその理由

番号	問題点	理由
3	[d]	インターネット上で提供される社外のITサービスを業務で利用する場合は，なりすましのリスクを軽減するために2要素認証などの強固な対策が必要であると，情報セキュリティ関連規程に定めているから。

設問2　〔問題点の整理，対策の検討〕について，(1) に答えよ。

(1)　表2中の [d] に入れる字句はどれか。解答群のうち，最も適切なものを選べ。

dに関する解答群

ア　スマートフォンやタブレットから利用できる。

イ　操作の履歴情報が提供されない。

ウ　通信中の情報が暗号化されない。

エ　登録したファイルに対するウイルスチェック機能をもたない。

オ　メールアドレスとパスワードだけで利用できる。

《解説》

表の見出し（問題点と理由）をもとにまとめると，「なりすましのリスクを軽減するために２要素認証などの強固な対策が必要である」から，[d]は問題だということです。なりすましのリスクの軽減や，２要素認証という対策が必要になるような事象が[d]に入ります。

ア，**イ**，**ウ**，**エ**は，なりすましのリスクの軽減や２要素認証とは無関係です。

オは，正解です。パスワードだけだと，知識認証だけのため２要素認証ではなく，なりすましのリスクの軽減が必要になります。

◎ 相互牽制(けんせい) *21

誤りや不正行為を防止するために，次のことを行います。

- **職務を分離** *22 し，ダブルチェック *23 により互いに確認し合い，**相互牽制**を行う。
- 相互牽制を行っていることを**周知徹底**し，**抑止効果**を狙う。

相互牽制が機能していない現状を出題させたり，その改善策を問うたりする設問が出題されます。具体的には，次のとおりです。

***21：牽制**
相手の自由な行動をおさえ，妨(さまた)げること。

***22：職務を分離**
担当を分担すること。

***23：ダブルチェック**
ここでは，ある事柄の確認を，１人でなく複数人で行うこと。

◆ダブルチェックによる相互牽制が機能しない例

✕業務をやりっ放しで，その後に**承認**を受けるプロセスがない場合。

✕データ入力について，１人で，**入力**権限をもち，かつ**承認**権限ももつ場合。

✕利用者IDの管理について，１人で，**操作**権限をもち，かつ**承認**権限ももつ場合。

◆周知徹底の目的

相互牽制を行っていることを広く知らせて，情報共有する目的は，次のとおりです。

- 情報を不正に社外に持ち出すのが難しいことが分かるから。
- 不正を隠し通せないことが分かるから。

出題例 3　〔情報セキュリティマネジメント試験 平成30年秋 午後問1 抜粋〕

〔手口と対策〕

L課長は，今回の出来事を教訓としてF社で改善すべき点がないか，情報セキュリティリーダであるS主任と話し合った。そのときの会話を次に示す。

S主任：振込依頼情報の作成前に，M主任が自分一人の判断で取引先口座マスタ中のB社の口座情報を変更できたという問題があります。対策として，［ f1 ］ことを進めます。振込依頼書の承認が省略できたという問題については，［ f2 ］ことを進めます。これによって，振込依頼書の書類を廃止でき，操作結果が社内システムに自動的に記録できるようにもなります。

設問5　〔手口と対策〕について，(5) に答えよ。

(5)　本文中の［ f1 ］，［ f2 ］に入れる，次の（ i ）～（vi）の組合せはどれか。fに関する解答群のうち，最も適切なものを選べ。

（ i ）F社会計システムから共有フォルダに出力した後の振込依頼データはL課長がデジタル署名を付与してから保管する

（ii）F社会計システムの取引先口座マスタの登録及び変更のワークフローシステムを導入し，その申請権限と承認権限を分離する

（iii）IBサービスでの振込（承認）の承認者を，振込依頼書の承認者と同一人物にする

（iv）IBサービスでの振込の承認を実行する時に，もう一度，取引先の口座情報の変更の証憑と突き合わせて確認する

（ｖ）取引先口座マスタを登録，変更するときに取引先から入手すべき証憑の種類をマニュアルに明記する

（vi）振込依頼情報を申請するワークフローシステムをF社会計システムに導入し，かつ，振込依頼情報の申請権限と承認権限を分離する

fに関する解答群

	f1	f2
ア	(ⅱ)	(ⅰ)
イ	(ⅱ)	(ⅲ)
ウ	(ⅱ)	(ⅵ)
エ	(ⅳ)	(ⅰ)
オ	(ⅳ)	(ⅲ)
カ	(ⅳ)	(ⅵ)
キ	(ⅴ)	(ⅰ)
ク	(ⅴ)	(ⅲ)
ケ	(ⅴ)	(ⅵ)

《解説》

◆ f1

「M主任が自分一人の判断で…変更できたという問題があります」という記述についての対策として，(ⅱ)などが該当するかを検討します。

(ⅱ)は，正しいです。「**申請**権限と**承認**権限を分離する」ことにより，ダブルチェックによる相互牽制が機能します。**［相互牽制］**(➡p.066)

(ⅳ)は，二度チェックをするだけで，ダブルチェック（ある事柄の確認を，1人でなく複数人で行うこと）とは異なります。

(ⅴ)は，証憑（しょうひょう）（結果を立証するための裏付け）の種類が正しくても，**「自分一人の判断で変更できた」**場合，対策とならないため，誤りです。

◆ f2

空所の周辺にある，次の記述に(ⅰ)などが該当するかを検討します。

- 「振込依頼書の承認が省略できたという問題」 … **承認の省略**
- 「これによって，振込依頼書の書類を廃止でき」 … **書類の廃止**

(ⅰ)は，デジタル署名により，振込依頼データの改ざんの対策にはなりますが，**承認の省略・書類の廃止**ができるわけではありません。

（iii）は，**承認の省略**とは無関係です。また，振込依頼書の**書類の廃止**ができるわけではありません。

（vi）は，正しいです。「振込依頼情報の申請権限と承認権限を分離する」ことで，**承認の省略**の対策になります。また，「振込依頼情報を申請するワークフローシステムをF社会計システムに導入」することで，**書類の廃止**も可能です。

よって，正解は**ウ**です。

▶ **トラップ** 2つの条件（**承認の省略・書類の廃止**）を両方満たす対策であるべきなのに，両方の確認を怠ることを狙ったトラップです。この場合，1つめは条件を満たすか，2つめは条件を満たすかを調べるために，根拠の個数を数えて，そのすべてを満たす選択肢を選ぶ必要があります。

根拠の個数を数えて，そのすべてを満たす選択肢を選ぶ。

◎ 最小権限[*24]の原則

情報システムやファイルなどにアクセスするための権限は，「**必要である者**だけに対して**必要な分**だけを与え，必要のない者には与えない」という考え方です。必要以上の権限を与えると，不正アクセスする危険性があるからです。

- **特権ユーザ**[*25]とは，**特権的アクセス権**[*26]（一般ユーザの利用者IDの登録・削除・アクセス制御などの特別な操作権限）をもつユーザ。**特権ID・システム管理者**ともいう。
- 特権ユーザは，「どの利用者が，どの情報システムやファイルに対し，何ができるか」の権限を設定する。
- その際に，**必要最小限**の権限のみを与える設定にする。

***24：最小権限**
need-to-know，必要最小限の権限ともいう。

***25：特権ユーザ**
例えば，WindowsではAdministrator，Linuxではroot。

***26：特権的アクセス権**
特権ともいう。いわゆる管理者権限のこと。

出題例 4

〔基本情報技術者試験 平成21年秋 午前問43〕

問 利用者情報を管理するデータベース（利用者データベース）がある。利用者データベースを検索し，検索結果を表示するアプリケーションに与えるデータベースのアクセス権限として，セキュリティ管理上適切なものはどれか。ここで，権限の範囲は次のとおりとする。

〔権限の範囲〕

参照権限：　利用者データベースのレコードの参照が可能
更新権限：　利用者データベースへのレコードの登録，変更，削除が可能
管理者権限：利用者データベースのテーブルの参照，登録，変更，削除が可能

ア　管理者権限　　イ　更新権限　　ウ　参照権限　　エ　参照権限と更新権限

《解説》

最小権限の原則にもとづき，「必要である者だけに対して必要な分だけを与え，必要のない者には与えない」ようにします。利用者データベースを検索し，表示するアプリケーションに必要なのは，レコード（テーブルの行）を参照する権限のみです。登録，変更，削除は必要ありません。

正解：ウ

◎ 利用者IDの共用[*27]

利用者IDの共用によるリスクは，次のとおりです。

- 情報機器を操作した者を**特定できない**という状況を狙われて，不正に操作されるリスク。
- **異動者**や**退職者**など，利用資格を失った者に情報機器を不正に操作されるリスク。
- 共用者の1人がパスワードを変更した際に，他の共用者に変更後のパスワードを伝えるための**メモ**を書き，そのメモからパスワードが漏えいし，不正に操作されるリスク。

◆利用者IDの共用への対策

利用者IDの共用への対策は，次のとおりです。

- 1つの情報システムには，1人に対して1つの利用者IDのみ登録する。つまり複数人で同じ利用者IDを共用しない。
- 利用者IDやパスワードの再利用を禁止する。つまり，一度，無効にした利用者IDやパスワードの使い回しをしない。
- 退職・人事異動により利用者IDが**不要**になった場合や，**不正使用**された場合，即座に利用者IDを**無効**にする。
- 利用者ID・パスワードを紛失した場合の代替手段を準備しておく。業務に支障をきたさないために。

***27：共用**
共同で使うこと。

出題例5

〔情報セキュリティマネジメント試験 平成28年春 午前問15〕

問　システム管理者による内部不正を防止する対策として，適切なものはどれか。

ア　システム管理者が複数の場合にも，一つの管理者IDでログインして作業を行わせる。
イ　システム管理者には，特権が付与された管理者IDでログインして，特権を必要としない作業を含む全ての作業を行わせる。
ウ　システム管理者の作業を本人以外の者に監視させる。
エ　システム管理者の操作ログには，本人にだけアクセス権を与える。

《解説》

ア：1つの情報システムでは，1人に対して1つの利用者IDのみ登録します。複数人で同じ利用者IDを共用しないようにします。不正アクセスを防ぐためです。

イ：システム管理者には，**最小権限**（need-to-know）のみ与えるべきで，特権を必要としない作業を，管理者IDで行うべきではありません。（➡p.069）

ウ：正解です。誤りや不正行為を防止するために，職務を分離し，ダブルチェックにより互いに確認し合い，**相互牽制**を取り入れます。（➡p.066）　システム管理者の不正を発見したり，未然に防いだりするために監視すべきです。

エ：操作ログを改ざん・消去されるおそれがあります。操作ログへのアクセス権を，本人に与えてはいけません。

正解：ウ

PCの共用

家庭・学校・図書館・インターネットカフェなどで，複数人で1台のPCを共用することによるリスクは，次のとおりです。

- キーロガー[*28]をインストールされ，入力した利用者ID・パスワードが不正に盗まれるリスク。
- ログアウトしない場合，直前の利用者IDを攻撃者に不正に利用されるリスク。

***28：キーロガー**
スパイウェアの一種で，コンピュータへのキー入力を監視し記録するソフトウェア。（➡p.111）

◆PCの共用への対策

PCの共用への対策は，次のとおりです。

- 時間が経過すると，ログイン状態を**自動**で**ログアウト**させる機能を有効にする。
- 利用者IDを共用しない。
- オートコンプリート機能（Webブラウザに認証情報を保存する機能）を**無効**にする。これにより，PCの利用者が入力した認証情報（利用者ID・パスワード）が攻撃者やマルウェアによって悪用されるのを防ぐ。

メールアドレスのなりすまし

メールアドレスのなりすましにより，標的型攻撃メール[*29]やBEC[*30]の被害に遭うリスクがあります。

◆メールアドレスのなりすましへの対策

メールアドレスのなりすましへの対策は，次のとおりです。

- メールアドレスをよく見る。
- なりすましのメールアドレスの出題例は，次のとおり。
  例 普段使われているメールアドレス：YYYY@interior-bsha.com
  例 なりすましのメールアドレス　　：YYYY@interiar-bsha.com
- 「メールが不審である」と気付けるかを確認するために，組織で**標的型攻撃訓練**を行う。

URLのなりすまし

URLのなりすましにより，フィッシング[*31]やスミッシング[*32]の被害に遭うリスクがあります。

◆URLのなりすましへの対策

URLのなりすましへの対策は，次のとおりです。

***29：標的型攻撃メール**
標的となる組織に存在するメールアドレスに送りつけるメール。（➡p.145）

***30：BEC**
ビジネスメール詐欺。取引先になりすましをして，偽のメールを送りつけ，金銭をだまし取る詐欺の手口。（➡p.147）

***31：フィッシング**
有名企業や金融機関などを装（よそお）った偽（にせ）のメールを送りつけ，偽のWebサイトに誘導して，個人情報を入力させてだまし取る行為。（➡p.133）

***32：スミッシング**
携帯電話・スマートフォンのSMSを利用して，有名企業・金融機関を装ったメッセージを送りつけ，フィッシングサイトに誘導する行為。（➡p.136）

- URLをよく見る。
- Webブラウザのブックマーク（お気に入り）から目的のWebサイトにアクセスする。SEOポイズニング*33への対策にもなる。
- プロキシサーバのURLフィルタリング機能（➡p.272）を使う。
- ただし，URLフィルタリングのリストに登録する前に，なりすましをされたURLに利用者がアクセスすれば，被害に遭う。

***33：SEOポイズニング**
検索サイトの検索結果の上位に，マルウェアに感染させるWebサイトを表示する行為。（➡p.136）

◎ 本人へのなりすまし

攻撃者が利用者本人になりすましをした場合，標的型攻撃メールやBECの被害に遭うリスクがあります。

◆本人へのなりすましへの対策

本人へのなりすましへの対策は，次のとおりです。

- ２要素認証（➡p.063）・パスワード（➡p.076）による対策のほか，クラウドサービスを利用する場合は，その設定ミスによる不正アクセスにも注意が必要。
- メール送信者のなりすまし対策として，メールとは別の手段で本人確認する。例えば，電話・郵便で確認する。
- 取引先から受信したメールを攻撃者に自動転送する**設定**が行われると，取引先とのメールのやり取りを盗聴できる。攻撃者はそれを利用し，あたかも取引先になりすましをして，偽のメールを送りつける。その対策として，自動転送する設定を禁止する技術的対策を行う。

- のぞき見防止フィルタ
  正面方向のみに光を通し，画面左右からののぞき見を防止する。PCのディスプレイに配置する。ソーシャルエンジニアリング*34の一種であるショルダハッキング*35対策になる。

***34：ソーシャルエンジニアリング**
技術を使わずに，人の心理的な隙（すき）や行動のミスにつけ込んで，秘密情報を盗み出す方法。（➡p.152）

***35：ショルダハッキング**
肩越しに，PCの画面や入力作業をのぞき見すること。（➡p.152）

- クリアスクリーン
  PCを無操作のまま一定時間が経過すると，スクリーンをロックする機能。次回使用時には，ログインパスワードの入力が必要となる。これにより，のぞき見や不正な利用者によるPCの操作を防ぐ。(➡p.280)

- 顔認証
  顔認証によりログインする。また，一定時間が経過するたびに，顔認証を行う機能を有効にする。利用者以外の顔を検知したり，離席中だったりした場合，画面をロックする。

- 顔写真
  ログイン時に自動的に利用者の顔写真を撮影し，ログに残す機能を有効にする。これにより，なりすましがあったかを後で分析できる。

◎ 人へのなりすまし

Webサイトのログインなどの入力画面で，人でなく**ボット**[*36]が自動で何回もログインを試行し，その結果，ブルートフォース攻撃の被害に遭うリスクがあります。

◆人へのなりすましへの対策

人へのなりすましへの対策は，次のとおりです。

- Webサイトの入力画面にCAPTCHA[*37]を表示してその中の文字を入力させる。
- なお，その人が誰なのかという**利用者認証**ができるわけではない。あくまでも**ボット**でなく**人**が入力したことが分かるだけである。
- ただし，利用者がCAPTCHAの文字が読めなかったり，利用法が分からなかったりする場合は，次の画面へ進めなくなる。

***36：ボット**
感染した情報機器を，インターネット経由で外部から操ることを目的とした不正プログラム。(➡p.109)

***37：CAPTCHA**
プログラムは読み取れないが，人間なら読み取れる形状の文字。CAPTCHAの例は，次のとおり。

語源は，Completely Automated Public Turing test to tell Computers and Humans Apart（コンピュータと人間を区別するための，完全に自動化された公開チューリングテスト）から。チューリングテストとは，コンピュータは知能をもつかどうかを判定するテスト。(➡p.199)

パスワードクラック

パスワードクラック（**辞書攻撃・ブルートフォース攻撃・パスワードリスト攻撃**）に対抗するために，次の対策を打ちます。

◆辞書攻撃への対策

辞書攻撃（パスワードに単語を使う人が多いことを悪用し，辞書の単語を利用してパスワードを推察する方法）への対策は，次のとおりです。

- パスワードに使用する文字の種類を増やす。英字（大文字・小文字）・数字・記号を交ぜる。
- パスワードを長くする。
- 辞書にある単語を使わない。

◆ブルートフォース攻撃への対策

ブルートフォース攻撃（パスワードの可能な組合せをしらみつぶしにすべて試す方法）への対策は，次のとおりです。

- **ロックアウト**[*38]**・アカウントロック**
  ある回数以上パスワードを誤入力した場合，その利用者IDを使用禁止にする。
- ただし，正規の利用者が何回もパスワードを間違えると，ログインできなくなるため，ロックされて一定時間が経過すると，ロックを解除するように設定する。この時間が長いほど，時間当たりの攻撃回数は減り，安全性が高まる。
- ロックアウト・アカウントロックは，**リバースブルートフォース攻撃**[*39]への対策にはならない。この攻撃は１つの利用者IDについて，何度もログインを試すわけではないので。

◆パスワードリスト攻撃への対策

パスワードリスト攻撃（利用者ID・パスワードを使い回す利用者が多いことから，あるWebサイトやシステムから流出した利用者IDとパスワードのリストを使って，別のWebサイト

***38：ロックアウト**
語源は，lock out（締め出す，排除する）から。アカウントロックと同義語。

***39：リバースブルートフォース攻撃**
１つの利用者IDについて，様々なパスワードを試すブルートフォース攻撃とは対照的に，１つのパスワードについて，様々な利用者IDを試す方法。**（➡p.116）**

やシステムへの不正ログインを試みる攻撃）への対策は，次のとおりです。

- システムやWebサイトでそれぞれ**異なる**パスワードを利用する。つまり，他のシステムやWebサイトで，同じ利用者IDとパスワードの**使い回し**をしない。

◆パスワードクラック全般への対策

パスワードクラック全般への対策は，次のとおりです。

- システムやWebサイト内で，**ログイン履歴**を表示する。前回ログインした日時を表示すれば，利用者は，自分のログインでないものを見つけられ，不正ログインの発生状況に気付ける。
- ログインしたことを通知するアプリ・メール・SMSの内容を利用者が確認する。

- **リスクベース認証**
  不正アクセスを防ぐ目的で，普段と異なる利用環境から認証を行った場合に，追加で認証を行うための仕組み。例えば，認証時の，IPアドレス・OS・Webブラウザなどが，普段と異なる場合に，攻撃者からのなりすましでないことを確認するため，合言葉による追加の認証を行うこと。（➡p.199）

◎ 盗難・紛失

情報機器の盗難・紛失が起きた場合，内容を盗み取られるなどのリスクがあります。

◆盗難・紛失への対策

盗難・紛失への対策は，次のとおりです。

- 持ち出した情報機器を移動中は肌身離さず持つ。電車の網棚に置かない。宴会に持って行かない。短時間でもクルマの中に置いたままにしない。

- BIOS[*40]パスワード
  PCのハードウェアに設定し，PCの起動時に入力を求められるパスワード。別のハードウェアでは，BIOSパスワードが機能しないため，内蔵ストレージを抜き取り，攻撃者のPCに接続すれば，内蔵ストレージの内容は読み取られる。

- HDDパスワード
  HDDに設定し，HDDをPCに接続した際に入力を求められるパスワード。攻撃者のPCに接続した場合にもHDDパスワードの入力を求められるため，情報漏えい対策になる。

- セキュアブート
  CDやDVDからPCを起動することを禁止する機能。これにより，CDやDVDから起動し，それらに格納されたプログラムにより，PCのOSを操作して内容を盗み取ることを防げる。(➡p.317)

- HDD全体の**暗号化**
  HDD全体やSSD全体を暗号化する機能。これにより，復号鍵が分からない限り，その内容を盗み取ることを防げる。

- OSへのログインパスワード
  OS起動時などに現れる，OSのログイン画面で入力するパスワード。

- セキュリティワイヤ
  情報機器と机を結ぶための金属製の**チェーン**。情報機器の不正な持出しを防ぐ。(➡p.390)

- 中が**透**(す)けて見える**鞄**(かばん)
  私物の鞄の持込みを禁止する代わりに貸し出す鞄。秘密書類や情報機器の持出しを防ぐ。

***40：BIOS**(バイオス)
主にOSの起動や，PCと他の接続機器との入出力を制御するプログラム。PC起動時に最初に実行される。

- **クライアント認証**

正規でない情報機器からのアクセスを制限するための仕組み。**端末認証**を行う。事前に情報機器に**クライアント証明書**[*41]をインストールしておく。サーバやシステムは，その情報機器からのアクセスのみを許可する。

- **グローバルIPアドレス**[*42]

正規でない情報機器からのアクセスを制限するための仕組み。**接続元**の**認証**を行う。利用者は情報機器から，グローバルIPアドレスを割り当てられた機器を経由して，インターネット上のサービスを利用する。そのサービスでは，許可されたグローバルIPアドレスからのアクセスのみを許可する。

- **耐**(たい)**タンパ性**(せい)[*43]

ICカードなどの，中身の細工(さいく)・改ざん・偽造(ぎぞう)に対する耐性。例えば，耐タンパ性があるICカードでは，ICチップに触ると，記憶内容が破壊されて，外部から盗み見されることを防ぐ技術が使われている。

- **入館証**

入退室時には入館証を警備員に見せるようにする。

- **監視カメラ**

出入口の様子を監視カメラに記録する。**事後**にその映像により確認できる。ただし，盗難の**予防**や**検知**には向かない。

- **アンチパスバック**[*44]

共連れ(ともづ)[*45]などにより入室（または退室）の記録がない場合，認証を拒否して，退室（または入室）できないようにすること。ただし，入退室時の共連れを防げるが，入室時も退室時も共連れした場合は防げない。

***41：クライアント証明書**
デジタル証明書の一種。

***42：グローバルIPアドレス**
インターネットに直接接続する機器に割り当てられたIPアドレス。インターネットにおける電話番号の役割を担う。

***43：耐タンパ性**
語源は，tamper（改ざんする）＋ resistant（耐える・抵抗力のある）から。（➡p.312）

***44：アンチパスバック**
語源は，認証用カードを後ろの人に渡して（pass back），共連れを行う方法に対抗する（anti）ことから。（➡p.279）

***45：共連れ**
侵入者が，正規の利用者と共に不正に入退室すること。背後に潜(ひそ)み，認証時に一緒に入り込み，2人以上が1回の認証で同時に入退室する。（➡p.279）

◆盗難・紛失後の初動対応

盗難・紛失が起きた後の対応例は，次のとおりです。

- 教育・訓練
  盗難・紛失に気付いた際に速やかに対応するために，**事前**に社内で研修や訓練を実施する。

- リモートワイプ
  遠隔地から，情報機器のデータの**消去**を行う。

- スマートフォンのロック
  遠隔地から，スマートフォンを使えないように設定する。

- **クライアント証明書**の失効
  失効の手続きを**認証局**に対して行うと，CRL[*46]に掲載される。これにより，サーバやシステムはそのクライアント証明書が無効と判断し，アクセスを拒否する。

***46：CRL**
有効期限内にもかかわらず，失効したデジタル証明書のシリアル番号と失効した日時の一覧。語源は，Certificate Revocation List（証明書失効リスト）から。(➡p.186)

出題例 6 〔情報セキュリティマネジメント試験 令和4年サンプル問題 科目A問11〕

問 利用者PCの内蔵ストレージが暗号化されていないとき，攻撃者が利用者PCから内蔵ストレージを抜き取り，攻撃者が用意したPCに接続して内蔵ストレージ内の情報を盗む攻撃の対策に該当するものはどれか。

ア 内蔵ストレージにインストールしたOSの利用者アカウントに対して，ログインパスワードを設定する。
イ 内蔵ストレージに保存したファイルの読取り権限を，ファイルの所有者だけに付与する。
ウ 利用者PC上でHDDパスワードを設定する。
エ 利用者PCにBIOSパスワードを設定する。

《解説》

ア，イ：内蔵ストレージを攻撃者のPCに接続し，専用のソフトウェアで操作すれば，ファイルを盗まれます。

ウ：正解です。**HDDパスワード**とは，HDDに設定し，HDDをPCに接続した際に入力を求められるパスワードです。攻撃者のPCに接続した場合にもHDDパスワードの入力を求められるため，情報漏えい対策になります。

エ：**BIOSパスワード**とは，PCのハードウェアに設定し，PCの起動時に入力を求められるパスワードです。別のハードウェアでは，BIOSパスワードが機能しないため，内蔵ストレージを抜き取り，攻撃者のPCに接続すれば，内蔵ストレージの内容は読み取られます。

正解：ウ

ログ*47

インシデント発生後に，**異常**を検知するための**尺度**として利用される通信履歴です。

- ログを記録できる機器は，**プロキシサーバ**・**ファイアウォール**（FW）・その他，問題中に記述がある機器。
- ログを記録する複数の機器間の**時刻同期***48のために，**事前**に正確な時刻を取得する。
- 時刻を同期させないと，複数の機器のログに記録された事象の**時系列**での把握がしにくく，**前後**関係が分かりにくくなる。
- **ログ収集システム**により，各機器のログを集約し管理する。
- 攻撃者が管理者権限を用いて，ログを**改ざん**・**消去**した形跡はないかを確認する。

取得すべきログは，利用者・管理者による情報システムの操作記録です。具体的には，次のとおりです。

***47：ログ**
通信履歴。システムやネットワークで起きた異常を時系列に記録・蓄積したデータ。あとでたどったり，分析したりする目的で利用する。

***48：時刻同期**
ここでは，時刻を合わせること。

- 利用者ID。だれがしたか。
- ログインの日時。いつログインしたか。
- ログアウトの日時。いつログアウトしたか。
- アクセス成功の記録。いつ何を対象にアクセス成功したか。
- アクセス失敗の記録。いつ何を対象にアクセス失敗したか。
- 特権操作の記録。管理者権限で，いつどのような操作をしたか。
- 無許可のアクセス。未認証の状態で，いつ何をしようとしたか。

◆不審なログ

攻撃の可能性があると判断される痕跡の例は，次のとおりです。

- DNSを使用せず，URLの中に**IPアドレス**を直接書き込んで通信している。
- ログイン失敗の大量のログは，ブルートフォース攻撃の痕跡である。
- 通信元のIPアドレスが，想定した範囲から外れている。

◎ バックアップ

障害発生時にデータを復元できるように，**事前**にデータを複製（コピー）しておくことです。バックアップ先として，磁気テープ・外付けハードディスクなどが使われます。(➡p.365)

データをバックアップするタイミングは，次のとおりです。

- マルウェア感染**前**にバックアップする。
- **定期的**にデータをバックアップする。

◆3-2-1ルール

バックアップデータを守るために推奨される取扱い方です。データはコピーして3つ持ち，2種類のメディアで保管し，うち1つは遠隔地に保管します。

◆バックアップへのランサムウェア対策

ランサムウェアに感染する事前と事後とで，対策は分けられます。

バックアップ先へのランサムウェア感染を**未然に**防ぐ対策は，次のとおりです。

- バックアップの時だけバックアップ装置を接続する。
- バックアップ時以外は社内LANから切り離す。

ランサムウェア**感染後**でも，バックアップから確実に復旧させるための対策は，次のとおりです。

- バックアップを**WORM**(ワーム)*49 **機能**を有するストレージに保管する。
  なお，WORM機能とは，書込みは1回限りで読取りは何回も可能な機能。一度書き込んだ情報は，消去も書き換えもできないため，故意に消される危険性があるデータを保存する場合に使う。

***49：WORM**
Write Once Read Many の略。ライトワンスともいう。

◆災害によるバックアップの破損への対策

災害（火災や地震）によりバックアップを破損させないための対策は，次のとおりです。

- バックアップを複数個用意し，それぞれ**遠隔地**に保管する。
- バックアップを**クラウドストレージ**に保管する。

◆バックアップの方式

次の3種類の方式を組み合わせてバックアップします。例えば，月次でフルバックアップを取り，日次で差分バックアップを取ります。

●フルバックアップ

すべてのデータをバックアップします。

- 障害発生時の復元では，フルバックアップだけが必要。
- バックアップファイルのサイズが大きく，バックアップに時間がかかる。

1日目：
2日目：
3日目：　←復元に必要なファイル

●差分バックアップ

前回のフルバックアップ以降に，作成・変更されたデータだけをバックアップします。次の図で，３日目の差分バックアップでは，２日目と３日目のデータがバックアップの対象になります。

- 復元では，フルバックアップと，直近の差分バックアップが必要。
- フルバックアップに比べ，サイズが小さく，時間がかからない。

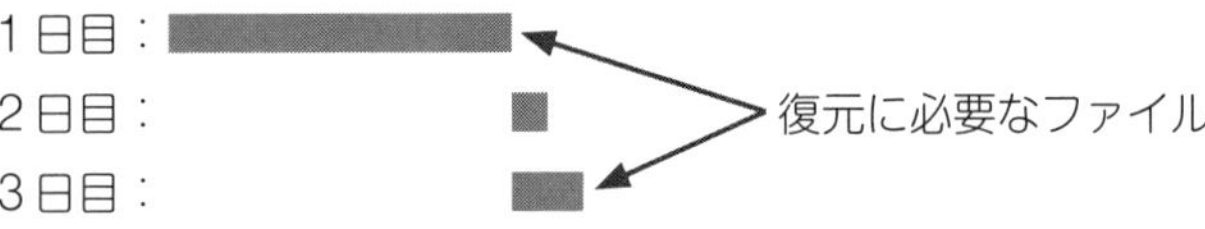

●増分バックアップ

前回のフル・差分・増分バックアップ以降に作成・変更されたデータだけをバックアップします。次の図で，３日目の増分バックアップでは，前回（２日目の増分バックアップ）以降である３日目のデータだけがバックアップの対象になります。

- 復元では，フルバックアップと，すべての増分バックアップが必要。
- 差分バックアップに比べ，さらにサイズが小さい。

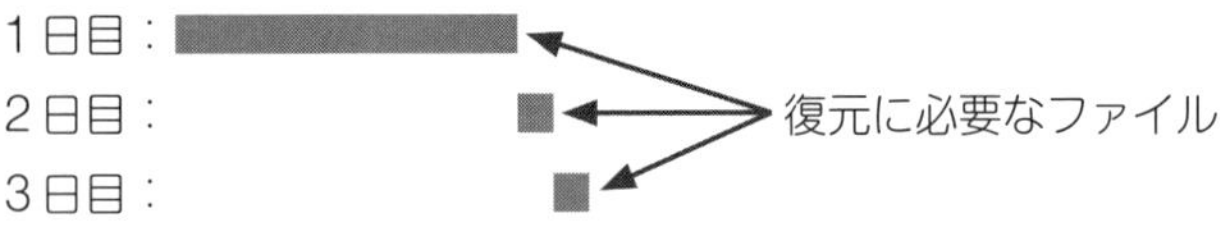

◆バックアップの世代管理

最新のデータだけでなく，それ以前のデータもバックアップによる復元の対象にすることです。例えば，毎日１回バックアップを取る場合（日次バックアップという），１世代では１日前に，７世代は１日ごとに７日前まで復元できます。

その用途は，前日でなく数日前に削除したデータを復元したり，知らぬ間に感染したマルウェアの影響を受ける前のデータを復元したりすることです。

◆バックアップの類語

バックアップと似た意味をもつ用語は，次のとおりです。

- **バックアップ**
  障害発生時に**復元**するためにデータを複製すること。

- **アーカイブ**
  永久保管・**長期保管**するためにデータを保管すること。

- **レプリケーション**
  障害発生直後に速やかに稼働システムを切り替えるために，複数の機器において，同一のデータを同時に保持すること。

◎ 機密情報の持出し

内部不正で，情報システムの画面に表示された機密情報を持ち出す方法は，次のとおりです。

- 画面を書き写す。
- 画面のスクリーンショット[*50]を取り，その画像を攻撃者に送信する。または，その画像をUSBメモリ[*51]などで持ち出す。
- カメラで画面を撮影する。スクリーンショットを取れないような技術的対策が行われている場合に用いられる。

***50：スクリーンショット**
画面キャプチャともいう。

***51：USBメモリ**
外部記憶媒体（ばいたい）・可搬（かはん）型記憶媒体の一種。

◆機密情報の持出しへの対策

機密情報の持出しへの対策は，次のとおりです。

- 就業規則・利用規程で内部不正に当たる行為を禁止する。
- USBメモリを使用できないように，情報機器に技術的対策を行う。
- **監視カメラ**を設置して行動を記録する。**事後**の分析や**抑止**(よくし)**効果**のために。ただし，出入りする人が限られ，警備員などが**常時監視**しているのであれば，対策として十分。

◎ 初期設定の悪用

情報機器を初期設定の状態のままで使用することによるリスクは，次のとおりです。

- 初期設定のパスワードは脆弱(ぜいじゃく)なものがあり，**パスワード**が推測されるリスク。
- 初期設定の情報から，情報機器の機能により送付されるメールの**差出人アドレス**を読み取られるリスク。
  攻撃者がその差出人アドレスや，類似の差出人アドレスからメールを利用者に送り，利用者がそのメールを情報機器の機能により送られたメールと勘違いして，メール本文や添付ファイルを受信してマルウェア感染する。
- 初期設定の情報から，情報機器のメーカーが推測され，攻撃者に**脆弱性情報**を与えるリスク。

◆初期設定の悪用への対策

初期設定の悪用への対策は，次のとおりです。

- 初期設定のまま使用することなく，**初期設定**を**変更**する。
- 利用者ID作成時に，その利用者IDについては，次回ログイン時にパスワードの**変更**を**強制**する設定にする。つまり，初期パスワードでログインした際に，次回から利用するパスワードを再設定するようにする。

不正のトライアングル*52

「動機・プレッシャ」，「機会」，「正当化」という3つの要因のことで，すべてそろった場合に，**内部不正***53は発生するとされています。内部不正を防ぐには，組織が対策できる機会と動機・プレッシャを低減することが有効です。

***52：不正のトライアングル**
米国の組織犯罪研究者ドナルド・R・クレッシーにより提唱された。

***53：内部不正**
組織内で起きる不正行為。違法行為だけでなく，組織内の情報セキュリティポリシ・規程に反する不正行為を含む。

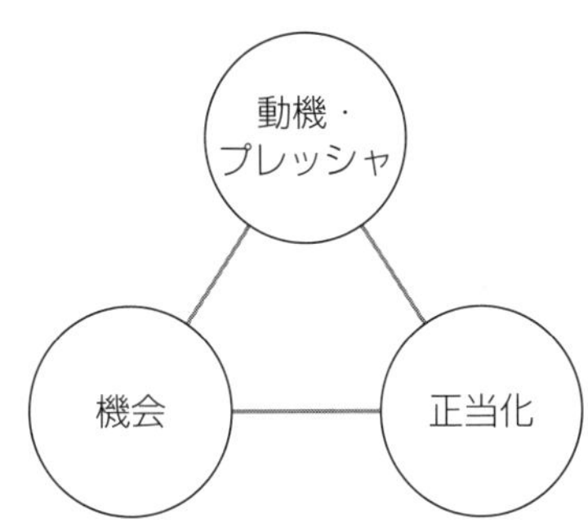

- 動機・プレッシャ
  処遇面の**不満**・借金による**生活苦**。例えば，人事評価が低い・仕事量が多い・達成が難しい**ノルマ***54の設定・不当な解雇。

***54：ノルマ**
ここでは，達成すべき数値目標。

- 機会
  不正行為を行える**状況**。例えば，アクセス制限の未設定・重要な内部情報にアクセスできる人が必要以上に多い場合。

- 正当化
  みずからを納得させる**自分勝手な理由付け**。例えば，自分にとって都合のよい解釈・他人への責任転嫁・不満への報復。

ファイルの受渡し

ファイルの受渡しの際に，「**パスワード付き圧縮ファイル***55をメールに添付して送り，あとで別メールでそのパスワードを送る」という方法（**PPAP***56ともいう）を使った場合のリスクは，次のとおりです。

***55：パスワード付き圧縮ファイル**
パスワードにより暗号化されたZIPファイル。

***56：PPAP**
2020年，内閣府・内閣官房はこの方法を廃止する方針を打ち出した。語源は，Password付き圧縮ファイル，Passwordの送信，暗号化（Angou），Protocolの略とも言われる。

- パスワード付き圧縮ファイルとパスワードを同じ経路で送っているため，両メールを両方とも**盗聴**されるリスク。
- マルウェア対策ソフトにより，パスワード付き圧縮ファイル内をスキャンできず，マルウェアを**検知**できないリスク。
- ブルートフォース攻撃により，パスワード付き圧縮ファイルのパスワードが**推測**されるリスク。

◆ファイルの受渡しへの対策

ファイルの受渡し時に盗聴されるリスクへの対策は，次のとおりです。

- メールサーバが，パスワード付き圧縮ファイルを受信した場合に，添付ファイルを削除し，メール本文に「添付ファイルを削除しました」などと追記してメール受信者に知らせる機能を使う。
- 認証機能のある**クラウドストレージ**にファイルを格納する。ファイル送信者はクラウドサービスに認証のうえ，ファイルを格納する。ファイル受信者は認証のうえ，そのファイルを入手する。

◎ 情報セキュリティ製品

サイバー攻撃の多様化・巧妙化に伴い，情報セキュリティ製品の種類も増加しています。ここでは，これまでに紹介していない製品を説明します。

◆IDS*57

ネットワークやホスト*58をリアルタイムで監視し，不正アクセスなどの異常を発見し，**管理者**に**通報**する製品です。

◆IPS*59

IDSを**拡張**し，異常の監視・管理者への通報だけでなく，自動的に攻撃自体を防ぐ製品です。

***57：IDS**
Intrusion Detection System（侵入検知システム）の略。(➡p.298)

***58：ホスト**
ネットワーク経由で，他の情報機器にサービスを提供するコンピュータ。

***59：IPS**
Intrusion Prevention System（侵入防止システム）の略。(➡p.299)

◆EDR[*60]

不正な挙動の**検知**と，マルウェア感染後の速やかな**インシデント対応**を目的に，組織内の**情報端末**を**監視**する製品です。マルウェア感染を未然に防ぐことが困難なため，感染後の対応を効率的に行うことに主眼を置いています。

◆SIEM（シーム）[*61]

サーバ・ネットワーク機器・セキュリティ関連機器・アプリケーションから集めた**ログ**を**分析**し，異常を発見した場合，**管理者**に**通知**して対策する仕組みです。巧妙化するサイバー攻撃に対抗するため，事前の予兆から異常を発見する機能や，リスクが顕在化[*62]したあとで原因を追跡するための機能が備わっています。

*60：EDR
Endpoint Detection and Responseの略。語源は，Endpoint（末端で）脅威をDetection（検知し）Response（対応）することを支援することから。（➡p.316）

*61：SIEM
Security Information and Event Management（セキュリティ情報イベント管理）の略。（➡p.313）

*62：顕在化（けんざいか）
リスクが現実になること。

ネットワーク構成図

社内のネットワーク機器の構成を示す図です。典型的なネットワーク構成が出題されるため，それさえ覚えておけば，問題文を読解しやすくなります。

ファイアウォールにより社内のネットワークを区切った領域には，DMZと社内ネットワークがあります。

◆ファイアウォール

ファイアウォールの特徴は，次のとおりです。（➡p.290）

- インターネット（外部）と社内ネットワーク（内部）の境界に配置し，外部と内部との間の不正な通信の侵入を遮断する製品。
- ログ機能をもつ。

◆DMZ

DMZの特徴は，次のとおりです。（➡p.294）

- 危険が多いインターネットと，安全な社内ネットワークの境界に位置し，どちらからもアクセス可能（下図のOK①とOK②）だが，そこから社内ネットワーク内へはアクセス禁止（下図のNG①）であるネットワーク上のエリア。
- ファイアウォール（FW）1台に，インターネット⇔DMZの間の制御と，DMZ⇔社内ネットワークの間の制御の2役を担わせる。DMZは両者の中間に位置する。
- 外部との通信が必要な機器を配置する。
  例 VPNサーバ・プロキシサーバ・リバースプロキシサーバ（RPサーバ）・外部メールサーバ

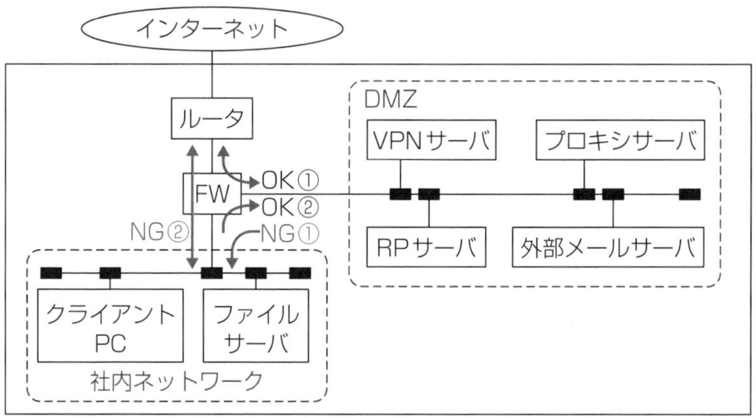

◆社内ネットワーク

社内ネットワークの特徴は，次のとおりです。

- インターネットからはアクセス禁止（前ページの図のNG②）であるネットワーク上のエリア。**イントラネット**・**内部ネットワーク**・**社内LAN**・**内部LAN**・**LAN**・**内部セグメント**ともいう。
- 外部との通信が不要で，内部との通信が必要な機器を配置する。
  例 クライアントPC[*63]・ファイルサーバ

***63：クライアントPC**
従業員などが使うPC。

◆ネットワーク構成図を描く

過去問題を抜粋した次の表現をネットワーク構成図で描いた例は，次のとおりです。

例1　「社内LANからインターネットを介した社外への通信は，クライアントPCからプロキシサーバを経由した，HTTP over TLS（以下，HTTPSという）による通信だけが，ファイアウォールによって許可されている」

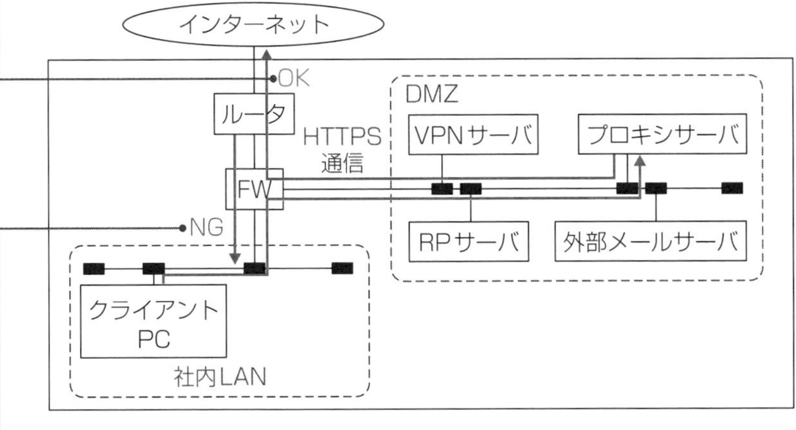

例2　「社外からインターネットを介した社内LANへの通信は，全てファイアウォールによって禁止されている」

ネットワーク機器

ネットワーク構成図や問題文中に登場する機器と製品は，次のとおりです。

◆プロキシサーバ

インターネット（外部）と社内ネットワーク（内部）の境界に配置し，インターネットとの接続を代理する機器です。アクセス可能なWebサイトを制限します。主な機能は，次のとおりです。（➡p.314）

- **ログ**
  ログに記録するのは，送信元の情報機器のIPアドレス，宛先のWebサイトのURL，日時・アクセスの成功と失敗の情報など。あとで痕跡（こんせき）をたどるために。

- **利用者認証**
  正規の利用者だけにプロキシサーバとの通信を許可し，プロキシサーバ経由でインターネットとの接続を可能にする。ログに，どの利用者の通信かを記録できる。

- URLフィルタリング*64
  利用者が閲覧するWebサイトを制限するために，指定したURLを許可･拒否する機能。ブラックリスト型とホワイトリスト型（➡p.093）により，URLを許可・拒否する。

- コンテンツフィルタリング
  利用者が閲覧するWebサイトを制限するために，Webサイトの内容を監視し，あらかじめ設定された条件に合致するWebサイトの閲覧を許可･拒否する機能。ブラックリスト型とホワイトリスト型により，Webサイトを許可・拒否する。例えば，Webサイトに含まれる，業務とは無関係の語句を，拒否の条件に設定する。

◆リバースプロキシサーバ

インターネットとWebサーバの境界に配置し，Webサーバとの接続を代理する機器です。暗号化通信における暗号化と復号など，Web閲覧者からの通信要求をWebサーバに代わって処理します。（➡p.314）

◆NAS（ナス）*65

ネットワークに直接接続した外部記憶装置で，ファイルサーバ専用機です。

***64：URLフィルタリング**
Webフィルタリングともいう。（➡p.272）

***65：NAS**
Network Attached Storage の略。
（➡p.355）

◆ディレクトリサービス

ネットワークにつながった情報機器に関連した情報を一元管理するサービスです。例えば，利用者ID・フォルダやファイルのアクセス権・プリンタの情報。

◆WAF(ワフ)*66

Webアプリケーションへの攻撃に特化して防御する製品です。Webアプリケーションへの攻撃や，Webアプリケーションから外部へ不正に流出するデータの有無を，通信データの内容などから検出します。(➡p.301)

*66：WAF
Web Application Firewallの略。

◆ブラックリスト型とホワイトリスト型

フィルタリングのルール設定には，ブラックリスト型とホワイトリスト型という2つの方式があります。

- **ブラックリスト型**

  使用を禁止する対象をまとめた一覧。多数あるソフトウェアの中から，禁止すべきソフトウェアをすべて特定するのは困難なため，漏れ・抜けがありうる。

- **ホワイトリスト型**

  使用を許可する対象をまとめた一覧。ホワイトリストに登録した以外のソフトウェアを使用できないため，業務に支障をきたす可能性がある。

出題例 7 〔情報セキュリティマネジメント試験 平成29年春 午前問17〕

問 1台のファイアウォールによって，外部セグメント，DMZ，内部セグメントの三つのセグメントに分割されたネットワークがある。このネットワークにおいて，Webサーバと，重要なデータをもつデータベースサーバから成るシステムを使って，利用者向けのサービスをインターネットに公開する場合，インターネットからの不正アクセスから重要なデータを保護するためのサーバの設置方法のうち，最も適切なものはどれか。ここで，ファイアウォールでは，外部セグメントとDMZとの間及びDMZと内部セグメントとの間の通信は特定のプロトコルだけを許可し，外部セグメントと内部セグメントとの間の直接の通信は許可しないものとする。

ア　Webサーバとデータベースサーバを DMZ に設置する。
イ　Webサーバとデータベースサーバを内部セグメントに設置する。
ウ　Webサーバを DMZ に，データベースサーバを内部セグメントに設置する。
エ　Webサーバを外部セグメントに，データベースサーバを DMZ に設置する。

《解説》

問題文をネットワーク構成図で表すと，次のとおりです。

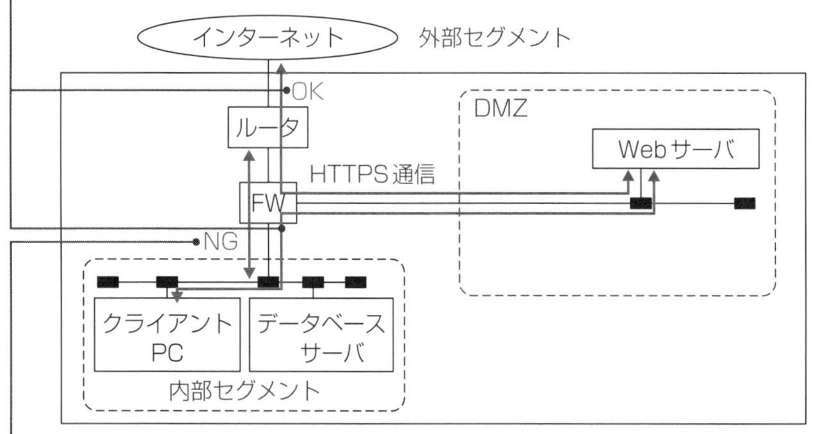

DMZとは，危険が多いインターネットと，安全な社内ネットワークの境界に位置し，どちらからもアクセス可能だが，そこから社内ネットワーク内へはアクセス禁止であるネットワーク上のエリアです。ファイアウォールを通る2つの経路の間に位置します。

Webサーバは，インターネットからの直接アクセスが必要なため，DMZに設置します。一方で，データベースサーバは，インターネットからの直接アクセスは不要なため，内部セグメント（社内ネットワーク）に設置します。

正解：ウ

◎ VPN[*67]接続

遠隔地から社内ネットワークにアクセスする際などに使う接続方式です。一般的には，社内ネットワークのDMZ上にVPNサーバを配置しておき，従業員は，自宅の情報機器からVPN接続用ソフトウェアを用いてVPNサーバへアクセスします。これにより，あたかも社内ネットワークに直接接続しているかのように，社内のサーバなどを利用できます。

関連する用語は，次のとおりです。

◆VDI[*68]

通常は，情報機器が行う処理を，サーバ上の仮想環境上で行い，情報機器にはその**画面だけ**を転送する方式です。アプリケーション・データなどはすべてサーバ上にあり，利用者の情報機器にはないことによるメリットは，次のとおりです。

- 情報機器の管理を，個人任せにせず，サーバ側で統括して行える。そのため，最新のマルウェア定義ファイル・**セキュリティパッチ**[*69]を速やかに適用でき，抜け・漏れを防げる。
- 情報機器にはデータが入っていないため，紛失・盗難があっても情報漏えいを防げる。

***67：VPN**
インターネットを経由した仮想の専用回線網。Virtual Private Network（仮想私設網）の略。（➡p.304）

***68：VDI**
Virtual Desktop Infrastructure（仮想デスクトップ基盤）の略。
（➡p.316）

***69：セキュリティパッチ**
OS・ソフトウェアの脆弱性を修正するためのファイル。語源は，つぎはぎ用のあて布（patch）から。修正プログラムともいう。

◆モバイルルータ

持ち運びできる小型のWi-Fiルータです。ノートPCなどの情報機器を外出先でインターネット接続する際などに用います。

◆BYOD*70

個人所有（私物）の情報機器を業務で利用することです。メリットは，企業がPC・スマホなどの情報機器を購入せずに済むため，コストを削減できることです。また，利用者は，使い慣れた機器で仕事ができるため，仕事の生産性や効率が向上します。

一方で，デメリットは，私物の情報機器で業務上の情報を扱うため，機器を外部へ持ち出した際に，誤って情報が漏えいする危険性が増大することです。BYODを導入するのであれば，それに対応したルールづくりが必要です。

***70：BYOD**
Bring Your Own Device（私物の機器を業務で利用する）の略。(➡p.315)

◎ クラウドサービス*71

自前でサーバ・ソフトウェアを用意しなくても，インターネット経由でそれらを使えるサービスです。クラウドサービスの特徴は，次のとおりです。

- 初期費用や保守運用費用を抑えられる。
- インターネット経由のため，反応速度が遅く，また，情報漏えいのリスクがある。
- 既存システムとの連携が少なく，利用期間が短い業務を早期に導入したい場合に活用する。

すべてが自前であるオンプレミスと，クラウドのサービスを利用する部分に応じて，SaaS・PaaS・IaaSなどがあります。このうち，クラウドサービス部分についてはクラウド事業者に運用管理責任があります。

***71：クラウドサービス**
語源は，インターネット上にあるサービスを雲（cloud）に見立てたことから。

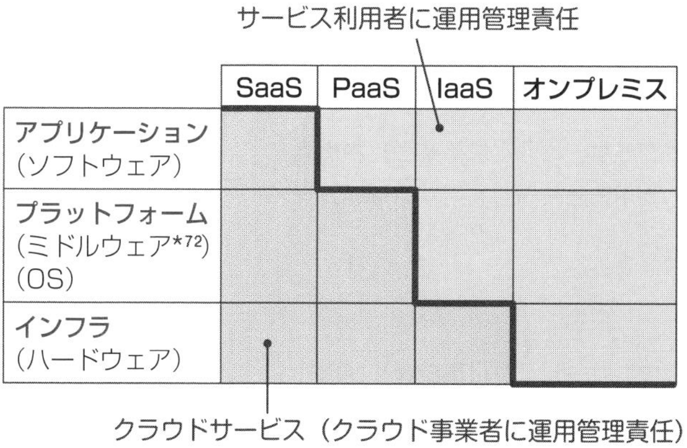

サービス利用者に運用管理責任

	SaaS	PaaS	IaaS	オンプレミス
アプリケーション（ソフトウェア）				
プラットフォーム（ミドルウェア*72）（OS）				
インフラ（ハードウェア）				

クラウドサービス（クラウド事業者に運用管理責任）

*72：ミドルウェア
OSとソフトウェアの中間にあり両者を仲立ちするソフトウェアです。例は，Webサーバ・DBMS（データベース管理システム）・アプリケーションサーバ。

◆SaaS（サース）*73

アプリケーション（ソフトウェア）をサービスとして提供する方式です。利用者は，インフラ・プラットフォームに加え，アプリケーションを導入・設置することなく，アプリケーションを利用できます。アプリケーションの例は，Webブラウザ上で閲覧できるメールソフト・スケジュール管理ソフトです。

*73：SaaS
Software as a Serviceの略。例は，Gmail，Googleカレンダー，Slack，Microsoft 365，OneDrive。

◆PaaS（パース）*74

アプリケーションを稼働させるための**基盤（プラットフォーム）**をサービスとして提供する方式です。利用者は，インフラに加え，プラットフォーム（OS・ミドルウェア）を導入・設置することなく，プラットフォームを利用できます。

*74：PaaS
Platform as a Serviceの略。例は，Amazon Web Services（AWS），Microsoft Azure，Google Cloud Platform。

◆IaaS（イアース）*75

インフラ（サーバ・CPU・ストレージなどのハードウェア）をサービスとして提供する方式です。利用者は，何もインストールされていない仮想マシンを提供され，インフラを導入・設置し，利用できます。インフラの例は，仮想マシン・仮想OSです。

*75：IaaS
Infrastructure as a Service の略。例は，Amazon Web Service（AWS）のAmazon Elastic Compute Cloud（EC2），Microsoft Azureの仮想マシン，Google Compute Engine。

◆オンプレミス*76

自組織の設備内に，サーバを導入・設置し，自社運用する方式です。

*76：オンプレミス
語源は，on premises（建物内で）から。

クラウドサービスに関する用語は，次のとおりです。

- パブリッククラウド
  クラウドプロバイダ（クラウドサービス提供事業者）が構築したクラウド環境を，他の利用者と共同で利用する形態。安価だが，融通(ゆうずう)が利(き)かない。

- プライベートクラウド
  クラウドプロバイダ（クラウドサービス提供事業者）が自社のためだけに構築したクラウド環境を，自社のみで利用する形態。比較的高価だが，融通が利く。

- ハイブリッドクラウド
  パブリッククラウド・プライベートクラウド・オンプレミスなどを組み合わせて利用する形態。各形態の欠点を補い合える。

確認しよう

□問1	感染が疑われる場合の初動対応を８つ挙げよ。（➡p.057）
□問2	次の用語を説明せよ。（➡p.057～058） • CSIRT　• ミドルウェア • デジタルフォレンジックス
□問3	やってはいけない初動対応を４つ挙げよ。（➡p.058）
□問4	感染被害の拡大の確認方法を３つ挙げよ。（➡p.059）
□問5	構成管理データベースに登録するものは何か。（➡p.061）
□問6	感染が疑われる場合，マルウェア対策ソフトで行うべきことを説明せよ。（➡p.063）
□問7	２要素認証と２段階認証の違いを説明せよ。（➡p.064）

□ 問8	相互牽制において「ダブルチェックによる相互牽制が機能しない例」を3つ挙げよ。(➡p.066)
□ 問9	最小権限の原則を説明せよ。(➡p.069)
□ 問10	次の用語を説明せよ。(➡p.073，075，079) • オートコンプリート機能　• クリアスクリーン • アンチパスバック　• 共連れ
□ 問11	CAPTCHAにより分かることは何か。(➡p.075)
□ 問12	次の用語を説明せよ。(➡p.078～080) • セキュアブート　• クライアント認証 • 耐タンパ性　• リモートワイプ
□ 問13	ログの用途を説明せよ。(➡p.081)
□ 問14	ログを記録する複数の機器間の時刻同期をする目的を説明せよ。(➡p.081)
□ 問15	バックアップへのランサムウェア対策を3つ挙げよ。(➡p.083)
□ 問16	災害によるバックアップの破損への対策を2つ挙げよ。(➡p.083)
□ 問17	不正のトライアングルの3つの要因を挙げよ。(➡p.087)
□ 問18	次の用語を説明せよ。(➡p.089～093) • DMZ　• プロキシサーバ • リバースプロキシサーバ　• WAF

本書の**科目B**の解説では，実際に出題されたトラップを明らかにしつつ，**序章1**・**序章2**を使って解き方を解説しています。自分では気付かなかった内容に着目すると，正解を見極める分析力が身につくでしょう。

TOPICS

出題者の頭の中

出題者は,「**全員**を**合格**させたい」と思っているでしょうか? いいえ,あいにく「適度に**不合格者**を出したい」が本音でしょう。

情報セキュリティマネジメント試験の初回の試験(平成28年春)では,全国平均合格率が**88.0%**になりました。これは大事件です。制度設計時の想定合格率を大幅に上回ったばかりか,1969年から続く情報処理技術者試験の中でも**過去最高**の合格率だからです。「**誰でも受かる試験**」は,合格の価値を薄れさせ,試験のブランド力を低下させます。そのため,合格率を下げる目的で,今後も難易度は高止まりすることでしょう。

一方で,この試験は,「**問題を難しくすることが難しい試験**」でもあります。理由は,次のとおりです。

- 技術面は原則範囲外のため,技術者向けの他の試験(応用情報技術者試験・情報処理安全確保支援士試験など)のように技術知識を問うことによって難しくするということがやりにくい。
- レベル2※のため,深入りしたマニアックな知識・考え方を出題できない。
- 記述式でなく,選択肢(**ア**～**エ**など)から選ぶ設問形式であり,どうしてもやさしくなる。

そのため,出題者の頭の中は,「**トラップ**をどれほど駆使(くし)して,問題をややこしくするか」という悩みでいっぱいになっていることでしょう。

※ レベルとは,経済産業省により策定された「共通キャリア・スキルフレームワーク」で,初級のレベル1から,レベル7までが設定されている。(➡p.014)

第1章

サイバー攻撃手法

この章では，サイバー攻撃の様々な手口を学びます。試験に出題されそうな攻撃手法だけに絞っていますが，それでも数多くあります。どれも身近であり，ひとごとでは済まされない攻撃ばかりです。

重要度★★★

1-1 サイバー攻撃

サイバー攻撃手法を理解することは，科目Aだけでなく，科目B対策においても重要です。科目Bでは，長文の説明文を読みながら，サイバー攻撃を危険予知[*1]しなければならないからです。ここでは，その前提となるサイバー攻撃の背景を理解します。

様々な手口

振り込め詐欺(さぎ)[*2]には，様々な手口が存在します。上司・部下・警察官・弁護士の役を演じた手口がニュースで報道されています。こうした手口を知っておくと，いざ本物の犯人から電話が来た場合，「自分が振り込め詐欺に遭(あ)っている」と途中で疑うことができ，被害を食い止められるでしょう。しかし，知識がないと，詐欺に遭っていることにすら気付かず，犯人の思う壺(つぼ)になります。

サイバー攻撃も同様です。手を替え品を替え，次々と作り出される攻撃手法を知っておくと，被害を未然に防げます。また，仮に被害に遭っても素早く対応できるでしょう。試験でも，とりわけ科目Aでは，サイバー攻撃手法の知識があるかどうかが問われます。

***1：危険予知**
工場や工事現場で，事故や災害を未然に防ぐ目的で，作業に潜(ひそ)む危険を事前に予想し，指摘する行為。試験では，サイバー攻撃による危険を予想する能力が問われる。

***2：振り込め詐欺**
オレオレ詐欺・なりすまし詐欺・ニセ電話詐欺・うそ電話詐欺など，別称が数多く存在すること自体，手口が数多いことを物語っている。

攻撃の動機

攻撃の動機は，金銭奪取・政治的主張・サイバーテロリズム・軍事など，多様化しています。攻撃の動機は，次のとおりです。

◆金銭奪取(だっしゅ)

金銭を奪う目的で，情報を奪ったり，利用者をだましたりします。例えば，企業の従業員が自社の顧客データを盗み出し，名簿業者に販売します。

◆興味本位

自己顕示欲(けんじよく)や好奇心から，サイバー攻撃を行います。例えば，「高いレベルの情報セキュリティ対策をしている」と謳(うた)うWebサイトに対し，攻撃者はあえてその脆弱性[*3]を突いて攻撃し，Webページを改ざんします。

◆ハクティビズム[*4]

ハッカー主体の**政治的主張・活動**です。実社会では，デモ・シンポジウム・選挙での投票などによる政治的主張・活動が行われますが，ハクティビズムはサイバー攻撃により政治的主張・活動を行います。

また，ハクティビズムを行う人を**ハクティビスト**といいます。

◆サイバーテロリズム

政治的主張を目的に，大がかりなサイバー攻撃を行います。不正侵入などにより，鉄道・電力・水道・ガスなどの社会インフラを破壊し，大規模な被害を生じさせます。

◆軍事

陸・海・空と宇宙に続く戦場がサイバー空間です。サイバー戦争に備えた軍隊として，**サイバー軍**を組織する国が増えています。暗号解読・国家機密の入手・産業技術の入手・世論操作・通信破壊・諜報(ちょうほう)（スパイ）活動などを目的にしており，従来のように武力を使うのではなく，サイバー攻撃によって他国を攻撃します。

◎ 攻撃者の種類

攻撃者は，以前は愉快犯(ゆかいはん)が多くいましたが，現在は詐欺犯(さぎはん)・故意犯(こいはん)が中心になっています。攻撃者の種類は，次のとおりです。

***3：脆弱性**(ぜいじゃくせい)
脅威（攻撃）がつけ込める弱点。

***4：ハクティビズム**
ハッカーたちの「ハック」と，積極的行動主義や政治的行動主義を意味する「アクティビズム」を掛け合わせた造語。

◆ハッカー

善良な目的か悪意ある目的かにかかわらず，**高い技術力を活かす人**です。悪意ある破壊者の意味と誤用されることがありますが，正確には善悪の意味は含みません。ハッカーが行う行為を**ハッキング**といいます。また，特に善良な目的のハッカーを**エシカルハッカー**[*5]といいます。

◆クラッカー[*6]

悪意ある目的で高い技術力を活かす人です。クラッカーが行う破壊行為を**クラッキング**といいます。

◆スクリプトキディ[*7]

いたずら目的で，**他人のまねごと**をしてサイバー攻撃する攻撃者です。クラッカーが攻撃手法を新規に開発することとは対照的に，攻撃目的の既存のツールを使って，サイバー攻撃を行います。

◆愉快犯(ゆかいはん)

被害者の醜態(しゅうたい)や慌(あわ)てふためく様子を観察したり想像したりして喜ぶことを目的としている人です。

◆詐欺犯(さぎはん)・故意犯(こいはん)

金銭奪取・サイバーテロリズム・軍事など，大きな被害を与えることを目的としている人です。以前のように，手当たり次第に攻撃するだけでなく，ターゲットを絞って事前に周到な計画を練るような悪質で巧妙化した攻撃が増えています。

***5：エシカルハッカー**
英語で，ethical（倫理的な）。「正義のハッカー」とも呼ばれ，ハッカーのうち，特に善良な目的で高い技術力を活かす人。ハッカーがクラッカーの意味で誤用されるため，あえてクラッカーと区別するために使われる。

***6：クラッカー**
語源は，crack（破壊する）を行う人から。

***7：スクリプトキディ**
語源は，script（プログラムの一種）＋kiddy（幼い子供）。プログラム言語を使った，子供でもできるレベルの攻撃という意味で，高い技術力があるクラッカーが，軽蔑(けいべつ)して表現した名称。

練習問題❶　〔情報セキュリティマネジメント試験 平成28年秋 午前問24〕

問　スクリプトキディの典型的な行為に該当するものはどれか。

ア　PCの利用者がWebサイトにアクセスし，利用者IDとパスワードを入力するところを後ろから盗み見して，メモをとる。
イ　技術不足なので新しい攻撃手法を考え出すことはできないが，公開された方法に従って不正アクセスを行う。
ウ　顧客になりすまして電話でシステム管理者にパスワードの再発行を依頼し，新しいパスワードを聞き出すための台本を作成する。
エ　スクリプト言語を利用してプログラムを作成し，広告や勧誘などの迷惑メールを不特定多数に送信する。

《解説》

スクリプトキディとは，いたずら目的で，他人のまねごとをしてサイバー攻撃する攻撃者です。攻撃目的の既存のツールを使って，サイバー攻撃を行います。

ア：**ショルダハッキング**に該当する行為です。
イ：正解です。スクリプトキディに該当する行為です。
ウ：**ソーシャルエンジニアリング**に該当する行為です。
エ：**迷惑メール**に該当する行為です。

正解：イ

1-2 マルウェア

インターネットで世界中が結ばれて便利になった反面，マルウェアが猛威を振っています。どのような手口があるのでしょう。ここでは，試験に出題される，典型的なマルウェアを学習します。

マルウェア[*1]

利用者の**意図しない動作**をするソフトウェア全般のことです。**コンピュータウイルス**[*2]ばかりを耳にしますが，**IPA**[*3]では，ウイルスを広義と狭義で2つに分類しています。このうち，広義のウイルスを**マルウェア**と呼んでいます。

マルウェアに含まれるものには，他のプログラムに伝染する**コンピュータウイルス**・伝染せず自己増殖する**ワーム**・役立つように見せかけて不正動作する**トロイの木馬**などがあります。マルウェアの分類は，次のとおりです。

マルウェア（広義のウイルス）

コンピュータウイルス	ワーム	トロイの木馬
他のプログラムに伝染するもの。**（狭義のウイルス）**	伝染しないで，自己増殖するもの。	役立つように見せかけて，不正動作するもの。伝染しない。

◆コンピュータウイルス

伝染するマルウェアのことです。他のプログラムの一部を書き換えて，自分自身をコピーし，そのプログラム実行時にさらに自分自身を別のプログラムにコピーして増殖していきます。

***1：マルウェア**
語源は，mal（悪質な）＋ware（software：ソフトウェア）から。

***2：コンピュータウイルス**
語源は，動植物に感染するウイルスが増殖するプロセスとよく似ていることから。つまり，自己増殖できる細菌とは異なり，ウイルスは自分だけでは増殖できず，正常な細胞（プログラム）に寄生し変質させて，増殖していく。

***3：IPA**
独立行政法人 情報処理推進機構。頼れるＩＴ社会の実現を目的に，情報処理技術者試験の実施や，国民への情報セキュリティの啓発を行っている。

◆ワーム[*4]

自己増殖するマルウェアのことです。ウイルスと違い，ワーム自身が独立して実行可能なプログラムのため，別のプログラムを使わず自身を増殖させられます。インターネットを通じて，コンピュータのセキュリティホール（脆弱性）を悪用して侵入するケースが多いです。

*4：ワーム
語源は，wormはイモムシやミミズのように「這い回る虫」の意味で，ネットワークに接続された他の情報機器に出現するので，ネットワーク内を自分自身で動き回り感染拡大する姿をたとえている。

◆トロイの木馬[*5]

役立つように見せかけて，不正動作するプログラムです。ただし，ウイルスとは異なり，他へ伝染しません。トロイの木馬には，潜入しすぐに破壊活動を開始するもの・潜伏し時間が経ってから発症するもの・他のコンピュータが乗っ取るための窓口として機能するものなどがあります。

*5：トロイの木馬
ギリシア神話で，トロイ戦争の際，兵隊らが身をひそめた木馬（木製の大きな馬の張り子）を，敵が勘違いしてトロイ城内に連れ込んだ結果，兵隊らは，敵を陣地内で攻撃できたため勝ったという伝説がある。転じて「相手をだます」罠の意味になった。

トロイの木馬の主な種類は，次のとおりです。

- **ダウンローダ**[*6]
  攻撃するためのプログラムを外部から**ダウンロード**するマルウェア。感染後に，インターネットから不正プログラムをダウンロードして，それを実行することで攻撃する。ダウンローダ自体は，マルウェア対策ソフトのパターンマッチング法では発見されにくい。

*6：ダウンローダ
語源は，downloader（ダウンロードするもの）から。

- **ドロッパ**[*7]
  攻撃するためのプログラムを内部に**隠しもつ**マルウェア。感染後に，内部にある不正プログラムを取り出して，それを実行することで攻撃する。

*7：ドロッパ
語源は，dropper（感染後に不正プログラムを投下するもの）から。

- **バックドア**[*8]
  一度，不正アクセスできたコンピュータに対し，再び侵入するために仕掛ける**裏口**のこと。攻撃者が特殊な裏口を作るため，発見が難しい。

*8：バックドア
語源は，back door（裏口）から。

マルウェアの機能

マルウェアは，次の機能を１つ以上もちます。

- 自己伝染機能
  他のプログラムに自分自身をコピーすることにより，他のシステムに伝染する機能。

- 潜伏(せんぷく)機能
  発病するまで症状を出さない機能。

- 発病機能
  ファイルの破壊を行う機能・意図しない動作をする機能。

マルウェアの感染経路

マルウェアの代表的な感染経路は，次のとおりです。

- 電子メール経由
  例 マルウェアを含む添付ファイルを開いて，感染する。

- Webアクセス経由
  例 Webブラウザで閲覧中に，Webサイトに仕込まれたマルウェアをダウンロードして感染する。

- ネットワークアクセス経由
  例 社内ネットワークを経由して，社内の他のPC[*9]に感染する。

- メディア経由
  例 USBメモリ・DVD-ROMを経由して，他のPCに感染する。

*9：PC
Personal Computerの略。パソコンと同義だが，試験問題の表記に合わせて本書では「PC」と記載する。

ボット*10

感染した情報機器*11を，インターネット経由で**外部から操**（あやつ）**る**ことを目的とした不正プログラムです。ボットに感染した場合，攻撃者であるボットハーダーが，C＆Cサーバ経由でボットネット内のボットに対して指令を出し，遠隔操作されたボットが様々な攻撃を行います。

*10：ボット
語源は，動作がロボットに似ていることから。

*11：情報機器
ここでは，PC・スマートフォン・タブレット・IoT機器などを含む。

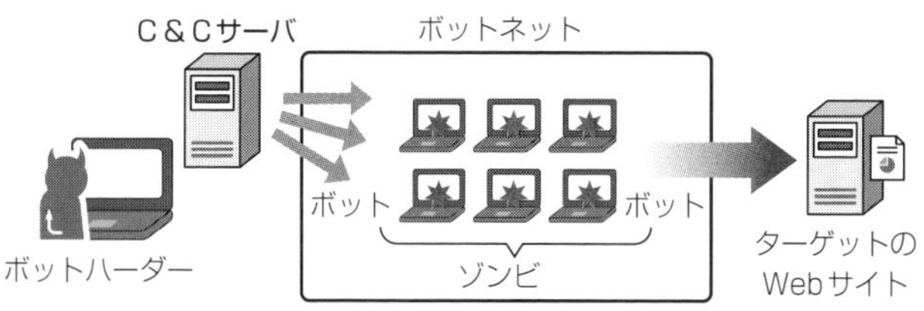

関連する用語は，次のとおりです。

ゾンビ	ボットに感染し，遠隔操作されるコンピュータ。ホラー映画のゾンビ（死体のままよみがえった人間）にたとえている。
ボットハーダー	ボットネット内の数多くのボットに攻撃を指令する攻撃者。語源は，bot（ボット）＋herder（牛飼い・羊飼い）から。ボットを家畜にたとえている。
C＆Cサーバ	ボットハーダーがボットに命令（command）を送り，遠隔操作（control）するためのサーバ。command and control serverの略。
ボットネット	ボットに感染した複数のコンピュータで構成されたネットワーク。

マクロウイルス

マクロで作られたコンピュータウイルスです。**マクロ**とは，ソフトウェアの処理を自動化するための機能です。マクロウイルスは，オフィスソフト（ワープロソフト・表計算ソフトなど）のマクロ機能を悪用することが多いです。また，正規のソフトウェアのファイル内に格納されるため，存在に気付きにくく，安易にファイルを開き，感染してしまいがちです。

エクスプロイト[*12]コード

ソフトウェアやハードウェアの脆弱性を悪用するために作成されたプログラムです。**攻撃コード**とも呼ばれます。本来は発見された脆弱性を検証・分析するために使われていましたが，近年は悪用されることが増えています。

◆エクスプロイトキット

複数のエクスプロイトコードや管理機能を統合したソフトウェアです。

*12：エクスプロイト
語源は，exploit（悪用する）から。

偽（にせ）セキュリティ対策ソフト型ウイルス

正規のセキュリティ対策ソフトに似せたウイルスです。次の手順で，金銭をだまし取ります。

① 正規のセキュリティ対策ソフトを思わせる画面に，「マルウェアを検出」，「ウイルスに感染している」などと表示する。
② 「解決するために有償版の製品が必要」と，偽のメッセージを表示し，セキュリティ対策ソフトを押し売りする。その結果，購入画面で利用者にクレジットカード番号を入力させて，金銭をだまし取る。

ランサムウェア[*13]

コンピュータのファイルやシステムを使用不能にし，その復旧と引き換えに金銭を要求するソフトウェアです。代表例は，Wanna Cryptor（ワナクリプター）・WannaCry（ワナクライ）。関連する用語は，次のとおりです。

◆二重脅迫（きょうはく）[*14]

データ・システムの復旧と引き換えに身代金を要求するだけでなく，盗み出したデータをリークサイト[*15]などに**公開しない**ことと引き換えに身代金を要求する手口です。

*13：ランサムウェア
語源は，ransom（身代金（みのしろきん））＋ware（software：ソフトウェア）から。

*14：二重脅迫
英語で，double extortion。

*15：リークサイト
サイバー攻撃などにより窃取されたデータを公開するために，攻撃者がインターネットやダークウェブに設置したWebサイト。英語で，leak site。

◆RaaS（ラース）*16

ランサムウェア攻撃に必要なランサムウェア本体や環境などを**サービス**として提供すること，または，そのビジネスモデルです。ランサムウェアを構築する者と，それをサービスとして活用する者により，攻撃者の組織化や分業化が進んでいます。

*16：RaaS
Ransomware as a Serviceの略。

その他のマルウェア

覚えておくべきその他のマルウェアは，次のとおりです。

表：その他のマルウェア

ファイルレスマルウェア	マルウェア本体を，ディスクドライブ上には格納せず，メモリ上で実行する種類のマルウェア。OSに組み込まれた正規のツール・機能を用いて，悪意あるコードを実行する。
スパイウェア	感染したコンピュータ内部の利用者の個人情報などを収集するソフトウェア。 語源は，spy（スパイ）＋ware（software：ソフトウェア）から。
アドウェア	ソフトウェアを無償提供する代わりに，利用者に広告を見させる目的のソフトウェア。通常は無害だが，なかには，利用者の承諾なく個人情報を収集するスパイウェアもある。 語源は，ad（advertisement：広告）＋ware（software：ソフトウェア）から。
キーロガー	スパイウェアの一種で，コンピュータへのキー入力を監視し記録するソフトウェア。有益な場合もあるが，利用者の入力情報を盗むものもある。その対策として，パスワードを，画面表示されたキーから入力する**ソフトウェアキーボード**がある。画面表示されたキーを毎回異なる並びにすることで，キーロガーにはどのキーが入力されたのかが分からなくなる。 語源は，key（キー）＋logger（ログ記録を取るもの）から。
ルートキット（rootkit）	システムに不正に侵入したあとで，**管理者権限**（root）を奪ったり，抜け道を仕掛けたり，侵入痕跡（こんせき）を削除したりするためのプログラム集（kit）。 語源は，root（管理者権限）＋kit（道具一式）から。

ポリモーフィック型ウイルス	マルウェア対策ソフトのパターンマッチング法によるマルウェア検出を免(まぬが)れる目的で，感染のたびに異なる方式で自身のウイルスコードを暗号化するウイルス。これを検出するには，プログラムが行う危険な行動（振舞い）を検出した時点で，マルウェア対策ソフトは，マルウェアに感染したと判断する**ビヘイビア法**などを使う必要がある。
RAT(ラット)	攻撃対象の情報機器を遠隔から操作するための攻撃用ツール。特定の情報機器から重要情報を不正に入手する標的型攻撃に利用される。Remote Access Toolの略。
遠隔操作型ウイルス	情報機器に感染すると，掲示板サイトにマルウェアへと誘導するリンク（URL）を書き込む動作を行うマルウェア。通常は，攻撃者がみずからリンクの書込み動作を行うため，攻撃者を特定する手がかりが残る。しかし，遠隔操作型ウイルスでは，マルウェアに感染した，攻撃者とは無関係の情報機器が掲示板サイトに書き込むため，証拠が残りにくく，攻撃者の追跡が難しくなる。

マルウェア・スパイウェア・アドウェアは，悪意の大きさで分類すると，次のとおりです。

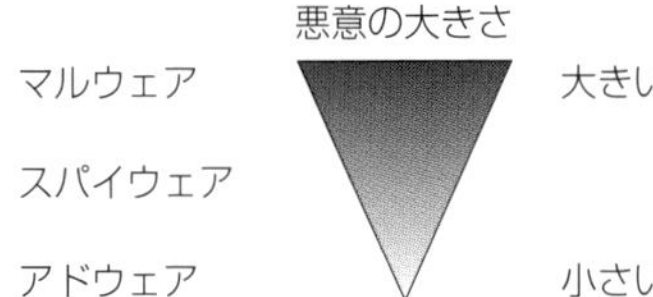

マルウェアへの対策

マルウェアへの対策は，次のとおりです。

- マルウェア対策ソフトを導入する。
- マクロウイルスへの対策は，オフィスソフトなどで，「マクロ機能を無効にする」に設定する。

練習問題❶

〔情報セキュリティマネジメント試験 平成28年春 午前問27〕

問 バックドアに該当するものはどれか。

ア　攻撃を受けた結果，ロックアウトされた利用者アカウント
イ　システム内に攻撃者が秘密裏に作成した利用者アカウント
ウ　退職などの理由で，システム管理者が無効にした利用者アカウント
エ　パスワードの有効期限が切れた利用者アカウント

《解説》

バックドアとは，一度，不正アクセスできたコンピュータに対し，再び侵入するために仕掛ける裏口のことです。攻撃者が特殊な裏口を作るため，発見が難しいです。

正解：イ

練習問題❷ 〔情報セキュリティマネジメント試験 令和4年サンプル問題 科目A問14〕

問 ボットネットにおけるC&Cサーバの役割として，適切なものはどれか。

ア Webサイトのコンテンツをキャッシュし，本来のサーバに代わってコンテンツを利用者に配信することによって，ネットワークやサーバの負荷を軽減する。

イ 外部からインターネットを経由して社内ネットワークにアクセスする際に，CHAPなどのプロトコルを用いることによって，利用者認証時のパスワードの盗聴を防止する。

ウ 外部からインターネットを経由して社内ネットワークにアクセスする際に，時刻同期方式を採用したワンタイムパスワードを発行することによって，利用者認証時のパスワードの盗聴を防止する。

エ 侵入して乗っ取ったコンピュータに対して，他のコンピュータへの攻撃などの不正な操作をするよう，外部から命令を出したり応答を受け取ったりする。

《解説》

ボットとは，感染した情報機器を，インターネット経由で外部から操(あやつ)ることを目的とした不正プログラムです。ボットに感染した場合，攻撃者であるボットハーダーが，C＆Cサーバ経由でボットネット内のボットに対して指令を出し，遠隔操作されたボットが様々な攻撃を行います。**C＆Cサーバ**とは，ボットハーダーがボットに命令（command）を送り，遠隔操作（control）するためのサーバです。**ボットネット**とは，ボットに感染した複数のコンピュータで構成されたネットワークです。

ア：**プロキシサーバ**の説明です。

イ，ウ：認証サーバの説明です。

エ：正解です。C＆Cサーバの説明です。

正解：エ

1-3 パスワードクラック

パスワードが見破られると，不正侵入やなりすましをされ，個人情報や秘密情報が盗まれたり，システムやデータが破壊されたりします。ここでは，パスワードを見破るという，典型的なサイバー攻撃を紹介します。

類推攻撃

利用者の情報をもとに，攻撃者がパスワードを類推する方法です。パスワードが，利用者ID[*1]・名前・生年月日・地名・出身校などの場合，攻撃者がパスワードを見破ることがあります。

***1：利用者ID**
ユーザを識別するための名前や番号のこと。ユーザアカウントともいう。

辞書攻撃[*2]

パスワードに単語を使う人が多いことを悪用し，辞書の単語を利用してパスワードを推察する方法です。ブルートフォース攻撃に比べて，見破るまでの効率が良いため，ブルートフォース攻撃の前に，まず辞書攻撃でパスワードの見破りを試します。

***2：辞書攻撃**
「辞書」とは，一般的な辞書ではなく，パスワードとなりそうな単語をまとめたパスワード候補集のこと。

辞書の例は，次のとおりです。

- 12345678
- password
- qwerty（キーの並び）
- admin（管理者権限のID）
- login

ブルートフォース攻撃[*3]

パスワードの可能な**組合せ**をしらみつぶしに**すべて試す**方法です。**総当たり攻撃**ともいいます。効率が悪い方法のため，人間ならば面倒であきらめる作業ですが，それをコンピュータにやらせてパスワードを見破ろうとします。例えば，銀行ATM（現金自動預払機）の場合，暗証番号は4桁なので0000～9999まで最大1万回すべて試せば，必ず暗証番号を見破れます。

***3：ブルートフォース攻撃**
語源は，brute force（力づくの）から。

リバースブルートフォース攻撃[*4]

1つの利用者IDについて，様々なパスワードを試す**ブルートフォース攻撃**とは対照的に，1つのパスワードについて，様々な利用者IDを試す方法です。1つの利用者IDについて，何度もログインを試すわけではないので，アカウントの**ロックアウト**[*5]は，対策となりません。

***4：リバースブルートフォース攻撃**
語源は，ブルートフォース攻撃のreverse（逆）であり，パスワードでなく，利用者IDを試すことから。

***5：ロックアウト**
ある回数以上パスワードを誤入力した場合，その利用者IDを使用禁止にすること。

パスワードスプレー攻撃[*6]

同じパスワードを使って，複数のアカウントへのログインを試みる手法です。ブルートフォース攻撃の一種で，ロックアウトにならないように，攻撃元のIPアドレス・攻撃対象の利用者ID・攻撃間隔を変えながら行う**リバースブルートフォース攻撃**です。

***6：パスワードスプレー攻撃**
英語で，Password Spraying Attack。

パスワードリスト攻撃[*7]

利用者ID・パスワードを**使い回す**利用者が多いことから，あるWebサイトやシステムから**流出**した**利用者ID**と**パスワード**のリストを使って，別のWebサイトやシステムへの不正ログインを試みる攻撃です。不正ログインされるWebサイトやシステムに脆弱性がなくても，攻撃が成功します。

***7：パスワードリスト攻撃**
リスト型アカウントハッキングともいう。語源は，攻撃者が何らかの方法で事前に入手した利用者IDとパスワードの「リスト」を使うことから。

クレデンシャルスタッフィング攻撃[*8]

侵害されたり，漏えいしたりした利用者の認証情報（利用者ID・パスワード）を悪用して，他のサービスへの大規模な不正ログインを試みる攻撃です。

クレデンシャルスタッフィング攻撃は，パスワードリスト攻撃の一種です。両攻撃の違いは，次のとおりです。

- クレデンシャルスタッフィング攻撃は，**大量**かつ**自動**的に不正ログインを試みる。
- パスワードリスト攻撃は，**手動**で不正ログインを試みる。

レインボー攻撃[*9]

予想したパスワードをもとに求められた**ハッシュ値**[*10]と，利用者のパスワードのハッシュ値を照合し，パスワードを見破る方法です。パスワードは，通常，そのまま保存されず，パスワードをもとに，ハッシュ関数により計算されたハッシュ値が保存されています。予想したパスワードのハッシュ値の一覧表（**レインボーテーブル**）と，利用者のパスワードのハッシュ値を比較することで，パスワードを特定します。

パスワードクラックへの対策

パスワードクラックへの対策は，次のとおりです。

- 類推攻撃・辞書攻撃への対策は，意味のある単語をパスワードに使わない。
- ブルートフォース攻撃への対策は，パスワードに使用する文字の種類を増やす・長くする。
- パスワードリスト攻撃への対策は，パスワードを使い回さない。

***8：クレデンシャルスタッフィング攻撃**
語源は，認証情報（credential）を使って次々に他のサービスへの不正ログインを試みる（stuffing，押し込む）ことから。

***9：レインボー攻撃**
レインボーテーブル攻撃ともいう。

***10：ハッシュ値**
ハッシュ関数により計算された値。ハッシュ関数は，パスワードからハッシュ値は作れるが，逆はできないという一方向性・不可逆性をもつ。

練習問題❶

〔応用情報技術者試験 平成30年秋 午前問42〕

問 ブルートフォース攻撃に該当するものはどれか。

ア Webブラウザとwebサーバの間の通信で，認証が成功してセッションが開始されているときに，Cookieなどのセッション情報を盗む。
イ コンピュータへのキー入力を全て記録して外部に送信する。
ウ 使用可能な文字のあらゆる組合せをそれぞれパスワードとして，繰り返しログインを試みる。
エ 正当な利用者のログインシーケンスを盗聴者が記録してサーバに送信する。

《解説》

ブルートフォース攻撃とは，パスワードの可能な組合せをしらみつぶしにすべて試す方法です。**総当たり攻撃**ともいいます。

ア：**セッションハイジャック**の説明です。
イ：悪質な**キーロガー**の説明です。
ウ：正解です。
エ：**リプレイ攻撃**の説明です。

正解：ウ

練習問題❷

〔応用情報技術者試験 平成31年春 午前問38〕

問 パスワードクラック手法の一種である，レインボー攻撃に該当するものはどれか。

ア 何らかの方法で事前に利用者IDと平文のパスワードのリストを入手しておき，複数のシステム間で使い回されている利用者IDとパスワードの組みを狙って，ログインを試行する。

イ パスワードに成り得る文字列の全てを用いて，総当たりでログインを試行する。

ウ 平文のパスワードとハッシュ値をチェーンによって管理するテーブルを準備しておき，それを用いて，不正に入手したハッシュ値からパスワードを解読する。

エ 利用者の誕生日や電話番号などの個人情報を言葉巧みに聞き出して，パスワードを類推する。

《解説》

レインボー攻撃とは，予想したパスワードをもとに求められたハッシュ値と，利用者のパスワードのハッシュ値を照合し，パスワードを見破る方法です。パスワードは，通常，そのまま保存されず，パスワードをもとに，ハッシュ関数により計算されたハッシュ値が保存されています。予想したパスワードのハッシュ値の一覧表（**レインボーテーブル**）と，利用者のパスワードのハッシュ値を比較することで，パスワードを特定します。

ア：**パスワードリスト攻撃**の説明です。
イ：**ブルートフォース攻撃**の説明です。
ウ：正解です。
エ：**ソーシャルエンジニアリング**を用いた**類推攻撃**の説明です。

正解：ウ

1-4 不正アクセス・盗聴

泥棒は，現地に行かなければ実行できません。一方で，サイバー攻撃は，わざわざ出向かなくてもネットワーク経由で，遠隔地から仕掛けられます。ここでは，代表的なサイバー攻撃である不正アクセスと盗聴について学びます。

不正アクセス

ネットワークを通じて，機器に接続し，本来認められていない操作をすることです。侵入行為となりすまし行為に分かれます。

◆侵入行為

ソフトウェアの脆弱性[*1]を悪用し，コンピュータに不正侵入することです。侵入行為については，この節で説明します。

*1：脆弱性（ぜいじゃくせい）
脅威（攻撃）がつけ込める弱点。

◆なりすまし行為

攻撃者が正規の利用者ID・パスワードを悪用し，正規の利用者になりすましすることです。なりすまし行為については，次節で説明します。

フットプリンティング[*2]

攻撃者がサイバー攻撃の前に行う情報収集・下調べのことです。攻撃者は，攻撃対象の弱点やセキュリティ体制などを分析し，攻撃ルートや使用するツールを決定します。

*2：フットプリンティング
語源は，foot printing（足あとを付けること）から。

ダークウェブ*3

一般的な検索サイトには表示されず，かつ専用のWebブラウザでのみ接続可能なWebサイトの総称です。いわゆる，**闇**(やみ)サイトです。関連する用語は，次のとおりです。

◆Tor(トーア)*4

インターネットにおいて，接続経路を**匿名化**(とくめいか)するための技術・規格です。この技術を使ったTorブラウザを使うことがあります。

ポートスキャン

不正アクセスを行う前に，接続先の**ポート番号***5に**抜け穴**があるかを調べる行為です。身近な例では，泥棒が侵入する前に，無施錠の住居を探す行為と似ています。

サイバー攻撃の手法としてポートスキャンを行うだけでなく，システム管理者が自衛のために，自分のネットワークの脆弱性を調べる目的でも行います。また，ポートスキャンを行うためのツールを**ポートスキャナ**といいます。

スニッフィング*6

ネットワークを流れる通信データを監視・記録する**盗聴***7行為です。また，スニッフィングを行うための機器やソフトウェアをスニファといいます。

ウォードライビング*8

無防備な無線LAN親機（アクセスポイント）を，自動車で移動しながら探し回る行為です。強力なアンテナをもつ無線LAN子機を装備し，セキュリティ設定が甘く，かつ外部に漏れ出た電波を求めて，オフィス街を徘徊(はいかい)します。無線LAN環境に不正アクセスする攻撃の例は，次のとおりです。

***3：ダークウェブ**
英語で，Dark Web。

***4：Tor**
The Onion Routerの略。語源は，薄皮ばかりでむいても中身に到達しにくい玉ねぎから。

***5：ポート番号**
TCP/IPプロトコルで，どのような種類の通信かを識別するための番号。宛先アドレスとともに送信される。ポート番号は，0から65535まであり，Web閲覧（HTTPプロトコル）が80，メール送信（SMTPプロトコル）が25などと，プロトコルによって決まっている。

***6：スニッフィング**
語源は，sniffer（においを嗅(か)ぐもの・探知機）から。

***7：盗聴**
内容を盗み見ること。情報セキュリティでは，会話などの音声を聴くだけでなく，データを見ること，コピー・保存することを含む。

***8：ウォードライビング**
War Driving。語源は，米国の映画「ウォーゲーム（WARGAMES）」で，主人公が非公開のダイヤルアップ回線（電話回線）を探す行為を，ウォーダイヤリングと呼んだことから。それに似た行為を自動車で移動しながら行うことから。

- 社内ネットワーク内にある重要な情報を奪う。
- インターネット接続を無断で利用する。
- 社内ネットワーク内で送受信されている通信データを盗聴する。

サイバーキルチェーン*9

サイバー攻撃の段階を説明した代表的なモデルです。サイバー攻撃を7段階に区分して，攻撃者の考え方・行動を理解することを目的としています。このうちのどこかの段階でチェーン（負の連鎖）を断ち切れば，被害を防げます。

*9：サイバーキルチェーン
kill chainの語源は，負の連鎖を断ち切ることから。

*10：エクスプロイトコード
ソフトウェアやハードウェアの脆弱性を悪用するために作成されたプログラム。

*11：C＆Cサーバ
ボットハーダーが，ボットに命令を送り，遠隔操作するためのサーバ。
command and control serverの略。

表：サイバーキルチェーン

段階	シナリオの例
① 偵察	対象者に関する情報を事前調査・情報収集する。
② 武器化	エクスプロイトコード*10・マルウェアを作成する。添付ファイルに格納する。
③ 配送	添付ファイルを含むメールを対象者へ送付する。
④ 攻撃実行	添付ファイルを実行させる。
⑤ インストール	対象者のPCがマルウェアに感染する。
⑥ 遠隔制御	C＆Cサーバ*11経由でマルウェアを操作し内部情報を収集する。
⑦ 目的の実行	内部情報を圧縮・暗号化した後，持ち出す。

テンペスト*12

コンピュータのディスプレイから発する微弱な電磁波を傍受（ぼうじゅ）し，表示内容を盗み見することです。

サイドチャネル*13

暗号装置が発する電磁波・熱・消費電力・処理時間などを外部から観測し，暗号解読の手がかりにする方法です。

*12：テンペスト
TEMPEST。語源は，Transient Electromagnetic Pulse Surveillance Technology（瞬間的電磁パルス監視技術）から。

*13：サイドチャネル
語源は，暗号アルゴリズム自体とは異なる，side（副次的）＋channel（経路）によることから。

不正アクセス・盗聴への対策

不正アクセスや盗聴への対策は，次のとおりです。

- ポートスキャンへの対策は，使用していないポートを閉じ，不要なアプリケーションをインストールしない。そのアプリケーションが使用するために，勝手にポートを開くため。
- ウォードライビングへの対策は，より安全な暗号化方式を採ったり，パスフレーズ（パスワード）を20文字以上にしたりする。
- テンペストへの対策は，ケーブルに電磁波を通さない素材を巻く。

練習問題❶

〔応用情報技術者試験 令和3年春 午前問38〕

問 攻撃者が行うフットプリンティングに該当するものはどれか。

ア Webサイトのページを改ざんすることによって，そのWebサイトから社会的・政治的な主張を発信する。
イ 攻撃前に，攻撃対象となるPC，サーバ及びネットワークについての情報を得る。
ウ 攻撃前に，攻撃に使用するPCのメモリを増設することによって，効率的に攻撃できるようにする。
エ システムログに偽の痕跡を加えることによって，攻撃後に追跡を逃れる。

《解説》

フットプリンティングとは，攻撃者がサイバー攻撃の前に行う情報収集・下調べのことです。攻撃者は，攻撃対象の弱点やセキュリティ体制などを分析し，攻撃ルートや使用するツールを決定します。

正解：イ

練習問題❷

〔情報処理安全確保支援士試験 令和3年秋 午前Ⅱ問5〕

問 サイバーキルチェーンに関する説明として，適切なものはどれか。

ア 委託先の情報セキュリティリスクが委託元にも影響するという考え方を基にしたリスク分析のこと

イ 攻撃者がクライアントとサーバとの間の通信を中継し，あたかもクライアントとサーバが直接通信しているかのように装うことによって情報を盗聴するサイバー攻撃手法のこと

ウ 攻撃者の視点から，攻撃の手口を偵察から目的の実行までの段階に分けたもの

エ 取引データを複数の取引ごとにまとめ，それらを時系列につなげたチェーンに保存することによって取引データの改ざんを検知可能にしたもの

《解説》

サイバーキルチェーンとは，サイバー攻撃の段階を説明した代表的なモデルです。サイバー攻撃を7段階に区分して，攻撃者の考え方・行動を理解することを目的としています。このうちのどこかの段階でチェーン（負の連鎖）を断ち切れば，被害を防げます。

ア：サプライチェーンリスクの説明です。
イ：中間者攻撃の説明です。
ウ：正解です。サイバーキルチェーンの説明です。
エ：ブロックチェーンの説明です。

正解：ウ

重要度★★★

1-5 なりすまし

なりすましは，古くて新しい手口です。本人のふりをするというありきたりな手法である一方で，今でも被害があとを絶ちません。攻撃者は，証拠を残さずにサイバー攻撃を仕掛けるために，他人になりすましします。

なりすまし

本人でないのに，**本人のふり**をすることです。実社会では，顔や身分証明書で本人確認します。一方で，サイバー空間では本人確認がしにくいため，実社会に比べ，なりすましの危険性が高まります。

MITM[*1]・中間者攻撃

通信を行う二者の間に**割り込んで**，両者が交換する情報を自分のものとすり替えることによって，誰にも気付かれることなく盗聴することです。

MITB[*2]

情報端末に潜伏し，Webブラウザが**オンラインバンキング**に接続すると，Webブラウザの通信内容を盗聴・改ざんして，不正送金を行う攻撃です。

Evil Twin（イービル ツイン）[*3]

公衆無線LAN（ラン）[*4]に，正規の無線LAN親機（アクセスポイント）になりすましをした偽物を設置し，誤って接続した利用者

*1：MITM
Man-In-The-Middleの略。

*2：MITB
Man-In-The-Browserの略。

*3：Evil Twin
語源は，一見善良に見える公衆無線LANが，実際には盗聴を行うため，両方の顔をもつ「悪魔の双子」から。

*4：公衆無線LAN
フリーWi-Fi・Wi-Fiスポットともいう。

との通信内容を盗聴する攻撃です。正規のアクセスポイントよりも強い電波を発信することで，その成功確率を高めます。

踏み台

サイバー攻撃の攻撃者は，自身が犯人であることを隠すために，証拠を残さないよう第三者を経由して攻撃を仕掛けます。**踏み台**とは，中継点となる第三者のことです。さらに，攻撃者が踏み台に指示を出し，踏み台を足がかりに，さらにその踏み台が別の踏み台に指示して攻撃する**踏み台の踏み台**を使った攻撃もあります。

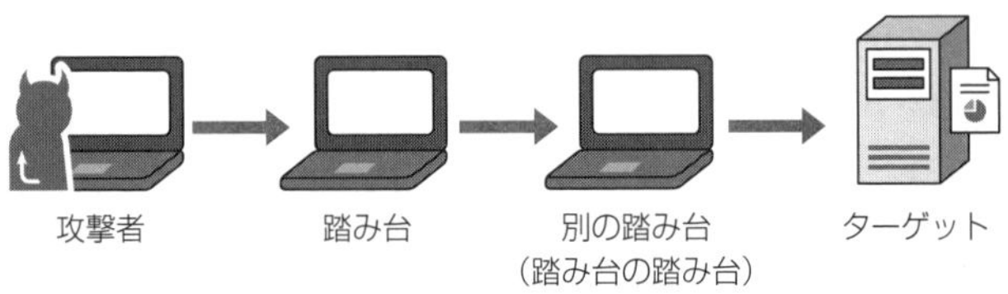

第三者中継 *5

第三者のメールサーバを不正に中継し，身元を偽（いつわ）って**メールを送信**することです。攻撃の例は，次のとおりです。

- 迷惑メール送信の踏み台にする。
- 第三者中継が可能なサイトを，ブラックリストとして公開する。その結果，迷惑メール対策として，そのアドレスからのメールを受信拒否にするメールサーバが出てくる。

*5：第三者中継
オープンリレー（open relay）ともいう。

IPスプーフィング *6

自分のIPアドレスを別のIPアドレスに偽装（ぎそう）し，なりすましする攻撃です。**IPアドレス偽装攻撃**ともいいます。IPアドレスとは，ネットワーク上の機器を識別するための番号です。攻撃の例は，次のとおりです。

*6：IPスプーフィング
語源は，IP（IPプロトコル）＋spoofing（なりすまし）から。

- 外部からの不正アクセスを，内部のIPアドレスからの通信に偽装し，なりすましする。
- DoS攻撃の攻撃者や，踏み台の身元を隠す目的で，別のIPアドレスからの通信に偽装する。

セッションハイジャック[*7]

Webサイト提供者とWeb閲覧者との間の**セッション**を，攻撃者が盗聴し，正規のWeb閲覧者になりすましをして不正アクセスする攻撃です。

Web閲覧者がパスワードを使ってログインすると，Webサイト提供者は，Web閲覧者をセッションで識別します。そのため，攻撃者はセッションさえ盗聴すれば，パスワードが不明でも正規のパスワードでログイン済みのWeb閲覧者になりすましできます。

セッションとは，**ログイン情報**のことです。Webサイト提供者とWeb閲覧者が，互いの通信であることを識別するための仕組みです。例えば，ショッピングカート内を表示する際，WebサイトがWeb閲覧者のセッションにある識別番号（セッションID）を確認して，どのWeb閲覧者からの通信かを識別し，該当のWeb閲覧者のカート内の商品を表示します。

攻撃者が正規のWeb閲覧者になりすましをした攻撃の例は，次のとおりです。

- 正規のWeb閲覧者の個人情報を盗んだり，内容を改ざんしたりする。
- 商品をなりすましをして注文したり，犯人を特定されにくいため，購入者をだます目的でオークションサイトに不正出品したりする。

***7：セッションハイジャック**
語源は，session（セッション）＋hijacking（ハイジャック）。ハイジャックは，航空機・船舶などを占拠（せんきょ）・乗っ取る行為。つまり，セッションを乗っ取ることから。

セッション固定攻撃 [*8]

Webサイト提供者とWeb閲覧者との間のセッションを，攻撃者が用意したセッションにすり替え，正規のWeb閲覧者になりすましをして不正アクセスする攻撃です。

***8：セッション固定攻撃**
英語で，session fixation。

リプレイ攻撃 [*9]

攻撃者が，ネットワークを流れる正規の利用者のパスワードなどを盗聴し，そのまま**再利用**（再生）して，正規の利用者になりすましをして不正アクセスする攻撃です。仮にパスワードなどを暗号化しても，攻撃者がその通信内容を丸ごと再利用すれば，なりすましできます。

***9：リプレイ攻撃**
語源は，盗聴したパスワードなどをreplay（再生）することから。

なりすましへの対策

なりすましへの対策は，次のとおりです。

- 第三者中継への対策は，メール送信者の範囲を限定したり，自分の**ドメイン** [*10] が宛先であるメールだけを受信するように設定したりする。
- セッションハイジャックへの対策は，重要な情報をWebブラウザで表示する直前に，パスワードによる利用者認証を行う。これにより，なりすましの場合，パスワードが分からず，その後の処理を行えなくなる。
- リプレイ攻撃への対策は，通信内容を再利用できないように，**チャレンジレスポンス認証**を使う。
- MITB攻撃への対策は，**トランザクション署名**を使う。**トランザクション署名**とは，送金取引時にその内容を確認する目的で使われる仕組み。オンラインバンキングにおける，送金者と金融機関との間の経路を，Webブラウザでない経路にすることで，送金の確認画面を，さらに改ざんされるという事態を防ぐ。

***10：ドメイン**
インターネット上の住所にあたる文字列。
例 www.kantei.go.jp

練習問題❶

〔情報処理安全確保支援士試験 令和２年秋 午前Ⅱ問10〕

問 インターネットバンキングの利用時に被害をもたらすMITB (Man in the Browser) 攻撃に有効な対策はどれか。

ア インターネットバンキングでの送金時に接続するWebサイトの正当性を確認できるよう，EV SSLサーバ証明書を採用する。

イ インターネットバンキングでの送金時に利用者が入力した情報と，金融機関が受信した情報とに差異がないことを検証できるよう，トランザクション署名を利用する。

ウ インターネットバンキングでのログイン認証において，一定時間ごとに自動的に新しいパスワードに変更されるワンタイムパスワードを用意する。

エ インターネットバンキング利用時の通信をSSLではなくTLSを利用して暗号化する。

《解説》

MITB（Man in the Browser）攻撃とは，情報端末に潜伏し，Webブラウザがオンラインバンキングに接続すると，Webブラウザの通信内容を盗聴・改ざんして，不正送金を行う攻撃です。MITB攻撃への対策は，トランザクション署名を使うことです。**トランザクション署名**とは，送金取引時にその内容を確認する目的で使われる仕組みです。オンラインバンキングにおける，送金者と金融機関との間の経路を，Webブラウザでない経路にすることで，送金の確認画面を，さらに改ざんされるという事態を防ぎます。

正解：イ

重要度★★★

1-6 DoS攻撃

DoS攻撃は，連続して通信を行い，サーバを応答不能のパンク状態にします。情報セキュリティの3要素のうち，可用性（必要なときはいつでも使え，使用不可能がないこと）が損なわれる攻撃です。

DoS（ドス）攻撃[*1]

何度も連続してサーバに通信を行い，サーバを**パンク状態**にしてサービスを停止させる攻撃です。特徴は，次のとおりです。

- 個別の手法でなく，様々な攻撃手法の総称である。
- **攻撃側**1台から，相手側1台に対して攻撃が行われる。つまり，攻撃側と相手側は，**1対1**の関係。
- DoS攻撃は，OSやソフトウェアのバグ（欠陥（けっかん））によるケースも少なくない。

DoS攻撃

攻撃者

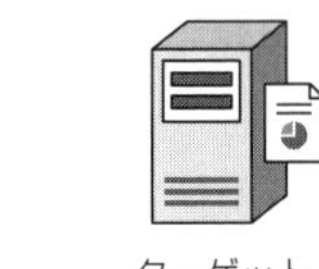

ターゲット

DoS攻撃には，次の種類があります。

- SYN Flood（シン フラッド）攻撃
  TCPプロトコルのSYNパケットを送り，その返信を無視してサーバを待機状態にするDoS攻撃。

***1：DoS攻撃**
語源は, Denial Of Service（サービス妨害（ぼうがい））から。

- Smurf（スマーフ）攻撃
  ICMPプロトコルの応答パケットをサーバに大量に送りつけてパンク状態にするDoS攻撃。

DDoS（ディードス）攻撃*2

1台が攻撃するDoS攻撃とは違って，**複数台**が攻撃するDoS攻撃です。DoS攻撃との違いは，次のとおりです。

- **攻撃側複数台**から，相手側1台に対して攻撃が行われる。つまり，攻撃側と相手側は，**多対1**の関係。
- 例えば，「数多くの人がいたずら電話を何度も行い，電話をパンク状態にする」ことと似ている。
- 攻撃側の台数が数千・数万台にも及び，数多いことから，そのすべてを発見することは困難である。
- マルウェアの1つである**ボット**に感染して乗っ取られたシステム（**踏み台***3という）からDDoS攻撃が行われることが多い。

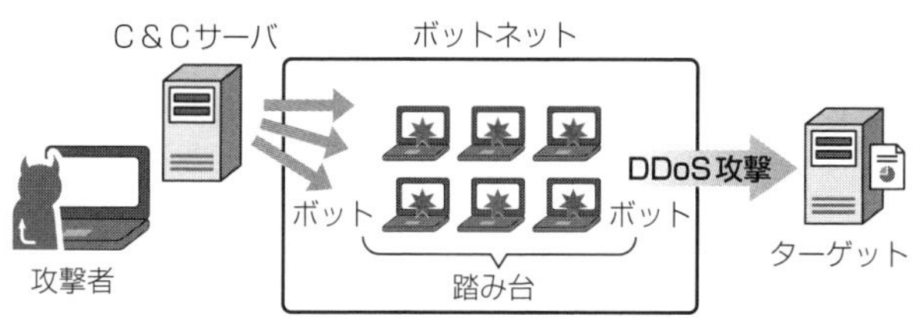

DDoS攻撃には，次の種類があります。

- **リフレクタ*4攻撃**
  送信元を攻撃対象のサーバに偽装した問合せを送り，その応答を攻撃対象に集中させてパンク状態にするDDoS攻撃。偽装しやすいUDPプロトコルが用いられる。

***2：DDoS攻撃**
語源は，Distributed Denial Of Service（分散型サービス妨害）から。

***3：踏み台**
サイバー攻撃の攻撃者は，自身が犯人であることを隠すために，証拠を残さないよう第三者を経由して攻撃を仕掛ける。踏み台とは，中継点となる第三者のこと。

***4：リフレクタ**
語源は，reflector（反射板）から。応答を攻撃対象に反射させるため。

DoS攻撃への対策

DoS攻撃には，IDS[*5]・IPS[*6]を使って対策します。

*5：IDS
ネットワークやホストをリアルタイムで監視し，不正アクセスなどの異常を発見し，管理者に通報する製品。

*6：IPS
IDSを拡張し，異常の監視・管理者への通報だけでなく，自動的に攻撃自体を防ぐ製品。

練習問題❶ 〔情報セキュリティマネジメント試験 平成30年秋 午前問23〕

問　従量課金制のクラウドサービスにおけるEDoS（Economic Denial of Service，又はEconomic Denial of Sustainability）攻撃の説明はどれか。

ア　カード情報の取得を目的に，金融機関が利用しているクラウドサービスに侵入する攻撃

イ　課金回避を目的に，同じハードウェア上に構築された別の仮想マシンに侵入し，課金機能を利用不可にする攻撃

ウ　クラウドサービス利用者の経済的な損失を目的に，リソースを大量消費させる攻撃

エ　パスワード解析を目的に，クラウドサービス環境のリソースを悪用する攻撃

《解説》

EDoS攻撃は，DoS攻撃の一種です。**DoS攻撃**とは，何度も連続してサーバに通信を行い，サーバをパンク状態にしてサービスを停止させる攻撃です。ここで，リソースとは，クラウドサービスとの通信量です。通信量に応じて課金する方式のクラウドサービスで，EDoS攻撃により，利用者がその通信量を大量消費させられると，利用者に多額の料金請求が生じることになります。

正解：ウ

1-7 Web攻撃

Webサイトは閲覧者が数多いため，攻撃者の格好のターゲットになります。また，Webサイトが比較的作りやすいことが，逆に脆弱性のあるWebサイトを作ってしまう結果になっており，より被害が広がっています。ここでは，Webサイトを利用した攻撃手法を学びます。

フィッシング[*1]

有名企業や金融機関などを装った**偽のメール**を送りつけ，偽のWebサイトに**誘導**して，個人情報を入力させて**だまし取る**行為です。攻撃の例は，次のとおりです。

- カード会社を装った「カード番号を改めて確認したい」という内容のメールを送り，攻撃者がでっちあげた偽のWebサイト上で，クレジットカード番号を盗む。
- 「評価が上がった」という内容の偽メールを送り，オークションサイトのログインページに見せかけた偽のWebサイト上で，パスワードを盗む。

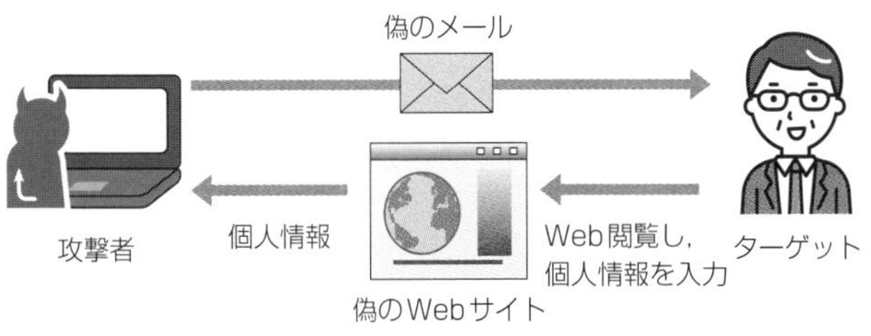

*1：フィッシング
語源は，元々はfishing（釣り）から。ただし，つづりは，phishingに変化した。

ファーミング[*2]

フィッシングの**発展版**で，システム設定ファイルを改ざんし，Web閲覧者が正しいドメイン名を入力しても，偽のWebサイトに誘導する攻撃です。

*2：ファーミング
語源は，収穫を待つ農業にたとえてfarming（農業）から。ただし，つづりは，pharmingに変化した。

ワンクリック詐欺（さぎ）

Webサイトの画像をクリックしただけで，**料金を請求**される手口です。出会い系サイトやアダルトサイトで多く，クリックすると，「ご入会ありがとうございます」などと表示され，さらにあたかも個人情報を取得済みであるかのような文言で支払いを迫ります。

しかし，Webブラウザで閲覧した場合，Webサイト側が分かるのは，Web閲覧者のネットワークに関する情報（IPアドレス・プロバイダ名・使用OS・Webブラウザのバージョン情報）に限られ，個人を特定できる情報はありません。

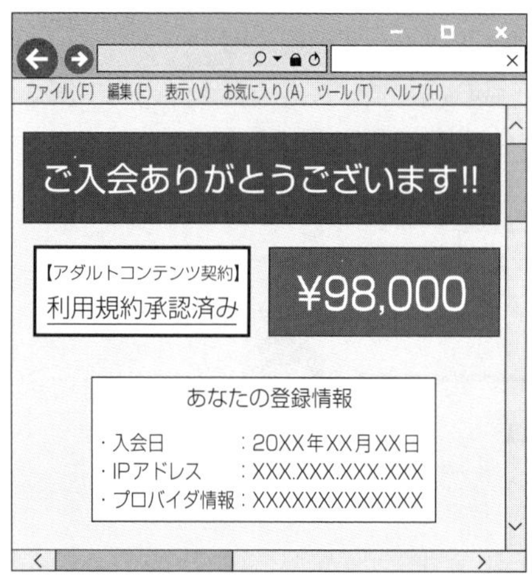

クリックジャッキング[*3]

Webサイト閲覧者を視覚的にだまして，一見正規に見えるWebページを**クリック**させることで，実際にはWeb閲覧者が意図しない操作をさせる攻撃です。攻撃の例は，次のとおりです。

- Webサイト上の非公開のブログや個人情報を公開させる。
- 意図しない情報を登録させる。

Webページの透明度を変更する機能と，Webページを複数重ね合わせる機能を悪用して実現します。例えば，SNSの個人情報の設定Webページをあえて透明表示し，その背面（真下）にWeb閲覧者をクリックさせるためのおとりのWebページを重ね合わせます。

Web閲覧者はおとりのページをクリックしたつもりでも，実は前面にある個人情報を設定するWebページをクリックしているため，意図せず個人情報を公開してしまいます。

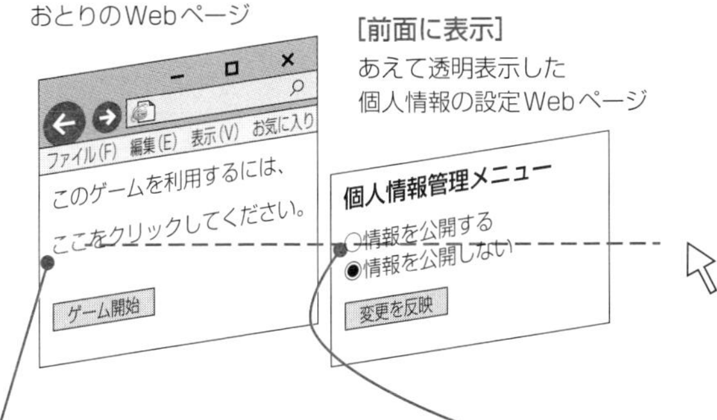

*3：**クリックジャッキング**
語源は，click（クリック）＋jacking（持ち上げ）から。

第1章 サイバー攻撃手法

その他の用語

覚えておくべきその他のWeb攻撃は，次のとおりです。

◆Webビーコン*4

Webサイトに埋め込んだ小さな**画像**を使って，Web閲覧者の情報を収集する仕組みです。

Web閲覧者の閲覧時刻・直前のWebページのURL・IPアドレス・プロバイダ名・クッキー*5（Cookie）などを収集でき，Web広告業者がWeb閲覧者に最適で効果の高い広告を表示するために使うことがあります。また，HTMLメールの画像を表示する際にもWebビーコンが使われるため，多くのメールソフトでは，画像を表示しない初期設定になっています。

◆ドライブバイダウンロード*6

Webサイトを閲覧しただけで，マルウェアをWeb閲覧者のコンピュータにダウンロードさせる攻撃です。主に，Webブラウザや OSの脆弱性（セキュリティホール）が悪用されます。

◆スミッシング*7

携帯電話・スマートフォンの**SMS***8を利用して，有名企業・金融機関を装ったメッセージを送りつけ，フィッシングサイトに誘導する行為です。

例えば，銀行を装ってSMSを送り，「情報確認のため必要」と称して偽のWebサイトへ誘導し，そこで個人情報を盗みます。

◆SEO*9ポイズニング*10

検索サイトの検索結果の上位に，マルウェアに感染させるWebサイトを表示する行為です。

「検索結果の上位サイトをクリックしがち」，「検索結果の上位サイトは安全なサイトだと思いがち」という，Web閲覧者の心理を突いた手口です。

***4：Webビーコン**
語源は，Web＋beacon（標識）から。

***5：クッキー**
Webサイト提供者が，Web閲覧者のコンピュータに一時的に保存するテキストファイル。例えば，ショッピングカート内を表示する際，WebサイトがWeb閲覧者のクッキー情報を確認して，どのWeb閲覧者からの通信かを識別し，該当のWeb閲覧者のカート内の商品を表示する。

***6：ドライブバイダウンロード**
語源は，Drive-by Download（ダウンロードにより，マルウェアが実行）から。

***7：スミッシング**
語源は，SMS＋フィッシングから。

***8：SMS**
Short Message Service（ショートメッセージサービス）の略。電話番号を宛先にして短い文章を送受信できる。

***9：SEO**
Search Engine Optimization（検索エンジン最適化）の略で，検索キーワードをもとに，検索結果であるWebサイトの表示順位を向上させる工夫のこと。

***10：ポイズニング**
語源は，SEOを活用して，検索結果を汚染（poisoning）させることから。

Web攻撃への対策

Web攻撃への対策は，次のとおりです。

- フィッシングへの対策は，メール中のリンクからアクセスしない。
- ワンクリック詐欺への対策は，料金を請求されても無視する。

練習問題❶ 〔情報セキュリティマネジメント試験 平成28年春 午前問25〕

問 ドライブバイダウンロード攻撃の説明はどれか。

ア PCにUSBメモリが接続されたとき，USBメモリに保存されているプログラムを自動的に実行する機能を用いてウイルスを実行し，PCをウイルスに感染させる。
イ PCに格納されているファイルを勝手に暗号化して，戻すためのパスワードを教えることと引換えに金銭を要求する。
ウ Webサイトを閲覧したとき，利用者が気付かないうちに，利用者の意図にかかわらず，利用者のPCに不正プログラムが転送される。
エ 不正にアクセスする目的で，建物の外部に漏れた無線LANの電波を傍受して，セキュリティの設定が脆（ぜい）弱な無線LANのアクセスポイントを見つけ出す。

《解説》

ドライブバイダウンロードとは，Webサイトを閲覧しただけで，マルウェアをWeb閲覧者のコンピュータにダウンロードさせる攻撃です。

ア：USBメモリやCDを，自動的に起動するための設定ファイル（autorun.inf）を悪用したマルウェアの説明です。
イ：**ランサムウェア**の説明です。
ウ：正解です。ドライブバイダウンロード攻撃の説明です。
エ：**ウォードライビング**の説明です。

正解：ウ

練習問題❷

〔情報セキュリティマネジメント試験 平成28年春 午前問22〕

問 クリックジャッキング攻撃に該当するものはどれか。

ア Webアプリケーションの脆弱性を悪用し，Webサーバに不正なリクエストを送ってWebサーバからのレスポンスを二つに分割させることによって，利用者のWebブラウザのキャッシュを偽造する。

イ WebサイトAのコンテンツ上に透明化した標的サイトBのコンテンツを配置し，WebサイトA上の操作に見せかけて標的サイトB上で操作させる。

ウ Webブラウザのタブ表示機能を利用し，Webブラウザの非活性なタブの中身を，利用者が気づかないうちに偽ログインページに書き換えて，それを操作させる。

エ 利用者のWebブラウザの設定を変更することによって，利用者のWebページの閲覧履歴やパスワードなどの機密情報を盗み出す。

《解説》

クリックジャッキング攻撃とは，Webサイト閲覧者を視覚的にだまして，一見正規に見えるWebページをクリックさせることで，実際にはWeb閲覧者が意図しない操作をさせる攻撃です。

Webページの透明度を変更する機能と，Webページを複数重ね合わせる機能を悪用して実現します。例えば，SNSの個人情報の設定Webページをあえて透明表示し，その背面（真下）にWeb閲覧者をクリックさせるためのおとりのWebページを重ね合わせます。

Web閲覧者はおとりのページをクリックしたつもりでも，実は前面にある個人情報を設定するWebページをクリックしているため，意図せず個人情報を公開してしまいます。

ア：HTTPレスポンス分割攻撃の説明です。

イ：正解です。クリックジャッキング攻撃の説明です。

ウ：タブナビング攻撃の説明です。

エ：スパイウェアの説明です。**スパイウェア**とは，感染したコンピュータ内部の利用者の個人情報などを収集するソフトウェアです。

正解：イ

重要度 ★★★

1-8 スクリプト攻撃

掲示板など，文字を入力するWebサイトでは，入力内容にスクリプト（簡易プログラム）を紛(まぎ)れ込ませることで，サイバー攻撃になることがあります。ここでは，Webサイトへの攻撃の中でも，スクリプトを悪用した攻撃を紹介します。

クロスサイトスクリプティング [*1]

Web閲覧者により入力された内容を画面表示するWebページで，攻撃者が入力内容に罠(わな)（**スクリプト** [*2]）をまぜ込むことで，別のWebサイトを表示し，Web閲覧者に個人情報などを送らせてしまう攻撃です。攻撃の例は，次のとおりです。

- 正規のWebサイト上に偽のページを表示させる。その結果，偽情報により混乱が生じる。
- URLは本物であるのに，表示内容は偽物のため，フィッシング詐欺(さぎ)に悪用する。

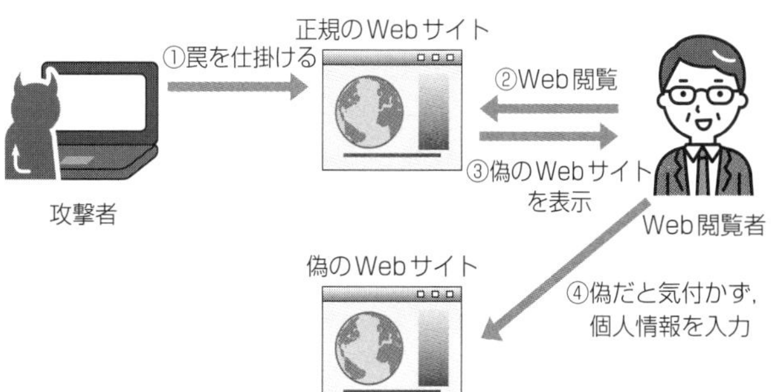

***1：クロスサイトスクリプティング（XSS）**
語源は，Web閲覧者により入力された内容を画面表示するWebページで，攻撃者が入力内容に罠（スクリプト）をまぜ込むことで，別の（クロス）Webサイトを表示し，Web閲覧者に個人情報などを送らせてしまうことから。

***2：スクリプト**
簡易プログラム。プログラムコードを機械語に変換するコンパイルの過程を省略し，すぐに実行できるプログラム。代表的なスクリプト言語として，JavaScriptやPHPがある。

クロスサイトリクエストフォージェリ[*3]

攻撃者がWebサイトに罠を仕掛け，それを**ログイン**中のWeb閲覧者に閲覧させて，別のWebサイトで，Web閲覧者を偽(いつわ)って，意図しない操作を行わせる攻撃です。攻撃の例は，次のとおりです。

- 公開範囲を一部に限っていたブログや個人情報を，すべて公開に勝手に改ざんする。
- ショッピングサイトで，送り先住所を勝手に改ざんしたあとに買い物する。その結果，被害者は，商品が届かないのに代金だけ請求される。

◆XSSとCSRFの違い

クロスサイトスクリプティング（XSS）とクロスサイトリクエストフォージェリ（CSRF）は，両者とも「クロスサイト」が付きますが，異なる点は，**実行する場所**です。

- クロスサイトスクリプティングは，Webブラウザ上で悪意あるスクリプトを実行する。
- クロスサイトリクエストフォージェリは，Webサイト（Webサーバ）上で悪意ある処理を実行する。

*3：**クロスサイトリクエストフォージェリ（CSRF）**
語源は，攻撃者がWebサイトに罠を仕掛け，それをログイン中のWeb閲覧者に閲覧させて，別の（クロス）Webサイトで，Web閲覧者を偽って（フォージェリ），意図しない操作（リクエスト）を行わせる攻撃から。forgery（偽ること，偽造(ぎぞう)）。

SQLインジェクション[*4]

データベースのデータを操作するWebサイトで，文字を巧みに入力し，データを盗み見・改ざんする攻撃です。

SQLとは，データベースを操作するための言語です。データを表示・削除・追加・変更できます。そのため，悪用されると，表示してはならないデータの表示・削除・追加・変更がされてしまいます。

*4：**SQLインジェクション**
語源は，データを操作するプログラム言語であるSQLの中に，不正なSQL命令をinjection（注入）することから。なお，injectionは，注射の意味でも使われる。

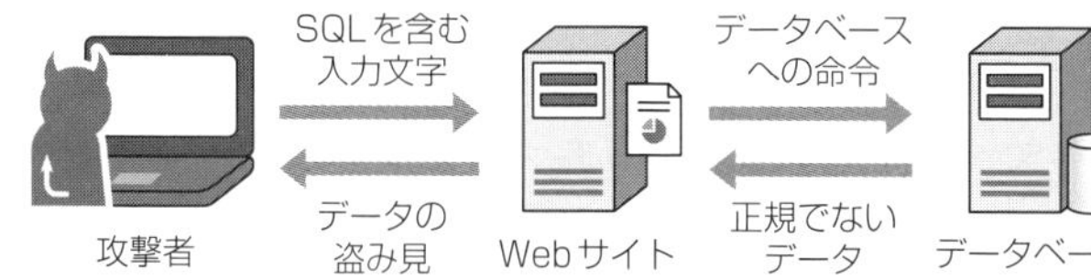

攻撃の例は，次のとおりです。

- 顧客情報を漏えいさせる。
- データを削除したり，不正なデータを追加したりする。
- データベース自体を破壊する。

OSコマンドインジェクション

Webサイトの入力欄にOSの**操作コマンド**を埋め込んでWebサーバに送信し，Webサーバを不正に操作する攻撃です。OSの操作コマンドとは，例えば，Windowsでは**コマンドプロンプト**[*5]などで動く命令です。ファイル削除・コピー，ファイルの書き換えなど，様々な操作が可能です。

***5：コマンドプロンプト**
コマンド（命令）を使って，Windowsの操作・設定を行うための，Windowsに付属したツール。黒い画面に，コマンドを入力して実行すると，処理が行われ，結果が画面に表示される。

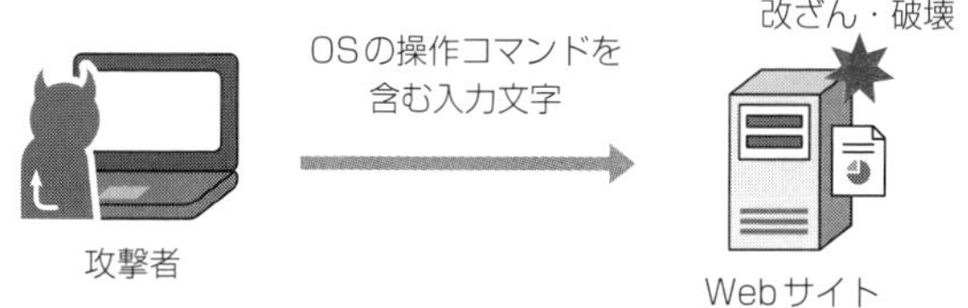

攻撃の例は，次のとおりです。

- Webサイトのデータを改ざん・破壊したり，重要情報を漏えいさせたりする。
- 他のWebサイトへの攻撃の踏み台にする。

ディレクトリリスティング[*6]

Webサーバ内の，ファイル一覧やディレクトリ（フォルダ）一覧を表示する機能です。この機能を無効化しておかないと，悪用され，攻撃者にファイルを盗まれる危険性があります。

*6：ディレクトリリスティング
英語で，directory listing。

ディレクトリトラバーサル[*7]

攻撃者が相対（そうたい）パス記法を悪用して，Webサイト内にある，インターネット上では非公開のファイルを閲覧・削除・改ざんする攻撃です。

相対パス記法[*8]では，「../」が上位のディレクトリ（親フォルダ）へ移動することを意味します。これらを巧みに組み合わせて，本来はインターネット上に非公開のファイルを見つけ出し，閲覧・削除・改ざんします。

*7：ディレクトリトラバーサル
語源は，directory（フォルダ）＋traversal（横切ること・横断）から。

***8：相対パス記法**
Windowsのコマンドプロンプトで，相対パス記法「../」を使った「cd ../」を入力・実行すると，上位のフォルダへ移動できる。

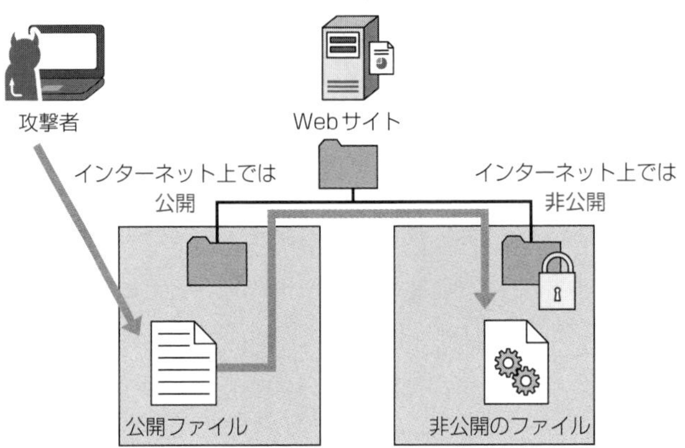

攻撃の例は，次のとおりです。

- インターネット上では非公開であるはずのファイルを閲覧する。
- Webサーバの設定情報や公開されたファイルを削除したり，改ざんしたりする。

スクリプト攻撃への対策

スクリプト攻撃への主な対策は，次のとおりです。

◆エスケープ処理 *9

Webブラウザから Webサイトへ送信する文字に含まれる特殊文字を，悪用されない形式に事前に変換する処理です。文字を無害化する**サニタイジング** *10の手段のひとつです。

◆プレースホルダ *11

Webブラウザから Webサイトへ送信する文字を，後で埋め込むための仕組みです。送信文字に，悪意あるスクリプトが含まれていても，あくまでも埋め込むための文字だと解釈し，命令とは解釈しないため，誤って実行することがありません。

***9：エスケープ処理**
語源は，escape（逃れる）＋処理から。

***10：サニタイジング**
語源は，sanitize（無害化する）から。

***11：プレースホルダ**
語源は，placeholder（代わりのもの）から。

練習問題❶

〔応用情報技術者試験 平成30年春 午前問38〕

問 ディレクトリトラバーサル攻撃はどれか。

ア OSコマンドを受け付けるアプリケーションに対して，攻撃者が，ディレクトリを作成するOSコマンドの文字列を入力して実行させる。

イ SQL文のリテラル部分の生成処理に問題があるアプリケーションに対して，攻撃者が，任意のSQL文を渡して実行させる。

ウ シングルサインオンを提供するディレクトリサービスに対して，攻撃者が，不正に入手した認証情報を用いてログインし，複数のアプリケーションを不正使用する。

エ 入力文字列からアクセスするファイル名を組み立てるアプリケーションに対して，攻撃者が，上位のディレクトリを意味する文字列を入力して，非公開のファイルにアクセスする。

《解説》

ディレクトリトラバーサル攻撃とは，攻撃者が相対パス記法を悪用して，Webサイト内にある，インターネット上では非公開のファイルを閲覧・削除・改ざんする攻撃です。

ア：**OSコマンドインジェクション**の説明です。
イ：**SQLインジェクション**の説明です。
ウ：不正アクセスの説明です。
エ：正解です。ディレクトリトラバーサル攻撃の説明です。

正解：エ

1-9 標的型攻撃

標的型攻撃は，従来のように不特定多数にマルウェアをばらまくのではなく，特定の組織に標的を絞って仕掛けるサイバー攻撃です。マルウェア対策ソフトがほとんど効かないことも特徴です。

第1章 サイバー攻撃手法

標的型攻撃

特定の組織[*1]に**狙い**を**定めて**行うサイバー攻撃の総称です。不特定を対象としたマルウェアとは対照的に，攻撃対象の脆弱性[*2]を事前に調べあげたうえで，その脆弱性を突く攻撃を仕掛けて，秘密情報を奪い取ります。特徴は，次のとおりです。

- 攻撃対象のために作られた，新種や亜種[*3]のマルウェアを使うため，マルウェア対策ソフトでは検知されにくい。
- 攻撃対象が少数のため，発見が遅く，マルウェア対策ソフトのマルウェア定義ファイルの対応が遅くなる。

*1：組織
企業・役所・法人・団体などを含む。

*2：脆弱性（ぜいじゃくせい）
ここでは，例えば，情報セキュリティ製品（ファイアウォール・プロキシサーバなど）の有無・セキュリティパッチが未適用の情報機器の有無。

*3：亜種（あしゅ）
元となるマルウェアを改造したマルウェア。

標的型攻撃メール

標的となる組織に存在するメールアドレスに送りつけるメールです。内容を変えて，長期間にわたって繰り返し送り続けます。メール受信者に不信感を抱（いだ）かれないように，次のような様々なだましのテクニックを駆使しています。

- **業務に関係が深い話題**
  例えば，取材依頼・製品の問合せ・クレーム。

- **組織全体への案内**

  例えば，人事情報・新年度の事業方針。

- **実在する組織名や個人名を含む**

  例えば，情報セキュリティに関する注意喚起（かんき）・インフルエンザの流行情報。

迷惑メールと標的型攻撃メールとの違い

従来の迷惑メールと，標的型攻撃メールとの違いは，次のとおりです。

表：迷惑メールと標的型攻撃メール

	迷惑メール	標的型攻撃メール
ターゲット	不特定多数にばらまく	特定の組織に絞る
メール送信者	知らない人	信頼できそうな組織や人物
話題	誰にでも関係のある話題	受信者に関係が深い話題
マルウェア対策ソフト	大半は検出できる。 多数に送られるため，発見が早く，マルウェア対策ソフトのマルウェア定義ファイルが早期に対応するため。	ほとんど検出不可。 少数にしか送られないため，発見が遅く，マルウェア対策ソフトの対応が間に合わない。

やり取り型攻撃

辻褄（つじつま）の合う内容のメールをやり取りし，受信者を信頼させたうえで，マルウェアを添付したメールを送りつける攻撃です。返信せざるをえない，外部向け問合せ窓口のメールアドレスに対して，事前に「ここが問合せ先で間違いないか？」などの偵察（ていさつ）メールがあったり，適切な内容を複数回返信したりして安心させたうえで，マルウェアを送りつけます。

APT[*4]

標的となる組織の脆弱性を突くために，**事前に調査**したうえで，複数の攻撃手法を**組み合わせ**て作られたマルウェアで行う攻撃です。既存の攻撃手法の中から，システムへの侵入を目的とする**共通攻撃部**と，システムへの侵入後に特定のシステムを標的とする**個別攻撃部**を組み合わせてマルウェアを作り，ひそかに継続的に攻撃を繰り返します。

*4：APT
語源は，Advanced Persistent Threats（高度かつ継続的な脅威）から。情報処理推進機構（IPA）では，APTを「新しいタイプの攻撃」と呼んでいる。

水飲み場型攻撃[*5]

標的となる組織がよく利用するWebサイト（**水飲み場**）にマルウェアを埋め込み，その組織が**接続したときだけ**マルウェア感染させる攻撃です。特徴は，次のとおりです。

- IPアドレスなどから接続元を解析し，標的となる組織から接続されたときだけ，攻撃する。
- 攻撃対象を，標的となる組織だけに限定することで，攻撃の発覚を遅らせ，攻撃の成功率を高める。

*5：水飲み場型攻撃
語源は，砂漠にあるオアシス（水飲み場）に寄ってくる動物を，猛獣が待ち伏せて仕留める攻撃と似ていることから。

BEC[*6]

取引先になりすましをして，偽のメールを送りつけ，金銭をだまし取る詐欺（さぎ）の手口です。

*6：BEC
Business E-mail Compromise（ビジネスメール詐欺）の略。

標的型攻撃への対策

標的型攻撃への対策は，次のとおりです。

- 不審なメールに気付いたら，組織内の情報集約窓口に速やかに報告する。
- 類似の不審メールが他に届いていないかを調査する。

第1章 サイバー攻撃手法

練習問題❶

〔情報セキュリティマネジメント試験 平成30年秋 午前問21〕

問 APTの説明はどれか。

ア 攻撃者がDoS攻撃及びDDoS攻撃を繰り返し，長期間にわたり特定組織の業務を妨害すること

イ 攻撃者が興味本位で場当たり的に，公開されている攻撃ツールや脆弱性検査ツールを悪用した攻撃を繰り返すこと

ウ 攻撃者が特定の目的をもち，標的となる組織の防御策に応じて複数の攻撃手法を組み合わせ，気付かれないよう執拗に攻撃を繰り返すこと

エ 攻撃者が不特定多数への感染を目的として，複数の攻撃手法を組み合わせたマルウェアを継続的にばらまくこと

《解説》

APTとは，標的となる組織の脆弱性を突くために，事前に調査したうえで，複数の攻撃手法を組み合わせて作られたマルウェアで行う攻撃です。既存の攻撃手法の中から，システムへの侵入を目的とする共通攻撃部と，システムへの侵入後に特定のシステムを標的とする個別攻撃部を組み合わせてマルウェアを作り，ひそかに継続的に攻撃を繰り返します。

ア：複数の攻撃手法を組み合わせるという特徴の記述がありません。
イ：場当たり的でなく，事前に調査したうえで攻撃します。
ウ：正解です。APTの説明です。
エ：APTの攻撃対象は，不特定多数でなく，標的となる特定の組織です。

正解：ウ

練習問題❷

〔応用情報技術者試験 平成29年春 午前問40〕

問 水飲み場型攻撃（Watering Hole Attack）の手口はどれか。

ア　アイコンを文書ファイルのものに偽装した上で，短いスクリプトを埋め込んだショートカットファイル（LNKファイル）を電子メールに添付して標的組織の従業員に送信する。

イ　事務連絡などのやり取りを何度か行うことによって，標的組織の従業員の気を緩めさせ，信用させた後，攻撃コードを含む実行ファイルを電子メールに添付して送信する。

ウ　標的組織の従業員が頻繁にアクセスするWebサイトに攻撃コードを埋め込み，標的組織の従業員がアクセスしたときだけ攻撃が行われるようにする。

エ　ミニブログのメッセージにおいて，ドメイン名を短縮してリンク先のURLを分かりにくくすることによって，攻撃コードを埋め込んだWebサイトに標的組織の従業員を誘導する。

《解説》

水飲み場型攻撃とは，標的となる組織がよく利用するWebサイト（水飲み場）にマルウェアを埋め込み，その組織が接続したときだけマルウェア感染させる攻撃です。

ア，**イ**，**エ**：標的となる組織がよく利用するWebサイト（水飲み場）の記述がありません。
ウ：正解です。水飲み場型攻撃の説明です。

正解：ウ

重要度★★★

1-10 その他の攻撃手法

サイバー攻撃は，多様化が進み，また手口も巧妙化しています。ここでは，サイバー攻撃のうち，この章でこれまで紹介していない，その他の攻撃手法を紹介します。

AIを悪用した攻撃

AIを悪用した攻撃の例は，次のとおりです。

◆ディープフェイク[*1]

AI技術により人工的に作られた，事実とは異なる画像・音声・動画や，それを作る技術です。フェイクニュースやデマ情報に使われることがあります。

◆敵対的サンプル[*2]

AIモデルが誤判定を起こすように意図的に作られた特殊な入力データです。

◆プロンプトインジェクション[*3]

生成AIが誤作動を起こすように意図的に作られた入力データを用いて，データを盗み見・改ざんする攻撃です。

DNSキャッシュポイズニング[*4]

攻撃者がDNSキャッシュサーバに偽の情報を覚え込ませて，利用者がWebサイトを開く際，偽のWebサイトに接続させることで，利用者をだます攻撃です。

DNS（Domain Name System）サーバは，人間が分かり

***1：ディープフェイク**
語源は，深層学習（ディープラーニング）と偽物（フェイク）を組み合わせたことから。

***2：敵対的サンプル**
英語で，Adversarial Examples。

***3：プロンプトインジェクション**
語源は，生成AIに悪意あるprompt（指令）をinjection（注入）することから。

***4：DNSキャッシュポイズニング**
語源は，DNSサーバのキャッシュ（一時保管された情報）の内容を偽物に汚染（poisoning）させることから。

やすいドメイン名（例 www.kantei.go.jp）から，コンピュータが使用するIPアドレス（例 202.214.194.138）へと変換します。これにより，人間は，覚えにくいIPアドレスを覚える必要がなくなり，比較的覚えやすいドメイン名でWebサイトを操作します。

DNSキャッシュポイズニングの攻撃の例は，次のとおりです。

- 正規のドメイン名を表示させたまま，利用者を悪意のあるWebサイトに誘導し，金銭を奪ったり，個人情報を漏えいさせたりする。

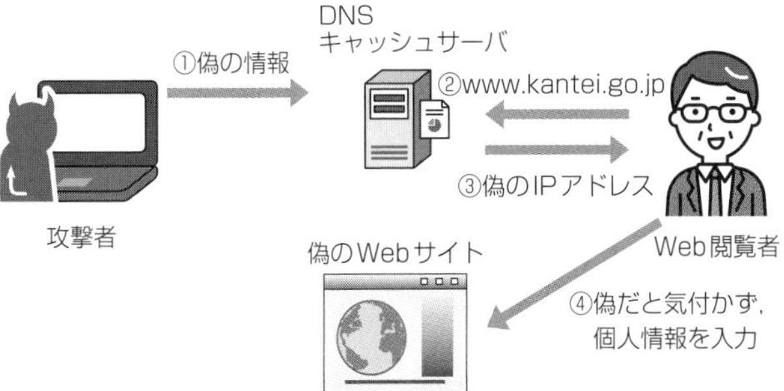

ドメイン名ハイジャック*5

攻撃者が上位に位置するDNSサーバ（**権威DNSサーバ・コンテンツサーバ**）を改ざんし，偽の権威DNSサーバを参照させ，利用者がWebサイトを開く際，偽のWebサイトに接続させることで，利用者をだます攻撃です。特徴は，次のとおりです。

- パスワードを盗んだり，システムの脆弱性を突いたりして，管理者になりすましをして改ざんする。
- アクセス数が多い著名なドメイン名が狙われる。

ドメイン名ハイジャックとDNSキャッシュポイズニングの違いは，次のとおりです。

***5：ドメイン名ハイジャック**
語源は，ドメイン名＋hijacking（ハイジャック）。ハイジャックは，航空機・船舶などを占拠（せんきょ）・乗っ取る行為。つまり，ドメイン名を乗っ取ることから。

- **ドメイン名ハイジャック**は，ドメイン名とIPアドレスに関する情報の**原本**が格納されたDNSサーバ（権威DNSサーバ・コンテンツサーバ）を改ざんする。
- **DNSキャッシュポイズニング**は，ドメイン名とIPアドレスに関する情報の**コピー**が格納されたDNSサーバ（キャッシュDNSサーバ）を改ざんする。

迷惑メール

受け取る側の意思に関係なく，一方的に送りつける電子メールです。**スパムメール**ともいいます。手口は，次のとおりです。

- メールの添付ファイルに**マルウェア**[*6]を入れ込み，そのメールを開かせて，マルウェアに感染させる。
- メール本文中にあるリンクをクリックさせて，マルウェアを仕込んだWebサイトに誘導する。

***6：マルウェア**
利用者の意図しない動作をするソフトウェア全般。コンピュータウイルス・ワーム・トロイの木馬などを含む。

ソーシャルエンジニアリング[*7]

技術を使わずに，人の心理的な**隙**(すき)や行動の**ミス**につけ込んで，秘密情報を盗み出す方法です。**人的脅威**の一種です。例と関連する用語は，次のとおりです。

- **システム管理者**を装い，利用者に問い合わせてパスワードを取得する。
- Webサイトの受付窓口から**問合せメール**を送り，その返信メールのメールアドレスを取得する。

***7：ソーシャルエンジニアリング**
語源は，手口が，集団の振舞いを研究する学問・社会工学（ソーシャルエンジニアリング）で研究対象としている，人間心理や隙を使っていることから。

◆ショルダハッキング[*8]

肩越しに，PCの画面や入力作業をのぞき見することです。銀行のATM（現金自動預払機）にバックミラーが設置されているのは，ショルダハッキング対策です。

***8：ショルダハッキング**
語源は，shoulder（肩）＋hacking（盗み見）から。

◆スキャベンジング[*9]

ゴミ箱をあさり，パスワードのメモ書きや秘密情報が印刷された廃棄書類を盗み出す方法です。なお，企業のゴミ置き場の廃棄書類を物色することが，企業から秘密情報を奪う常套（じょうとう）手段ともいわれています。**トラッシング**[*10]ともいいます。

*9：スキャベンジング
語源は，scavenging（ゴミ箱あさり）から。

*10：トラッシング
語源は，trashing（ゴミの廃棄）から。

サラミ法[*11]

気付かれないほどの**少額**を，**大勢**の人から奪う方法です。過去に実際に起きた事件の例は，次のとおりです。

- 銀行預金の利息計算ソフトウェアで，開発者が１円未満を四捨五入でなく，あえて切り捨て計算し，その差額を多数の銀行口座から奪った。
- クレジットカード番号を不正に手に入れ，ごく少額ずつを大勢の人から奪った。総額では大金になるが，１人あたりではごく少額のため，攻撃されたことに誰も気付かなかった。

*11：サラミ法
サラミソーセージを丸ごと１本盗むと発覚しやすいが，スライスされたサラミ１枚ずつを種類別に多数盗んでもなかなか発覚しにくいことから。

その他の用語

覚えておくべきその他の用語は，次のとおりです。

◆ファイル交換ソフトウェア

インターネット経由で，不特定多数の利用者間でファイルを交換できるソフトウェアです。代表例は，Winny（ウィニー）やShare（シェア）。安易に使用したことで，著作権侵害・マルウェア感染・組織の情報漏えいなどの事象が発生しています。

◆ゼロデイ攻撃[*12]

ソフトウェアにセキュリティホール（脆弱性）が発見された際，**修正プログラム**が**提供**されるより**前**に，そのセキュリティホールを悪用して行われる攻撃です。

*12：ゼロデイ攻撃
語源は，修正プログラムが提供された日を1日めとし，それ以前の０日め（Zero Day）に行われることから。

◆バッファオーバフロー[*13]

大量のデータをプログラムのバッファに送り込み，バッファ領域をあふれさせて，想定外の動作をさせる攻撃です。

バッファとは，データを一時的に蓄えておくメモリなどの領域です。

◆クリプト[*14]ジャッキング

仮想通貨を得るために，他人のコンピュータを乗っ取り，仮想通貨の取引で必要となる計算処理を勝手に行う攻撃です。

◆ブラウザハッキング

Webブラウザの通知機能を悪用し，偽の通知を表示して悪意のあるWebサイトに誘導する攻撃です。

その他の攻撃手法への対策

その他の攻撃手法への対策は，次のとおりです。

- DNSキャッシュポイズニングへの対策は，社内ネットワークからDNSサーバへの再帰的な問合せだけを許可するように設定する。
- 迷惑メール・スパムメールへの対策は，添付ファイルやメール本文を開かずに，メールを削除する。
- ソーシャルエンジニアリングへの対策は，不必要なデータの持出しをしない。仮にどうしても持ち出す場合は，上司の許可を得る。持出し記録を残し，返却漏れを防いだり，持出しをあとで追跡したりできるようにする。
- バッファオーバフローへの対策は，バッファにデータを保存する際にデータサイズを常にチェックする。メモリを直接操作しないプログラム言語を使う。

***13：バッファオーバフロー**
語源は，buffer（緩衝材）＋overflow（あふれ）から。

***14：クリプト**
語源は，crypto currency（仮想通貨）から。

練習問題❶

〔応用情報技術者試験 平成30年春 午前問36〕

問 企業のDMZ上で1台のDNSサーバを，インターネット公開用と，社内のPC及びサーバからの名前解決の問合せに対応する社内用とで共用している。このDNSサーバが，DNSキャッシュポイズニングの被害を受けた結果，直接引き起こされ得る現象はどれか。

ア DNSサーバのハードディスク上に定義されているDNSサーバ名が書き換わり，インターネットからのDNS参照者が，DNSサーバに接続できなくなる。
イ DNSサーバのメモリ上にワームが常駐し，DNS参照元に対して不正プログラムを送り込む。
ウ 社内の利用者間の電子メールについて，宛先メールアドレスが書き換えられ，送信ができなくなる。
エ 社内の利用者が，インターネット上の特定のWebサーバにアクセスしようとすると，本来とは異なるWebサーバに誘導される。

《解説》

DNSキャッシュポイズニングとは，攻撃者がDNSキャッシュサーバに偽の情報を覚え込ませて，利用者がWebサイトを開く際，偽のWebサイトに接続させることで，利用者をだます攻撃です。

正解：エ

練習問題❷ 〔応用情報技術者試験 令和2年秋 午前問41〕

問 クリプトジャッキングに該当するものはどれか。

ア PCにマルウェアを感染させ，そのPCのCPUなどが有する処理能力を不正に利用して，暗号資産の取引承認に必要となる計算を行い，報酬を得る。

イ 暗号資産の取引所から利用者のアカウント情報を盗み出し，利用者になりすまして，取引所から暗号資産を不正に盗みとる。

ウ カード加盟店に正規に設置されている，カードの磁気ストライプの情報を読み取る機器から，カード情報を窃取する。

エ 利用者のPCを利用できなくし，再び利用できるようにするのと引換えに金銭を要求する。

《解説》

クリプトジャッキングとは，仮想通貨を得るために，他人のコンピュータを乗っ取り，仮想通貨の取引で必要となる計算処理を勝手に行う攻撃です。

正解：ア

第2章

暗号と認証

この章では，情報セキュリティを守るうえで欠かせない技術である，暗号（盗聴を防ぐ）と認証（なりすましを防ぐ）について学びます。仕組みがやや複雑ですが，先人が工夫に工夫を積み重ねてきた軌跡(きせき)でもあります。

アクセスキー 6
（数字のろく）

2-1 暗号とは

ネットワークを流れる情報・データが，どこかで盗み見される可能性は，否定できません。そのため，万一に備えて，盗まれても内容を解読されないように，暗号が使われます。

暗号

情報の機密性（アクセスする権限がある人だけがアクセスでき，それ以外の人には公開されないこと）を維持するため，暗号は昔から使われてきました。万一，情報を盗み見されても，暗号化しておけば，解読[*1]できず内容が分からないため，被害を防げるからです。身近な例では，警察無線や，地上波・BS・CSなどのテレビ放送があります。インターネットでつながったＩＴ社会では，暗号の必要性がより高くなっています。

暗号の概要を説明します。例えば，**平文**（ひらぶん）[*2]「おはよう」を，**暗号鍵**（かぎ）（50音順に１文字ずつずらす）を使って**暗号化**[*3]すると，お→か，は→ひ，よ→ら，う→え，になり，**暗号文**[*4]「かひらえ」になります。このように，暗号化すると，暗号文から元の内容（平文）が分からなくなります。

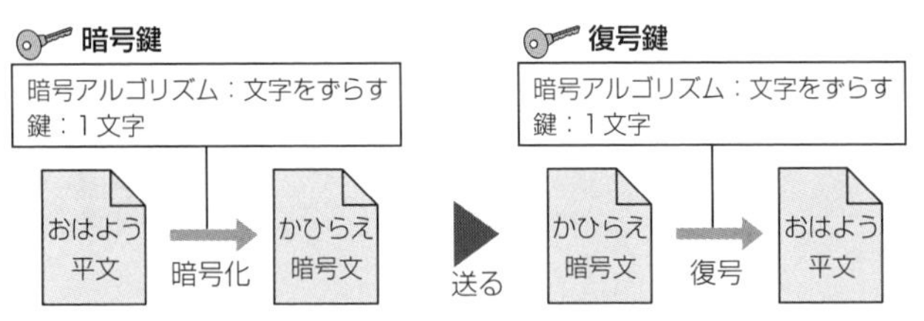

「文字をずらす」というような法則を**暗号アルゴリズム**，「１文字」などの量を鍵といいます。暗号鍵を，暗号アルゴリズム

***1：解読**
暗号文から平文に戻すことを，誰が行うかで，区別される。
- 復号…正規の者が行う。
- 解読…正規でない者が行う。

***2：平文**
ひらぶんと読む。暗号化されていない情報やデータのこと。英語でplaintext。「文」とあるが，文章でなくデータ。

***3：暗号化**
平文から暗号文を作ること。

***4：暗号文**
英語でciphertext。「文」とあるが，文章でなくデータ。

と鍵に分け，さらに鍵を1文字や2文字のように様々に変更させることで，解読しにくくしています。

暗号文を相手に送ったあと，相手は，復号鍵を使って暗号文を**復号**[*5]し，平文「おはよう」に戻します。

暗号には，主に次の2つの方式があります。詳しくは，次節で説明します。

*5：復号
暗号文から平文に戻すこと。

◆共通鍵暗号方式

暗号化と復号で**同じ鍵（共通鍵）**を使います。例えば，ワープロソフトや表計算ソフトのファイルなどの暗号で実用化されています。この方式の暗号技術として，DESやAESがあります。

◆公開鍵暗号方式

暗号化と復号で**別々の鍵（公開鍵と秘密鍵）**を使います。例えば，Webサイトや電子メールの暗号通信などの暗号で実用化されています。この方式の暗号技術として，RSAがあります。

第2章 暗号と認証

危殆化（きたいか）[*6]

コンピュータの性能向上に伴って，高速に短時間で解読作業ができるようになったために，暗号の**安全性**が低下することです。暗号技術の**有効期限切れ**のようなものです。開発当時は安全と思われた暗号技術であっても，高性能コンピュータによって解読までの時間が次第に短縮しています。危殆化した暗号技術は，最新の暗号技術へ置き換える必要があります。

*6：危殆化
「危」はあぶない，「殆」はあやういと読む。つまり，危殆化は「とてもあぶなくなること」。

CRYPTREC（クリプトレック）[*7]暗号リスト

総務省と経済産業省が**安全性**を認めた暗号技術のリストです。電子政府実現のために，各省庁が調達するシステムで使うべき暗号技術が掲載されています。客観的な検証の結果，危殆化したと認められた暗号技術は，改定時にリストから除外されます。

*7：CRYPTREC
Cryptography Research and Evaluation Committees（暗号技術調査評価委員会）の略。

暗号方式と暗号技術

暗号方式（共通鍵暗号方式・公開鍵暗号方式）は，次の観点でどれを使うか判断します。

表：暗号方式の観点

処理速度	暗号化・復号にかかる処理時間・処理速度。
鍵の数	暗号化・復号する際に必要な鍵の数で，暗号文をやり取りする対象者が増えるとともに，鍵の数が増える。
鍵の配布方法	どのような経路・方法で，相手に復号鍵を渡すか。

暗号技術（DES・AES・RSAなど）の良し悪しは，次の観点で評価します。

表：暗号技術の観点

暗号アルゴリズム	暗号化・復号にかかる処理時間・CPUの負荷。
鍵の長さ	長ければ長いほど，暗号強度が高まり解読されにくくなる一方で，処理速度が遅くなる。
危殆化	コンピュータの性能向上により，暗号解読にかかる時間が減り，暗号の安全性が低下する。

練習問題❶

〔情報処理安全確保支援士試験 令和２年秋 午前Ⅱ問8〕

問　CRYPTRECの主な活動内容はどれか。

ア　暗号技術の技術的検討並びに国際競争力の向上及び運用面での安全性向上に関する検討を行う。

イ　情報セキュリティ政策に係る基本戦略の立案，官民における統一的，横断的な情報セキュリティ対策の推進に係る企画などを行う。

ウ　組織の情報セキュリティマネジメントシステムについて評価して認証する制度を運用する。

エ　認証機関から貸与された暗号モジュール試験報告書作成支援ツールを用いて暗号モジュールの安全性についての評価試験を行う。

《解説》

CRYPTREC(クリプトレック)(暗号技術調査評価委員会)では，CRYPTREC 暗号リストを公開しています。CRYPTREC暗号リストとは，総務省と経済産業省が安全性を認めた暗号技術のリストです。電子政府実現のために，各省庁が調達するシステムで使うべき暗号技術が掲載されています。客観的な検証の結果，危殆化(きたいか)したと認められた暗号技術は，改定時にリストから除外されます。

正解：ア

練習問題❷

〔情報セキュリティマネジメント試験 平成29年春 午前問9〕

問 暗号の危殆(たい)化に該当するものはどれか。

ア 暗号化通信を行う前に，データの伝送速度や，暗号の設定情報などを交換すること

イ 考案された当時は容易に解読できなかった暗号アルゴリズムが，コンピュータの性能の飛躍的な向上などによって，解読されやすい状態になること

ウ 自身が保有する鍵を使って，暗号化されたデータから元のデータを復元すること

エ 元のデータから一定の計算手順に従って疑似乱数を求め，元のデータをその疑似乱数に置き換えること

《解説》

危殆化(きたいか)とは，コンピュータの性能向上に伴って，高速に短時間で解読作業ができるようになったために，暗号の安全性が低下することです。暗号技術の有効期限切れのようなものです。開発当時は安全と思われた暗号技術であっても，高性能コンピュータによって解読までの時間が次第に短縮しています。危殆化した暗号技術は，最新の暗号技術へ置き換える必要があります。

正解：イ

共通鍵暗号方式

暗号と聞いて一番身近なのが，共通鍵暗号方式です。鍵をかける人と鍵を外す人が同じ鍵（共通鍵）を使います。しかし，避けては通れない致命的な問題を抱えています。

共通鍵暗号方式

暗号化と復号で，同じ鍵（共通鍵）を使う暗号方式です。身近な例では，ドアや金庫の鍵・ZIPファイルに付ける鍵（パスワード）があります。

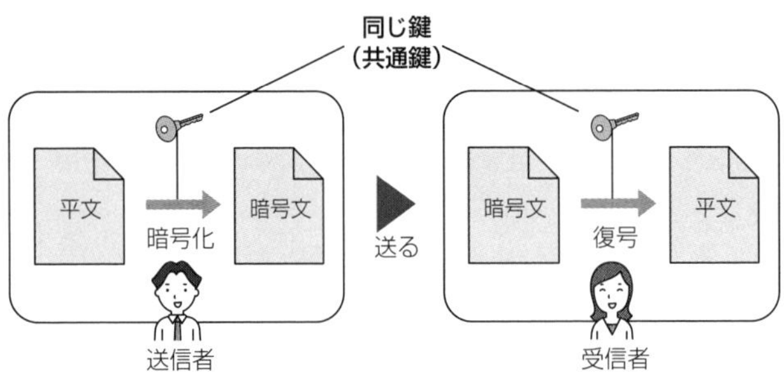

共通鍵暗号方式の特徴は，次のとおりです。

- 処理速度が**速い**。公開鍵暗号方式に比べ，数百～数千分の1の処理時間しかかからない。
- 共通鍵暗号方式を使った暗号化の機能が付属しているソフトウェアが数多くあり，手軽に使用できる。
- 鍵の**配布**に手間がかかる。例えば，暗号化されたファイルを電子メールに添付して送る場合，復号する人に鍵を，メール以外の方法（電話・手紙など）で，伝えることが推奨されるため，鍵の受渡しに手間がかかる。

共通鍵の管理

共通鍵暗号方式には，**必要な鍵の数**が多くなるという短所があります。例えば，暗号化するAさんと復号するBさん，反対に暗号化するBさんと復号するAさん（A↔B）の合計2人だと，鍵は1個で済みます。しかし，Aさん，Bさん，Cさんの合計3人になり，A↔Bだけでなく，A↔CとB↔Cが加わると，鍵は3個必要になります。合計人数が増えるほど，必要な鍵の数が多くなるのです[*1]。

共通鍵暗号方式で使う鍵の数は，暗号文を受渡しする合計人数をn人とした場合，「n（n－1）／2」で表せます。n人がそれぞれ（n－1）人と通信するので，組合せは「n×（n－1）」です。ただし「AさんとBさん」と「BさんとAさん」という組合せは，同じ鍵を使えばよいので，2で割って「n（n－1）／2」となります。

暗号文を受渡しする合計人数と，必要な鍵の数は，次のとおりです。

- 合計2人だと，2×(2－1)÷2＝1個
- 合計3人だと，3×(3－1)÷2＝3個
- 合計4人だと，4×(4－1)÷2＝6個

***1：別の鍵が必要な理由**
Aさんとの通信相手（Bさん，Cさん，Dさん）で全員が同じ鍵を使うと，仮にその後，AさんがBさんだけに読んでもらいたい暗号文を送った場合，別の人でも復号できてしまう。そのため，Aさんとの通信相手それぞれに別の鍵を割り振る必要がある。

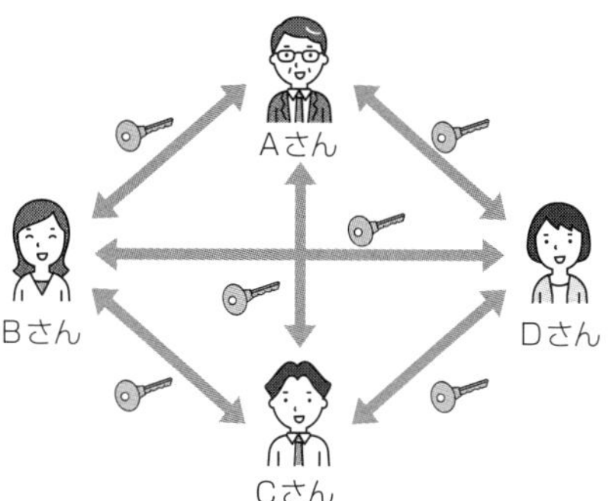

合計人数	必要な鍵数
2人	1個
3人	3個
4人	6個
10人	45個
15人	105個
20人	190個
100人	4,950個
200人	19,900個

さらに人数が増えると，表のように，加速度的に必要な鍵の数が多くなり，現実的に鍵の管理は難しいでしょう。そのため，共通鍵暗号方式は，多数での使用には不向きで，ごく少人数で使う場合に向いています。

DES[*2]

共通鍵暗号方式の代表格の暗号技術です。鍵の長さは，56ビットです。NIST[*3]が米国標準暗号方式として制定しましたが，その後，解読可能性があるという理由で，危殆化(きたいか)しました。

AES[*4]

共通鍵暗号方式の代表格の暗号技術です。鍵の長さは，128ビット（AES-128）・192ビット（AES-192）・256ビット（AES-256）から選べます。NISTが米国標準暗号方式として制定しました。DESの危殆化に伴い，後継の暗号技術を一般公募し，安全面と実装面で最も優れた暗号技術が採用され，AESと名付けられました。

なお，鍵の長さについては［TOPICS 暗号の鍵は いつか見破られる］（➡p.210）をご覧ください。

*2：DES
語源は，Data Encryption Standard（データ暗号化標準）から。

*3：NIST
米国国立標準技術研究所。米国連邦政府機関の1つで，工業規格を標準化したり，標準暗号を策定したりしている。

*4：AES
語源は，Advanced Encryption Standard（高度暗号化標準）から。

練習問題❶

〔情報セキュリティマネジメント試験 平成30年秋 午前問26〕

問 データベースで管理されるデータの暗号化に用いることができ，かつ，暗号化と復号とで同じ鍵を使用する暗号方式はどれか。

ア AES　　イ PKI　　ウ RSA　　エ SHA-256

《解説》

暗号化と復号とで同じ鍵を使用する暗号方式は，共通鍵暗号方式です。

ア：正解です。AESとは，共通鍵暗号方式の代表格の暗号技術です。
イ：PKI（公開鍵基盤）とは，なりすましなしで，確実に本人の公開鍵であると認証する仕組みです。
ウ：RSAとは，公開鍵暗号方式の代表格の暗号技術です。
エ：SHA-256（シャー）とは，平文から256ビットのダイジェストを作るハッシュ関数です。

正解：ア

練習問題❷

〔情報セキュリティスペシャリスト試験 平成25年秋 午前Ⅱ問3〕

問 共通鍵暗号方式で，100人の送受信者のそれぞれが，相互に暗号化通信を行うときに必要な共通鍵の総数は幾つか。

ア 200　　イ 4,950　　ウ 9,900　　エ 10,000

《解説》

共通鍵暗号方式で使う鍵の数は，暗号文を受渡しする合計人数をｎ人とした場合，「ｎ（ｎ－１）／２」で表せます。ｎ人がそれぞれ（ｎ－１）人と通信するので，組合せは「ｎ×（ｎ－１)」です。ただし「AさんとBさん」と「BさんとAさん」という組合せは，同じ鍵を使えばよいので，２で割って「ｎ（ｎ－１）／２」となります。

100人の場合，100（100 － 1）／ 2 ＝ 4,950です。

正解：イ

重要度★★★

2-3 公開鍵暗号方式

公開鍵暗号方式は，共通鍵暗号方式がもつ「鍵の数が多くなる短所」を解決します。公開鍵暗号方式は，仕組みが複雑ですが，最も出題される内容でもあるので，確実に理解しましょう。

公開鍵暗号方式

暗号化と復号で，**別々の鍵**（公開鍵と秘密鍵）を使う暗号方式です。コンピュータだからこそ実現できる暗号技術のため，ドアの鍵のような身近な実例はありません。

暗号化の手順の説明の前に，公開鍵暗号方式の前提条件は，次のとおりです。

- 1人につき，ペアである2つの鍵（**公開鍵**[*1]と**秘密鍵**[*2]）を使う。これを**鍵ペア**という。
- **公開鍵**は，不特定多数の利用者に**公開**する。一方で，**秘密鍵**は，**秘密扱い**にして誰にも渡さない。
- **公開鍵**を使って，平文を**暗号化**した暗号文は，ペアである秘密鍵でしか**復号**できない。

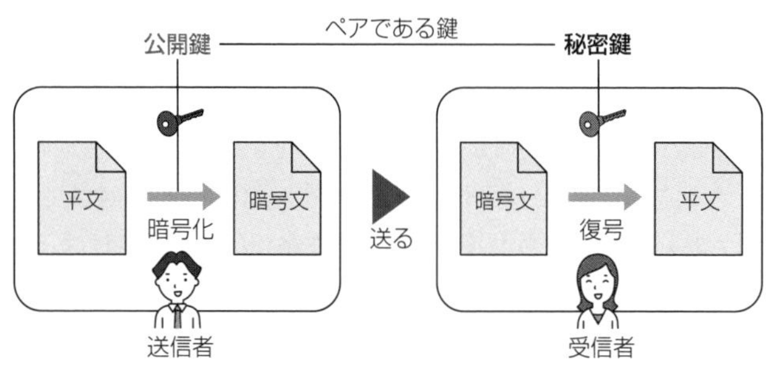

***1：公開鍵**
「公開」とあるため，鍵の数が「みんなで共有する1つだけ」だと勘違いしがちだが，1人につき，1つの公開鍵と，1つの秘密鍵を用意する。

***2：秘密鍵**
共通鍵暗号方式の鍵は復号する人に渡すが，秘密鍵は誰にも渡さず自分しか使わない。

- **秘密鍵**を使って**署名**したデジタル署名は，ペアである公開鍵でしか**検証**できない。

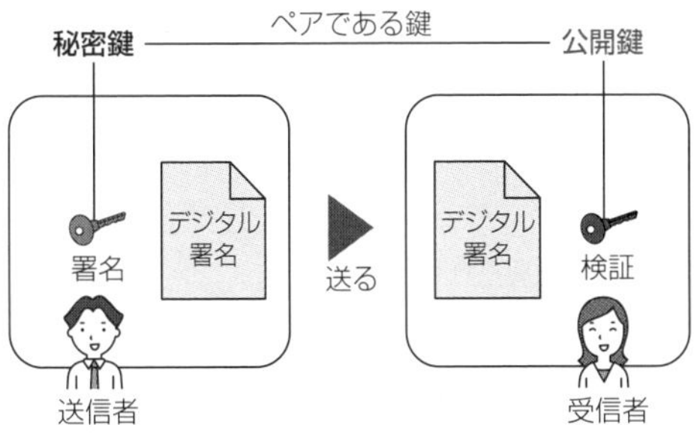

◆暗号化の手順

公開鍵暗号方式を使って実現できる**暗号化**と**デジタル署名**のうち，暗号化では公開鍵を使って平文を暗号化します。公開鍵暗号方式の暗号化の手順は，次のとおりです。

① 送信者が［受信者の公開鍵］で，平文を暗号化し，暗号文を受信者に送る。
② 受信者は［受信者の秘密鍵］で，暗号文を復号し，平文を取り出す。

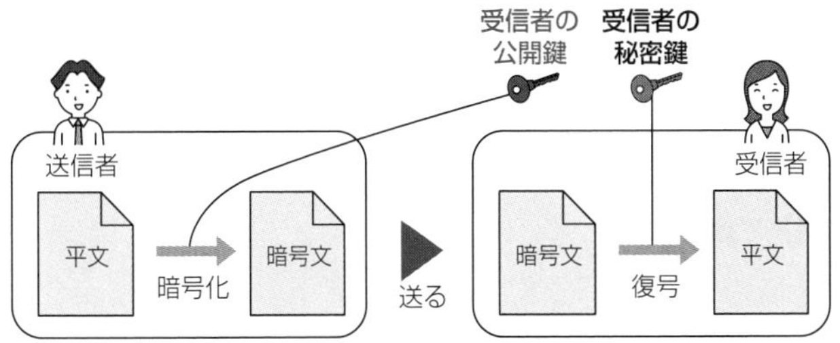

なお，送信者は事前に［受信者の公開鍵］を取得する必要があります。受渡しの方法には，PGP[*3]やPKI[*4]（公開鍵基盤）があります。

*3：PGP
公開鍵の受渡しを，暗号化する人・復号する人の当事者間で，直接行う方法。

*4：PKI
公開鍵の受渡しを，第三者機関である，PKIの認証局を経由して行う方法。

◆暗号化で確かめられること

公開鍵暗号方式の暗号化の結果，次の事実を確かめられます。

- **盗聴なし**

  ［受信者の公開鍵］で暗号化すれば，復号できるのは，［受信者の秘密鍵］をもつ受信者だけである。万一，送信途中の暗号文を攻撃者が盗み見しても，［受信者の秘密鍵］が分からないため，解読できず盗聴できない。なぜなら復号に使う［受信者の秘密鍵］は，受信者が誰にも渡さず，自分しか使わないからである。

◆公開鍵暗号方式の特徴

公開鍵暗号方式の特徴は，次のとおりです。

- 処理速度が遅い*5。共通鍵暗号方式に比べ，数百倍～数千倍も処理時間がかかる。
- 公開鍵・秘密鍵の環境構築に手間や費用がかかる。

***5：処理速度が遅い**
公開鍵暗号方式の処理速度が遅い理由は，暗号化と復号で別の鍵にするために，大きな数の素因数分解には時間がかかることを利用している。そのため，公開鍵・秘密鍵の生成と，暗号化・復号に膨大な計算量が必要になり，処理速度が遅い。

公開鍵暗号方式は，仕組みが複雑なため，次のような誤解をしがちです。

- **誤解１**：［受信者の**公開鍵**］で暗号化したら，
  ［受信者の**公開鍵**］で復号する。

  同じ鍵で暗号化・復号すると，共通鍵暗号方式になってしまう。正しくは公開鍵暗号方式では，**［受信者の公開鍵］で暗号化したら，［受信者の秘密鍵］で復号する。**

- **誤解２**：［**受信者**の公開鍵］で暗号化したら，
  ［**送信者**の鍵（公開鍵・秘密鍵）］で復号する。

  ペアである鍵（公開鍵・秘密鍵）で復号する。**［受信者の公開鍵］で暗号化した場合，［受信者の秘密鍵］で復号する。**

公開鍵の管理

公開鍵暗号方式の鍵の数は，暗号文を受渡しする合計人数をｎ人とした場合，「２ｎ」で表せます。つまり，１人につき，公開鍵と秘密鍵の計２個で済みます。

例えば，合計人数が200人の場合，共通鍵暗号方式では，「ｎ（ｎ－１）／２」ですから，鍵は19,900個必要です。一方で，公開鍵暗号方式では，「２ｎ」ですから，鍵は400個で済みます。その差は歴然です。

表：暗号方式別の鍵の数

	合計人数（n）	計算式	鍵の数
共通鍵暗号方式	200人	n(n－1)／2	19,900個
公開鍵暗号方式	200人	2n	400個

RSA[*6]

公開鍵暗号方式の代表格の暗号技術です。非常に大きな数の**素因数分解**が困難なことを利用しています。世界中で広く使われている暗号技術です。

*6：RSA
Rivest, Shamir, Adlemanの３人が開発した公開鍵暗号方式を使った暗号技術の１つ。開発者の頭文字をとって名付けられた。

練習問題❶

〔情報セキュリティマネジメント試験 平成28年春 午前問30〕

問 AさんがBさんの公開鍵で暗号化した電子メールを，BさんとCさんに送信した結果のうち，適切なものはどれか。ここで，Aさん，Bさん，Cさんのそれぞれの公開鍵は3人全員がもち，それぞれの秘密鍵は本人だけがもっているものとする。

ア 暗号化された電子メールを，Bさん，Cさんともに，Bさんの公開鍵で復号できる。

イ 暗号化された電子メールを，Bさん，Cさんともに，自身の秘密鍵で復号できる。

ウ 暗号化された電子メールを，Bさんだけが，Aさんの公開鍵で復号できる。

エ 暗号化された電子メールを，Bさんだけが，自身の秘密鍵で復号できる。

《解説》

公開鍵暗号方式では，1人につき，ペアである2つの鍵（公開鍵と秘密鍵）を使います。これを鍵ペアといいます。公開鍵は，不特定多数の利用者に公開します。一方で，秘密鍵は，秘密扱いにして誰にも渡しません。公開鍵を使って，平文を暗号化した暗号文は，ペアである秘密鍵でしか復号できません。そのため，この問では，Bさんの公開鍵で暗号化した電子メールは，Bさんの秘密鍵だけで復号できます。

正解：エ

練習問題❷

〔基本情報技術者試験 平成24年春 午前問41〕

問 文書の内容を秘匿して送受信する場合の公開鍵暗号方式における鍵と暗号化アルゴリズムの取扱いのうち，適切なものはどれか。

ア 暗号化鍵と復号鍵は公開するが，暗号化アルゴリズムは秘密にしなければならない。

イ 暗号化鍵は公開するが，復号鍵と暗号化アルゴリズムは秘密にしなければならない。

ウ 暗号化鍵と暗号化アルゴリズムは公開するが，復号鍵は秘密にしなければならない。

エ 復号鍵と暗号化アルゴリズムは公開するが，暗号化鍵は秘密にしなければならない。

《解説》

公開鍵暗号方式では，公開鍵は，不特定多数の利用者に公開します。一方で，秘密鍵は，秘密扱いにして誰にも渡しません。また，暗号化アルゴリズムは公開されています。

ア：復号鍵（受信者の秘密鍵）は秘密にすべきで，公開してはいけません。
イ：暗号化アルゴリズムを秘密にする必要はありません。
ウ：正解です。暗号化鍵（受信者の公開鍵）と暗号化アルゴリズムは公開し，復号鍵（受信者の秘密鍵）は秘密にすべきです。
エ：復号鍵（受信者の秘密鍵）は秘密にし，暗号化鍵（受信者の公開鍵）は公開すべきです。

正解：ウ

練習問題❸

〔応用情報技術者試験 平成25年春 午前問39〕

問 公開鍵暗号を使って，n人が相互に通信する場合，全体で何個の異なる鍵が必要になるか。ここで，一組の公開鍵と秘密鍵は2個と数える。

ア n＋1　　イ 2n　　ウ $\frac{n(n-1)}{2}$　　エ $\log_2 n$

《解説》

公開鍵暗号方式の鍵の数は，暗号文を受渡しする合計人数をｎ人とした場合，「2n」で表せます。

正解：イ

練習問題❹

〔情報セキュリティマネジメント試験 平成29年秋 午前問23〕

問 非常に大きな数の素因数分解が困難なことを利用した公開鍵暗号方式はどれか。

ア AES　　イ DH　　ウ DSA　　エ RSA

《解説》

ア：AESとは，共通鍵暗号方式の代表格の暗号技術です。

イ：DH（Diffie-Hellman）とは，共通鍵を安全に交換するためのアルゴリズムです。

ウ：DSA（Digital Signature Algorithm）とは，公開鍵暗号方式を使って，デジタル署名を作成・検証するためのアルゴリズムです。

エ：正解です。RSAとは，公開鍵暗号方式の代表格の暗号技術です。非常に大きな数の素因数分解が困難なことを利用しています。

正解：エ

2-4 ハイブリッド暗号

共通鍵暗号方式と公開鍵暗号方式がもつ長所と短所をうまく補い合う方式が，ハイブリッド暗号です。長所を活かしつつ，短所を補うことができる優れた方式です。

暗号方式

共通鍵暗号方式と公開鍵暗号方式の特徴を表にまとめました。一長一短があるため，両暗号方式は併存し，状況に応じて選ばれて使われています。

表：共通鍵暗号方式と公開鍵暗号方式

	共通鍵暗号方式	公開鍵暗号方式
処理速度	速い	遅い
鍵の数	多人数の場合，必要な鍵の数が多くなる。	多人数であっても，必要な鍵の数は1人につき2つだけ。
合計n人が利用する場合の鍵の数	n(n－1)／2	2n
鍵の配布	鍵の配布が手間	鍵の配布が容易
鍵の配布方法	電子メール・電話・手紙など	PGP・PKI（公開鍵基盤）
特徴	• 手軽。 • 少人数での利用に向く。	• 環境構築に手間がかかる。 • 多数での利用に向く。

ハイブリッド暗号

公開鍵暗号方式の短所を，共通鍵暗号方式と組み合わせることで補う暗号方式です。平文を公開鍵暗号方式で暗号化するのではなく，平文を共通鍵暗号方式の共通鍵で暗号化し，その共通鍵を公開鍵暗号方式で暗号化します。共通鍵は，平文に比べて，ファイルサイズが小さいため，平文すべてを暗号化するよりも，共通鍵を暗号化した方が，処理時間を大幅に減らせます。

◆ハイブリッド暗号の手順

ハイブリッド暗号の手順は，次のとおりです。

① 送信者は，平文を［共通鍵］を使って暗号化し，暗号文を作る。なお，［共通鍵］は自動的に生成したものを使う。
……**共通鍵暗号方式**

② 送信者は，その［共通鍵］自体を平文とし，［受信者の公開鍵］を使って暗号化して［暗号化した共通鍵］を作る。
……**公開鍵暗号方式**

③ 送信者は，①の暗号文と②の［暗号化した共通鍵］を，受信者に送る。

④ 受信者は，［受信者の秘密鍵］を使って，②の［暗号化した共通鍵］を復号し，［共通鍵］を取り出す。
……**公開鍵暗号方式**

⑤ 受信者は，④の［共通鍵］を使って，①の暗号文を復号し，平文を取り出す。……**共通鍵暗号方式**

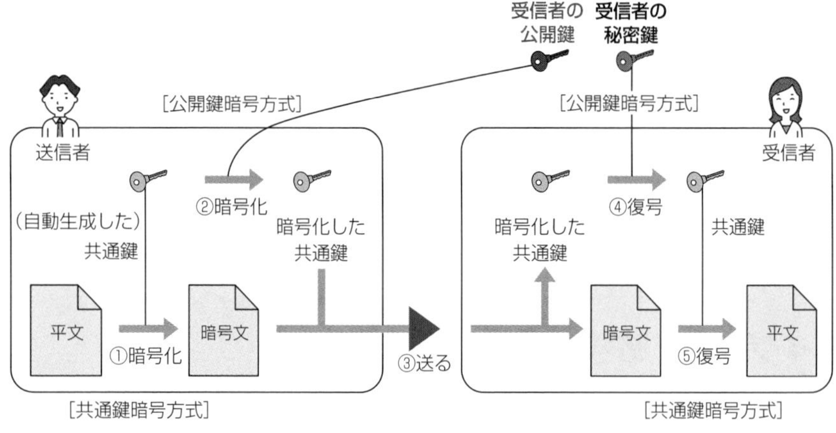

◆ハイブリッド暗号[*1]の特徴

ハイブリッド暗号の特徴は，次のとおりです。

- 共通鍵暗号方式の長所「処理速度が速い」を活かしつつ，短所「鍵の配布が手間」を穴埋めする。
- 公開鍵暗号方式の長所「鍵の数が少ない，鍵の配布が容易」を活かしつつ，短所「処理速度が遅い」を穴埋めする。

***1：ハイブリッド暗号**
公開鍵暗号方式は，「鍵の数が少ない，鍵の配布が容易」という長所がある一方で，「処理速度が遅い」という短所がある。そこで，共通鍵暗号方式にある「処理速度が速い」という長所と組み合わせて使うことで，"良いとこ取り"する。

練習問題❶

〔情報セキュリティマネジメント試験 平成30年秋 午前問27〕

問 暗号方式に関する説明のうち，適切なものはどれか。

ア　共通鍵暗号方式で相手ごとに秘密の通信をする場合，通信相手が多くなるに従って，鍵管理の手間が増える。

イ　共通鍵暗号方式を用いて通信を暗号化するときには，送信者と受信者で異なる鍵を用いるが，通信相手にそれぞれの鍵を知らせる必要はない。

ウ　公開鍵暗号方式で通信文を暗号化して内容を秘密にした通信をするときには，復号鍵を公開することによって，鍵管理の手間を減らす。

エ　公開鍵暗号方式では，署名に用いる鍵を公開しておく必要がある。

《解説》

ア：正解です。共通鍵暗号方式には，必要な鍵の数が多くなるという短所があります。

イ：共通鍵暗号方式では，通信相手に鍵を知らせなければ，復号できません。

ウ：公開鍵暗号方式で暗号文を復号するには，受信者の秘密鍵を使います。秘密鍵は，秘密扱いにし，だれにも渡しません。

エ：デジタル署名では，送信者が［送信者の秘密鍵］を使って署名し，受信者が［送信者の公開鍵］を使って検証します。このうち，［送信者の秘密鍵］は，公開せず，秘密扱いにする必要があります。

正解：ア

練習問題❷

〔応用情報技術者試験 令和2年秋 午前問42〕

問 暗号方式に関する記述のうち，適切なものはどれか。

ア AESは公開鍵暗号方式，RSAは共通鍵暗号方式の一種である。
イ 共通鍵暗号方式では，暗号化及び復号に同一の鍵を使用する。
ウ 公開鍵暗号方式を通信内容の秘匿に使用する場合は，暗号化に使用する鍵を秘密にして，復号に使用する鍵を公開する。
エ ディジタル署名に公開鍵暗号方式が使用されることはなく，共通鍵暗号方式が使用される。

《解説》

ア：あべこべです。RSAは公開鍵暗号方式，AESは共通鍵暗号方式です。
イ：正解です。
ウ：あべこべです。暗号化に使用する鍵を公開して，復号に使用する鍵を秘密にします。
エ：デジタル署名に公開鍵暗号方式を使用します。

正解：イ

練習問題❸

〔情報セキュリティマネジメント試験 令和4年サンプル問題 科目A問21〕

問 OpenPGPやS/MIMEにおいて用いられるハイブリッド暗号方式の特徴はどれか。

ア 暗号通信方式としてIPsecとTLSを選択可能にすることによって利用者の利便性を高める。
イ 公開鍵暗号方式と共通鍵暗号方式を組み合わせることによって鍵管理コストと処理性能の両立を図る。
ウ 複数の異なる共通鍵暗号方式を組み合わせることによって処理性能を高める。
エ 複数の異なる公開鍵暗号方式を組み合わせることによって安全性を高める。

《解説》

ハイブリッド暗号とは，公開鍵暗号方式の短所を，共通鍵暗号方式と組み合わせることで補う暗号方式です。

正解：イ

2-5 デジタル署名

公開鍵暗号方式は，盗聴なしを確かめるための暗号化に加えて，なりすましなしと改ざんなしを確かめる目的でも使います。それが，実社会では，印鑑に相当するデジタル署名です。

ハッシュ[*1]関数

改ざんなしを確かめるために使う**計算方法**です。デジタル署名の中で使われます。

- **平文**（ひらぶん）[*2]を，**ハッシュ関数**[*3]で計算し，**メッセージダイジェスト**[*4]（**ダイジェスト**）を作る。これを**ハッシュ化**という。
- 異なる平文から，同一のダイジェストになることは，計算上ありえない。
- 平文からダイジェストは作れるが，逆にダイジェストから平文は作れない。これを**一方向性**（いちほうこうせい）[*5]や**不可逆性**（ふかぎゃくせい）と表現する。

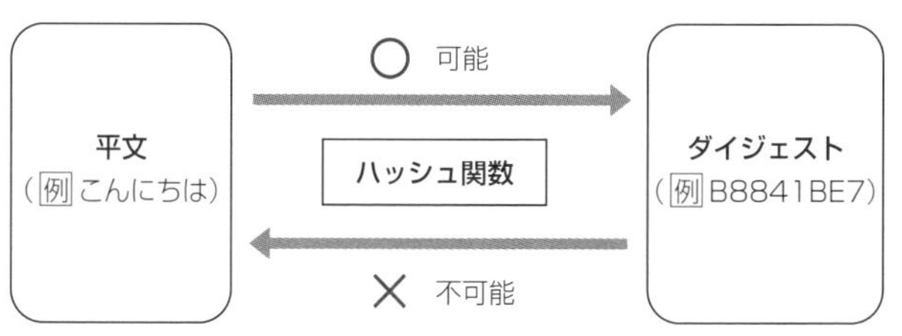

- ダイジェストにより，ファイルの内容をすべて見比べなくても，2つのファイルの内容が同一だと確かめられる。
- ダイジェストは，平文のファイルサイズにかかわらず，一定のサイズになる。

***1：ハッシュ**
語源は，hash（切り刻む，細かくする）から。つまり，平文をハッシュ関数を使って，細かく切り刻んで一定のサイズに整えるという意味。

***2：平文**
ハッシュ化する前のデータ。メッセージともいう。

***3：ハッシュ関数**
メッセージダイジェスト関数ともいう。

***4：メッセージダイジェスト**
ハッシュ値・ダイジェスト・フィンガプリントともいう。語源は，メッセージ（平文）＋ダイジェスト（要約）から。

***5：一方向性**
英語でone-way。one-wayは，一方通行の意味でも使われる。

◆ハッシュ関数の手順

送信者・受信者の両者が作ったダイジェストが同一であれば，ファイルが同一だと判明し，送信者から受信者へ送る途中での改ざんなしを確かめられます。ハッシュ関数を使って，改ざんなしを確かめる手順は，次のとおりです。

① 送信者は，平文をハッシュ化し，［送信者のダイジェスト］を作る。 ……**ハッシュ化**
② 送信者は，平文と［送信者のダイジェスト］を，受信者に送る。
③ 受信者は，受信した平文をハッシュ化し，［受信者のダイジェスト］を作る。 ……**ハッシュ化**
④ 受信者は，②の［送信者のダイジェスト］と③の［受信者のダイジェスト］を比較し，同一であれば，改ざんなしを確かめられる。

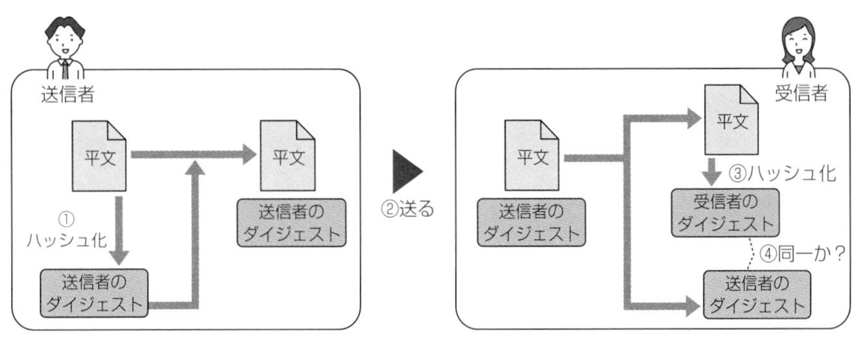

代表的なハッシュ関数は，次のとおりです。なお，ダイジェストの長さについては［**TOPICS 暗号の鍵は いつか見破られる**］（➡p.210）をご覧ください。

表：代表的なハッシュ関数

MD5[*6]	平文から128ビットのダイジェストを作るハッシュ関数。広く使われている一方で，深刻な脆弱性が見つかっており，危殆化している。

次ページへ続く

SHA-1[7]	平文から160ビットのダイジェストを作るハッシュ関数。危殆化(➡p.159)により解読されるリスクが高まったため，CRYPTREC暗号リスト(➡p.159)の「運用監視暗号リスト」に掲載され，互換性維持以外の目的での利用は推奨されていない。
SHA-2	SHA-1の後継で，現在の主流のハッシュ関数。SHA-224・**SHA-256**・SHA-512などの種類がある。
SHA-256	平文から256ビット[8]のダイジェストを作るハッシュ関数。

パスワード管理

ハッシュ関数は，**パスワード管理**にも使われます。パスワードをコンピュータ内にそのまま保存すると，不正アクセスにより盗聴されるおそれがあります。そのため，パスワードは保存せず，パスワード（平文）をハッシュ化してできたダイジェストをコンピュータに保存します。

パスワードが正しいかどうかは，入力されたパスワードをもとにハッシュ化してできたダイジェストと，コンピュータに保存してあるダイジェストとを比較すれば分かります。パスワード自体はどこにも保存しません。また，ハッシュ関数は一方向性のため，ダイジェストからパスワードを復元できず，盗聴できません。

***6：MD5**
Message Digest 5の略。

***7：SHA-1**
Secure Hash Algorithm 1の略。

***8：ビット**
○ビット＝2進数○桁。256ビットは，2進数で256桁分のこと。

デジタル[9]署名[10]

なりすましなしと**改ざんなし**を確かめるための技術です。デジタル署名は文字どおり，署名の電子版です。実社会でも，なりすましがなく，確実に本人が承諾したと認めるために，署名（サイン）したり，印鑑を捺印（なついん）したりします。その機能をＩＴで行うためのものです。

デジタル署名にも，公開鍵暗号方式を使います。つまり，公開鍵暗号方式は，暗号化とデジタル署名の２つを実現します。つまり，一人二役です。

***9：デジタル**
従来はディジタルと表記されていたが，2022年（令和4年）春期試験以降，デジタルに表記が改められた。きっかけは2021年9月のデジタル庁の発足とも言われている。本書でもそれ以前の過去問題を除き，デジタルと表記している。

***10：デジタル署名**
電子署名の一種。

デジタル署名の手順の説明の前に，公開鍵暗号方式の前提条件を確認します。

- 1人につき，ペアである2つの鍵（公開鍵と秘密鍵）を使う。これを**鍵ペア**という。
- 公開鍵は，不特定多数の利用者に公開する。一方で，秘密鍵は，秘密扱いにして誰にも渡さない。
- 公開鍵を使って，平文を**暗号化**した暗号文は，ペアである秘密鍵でしか復号できない。
- 秘密鍵を使って**署名**したデジタル署名は，ペアである公開鍵でしか**検証**できない。

◆デジタル署名の手順

デジタル署名の手順は，次のとおりです。

① 送信者は，平文をハッシュ化し，［送信者のダイジェスト］を作る。 ……**ハッシュ化**

② 送信者は，［送信者のダイジェスト］自体を平文として［送信者の秘密鍵］[*11]を使って，**署名**し［デジタル署名］を作る。 ……**公開鍵暗号方式**

③ 送信者は，①の平文と②の［デジタル署名］を，受信者に送る。

④ 受信者は，［送信者の公開鍵］[*12]を使って，②の［デジタル署名］を算出し，［送信者のダイジェスト］を取り出す。 ……**公開鍵暗号方式**

⑤ 受信者は，受信した①の平文をハッシュ化し，［受信者のダイジェスト］を作る。 ……**ハッシュ化**

⑥ 受信者は，④の［送信者のダイジェスト］と⑤の［受信者のダイジェスト］を比較し，同一であれば，なりすましなしと改ざんなしを確かめられる。④～⑥を**検証**するという。

***11：送信者の秘密鍵**
署名生成鍵ともいう。

***12：送信者の公開鍵**
署名検証鍵ともいう。

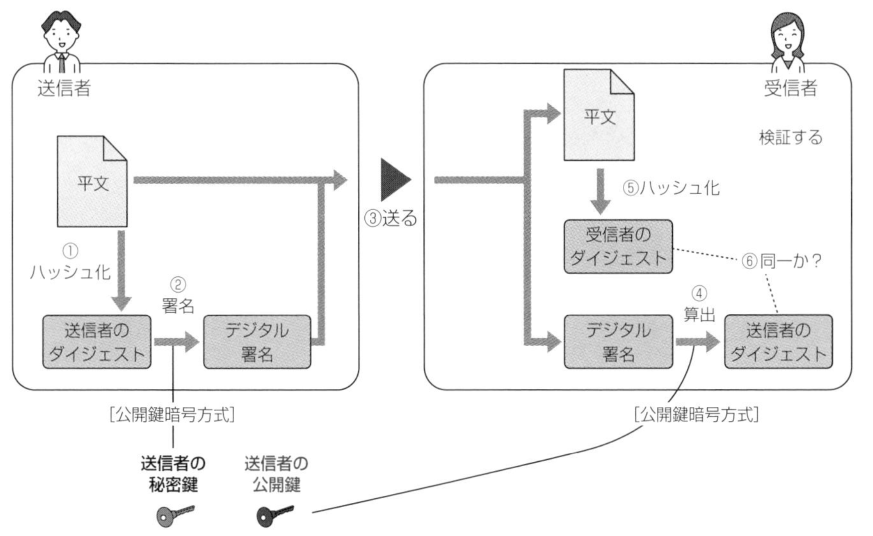

第2章 暗号と認証

◆デジタル署名で確かめられること

デジタル署名の結果，次の２つの事実を確かめられます。

- **なりすましなし**

  デジタル署名を［送信者の**公開鍵**］で検証できるということは，その暗号文は，ペアである［送信者の**秘密鍵**］で署名されたということである。その［送信者の**秘密鍵**］は，送信者以外は知りえないため，確実に送信者本人から送信されたことが分かる。

- **改ざんなし**

  送信者と受信者で同じハッシュ化してできたダイジェストの内容が同一の場合，改ざんなしを確かめられる。具体的には，平文から，ハッシュ関数で計算し，ダイジェストを作る。この関数は，異なる平文から同一のダイジェストになることは，計算上ありえないため，送信者と受信者でダイジェストが同一の場合，確実に同じ平文であり，改ざんなしといえる。

公開鍵暗号方式を使った暗号化とデジタル署名により，確かめられるものは，次のとおりです。

- 暗号化により，盗聴なしを確かめられる。つまり，**機密性**[*13]を維持する。
- デジタル署名により，なりすましなしと改ざんなしを確かめられる。つまり，**真正性**（しんせいせい）[*14]と**完全性**[*15]を維持する。

◆公開鍵暗号方式の覚え方

あべこべになりそうなデジタル署名と暗号化ですが，**防ぐもの**と**秘密鍵**に注目して覚えるとよいでしょう。

***13：機密性**
ある情報資産にアクセスする権限がある人だけがアクセスでき，それ以外の人には公開されないこと。

***14：真正性**
なりすましがなく，確実に本人であることを識別・認証すること。

***15：完全性**
情報資産の正確さを維持し，改ざん（書き換え）させないこと。

- **暗号化**が防ぐものは，第三者による**復号**。だから正規の受信者しか復号できない［**受信者の秘密鍵**］で復号する。
- **デジタル署名**が防ぐものは，第三者による**なりすまし**。だから正規の送信者しか署名できない［**送信者の秘密鍵**］で署名する。

練習問題❶ 〔情報セキュリティマネジメント試験 平成29年春 午前問20〕

問 ディジタル署名などに用いるハッシュ関数の特徴はどれか。

ア 同じメッセージダイジェストを出力する二つの異なるメッセージは容易に求められる。
イ メッセージが異なっていても，メッセージダイジェストは全て同じである。
ウ メッセージダイジェストからメッセージを復元することは困難である。
エ メッセージダイジェストの長さはメッセージの長さによって異なる。

《解説》

ア：ハッシュ関数は一方向性であるため，平文（メッセージ）からメッセージダイジェストは作れますが，逆にメッセージダイジェストから平文は作れません。
イ：平文（メッセージ）が少しでも異なれば，異なるメッセージダイジェストになります。
ウ：正解です。ハッシュ関数は一方向性であるため，平文（メッセージ）からメッセージダイジェストは作れますが，逆にメッセージダイジェストから平文は作れません。
エ：メッセージダイジェストは，平文（メッセージ）のファイルサイズにかかわらず，一定のサイズになります。

正解：ウ

練習問題❷

〔基本情報技術者試験 令和元年秋 午前問40〕

問 ファイルの提供者は，ファイルの作成者が作成したファイルAを受け取り，ファイルAと，ファイルAにSHA-256を適用して算出した値Bとを利用者に送信する。そのとき，利用者が情報セキュリティ上実現できることはどれか。ここで，利用者が受信した値Bはファイルの提供者から事前に電話で直接伝えられた値と同じであり，改ざんされていないことが確認できているものとする。

ア 値BにSHA-256を適用して値Bからディジタル署名を算出し，そのディジタル署名を検証することによって，ファイルAの作成者を確認できる。

イ 値BにSHA-256を適用して値Bからディジタル署名を算出し，そのディジタル署名を検証することによって，ファイルAの提供者がファイルAの作成者であるかどうかを確認できる。

ウ ファイルAにSHA-256を適用して値を算出し，その値と値Bを比較することによって，ファイルAの内容が改ざんされていないかどうかを検証できる。

エ ファイルAの内容が改ざんされていても，ファイルAにSHA-256を適用して値を算出し，その値と値Bの差分を確認することによって，ファイルAの内容のうち改ざんされている部分を修復できる。

《解説》

ハッシュ関数とは，改ざんなしを確かめるために使う計算方法です。送信者・受信者の両者が作ったダイジェストが同一であれば，ファイルが同一だと判明し，送信者から受信者へ送る途中での改ざんなしを確かめられます。

ア，イ：値Bからデジタル署名は算出できません。デジタル署名には公開鍵暗号方式を用いる必要がありますが，その手順がないためです。

ウ：正解です。

エ：ハッシュ関数により，改ざんの有無は確かめられますが，改ざんされている部分は特定できません。

正解：ウ

重要度★★★

2-6 公開鍵基盤

デジタル署名の弱点を補うために考え出された仕組みが公開鍵基盤（PKI）です。送信・受信する当事者間だけでは疑念をぬぐい去れないため，第三者に認証してもらいます。

PKI[*1]

なりすましなしで，確実に**本人**の**公開鍵**であると**認証**する仕組みです。役所の**印鑑証明**に似ています。デジタル署名（なりすましなし・改ざんなし）と暗号化（盗聴なし）の組み合わせでは，攻撃者が本人名義の公開鍵を最初から偽造（ぎぞう）し，本人になりすましする可能性が残されています。なりすましをされた被害者から見れば，「自分は公開鍵を作っていないのに，誰かに自分名義のデジタル署名を勝手に作られてしまった」という状況です。

理想的な対策は，直接本人に会って公開鍵を手渡しすることです。しかし，相手の顔を知っていて，本人と識別でき，かつ近距離で時間にゆとりがあるのでなければ，不可能です。そこでPKIを使います。

関連する用語は，次のとおりです。

*1：PKI
Public Key Infrastructureの略。公開鍵基盤ともいう。

◆デジタル証明書[*2]

公開鍵基盤（PKI）において，デジタル署名の**公開鍵**が正規のものであることを証明するための証明書です。デジタル署名とデジタル証明書は，名称が似ていますが，違いは，次のとおりです。

*2：デジタル証明書
電子証明書・公開鍵証明書ともいう。

- **デジタル署名**は，印鑑に似ている。ファイル・データについて，なりすましなし・改ざんなしだと証明する。
- **デジタル証明書**は，**印鑑証明・身分証明**に似ている。デジタル署名（印鑑）の**公開鍵**について，なりすましなしで，確実に本人のものであると，第三者機関が認証する。

◆認証局*3

公開鍵基盤（PKI）において，デジタル証明書・CRLを発行する機関です。デジタル証明書にお墨付きを与える，信頼のおける**第三者機関**です。

*3：認証局
CA(Certificate Authority)ともいう。

◆CRL*4

有効期限内にもかかわらず，失効したデジタル証明書の**シリアル番号**と失効した日時の一覧です。身近な例では，**ブラックリスト**に似ています。有効期限・証明書の署名などは，デジタル証明書だけで確認できますが，失効したかどうかはそのデジタル証明書だけでは確認できないため，CRLを使います。

例えば，デジタル証明書が悪用されたり，秘密鍵を紛失したりした場合に，その旨を申請すれば，CRLに掲載され，認証局（CA）により発行されます。Webブラウザは，CRLをダウンロードし，CRLに掲載されていれば，そのデジタル証明書を無効と判断します。

*4：CRL
語源は，Certificate Revocation List（証明書失効リスト）から。

◆OCSP*5

デジタル証明書の有効性を，リアルタイムに反映させるためのプロトコルです。CRLとOCSPの違いは，次のとおりです。

*5：OCSP
Online Certificate Status Protocolの略。

- CRLでは，定期的にダウンロードしたCRLを，Webブラウザが使うため，最新の失効情報とは限らない。
- OCSPでは，各認証局（CA）が発行するCRLを収集・集中管理したインターネット上のサーバ（OCSPレスポンダ）に対して，Webブラウザがデジタル証明書の有効性を確認するため，最新の失効情報である。

◆デジタル証明書の手順

認証局が発行したデジタル証明書により，なりすましなしを確かめる手順は，次のとおりです。

① 送信者は，公開鍵と秘密鍵を作成し，認証局にデジタル署名の公開鍵と身分証明書を提出して登録申請する。
② 認証局は，内容を承認し，提出されたデジタル署名の公開鍵を入れたデジタル証明書を発行する。
③ 送信者が受信者にメール本文・送信者のデジタル署名の公開鍵・認証局のデジタル証明書を送る。
④ 受信者が認証局を信頼し，認証局が送信者を認証するのであれば，受信者は送信者を信頼できる。

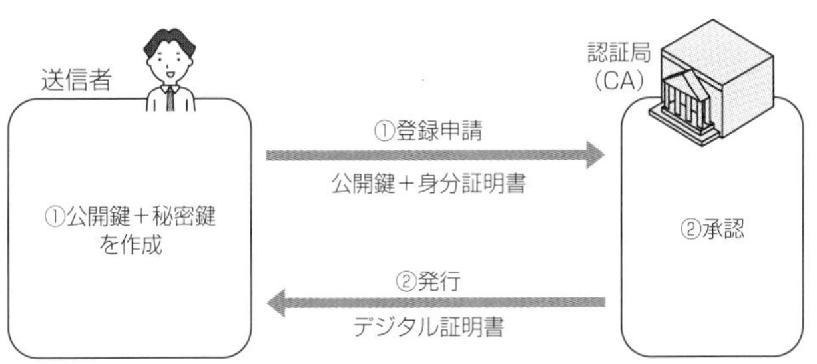

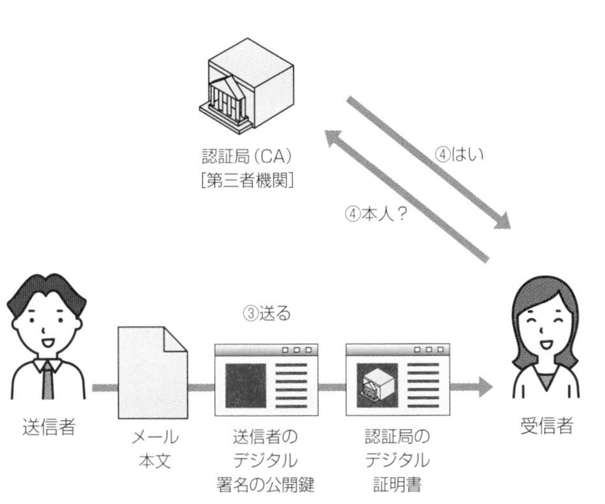

◆ルート認証局[*6]

最上位に位置する認証局です。１つの認証局が，すべてのデジタル証明書を発行することは困難なため，認証局は多数必要です。一方で，その数が多すぎると，煩雑（はんざつ）になるため，認証局を階層構造にし，上位の認証局が下位の認証局を認証するようにします。

ルート認証局の特徴は，次のとおりです。

- 送信者から受け取ったデジタル証明書が，信頼の置けるルート認証局により認証された，下位の認証局が発行したものであれば，そのデジタル証明書のなりすましなしを確かめられる。
- ルート認証局は，**認証局運用規程**（CPS[*7]）を公開し，厳正な監査基準を満たす必要がある。

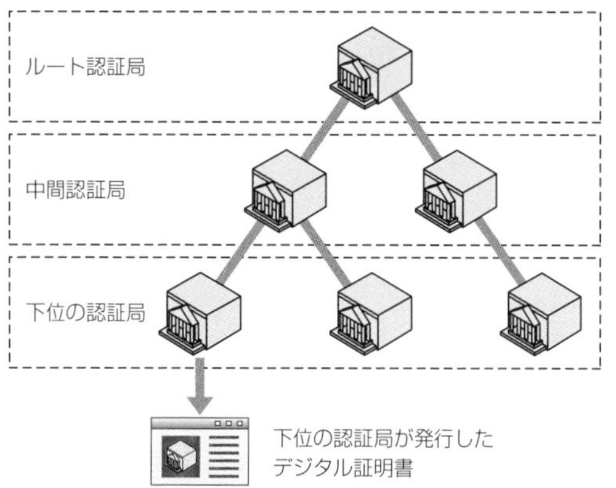

◆デジタル証明書の活用例

デジタル証明書の活用例は，次のとおりです。

- **サーバ証明書**
  Webサーバのなりすましを防ぐために，認証局（CA）が発行するデジタル証明書。サーバ証明書内の認証局の公開鍵により，Webサーバが正規のものかを検証できる。

***6：ルート認証局**
語源は，図を上下逆さまにすると，木の根（root）に位置する認証局であることから。

***7：CPS**
Certification Practice Statementの略。

- **EV証明書**[*8]
  法的にも物理的にも実在するかなどについて厳格に審査された組織・企業にのみ発行されるデジタル証明書。サーバ証明書の一種。EV証明書を使ったWebサイトは，利用者から信頼性が高く安全だと認識されやすい。

- **クライアント証明書**
  利用者や，利用者の機器のなりすましを防ぐために，利用者の機器にインストールするデジタル証明書。

- **ルート証明書**
  ルート認証局などが，みずからの認証局が正規のものであることを証明するために発行するデジタル証明書。信頼の基点となるルート証明書を**トラストアンカー**[*9]という。

***8：EV証明書**
Extended Validation証明書の略。EV SSL証明書ともいう。

***9：トラストアンカー**
英語で，Trust Anchors（信頼の基点）。

練習問題❶

〔情報セキュリティマネジメント試験 平成28年秋 午前問29〕

問 PKI（公開鍵基盤）の認証局が果たす役割はどれか。

ア　共通鍵を生成する。
イ　公開鍵を利用しデータの暗号化を行う。
ウ　失効したディジタル証明書の一覧を発行する。
エ　データが改ざんされていないことを検証する。

《解説》

ア：共通鍵を生成しません。
イ：認証局がデータの暗号化を行うわけではありません。
ウ：正解です。失効したデジタル証明書の**シリアル番号**と失効した日時は，CRL（証明書失効リスト）に掲載されます。**認証局**（CA）とは，PKIにおいて，デジタル証明書・CRLを発行する機関です。
エ：認証局はデータの改ざんを検証しません。

正解：ウ

練習問題❷

〔情報処理安全確保支援士試験 平成31年春 午前Ⅱ問1〕

問 CRL（Certificate Revocation List）に掲載されるものはどれか。

ア 有効期限切れになったディジタル証明書の公開鍵

イ 有効期限切れになったディジタル証明書のシリアル番号

ウ 有効期限内に失効したディジタル証明書の公開鍵

エ 有効期限内に失効したディジタル証明書のシリアル番号

《解説》

CRL（証明書失効リスト）とは，有効期限内にもかかわらず，失効したデジタル証明書の**シリアル番号**と失効した日時の一覧です。

正解：エ

練習問題❸

〔情報処理安全確保支援士試験 令和3年春 午前Ⅱ問2〕

問 PKIを構成するOCSPを利用する目的はどれか。

ア 誤って破棄してしまった秘密鍵の再発行処理の進捗状況を問い合わせる。

イ ディジタル証明書から生成した鍵情報の交換がOCSPクライアントとOCSPレスポンダの間で失敗した際，認証状態を確認する。

ウ ディジタル証明書の失効情報を問い合わせる。

エ 有効期限が切れたディジタル証明書の更新処理の進捗状況を確認する。

《解説》

OCSPとは，デジタル証明書の有効性を，リアルタイムに反映させるためのプロトコルです。

正解：ウ

重要度★★★

2-7 暗号技術

ここでは，これまでに紹介した，共通鍵暗号方式の暗号技術であるDES・AESや，公開鍵暗号方式の暗号技術であるRSAとは，異なる暗号技術を学びます。

暗号技術

暗号方式をもとに，実際使えるプロトコル・規格・ソフトウェアへと，プログラム言語を使って組んだものです。暗号方式が，暗号アルゴリズムなどを研究し，論文という形で書かれた理論である一方で，暗号技術は，実際に利用できる形式に変換したものです。

楕(だ)円曲線暗号[*1]

公開鍵暗号方式の一種で，RSA暗号と比べて，鍵長が短く，かつ処理が速いにもかかわらず，同レベルの強度がある暗号方式です。現在主流であるRSA暗号に代わる後継の暗号方式として期待されています。

***1：楕円曲線暗号**
ECC（Elliptic Curve Cryptography）ともいう。

S/MIME(エスマイム)[*2]

ハイブリッド暗号を使って，**メール**を**暗号化**したり，デジタル署名によるなりすましなし・改ざんなしを確かめたりするための**規格**です。

***2：S/MIME**
語源は，Secure / MIME（安全なMIME）から。なお，MIMEは，電子メールでデータを扱うための規格。

- 公開鍵の受渡しには，PKI（公開鍵基盤）の**認証局**を利用する。
- 事前に認証局に対し公開鍵を登録申請し，承認を受けておく必要がある。

- 第三者機関である認証局を利用するため，多くの人と公開鍵をやり取りしやすいので，多人数とメールのやり取りをする場合に向く。

PGP[*3]

ハイブリッド暗号を使って，メールを暗号化したり，デジタル署名によるなりすましなし・改ざんなしを確かめたりするための**ソフトウェア**です。

- S/MIMEは**規格**[*4]，PGPは**暗号化ソフト**である。
- 公開鍵の受渡しには，PKI（公開鍵基盤）の認証局は利用せず，暗号化する人・復号する人の当事者間で，事前に公開鍵を受け渡す必要がある。
- 認証局への登録申請や管理が不要なので，導入しやすい。
- 当事者間で公開鍵のやり取りをするため，少人数でメールのやり取りをする場合に向く。

***3：PGP**
語源は，Pretty Good Privacy（とてもよいプライバシー）から。

***4：規格**
基準・標準のこと。共通のルール（取り決め）をまとめたもの。

練習問題❶ 〔情報セキュリティマネジメント試験 平成31年春 午前問27〕

問 楕円曲線暗号の特徴はどれか。

ア　RSA暗号と比べて，短い鍵長で同レベルの安全性が実現できる。
イ　共通鍵暗号方式であり，暗号化や復号の処理を高速に行うことができる。
ウ　総当たりによる解読が不可能なことが，数学的に証明されている。
エ　データを秘匿する目的で用いる場合，復号鍵を秘密にしておく必要がない。

《解説》

楕円曲線暗号（ECC，Elliptic Curve Cryptography）とは，公開鍵暗号方式の一種で，RSA暗号と比べて，鍵長が短く，かつ処理が速いにもかかわらず，同レベルの強度がある暗号方式です。現在主流であるRSA暗号に代わる後継の暗号方式として期待されています。

正解：ア

練習問題❷

〔応用情報技術者試験 平成30年秋 午前問37〕

問 楕円曲線暗号に関する記述のうち，適切なものはどれか。

ア　AESに代わる共通鍵暗号方式としてNISTが標準化している。
イ　共通鍵暗号方式であり，ディジタル署名にも利用されている。
ウ　公開鍵暗号方式であり，TLSにも利用されている。
エ　素因数分解問題の困難性を利用している。

《解説》

楕円曲線暗号とは，公開鍵暗号方式の一種で，RSA暗号と比べて，鍵長が短く，かつ処理が速いにもかかわらず，同レベルの強度がある暗号方式です。

ア，イ：楕円曲線暗号は，共通鍵暗号方式でなく，公開鍵暗号方式です。
ウ：正解です。セキュアプロトコルのTLSにも利用されています。
エ：RSAの説明です。

正解：ウ

練習問題❸

〔情報セキュリティマネジメント試験 平成30年春 午前問28〕

問 電子メールの本文を暗号化するために使用される方式はどれか。

ア　BASE64　　イ　GZIP　　ウ　PNG　　エ　S/MIME

《解説》

S/MIME（エスマイム）とは，ハイブリッド暗号を使って，メールを暗号化したり，デジタル署名によるなりすましなし・改ざんなしを確かめたりするための規格です。

正解：エ

重要度★★★

2-8 認証技術

情報セキュリティの定義の３要素に含まれる機密性（ある情報資産にアクセスする権限がある人だけがアクセスでき，それ以外の人には公開されないこと）を維持するために，認証は欠かせません。

認証

なりすましがなく，確実に本人・本物であることを確認することです。対象別に，次の３種類あります。

- **利用者認証**
  本人なのか，なりすましがないかを認証する。**ユーザ認証・本人認証**ともいう。例えば，**ワンタイムパスワード**や**PIN**（ピン）（暗証番号）を使う。

- **メッセージ認証**
  メール（メッセージ）などの情報に，改ざんがないかを認証する。例えば，**メッセージ認証符号**や**デジタル署名**を使う。

- **時刻認証**
  時刻に改ざんがないかを認証する。ファイルの保存時刻・ログ[*1]の記録時刻の改ざんなしを確かめられる。例えば，**タイムスタンプ**を使う。

メッセージ認証符号[*2]

通信データの**改ざんなし**を確かめるために作る暗号データです。メッセージ認証符号とデジタル署名は，改ざんなしを確か

***1：ログ**
通信履歴。システムやネットワークで起きた異常を時系列に記録・蓄積したデータ。あとでたどったり，分析したりする目的で利用する。

***2：メッセージ認証符号**
MAC（Message Authentication Code：メッセージ認証符号）ともいう。

められる点で似ていますが，両者の違いは，次のとおりです。

- **メッセージ認証符号**（MAC）は，**共通鍵暗号方式**，または，ハッシュ関数を使う。
- **デジタル署名**は，**公開鍵暗号方式**を使う。改ざんなしだけでなく，なりすましなしも確かめられる。

タイムスタンプ[*3]

ファイルの**時刻の改ざんなし**を確かめる目的で，第三者機関である**時刻認証局**[*4]により発行される時刻情報です。身近な例では，**郵便の消印**があります。

タイムスタンプにより，確かめられるものは，次のとおりです。

- いつからファイルが存在するか（**存在時刻**）。
- 現在までファイルが書き換えられていない（**改ざんなし**）。

デジタル署名だけでは，これらを確かめられないため，タイムスタンプを併用します。

タイムスタンプによって，**否認防止**[*5]を厳密化します。さらに，タイムスタンプとデジタル署名を組み合わせると，次のように立証できることが増えます。

***3：タイムスタンプ**
語源は，time（時刻）＋stamp（刻印）から。

***4：時刻認証局**
TSA（Time Stamp Authority）・タイムスタンプ機関ともいう。

***5：否認防止**
証拠を「知らない」と言い訳されずに，客観的に証明できること。

表：デジタル署名とタイムスタンプ

レベル	立証できること
デジタル署名なし	立証できない。 「私は署名していない」と否認できる。
デジタル署名あり	誰が，署名したか。
デジタル署名あり＋タイムスタンプ	誰が，いつ署名したか。

第2章 暗号と認証

練習問題❶ 〔情報セキュリティマネジメント試験 平成29年春 午前問10〕

問 情報セキュリティにおけるタイムスタンプサービスの説明はどれか。

ア 公式の記録において使われる全世界共通の日時情報を，暗号化通信を用いて安全に表示するWebサービス
イ 指紋，声紋，静脈パターン，網膜，虹彩(こう)などの生体情報を，認証システムに登録した日時を用いて認証するサービス
ウ 電子データが，ある日時に確かに存在していたこと，及びその日時以降に改ざんされていないことを証明するサービス
エ ネットワーク上のPCやサーバの時計を合わせるための日時情報を途中で改ざんされないように通知するサービス

《解説》

タイムスタンプとは，ファイルの時刻の改ざんなしを確かめる目的で，第三者機関である時刻認証局により発行される時刻情報です。身近な例では，郵便の消印があります。タイムスタンプにより，確かめられるものは，次のとおりです。

- いつからファイルが存在するか（存在時刻）。
- 現在までファイルが書き換えられていない（改ざんなし）。

正解：ウ

重要度★★★

2-9 利用者認証

利用者認証とは，なりすましがなく，確実に本人なのかを認証するために使う，様々な方式や技術です。パスワードなどの知識認証・ICカードなどの所有物認証・顔認証などの生体認証に分けられます。

利用者認証 [*1]

利用者認証は，認証方法により，知識認証・所有物認証・生体認証の3つに分けられます。なお，生体認証は，次節で説明します。

*1：利用者認証
ユーザ認証・本人認証ともいう。

表：利用者認証

認証方法	長所と短所	例
知識認証	本人のみが知る情報により認証する。 長所：安価に導入できる。 短所：忘れる危険性がある。また，盗まれて内容を公開されたら，それを知った人は誰でもなりすましできる。	パスワード PIN
所有物認証	本人のみが持つ物により認証する。 長所：盗まれても，盗んだ人（盗んだ所有物を持っている人）しか認証できない。 短所：貸し借り・複製・紛失の危険性がある。	ICカード IDカード ハードウェアトークン
生体認証	本人のみがもつ身体的特徴・行動的特徴により認証する。 長所：盗難・貸し借り・複製・紛失の心配がない。 短所：認証機器の費用がかかる。	静脈パターン認証 虹彩認証 声紋認証 顔認証 網膜認証 署名認証

多要素認証

なりすましを防ぐため，複数の認証方法（知識認証・所有物認証・生体認証）を組み合わせることです。例えば，顔により**生体**認証を行うだけでなく，パスワードにより**知識**認証を行い，安全性を高めます。

また，特に認証方法（知識認証・所有物認証・生体認証）のうち，異なる認証方法を２つ組み合わせる方式を，**２要素認証**といいます。

関連する用語の違いは，次のとおりです。

- **２要素認証**：異なる認証方式を２つ組み合わせる方式。
- **２段階認証**：同一の認証方式を２つ組み合わせる方式。

パスワードレス認証

所有物認証・**生体**認証を用いて，パスワードなどの**知識**認証を用いずに認証を行うための技術です。関連する用語は，次のとおりです。

- FIDO（ファイド）[*2]：パスワードに依存しない認証技術を推進するための業界標準。

ワンタイムパスワード[*3]

１回限り有効な**使い捨てパスワード**です。認証のたびにパスワードを作り，時間が経過するとパスワードは無効になります。仮にパスワードが盗聴されても，次回は異なるパスワードに変わるため，不正利用を防止できます。

例えば，ネットバンキングで高額の取引を行う場合，なりすましを防ぐために，ハードウェアトークン[*4]により生成したワンタイムパスワードの入力が必要になることがあります。

PIN（ピン）[*5]

暗証番号のことで，多要素認証における認証方法の１つとし

***2：FIDO**
Fast IDentity Onlineの略。

***3：ワンタイムパスワード**
OTP（One Time Password）ともいう。

***4：ハードウェアトークン**
カード型やキーホルダー型の専用機器。この機器を持っていなければ，ワンタイムパスワードを生成できないため，所有物認証になる。

***5：PIN**
Personal Identification Number（個人識別番号）の略。

て利用されます。身近な例として，クレジットカード・キャッシュカードを使った料金支払いの際や，スマートフォンの電源を入れた際に，入力を求められます。

シングルサインオン*6

一度，あるシステムで利用者認証が通れば，他のシステムで改めて認証することなく，認証が通るための技術です。利用者の利便性向上につながる一方で，一度不正アクセスされると，その被害が利用者の別のシステムにも及（およ）ぶ危険性もはらみます。

***6：シングルサインオン**
SSO（Single Sign-On）ともいう。

リスクベース認証

不正アクセスを防ぐ目的で，普段と異なる利用環境から認証を行った場合に，**追加**で**認証**を行うための仕組みです。例えば，認証時の，IPアドレス・OS・Webブラウザなどが，普段と異なる場合に，攻撃者からのなりすましでないことを確認するため，合言葉による追加の認証を行うことです。

CAPTCHA（キャプチャ）*7

プログラムは読み取れないが，**人間**なら**読み取れる**形状の**文字**のことです。例えば，Webサイトの利用者登録ページで，人間でなくプログラムが自動で文字を入力し，勝手に登録する手口があります。その対策として，Webサイト上でCAPTCHAを表示し，それを読み取った文字を利用者に入力させる形式にします。

プログラムはCAPTCHAの文字を読み取れないので，入力された文字が正しければ，確実に人間が操作したものだと判別でき，プログラムによる自動登録の手口を防げます。プログラムは，ゆがんでいたり，多くの色が組み合わさったりした文字の解析が苦手である特性を活用しています。

なお，プログラムでなく，**人間**が操作したものだと判別できますが，**利用者認証**（なりすましがなく，確実に本人なのかを認証すること）ができるわけではありません。

***7：CAPTCHA**
CAPTCHAの例は，次のとおり。

語源は，Completely Automated Public Turing test to tell Computers and Humans Apart（コンピュータと人間を区別するための，完全に自動化された公開チューリングテスト）から。チューリングテストとは，コンピュータは知能をもつかどうかを判定するテスト。

パスワードリマインダ[*8]

パスワードを忘れた場合に,「秘密の質問」によって, 利用者認証することです。第三者が推測しにくい質問を事前に設定しておき, パスワードを忘れた場合に, その答えを入力するだけで利用者認証するため便利です。しかし, 第三者でも容易に答えを推測できてしまうことがあるため, 安全性が疑問視されています。秘密の質問の例は, 次のとおりです。

- あなたの母親の旧姓は？
- あなたの出身小学校は？
- あなたのペットの名前は？

***8：パスワードリマインダ**
語源は, password（パスワード）＋reminder（思い出させるもの）から。

チャレンジレスポンス認証

ネットワーク上にパスワードを流さずに, 利用者認証を行う方法です。チャレンジ（一度しか使わない**乱数**[*9]）と**ハッシュ関数**で計算した**メッセージダイジェスト**（レスポンス）を使います。

チャレンジレスポンス認証の手順は, 次のとおりです。

① 利用者が, サーバにアクセス要求を送る。
② サーバは, チャレンジを利用者に返信する。
③ 利用者側は, チャレンジとパスワードをもとにハッシュ関数で計算し, メッセージダイジェスト（利用者のレスポンス）を作る。
④ 利用者側は, メッセージダイジェストをサーバに送る。
⑤ サーバ側でも, 利用者側と同じ方法により, メッセージダイジェスト（サーバのレスポンス）を作る。
⑥ 利用者側のレスポンスと, サーバ側のレスポンスが同一であれば, パスワードが正しいと確かめられる。
⑦ 認証が成立する。

***9：乱数**
毎回, 異なる値。ランダムな数。サイコロのように, 次に出る値が何かは, 分からない。

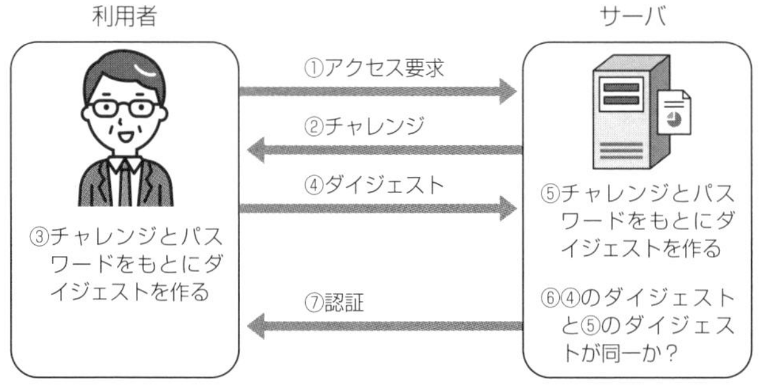

◆チャレンジレスポンス認証の特徴

チャレンジレスポンス認証の特徴は，次のとおりです。

- ネットワークを流れるものは，チャレンジ（一度しか使わない乱数）やメッセージダイジェスト（レスポンス）であり，パスワードはネットワークを流れない。
- チャレンジは，一度しか使わないため，リプレイ攻撃[*10]の対策にもなる。ネットワーク上を流れるレスポンスが毎回変わり，再利用できないため。
- レスポンスは，メッセージダイジェストのため，仮に盗み見されても，一方向性であるため，元のパスワードは分からない。

3Dセキュア2.0[*11]

オンラインショッピングにおけるクレジットカード決済時に，不正取引を防止するための本人認証サービスです。3Dセキュア1.0では，クレジットカード発行会社にあらかじめ登録したパスワードなどにより利用者認証を行っていたため，正規の利用者でもその手間により，途中で購入を中止すること（カゴ落ち）がありました。

一方で，3Dセキュア2.0では，利用者の過去の取引履歴や，決済に用いている情報機器の情報から不正利用と判断される場合だけ，追加の本人認証を行うため，利便性が高まります。

***10：リプレイ攻撃**
攻撃者が，ネットワークを流れる正規の利用者のパスワードなどを盗聴し，そのまま再利用（再生）して，正規の利用者になりすまして不正アクセスする攻撃。

***11：3Dセキュア2.0**
EMV 3-Dセキュアともいう。3Dは，クレジットカード取引に関連する3つのドメイン（クレジットカード発行会社・国際カードブランド・小売店）を意味する。

eKYC[*12]

オンラインで本人確認を行う仕組みです。例えば，銀行口座の開設などの手続で，身分証明書をカメラで撮影して提出したり，身分証明書に付属するICチップをスマートフォンで読み取って提出したりする確認方法が，法律により認められています。

***12：eKYC**
英語で，electronic Know Your Customerの略。KYCはKnow Your Customer（顧客を知る）の略。

練習問題❶ 〔情報セキュリティマネジメント試験 平成29年春 午前問18〕

問 2要素認証に該当する組みはどれか。

ア　クライアント証明書，ハードウェアトークン
イ　静脈認証，指紋認証
ウ　パスワード認証，静脈認証
エ　パスワード認証，秘密の質問の答え

《解説》

2要素認証とは，なりすましを防ぐために，認証方法（知識認証・所有物認証・生体認証）のうち，異なる認証方法を2つ組み合わせる方式です。

ア：両方とも所有物認証です。
イ：両方とも生体認証です。
ウ：正解です。パスワード認証（知識認証）と静脈認証（生体認証）を組み合わせています。
エ：両方とも知識認証です。

正解：ウ

練習問題❷ 〔情報セキュリティマネジメント試験 平成28年秋 午前問1〕

問 ICカードとPINを用いた利用者認証における適切な運用はどれか。

ア ICカードによって個々の利用者を識別できるので，管理負荷を軽減するために全利用者に共通のPINを設定する。

イ ICカード紛失時には，新たなICカードを発行し，PINを再設定した後で，紛失したICカードの失効処理を行う。

ウ PINには，ICカードの表面に刻印してある数字情報を組み合わせたものを設定する。

エ PINは，ICカードの配送には同封せず，別経路で利用者に知らせる。

《解説》

PINとは，暗証番号のことで，多要素認証における認証方法の1つとして利用されます。ICカード利用時に，利用者がPINを入力することで，正規の利用者であることを認証します。

ア：PINは，暗証番号であるため，全利用者で共通にしてはいけません。

イ：まず紛失したICカードの失効処理を行うべきです。新たなICカードを発行している間に，攻撃者により悪用される可能性があるためです。

ウ：PINは，暗証番号であるため，攻撃者により推測される可能性がある番号にしてはいけません。

エ：正解です。配送の途中で，万一，ICカードの紛失・盗難が発生しても，PINを別経路で利用者に知らせるようにしておけば，攻撃者による悪用を防げます。

正解：エ

練習問題❸

〔応用情報技術者試験 平成31年春 午前問37〕

問 リスクベース認証の特徴はどれか。

ア いかなる環境からの認証の要求においても認証方法を変更せずに，同一の手順によって普段どおりにシステムが利用できる。

イ ハードウェアトークンとパスワードを併用させるなど，認証要求元の環境によらず常に二つの認証方式を併用することによって，安全性を高める。

ウ 普段と異なる環境からのアクセスと判断した場合，追加の本人認証をすることによって，不正アクセスに対抗し安全性を高める。

エ 利用者が認証情報を忘れ，かつ，Webブラウザに保存しているパスワード情報も使用できない場合でも，救済することによって，利用者は普段どおりにシステムを利用できる。

《解説》

リスクベース認証とは，不正アクセスを防ぐ目的で，普段と異なる利用環境から認証を行った場合に，追加の認証を行うための仕組みです。例えば，認証時の，IPアドレス・OS・Webブラウザなどが，普段と異なる場合に，攻撃者からのなりすましでないことを確認するため，合言葉による追加の認証を行うことです。

正解：ウ

練習問題④

〔応用情報技術者試験 令和元年秋 午前問38〕

問 チャレンジレスポンス認証方式に該当するものはどれか。

ア 固定パスワードをTLSによって暗号化し，クライアントからサーバに送信する。
イ 端末のシリアル番号を，クライアントで秘密鍵を使って暗号化してサーバに送信する。
ウ トークンという装置が自動的に表示する，認証のたびに異なるデータをパスワードとして送信する。
エ 利用者が入力したパスワードと，サーバから受け取ったランダムなデータとをクライアントで演算し，その結果をサーバに送信する。

第2章 暗号と認証

《解説》

チャレンジレスポンス認証とは，ネットワーク上にパスワードを流さずに，利用者認証を行う方法です。チャレンジ（一度しか使わない乱数）とハッシュ関数で計算したメッセージダイジェスト（レスポンス）を使います。

チャレンジレスポンス認証の手順は，次のとおりです。

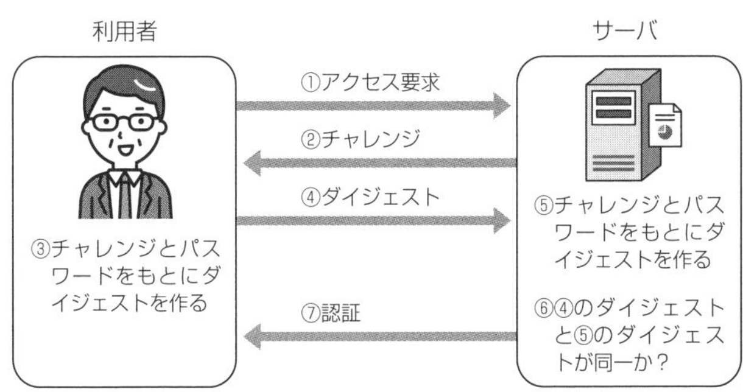

ア：チャレンジレスポンス認証では，セキュアプロトコルであるTLSを用いません。
イ：端末のシリアル番号は送信しません。
ウ：チャレンジレスポンス認証では，パスワードを送信しません。
エ：正解です。チャレンジレスポンス認証の手順③と④の説明です。

正解：エ

重要度★☆☆

2-10 生体認証技術

パスワードは，利用者にとって負担が大きいです。パスワードには，推測されにくい・文字の種類が多い・忘れない・頻繁に更新すべきなど，厳しい制約があるからです。生体認証は，認証機器の費用がかかるものの，利用者負担を大幅に軽減します。

生体認証

バイオメトリクス認証[*1]ともいい，人間の**身体的特徴**（生体器官）や**行動的特徴**（癖）などの生体情報を使って，利用者を認証することです。事前に登録・採取した生体情報と，認証時にセンサで読み取った生体情報とを比較して本人確認を行います。生体認証技術を採用しているPCやスマートフォンが増えています。代表的な生体認証技術は，次のとおりです。

***1：バイオメトリクス認証**
語源は，biology（生物学）＋metrics（測定）から。

***2：虹彩**

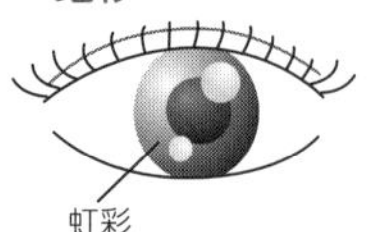

表：代表的な生体認証技術

身体的特徴（生体器官）		経年変化
静脈パターン認証	てのひらの血管の分岐点の分岐角度や分岐点間の長さの特徴。	なし
虹彩認証	眼球の黒目部分にある虹彩[*2]（アイリス）のしわの特徴。他人受入率が低く精度が高い。	なし
網膜認証	眼球の奥にある網膜[*3]の毛細血管の特徴。	なし
顔認証	顔の形や目・鼻などの位置関係。	あり
指紋認証	指のしわの分岐や切れ目の位置などの特徴。	少ない
行動的特徴（癖）		
声紋認証	声を時間と周波数の分布で解析した特徴。	あり
署名認証	署名（サイン）するときの速度や筆圧の特徴。	少ない

生体認証には，次の長所と短所があります。

- 長所：盗難・貸し借り・複製・紛失の心配がない。
- 短所：認証のための機器の費用がかかる。利用者情報の事前登録に手間がかかる。本人拒否率・他人受入率をゼロにはできない。

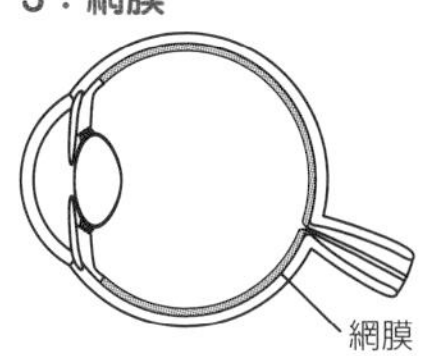

本人拒否率・他人受入率

生体認証では，センサの設定値をどんなにうまく調整しても，誤って他人を受け入れる可能性をゼロにはできません。一方で，誤って本人を拒否する可能性もゼロにはできません。生体認証は，知識認証や所有物認証と異なり，この難題を抱えています。

- **本人拒否率**：誤って本人を拒否する確率。
  FRR（False Rejection Rate）ともいう。
- **他人受入率**：誤って他人を受け入れる確率。
  FAR（False Acceptance Rate）ともいう。

一般に，他人受入率を低くすれば，本人拒否率は高くなります。一方で，本人拒否率を低くすれば，他人受入率は高くなります。

練習問題❶

〔応用情報技術者試験 令和元年秋 午前問45〕

問 虹彩認証に関する記述のうち，最も適切なものはどれか。

ア 経年変化による認証精度の低下を防止するために，利用者の虹彩情報を定期的に登録し直さなければならない。

イ 赤外線カメラを用いると，照度を高くするほど，目に負担を掛けることなく認証精度を向上させることができる。

ウ 他人受入率を顔認証と比べて低くすることが可能である。

エ 本人が装置に接触したあとに残された遺留物を採取し，それを加工することによって認証データを偽造し，本人になりすますことが可能である。

《解説》

虹彩認証とは，眼球の黒目部分にある虹彩（アイリス）のしわの特徴により利用者を認証することです。他人受入率が低く精度が高いです。

ア：虹彩認証は，経年変化がないため，登録し直す必要はありません。
イ：赤外線カメラの照度を高くすると，目に負担が掛かります。
ウ：正解です。虹彩認証は，他人受入率が低く精度が高いです。
エ：虹彩認証は，装置に接触せずに測定します。

正解：ウ

練習問題❷

〔情報セキュリティマネジメント試験 平成30年春 午前問22〕

問 バイオメトリクス認証システムの判定しきい値を変化させるとき，FRR（本人拒否率）とFAR（他人受入率）との関係はどれか。

ア FRRとFARは独立している。
イ FRRを減少させると，FARは減少する。
ウ FRRを減少させると，FARは増大する。
エ FRRを増大させると，FARは増大する。

《解説》

バイオメトリクス認証（生体認証）では，センサの設定値をどんなにうまく調整しても，誤って他人を受け入れる可能性（**他人受入率**，FAR）をゼロにはできません。一方で，誤って本人を拒否する可能性（**本人拒否率**，FRR）もゼロにはできません。一般に，他人受入率を低くすれば，本人拒否率は高くなります。一方で，本人拒否率を低くすれば，他人受入率は高くなります。

正解：ウ

TOPICS

暗号の鍵は いつか見破(みやぶ)られる

共通鍵暗号方式の暗号鍵（暗号アルゴリズムと鍵）のうち，暗号アルゴリズムは広く公開されている以上，ブルートフォース攻撃により，すべて試せば，いつかは解読できます。例えば，銀行ATM（現金自動預払機）は，暗証番号４桁を0000～9999まで最大10,000回，平均で5,000回試せば，必ず見破られます。この場合の鍵の長さは，４桁です。

暗号技術であるDESの鍵は，56ビット（２進数で56桁）のため，鍵の長さは２の56乗です。つまり，72,057,594,037,927,936（７京2057兆5940億3792万7936）であり，17桁にもなります。ただし，コンピュータの性能向上にともなって，DESの鍵は，わずか数日間で見破られるため，危殆化(きたいか)（有効期限切れ）しています。

一方で，現在推奨されている暗号技術であるAESの鍵は，128ビットのため，鍵の長さは，２の128乗，つまり，340澗(かん)（340の１兆倍の１兆倍の１兆倍）であり，次のとおり，39桁になります。

- 128ビット：340,282,366,920,938,463,463,374,607,431,768,211,456

さらにAESは，192ビット・256ビットも選択可能です。

これほど鍵の長さが長いのですから，しばらくの間は大丈夫ですが，コンピュータの性能向上により，いつかはAESの鍵も見破られることになるでしょう。

第3章

情報セキュリティ管理

情報セキュリティマネジメント試験で，出題の中心となる分野が情報セキュリティ管理です。もちろん科目Ａでも出題されますが，特に科目Ｂでは，この分野が重点的に出題される重要テーマです。

アクセスキー j
(小文字のジェイ)

重要度★★★

3-1 情報セキュリティ管理

情報セキュリティの脅威から，組織（企業や役所）を守るために，何をすべきでしょうか。その答えのひとつが，ISMS（情報セキュリティマネジメントシステム）に取り組むことです。

情報セキュリティ管理

情報セキュリティ管理は，組織[*1]全体で行う情報セキュリティ対策の**取組み**です。情報セキュリティ製品などの技術的対策だけでは，情報セキュリティを守れません。そのため，情報セキュリティ管理による**組織的対策**が求められます。

組織の従業者による**内部不正**[*2]などの**意図的**な場合だけでなく，**偶発的**な原因による情報セキュリティ事故があります。この要因として，組織の従業者が情報セキュリティに対して意識が低い場合や，組織での社内規程・業務のやり方・従業者への周知（しゅうち）徹底が不適切な場合もあるでしょう。

その対策として，各企業が個別に対策を打つだけでは，漏れや抜けのある不十分な対策になりがちです。これでは，ＩＴを安心して有効活用できる社会になれません。

そこで，世界中の情報セキュリティ管理の関係者が国際的なルール・取り決めとして，作り上げたものが，ISMSです。ISMSは，組織全体で一丸となって，情報セキュリティの脅威から守る取組み・仕組みのことです。

*1：組織
企業・役所・法人・団体などを含む。

*2：内部不正
組織内で起きる不正行為。違法行為だけでなく，組織内の情報セキュリティポリシ・規程に反する不正行為を含む。

ISMS[*3]

組織全体で，情報セキュリティを守るために行う，効果的かつ継続的な取組み・仕組みです。情報セキュリティマネジメン

*3：ISMS
Information Security Management Systemの略。

ト[4]システム[5]と訳されます。

国際規格を手本にして，**情報セキュリティポリシ**の策定・組織内への教育訓練・セキュリティ評価・見直しなどを行います。規格を手本にすることで，漏れや抜けのない対策になります。

ISMSについて定義した規格には，国際規格である**ISO/IEC 27000シリーズ**や，それを翻訳した国内規格である**JIS Q 27000シリーズ**があります。規格には，推奨される事例をまとめたもの（**ベストプラクティス**）が記載されており，自組織の状況に合わせて，採り入れます。

ISMSに関連する用語は，次のとおりです。

***4：マネジメント**
管理と訳されるが，ここではISMSのPDCAサイクルを回すこと。

***5：システム**
情報システムとは無関係で，情報セキュリティを守るための，社内の取組み・仕組みのこと。

表：ISMSに関連する用語

ISMS認証[6]	ISMSを適切に導入している組織を，第三者が認定すること。国際規格を手本に，組織の情報セキュリティ管理を実践していることを意味するため，ISMS認証を取得することが望まれている。
ISMS適合性評価制度	ISMS認証を与えるための制度。

なお，情報セキュリティポリシについては次節で，規格に関しては本節後半で説明します。

***6：ISMS認証**
認証されて企業のWebサイトやパンフレットで，「株式会社○○は，情報セキュリティの国際規格・ISO 27001の認証を取得しています」などと紹介されることが多い。

◆ISMSのメリット

ISMSを組織に採り入れるメリットは，次のとおりです。

- セキュリティ事故が発生するリスクを軽減する。
- 従業者の意識が向上する。
- 外部から信頼を得られるため，ビジネスチャンスが拡大する。

ISMSは，次に挙げるものと同じ位置付けにあり，認証されることで，国際規格に沿った組織運営を社会に広くアピールでき，信頼を得られます。

- 品質保証におけるISO 9000。
- 環境保護におけるISO 14000。
- 個人情報の安全な取扱いにおける**プライバシーマーク**（Pマーク）。

◆ISMSの概要

ISMSについて定義した規格には，「こうあるべきだ」という要求事項や，手本が記載されています。ISMSは，主に次の内容について規定しています。

表：ISMSの内容

概要	ISMSの内容
基本的な考え方	PDCAサイクル（後述）を継続的に回す。
用語・定義	規格で使う用語・定義の説明。
何に対し，どんな対策を打つか	リスクマネジメント。
社内規程	情報セキュリティポリシ・就業規則の策定。
組織	情報セキュリティ委員会の設置。

なお，ISMSは，いわば**ブランド**のようなもので，無形です。一方で，ISMSについて定義する規格は文書としてまとめられており，数年に一度改訂されます。

ISMSと試験問題

ISMSは，あくまでも情報セキュリティを守るための仕組みのひとつでしかありません。また，情報セキュリティマネジメント試験は，ISMS認証の試験ではありません。しかし，ISMSは，国際規格・日本の国内規格であることから，出題者であるIPA[*7]は，ISMSを積極的に推進しており，試験問題でも出題します。

◎ 規格[*8]

ルール・取り決めのことです。ルールをまとめ，制定したものが規格です。規格は，**標準化**[*9]のために制定します。例えば，PCのキーの位置（キーボードの配列）は，規格により決められています。規格が制定される前は，機種によってキーの位置

***7：IPA**
独立行政法人 情報処理推進機構。頼れるＩＴ社会の実現を目的に，情報処理技術者試験の実施や，国民への情報セキュリティの啓発を行っている。

***8：規格**
ルール・取り決めのこと。基準・標準ともいう。英語でstandards。

***9：標準化**
ルールを統一すること。英語でstandardization。

がまちまちで，利用者は不便を強いられました。その後，キーの位置が規格として制定されたことで，標準化され，どのキーボードもキーの位置が同じになりました。

規格から外れても，罰則はありません。規格はルールですが，条約や法律などよりも任意性があります。しかし，実際には規格に沿うことが社会から強く望まれています。

規格には，国際規格と国内規格があります。

◆国際規格 *10

全世界で広く利用するための規格です。各国で，国際規格をそのまま使う場合と，各国の実情に合わせて国際規格を一部修正して使う場合があります。規格を制定する**国際標準化機関**として，ISO（国際標準化機構）やIEC（国際電気標準会議）があります。

*10：国際規格
IS（International Standards）ともいう。

◆国内規格

各国で利用するための規格です。**国家規格**ともいいます。日本の国内規格として，JIS（ジス）（日本産業規格）やJAS（ジャス）（日本農林規格）があります。なお，国際規格を一部修正したものでない，純粋な国内規格は，他国では通用しないため，他国の人に国内規格に準拠していることをアピールすることはできません。

また，規格以外で標準化と関連したものとして，デファクトスタンダードがあります。

◆デファクトスタンダード *11

事実上の標準です。標準化団体（ISO・JISなど）が規格として制定していないにもかかわらず，市場競争の結果，世界でルール・取り決めとして利用されることです。例として，世界のPC用OSの約9割を占めるWindowsや，かつてビデオテープの規格でベータマックスとの争いに勝ったVHSが挙げられます。

*11：デファクトスタンダード
de facto standard（事実上の標準）。de factoは，ラテン語で「事実上」の意味。デファクトスタンダードに対して，標準化団体による規格をデジュレスタンダードという。

◆ISMSと規格

組織全体で，情報セキュリティを守るために行う取組み・仕組みであるISMSは，次の規格で制定されています。

- 国際規格であるISO/IEC 27000シリーズ。数年に一度改訂している。
- ISO[*12]とIEC[*13]が共同で規格を策定しているため，「ISO/IEC」のように両方の名称が記載されている。
- 日本の国内規格であるJIS Q 27000シリーズ。ISO/IEC 27000シリーズの策定から数年遅れで日本向けに翻訳され，策定される。

***12：ISO**
国際標準化機構。全産業分野に関する国際規格の作成を行っている国際標準化機関。ただし，IECが担う電気・電子技術分野は除く。

***13：IEC**
国際電気標準会議。電気・電子技術分野の国際規格の作成を行っている国際標準化機関。

PDCAサイクル

ISMSの中核となる考え方で，取組みを継続的に実施することで，レベルアップを図ります。具体的には，Plan（計画）➡Do（実施）➡Check（点検・監査）➡Act（見直し・改善）の4つの段階を繰り返します。

表：ISMSとPDCAアプローチ

PDCA	和訳	内容	ISMSの段階
Plan	計画	問題点を整理し，目標を立て，その目標を達成するための計画を作る。	ISMSの確立
Do	実施	目標と計画をもとに，その業務を行う。	ISMSの導入・運用
Check	点検・監査	業務が計画どおり行われ，当初の目標を達成しているかを点検し，監査する。	ISMSの監視・見直し
Act	見直し・改善	評価結果をもとに，業務を改善する。	ISMSの維持・改善

PDCAサイクルは，一度Actまで行ったら終わりというわけではありません。さらに次のPDCAサイクルを回し，継続的に改善していくことが重要です。

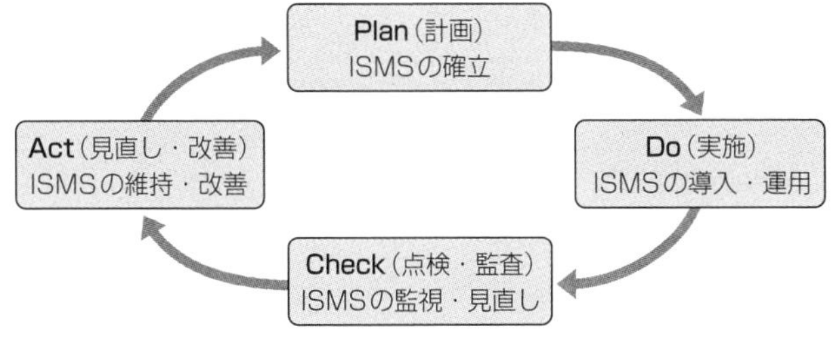

組織運営

ISMSに基づき，組織全体で情報セキュリティに取り組むために，次の組織運営が求められます。

- **トップダウンの管理体制を構築する**
  - **担当者任せ**でなく，全社で意思統一し実施するために，**経営層**[*14]の積極的な関与が欠かせない。
- **各個人の役割と責任を明示する**
  - 実行だけでなく，評価や見直し・継続的な改善まで行うために，**誰**が**いつ**，**何**を行い，内容をどのように**評価**し，誰が**見直す**のかを明記する。
  - 不正行為を防ぐため，承認する人と承認される人，監査する人と監査される人とは，別の人になるように**役割**を**分離**する。
- **ルールを策定し，周知徹底する**
  - 情報セキュリティポリシをはじめとした**ルール**を策定し，教育や訓練で**周知徹底**する。
  - 違反を早期に発見し，**再発防止**するための組織体制を組み込む。
  - 故意によるルール違反には，**罰則**を適用するように，就業規則に記載する。

***14：経営層**
組織に対して経営責任をもつ人々。社長・取締役・役員など。トップマネジメントともいう。

- 例外措置を設ける
  - 情報セキュリティの各種ルール・規程を厳密に運用しすぎると，業務に支障をきたすことがある。
  - 情報セキュリティ管理自体を目的化せず，あくまでも業務を進めるうえで必要になるものであることを踏まえ，緊急時には柔軟に対応できる**例外措置**を準備する。例えば，緊急時に承認者が不在の場合に備え，代理の承認者を事前に設置しておく組織や，事後の申請を認める仕組みなどの例外措置を準備しておく。

情報セキュリティ委員会

組織の部門間で生じる，考えの**食い違い**を**調整**するために，経営層が関与して作られる，**全社横断**の**運営委員会**です。ISMSでは，情報セキュリティ委員会の設置と，次の役職の配置を推奨しています。

- **最高情報セキュリティ責任者**（CISO*15）
  組織内で情報セキュリティを統括する担当幹部。経営層の人材が担う。

*15：CISO
Chief Information Security Officerの略。

- **最高情報セキュリティアドバイザー**
  知識と経験がある情報セキュリティの専門家。大所高所から助言を行う。

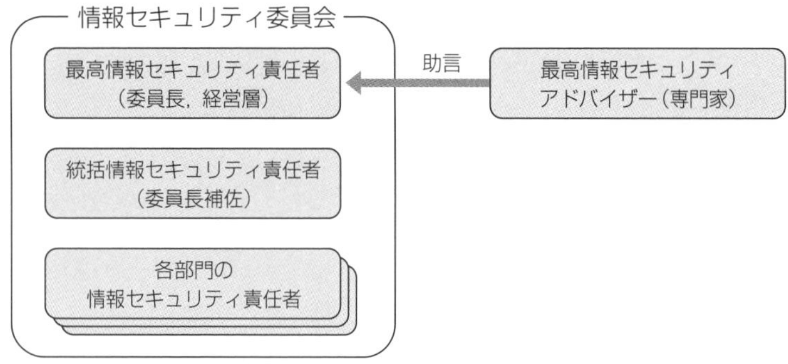

練習問題❶

〔情報セキュリティマネジメント試験 平成29年秋 午前問8〕

問 JIS Q 27000:2014（情報セキュリティマネジメントシステム－用語）では，リスクを運用管理することについて，アカウンタビリティ及び権限をもつ人又は主体を何と呼んでいるか。

ア 監査員　イ トップマネジメント　ウ 利害関係者　エ リスク所有者

《解説》

リスクについて，アカウンタビリティ（説明責任）や権限をもつ人などを**リスク所有者**と呼びます。なお，**イ**のトップマネジメントとは，経営層であり，組織に対して経営責任をもつ人々です。

正解：エ

練習問題❷

〔情報セキュリティマネジメント試験 平成30年秋 午前問2〕

問 JIS Q 27000:2014（情報セキュリティマネジメントシステム－用語）における，トップマネジメントに関する記述として，適切なものはどれか。

ア ISMS適用範囲から独立した立場であることが求められる。
イ 企業の場合，ISMS適用範囲にかかわらず代表取締役でなければならない。
ウ 情報システム部門の長でなければならない。
エ 組織を指揮し，管理する人々の集まりとして複数名で構成されていてもよい。

《解説》

トップマネジメントとは，組織に対して経営責任をもつ人々で，社長・取締役・役員などです。経営層ともいいます。

ア：ISMS（情報セキュリティマネジメントシステム）の適用範囲である組織（企業・役所・法人・団体など）と，トップマネジメントとは，独立してはいけません。
イ：代表取締役以外に，取締役・役員などもトップマネジメントに含みます。
ウ：情報システム部門の長以外に，組織に対して経営責任をもつ人々も含みます。
エ：正解です。複数名で構成されていてもよいです。

正解：エ

練習問題❸ 〔情報セキュリティマネジメント試験 平成31年春 午前問8〕

問 JIS Q 27001:2014（情報セキュリティマネジメントシステム－要求事項）において，情報セキュリティ目的をどのように達成するかについて計画するとき，“実施事項”，“責任者”，“達成期限”のほかに，決定しなければならない事項として定められているものはどれか。

ア “必要な資源”及び“結果の評価方法”
イ “必要な資源”及び“適用する管理策”
ウ “必要なプロセス”及び“結果の評価方法”
エ “必要なプロセス”及び“適用する管理策”

《解説》

JIS Q 27001:2014において，情報セキュリティ目的をどのように達成するかについて計画するときに，“実施事項”，“必要な資源”，“責任者”，“達成期限”，“結果の評価方法”を決定しなければならないと定められています。なお，資源とは，ここでは人・モノ・カネのことです。

正解：ア

重要度★☆☆

3-2 情報セキュリティポリシ

情報セキュリティポリシは，組織の情報セキュリティに関する方針・基準を記した文書です。ISMSのPDCAサイクルのPlan（計画）で策定します。

◎ 情報セキュリティポリシ[*1]

ISMSに基づいて，情報セキュリティに関する組織内の取組みを規定した文書を**情報セキュリティポリシ**といいます。ISMSのすべての取組みに先立って策定します。

◆情報セキュリティポリシの文書構成

情報セキュリティポリシは，**3階層**の文書で構成されます。

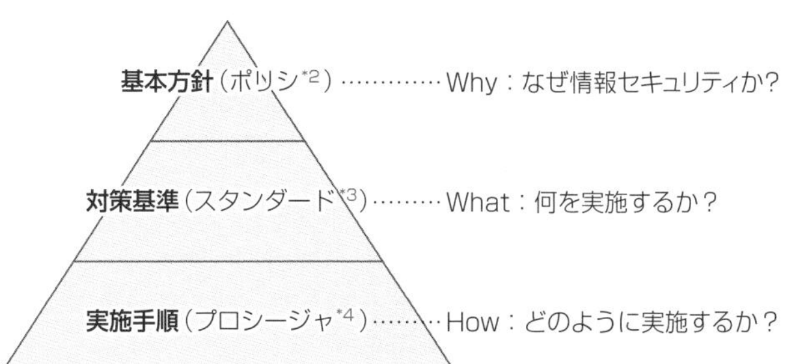

なお，上位2階層のみを情報セキュリティポリシということもあります。

***1：情報セキュリティポリシ**
情報セキュリティ方針ともいう。

***2：ポリシ**
policy（方針）。情報セキュリティ基本方針ともいう。

***3：スタンダード**
standards（基準）。情報セキュリティ対策基準ともいう。

***4：プロシージャ**
procedure（手続き）。情報セキュリティ実施手順ともいう。

表：情報セキュリティポリシの文書構成

情報セキュリティポリシの文書構成	説明	策定者・承認者	外部への公開
基本方針 （ポリシ）	Why。**なぜ情報セキュリティに取り組むのか？** 社会的背景・法令順守の観点から，その必要性を説く**宣言文**。 例えば，目的・方針・適用範囲・体制などを明記。	情報セキュリティ委員会	公開
対策基準 （スタンダード）	What。**何を実施するか？** 守るべき**ルール・規程**。 例えば，情報セキュリティ対策基準・事故への対応規程・文書管理規程。		非公開
実施手順 （プロシージャ）	How。**どのように実施するか？** **マニュアル文書**・利用手順書。 例えば，情報システム利用手順書・メールやWebの利用手順書。	情報システムごと 部門ごと	非公開

情報セキュリティポリシの策定・承認・見直しを行う担当は，文書構成ごとに異なります。

- 基本方針（ポリシ）と対策基準（スタンダード）は，情報セキュリティ委員会で行う。
- 実施手順（プロシージャ）は，情報システムごと，または部門ごとに行う。

基本方針（ポリシ）は，**公開**します。組織の情報セキュリティに対する基本理念をまとめたものであり，外部からの信頼を得るためです。一方で，対策基準（スタンダード）や実施手順（プロシージャ）は，**非公開**にします。外部に情報セキュリティ対策状況を漏らすと，攻撃の手がかりを与えるためです。

情報セキュリティポリシの3つの文書（基本方針➡対策基準➡実施手順）の関係は，憲法➡法律➡省令に似ています。また，改訂頻度も異なり，次の表のようになります。

表：情報セキュリティポリシの改訂頻度

情報セキュリティポリシの文書構成	類似例	改訂頻度
基本方針 （ポリシ）	憲法	頻繁には**改訂しない**。基本理念であるため。
対策基準 （スタンダード）	法律	**数年ごと**。業務分担の変更・セキュリティ事故の発生に伴って。
実施手順 （プロシージャ）	省令（法律や政令の実行に関する細かいルール）	**ほぼ毎年**。システムの更新・情報技術の変化に伴って頻繁に。

情報セキュリティポリシの３階層の文書について，ひとつずつ説明します。

情報セキュリティ基本方針[*5]

「なぜ私たちは，情報セキュリティに取り組むのか」に対して，経営層が必要性を説く**宣言文**です。社会的背景・法令順守の観点から**基本理念**を表明します。組織内の情報セキュリティに関する憲法の役割であるため，頻繁には改訂しません。説明と例は，次のとおりです。

- **基本理念・目的**
  組織が情報セキュリティに取り組む姿勢を表明する。
  「すべての従業者が守るべき包括的（ほうかつてき）な基準として，情報セキュリティポリシを策定する」

- **役割・位置付け**
  情報セキュリティポリシは何であり，どんな役割をもっているかを記載する。
  「情報セキュリティポリシは，情報セキュリティ対策文書の最高位に位置し，すべての従業者の指針となる役割を果たす」

***5：情報セキュリティ基本方針**
情報セキュリティポリシの基本方針（ポリシ）と同じ。

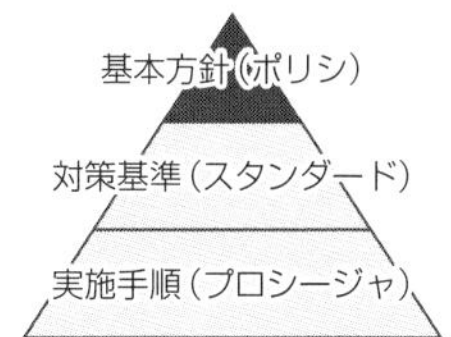

第3章 情報セキュリティ管理

- **見直し・改訂**
  見直しと改訂を定期的に行うことを宣言する。
  「情報セキュリティポリシの見直しを定期的に行い，将来にわたり維持するものとする」

- **適用対象範囲**
  適用される対象と範囲を示す。
  「会社が作成した文書・会社以外から入手した情報・個人情報を含む」
  「すべての従業者に適用する。従業者には経営層・正社員・派遣社員・アルバイトを含む」

- **評価**
  自組織で行う自己点検・第三者による情報セキュリティ監査を行うことを宣言する。

- **罰則**
  情報セキュリティポリシや関係規程に違反した場合に罰則があることを宣言する。
  「違反した場合，就業規則・契約書に従って，処分の対象となることがある」

情報セキュリティ対策基準 *6

情報セキュリティ基本方針に基づいて記述された具体的な**ルール・規程**です。これを**管理策** *7 といいます。情報セキュリティ対策基準を白紙から作ると，作業が膨大になります。そのため，既存の管理策集や対策基準を**ひな型** *8 にして，組織の実情に合わせて書き換える方法が採られます。この方法を**ベースラインアプローチ**といいます。

具体的には，次の文書をひな型にすることが多いです。

***6：情報セキュリティ対策基準**
情報セキュリティポリシの対策基準（スタンダード）と同じ。

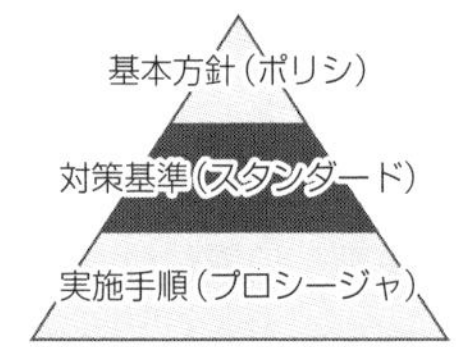

***7：管理策**
情報セキュリティの対策のこと。

***8：ひな型**
見本・手本・サンプル・テンプレートのこと。雛型。

- **JIS Q 27002**
  国内規格であるJIS（日本産業規格）。国際規格であるISO/IEC 27002を翻訳したもの。多くの組織が対象。

- **政府機関等のサイバーセキュリティ対策のための統一基準群**
  サイバーセキュリティ戦略本部が策定。省庁などの政府機関が対象。

- **地方公共団体における情報セキュリティポリシに関するガイドライン**
  総務省が策定。地方公共団体が対象。

◎ 情報セキュリティ実施手順[*9]

情報セキュリティ対策基準で定めた管理策（ルール・規程）を実施するためのマニュアル文書・利用手順書です。

例えば，利用者IDやパスワードの運用手引き・マルウェア対策運用手順書・バックアップ手順書・外部委託先との契約の手引きなどです。

情報セキュリティ対策基準と同じく，ひな型を利用し，組織の実情に合わせて書き換えるベースラインアプローチが用いられます。

***9：情報セキュリティ実施手順**
情報セキュリティポリシの実施手順（プロシージャ）と同じ。

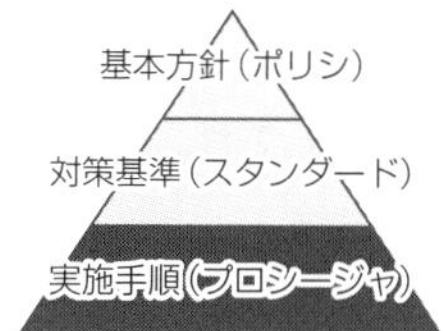

◎ 情報セキュリティポリシのポイント

よりよい情報セキュリティポリシにするためのポイントは，次のとおりです。

- 全社をカバーしており，自組織の状況に合った内容か。
- 経営層が承認し，情報セキュリティに関する予算や人の配分は適切か。
- 順守すべき法令を網羅（もうら）しているか。

練習問題❶

〔情報セキュリティマネジメント試験 平成28年春 午前問6〕

問　JIS Q 27001に基づく情報セキュリティ方針の取扱いとして，適切なものはどれか。

ア　機密情報として厳格な管理を行う。
イ　従業員及び関連する外部関係者に通知する。
ウ　情報セキュリティ担当者各人が作成する。
エ　制定後はレビューできないので，見直しの必要がない内容で作成する。

《解説》

情報セキュリティ方針（情報セキュリティポリシ）は，**基本方針**（ポリシ）・**対策基準**（スタンダード）・**実施手順**（プロシージャ）で構成されます。

ア：基本方針は，組織の基本理念をまとめたものであり，外部からの信頼を得るために，公開します。機密情報ではありません。
イ：正解です。情報セキュリティ方針の策定後に，周知徹底するために，関係者に通知します。
ウ：基本方針（ポリシ）と対策基準（スタンダード）は，組織の情報セキュリティ委員会が作成します。実施手順（プロシージャ）は情報システムごと・部門ごとに作成します。
エ：PDCAサイクルを回し，見直します。

正解：イ

重要度★★★

3-3 リスクマネジメント

情報セキュリティ事故が起きてから，慌てて対策するのでは遅すぎます。その事態を防ぐため，ISMSではリスクマネジメントにより，リスクが組織内のどこに潜み，どんな対策をどの優先順位で行うかを決めます。

リスクマネジメント [*1]

組織の**リスク** [*2]を分析・評価し，対策を打つ一連の**取組み**です。リスクの対策を決める根拠となるリスクアセスメントを事前に行い，その結果から，客観的で効果的なリスク対応をします。リスクマネジメントの概要は，次のとおりです。

***1：リスクマネジメント**
国内規格であるJIS Q 31000で制定されている。

***2：リスク**
ISMSでは，事象・結果・起こりやすさが確かでなく，期待に添わないこと。

- リスクマネジメント ---- 組織のリスクを分析・評価し，対策を打つ一連の取組み。
  - リスクアセスメント ---- リスクの有無・被害の大きさ・発生可能性・許容範囲内かを分析する。
    - リスク分析 ---- リスクを特定し，リスクの大きさを決める。
      - リスク特定 ---- リスクを発見する。
      - リスク算定 ---- リスクの結果の大きさと起こりやすさを決める。
    - リスク評価 ---- リスク分析の結果をリスク基準と照らし合わせる。
  - リスク対応 ---- リスクに対し，対策を打つ。
    - リスク回避 ---- リスク自体をなくす。
    - リスク低減 ---- リスクの発生率や被害を低下させる。
    - リスク共有 ---- リスクを他者と分割する。
    - リスク保有 ---- リスク対策をしない。
  - リスク受容 ---- リスク対策をしないと組織で意思決定する。
  - リスクコミュニケーション ---- 情報提供のために，関係者と対話する。

まず，リスクの発見（**リスク特定**）と，リスクの大きさを示す値の算出（**リスク算定**）を行う**リスク分析**を行います。さらにリスクの値を基準と照らし合わせて，**リスク評価**します。ここまでが**リスクアセスメント**です。

次に，その結果から4種の**リスク対応**（**リスク回避**・**リスク低減**・**リスク共有**・**リスク保有**）をします。

リスクはゼロにはできないため，あえて対策を見送る**リスク受容**も選択肢のひとつです。また，リスクに関する情報収集のための**リスクコミュニケーション**も重要な取組みです。

ここまでのすべての取組みが**リスクマネジメント**です。

リスクマネジメントは，リスクアセスメントからリスクコミュニケーションまでの一連の取組みです。

◆リスクマネジメントシステムのPDCAサイクル

リスクは環境の変化・新たな脅威の出現などにより変化するため，一過性（いっかせい）の対策では不十分です。そこで，リスクマネジメントの取組みであるリスクマネジメントシステムでは，次のPDCAサイクルを回します。

表：リスクマネジメントシステムのPDCAサイクル

PDCA	リスクマネジメントシステムのPDCAサイクル
Plan	リスクアセスメント（リスク分析・リスク評価）。
Do	リスク対応。
Check	リスクマネジメントの効果を測定し，有効性を評価する。
Act	リスクマネジメントの取組みを改善する。

● リスクアセスメント

リスクの対策を打つリスク対応の前に，**リスクの有無・被害の大きさ・発生可能性・許容範囲内かどうかを分析する段階**です。**リスク分析**と**リスク評価**が含まれます。ISMSでは，客観的に分析するために数値化します。手順は，次のとおりです。

表：リスクアセスメントの手順

区分	段階	説明
事前準備	①リスク基準	リスクの**評価基準**と対応する値を決めておく。
	②情報資産の洗出し	情報資産を**棚卸し**し，情報資産台帳を作成する。
リスク分析	③リスク特定	リスク基準をもとに，機密性・完全性・可用性・脅威・脆弱性の観点から，情報資産を**数値化**する。
	④リスク算定	リスク特定の値を計算し，**リスクレベル**を求める。
リスク評価	⑤リスク評価	リスク算定の結果をリスク基準と**照らし合わせる**。

◆リスク基準

リスクアセスメントの事前準備として，評価基準と対応する値を決める段階です。具体的には，次のものを決めます。

- 情報資産を，**機密性**[*3]・**完全性**[*4]・**可用性**[*5]の観点から見た評価基準。
- その情報資産がもつ**脅威**と**脆弱性**の影響の深刻さの判断基準。
- リスク対応するか，リスク保有するかを見極める**リスク基準**。

例を交えて説明します。

- **情報資産**

  情報セキュリティの3要素である，機密性・完全性・可用性の観点から，情報資産の価値の重要度を示す**評価基準**を決める。このうち，機密性と完全性の評価基準の例は，次のとおり。

***3：機密性**
ある情報資産にアクセスする権限がある人だけがアクセスでき，それ以外の人には公開されないこと。

***4：完全性**
情報資産の正確さを維持し，改ざん（書き換え）させないこと。

***5：可用性**
必要なときは情報資産にいつでもアクセスでき，アクセス不可能がないこと。

表：機密性の評価基準

クラス	評価基準	値
極秘	必要最小限の関係者だけに開示できる。	4
関係者外秘	部門内だけに開示できる。	3
社外秘	社内だけに開示できる。	2
公開	社外に開示できる。	1

表：完全性の評価基準

クラス	評価基準	値
高	業務への影響は大きい。	3
中	業務への影響は小さい。	2
低	業務への影響はない。	1

• 脅威[*6]と脆弱性[*7]

リスクの大きさを示す値は，「**リスクレベル＝情報資産の価値×脅威×脆弱性**」で求めるため，情報資産がもつ脅威と脆弱性について，**判断基準**を決める。判断基準の例は，次のとおり。

***6：脅威**
情報資産を危険にさらす攻撃。

***7：脆弱性**
脅威（攻撃）がつけ込める弱点。

表：脅威の判断基準

大きさ	判断基準	値
大	発生の可能性が高い。	3
中	発生の可能性が中程度である。	2
小	発生の可能性が低い。	1

表：脆弱性の判断基準

度合い	判断基準	値
高	管理と対策が不十分である。	3
中	ある程度の管理と対策がなされている。	2
低	適切な管理と対策がなされている。	1

• **リスク受容基準**

リスクアセスメントの結果から，リスク対応するか，リスク保有するかを見極める基準を決める。情報資産がもつ，機密性・完全性・可用性の３つの観点から決める必要がある。例は，次のとおり。

表：受容可能なリスク基準

機密性	13
完全性	15
可用性	10

◆情報資産の洗出し

次に，情報資産を**棚卸し**して，**情報資産台帳**[*8]を作成する段階です。対象となる情報資産は，次のとおりです。

***8：情報資産台帳**
現状把握するために，情報資産を登録·記録する台帳。

表：情報資産台帳作成の対象

分類	例
情報資産	ファイル・データベース・契約書。
物理的資産	コンピュータ・サーバ。
ソフトウェア資産	業務用ソフトウェア・OS。
人的資産	人・保有する資格・技能・経験。
無形資産	組織の評判・イメージ。
サービス	計算処理・通信サービス・設備（暖房・照明・電源・空調）。

情報資産台帳に，必要事項を記入します。記入例は，次のとおりです。

表：情報資産台帳の記入例

情報資産名	用途	管理責任者	管理担当者	利用者の範囲	記憶形態	保存場所	保存期間
サーバX	サーバ	営業部長	○○	営業部	サーバ	営業部	○年
雇用契約書	人事管理	人事部長	△△	人事部	書類	保管庫	期限なし
会計ソフト	財務会計	経理部長	××	経理部	ソフト	A倉庫	○年
⋮	⋮	⋮	⋮	⋮	⋮	⋮	⋮

ここまでは，リスクアセスメントの手順である，①リスク基準と②情報資産の洗出しであり，事前準備の段階です。これ以降は，実際にリスクアセスメントを行う段階です。③リスク特定と④リスク算定は「リスク分析」で，⑤リスク評価は「リスク評価」で説明します。

リスク分析

リスクを特定し，リスクの大きさを決める段階です。リスク特定とリスク算定が含まれます。

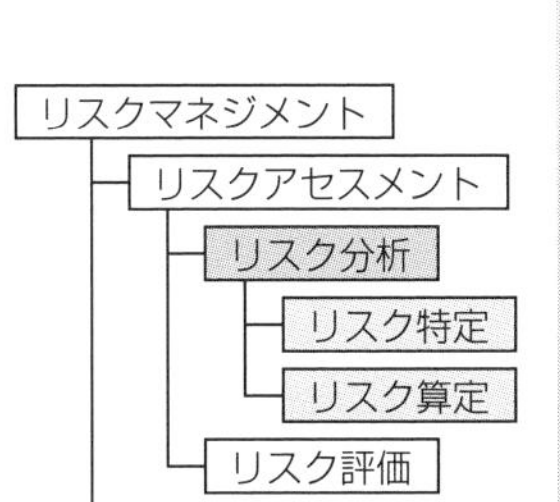

◆リスク分析手法

リスク分析するための手法は，次のとおりです。

- ベースラインアプローチ
ベースライン（**自組織の対策基準**）を策定し，**チェック**していく手法。取り組みやすい一方で，選ぶベースラインによっては，求められる対策のレベルが高すぎたり，低すぎたりする。ISMSが推奨する手法。

- 詳細リスク分析
詳細なリスクアセスメントを実施する手法。情報資産に対して，資産価値・脅威・脆弱性・セキュリティ要件を識別し，リスク分析する。厳密なリスク分析ができる一方で，時間・労力・専門知識が必要である。代表的な評価システムとして，JRMS2010[*9]がある。

***9：JRMS2010**
JIPDEC Risk Management System 2010の略。日本情報経済社会推進協会（JIPDEC）が策定した評価システム。

- 組合せアプローチ
複数のアプローチを**併用**する手法。例えば，重要な資産には，詳細リスク分析を使い，それ以外の資産には，ベースラインアプローチを使う。これにより，詳細リスク分析の欠点（時間・労力・専門知識が必要）を補いつつ，利点（厳密なリスク分析ができる）を活かせる。

- 非形式的アプローチ
コンサルタントや担当者の経験的な判断によって分析する手法。短期間で実施できるが，コンサルタント・担当者の資質・レベル・判断次第になるおそれがある。

◆リスク特定

リスクを発見する段階です。詳細リスク分析手法を使った例は，次のとおりです。

① 情報セキュリティの3要素（機密性・完全性・可用性）の観点から，評価基準に沿って，情報資産の値を入力します。

② 判断基準に沿って，その情報資産がもつ脅威と脆弱性の値を入力します。

表：情報資産のリスク評価

情報資産				脅威		脆弱性		リスクレベル			対策
名称	価値										
	機密性	完全性	可用性	種類	値	種類	値	機密性	完全性	可用性	
サーバX	2	2	1	マルウェア感染	3	マルウェア対策ソフト未導入	3				
				不正アクセス	3	アクセス制御の不備	2				
				故障	2	メンテナンス不足	3				

◆リスク算定

リスクの結果の大きさと起こりやすさを決める段階です。詳細リスク分析手法では，計算で求める方法と，リスクマトリックスを使って求める方法が代表的です。

- 計算

  「**リスクレベル＝情報資産**[*10]**の価値×脅威**[*11]**×脆弱性**[*12]」という計算式でリスクレベルを求める。例えば，情報資産の価値（機密性）は2，脅威は3，脆弱性は3の場合，2×3×3＝18のため，リスクレベルは18。

- **リスクマトリックス**

  リスクレベルを求めるための早見表を使って，リスクレベルを求める。毎回，計算する必要がない。

*10：情報資産
価値があるデータやシステム。

*11：脅威
情報資産を危険にさらす攻撃。

*12：脆弱性
脅威（攻撃）がつけ込める弱点。

脅威		1			2			3		
脆弱性		1	2	3	1	2	3	1	2	3
情報資産の価値	1	1	2	3	2	4	6	3	6	9
	2	2	4	6	4	8	12	6	12	18
	3	3	6	9	6	12	18	9	18	27
	4	4	8	12	8	16	24	12	24	36

情報資産の価値（機密性）は2。
脅威は3。
脆弱性は3。
交わる箇所である18がリスクレベルとなる。

機密性・完全性・可用性の，それぞれのリスクレベルを求めて，記入します。

表：情報資産のリスク評価

情報資産				脅威		脆弱性		リスクレベル			対策
名称	価値										
	機密性	完全性	可用性	種類	値	種類	値	機密性	完全性	可用性	
サーバX	2	2	1	マルウェア感染	3	マルウェア対策ソフト未導入	3	**18**	**18**	**9**	
				不正アクセス	3	アクセス制御の不備	2	**12**	**12**	**6**	
				故障	2	メンテナンス不足	3	**12**	**12**	**6**	

◆リスクの定性(ていせい)的分析・定量的分析

リスク分析の手法を，次の2つの観点で分類することもあります。

- **リスクの定性的分析手法**

  数値でなく，レベル（高・中・低）により，リスクの大きさを表す手法。インタビューやチェックリストなどにより概要を把握する。

  - 長所：時間・手間がかからない。
  - 短所：詳細な分析結果は得られない。

- **リスクの定量的分析手法**

  数値により，リスクの大きさを表す手法。

  - 長所：数値のため明確である。
  - 短所：信頼できる数値を求めるためには，時間・手間・技術が必要である。

分析結果を明確にするために，すべてをリスクの定量的分析手法で行おうとすると，手間と時間がかかります。そのため，リスクの定性的分析手法により，主なリスクを分類したうえで，特に重要な点について，個別のリスクの定量的分析を行うことがあります。

◎ リスク評価

リスクが許容範囲内かどうかを決めるために，リスク分析の結果を**リスク基準と照らし合わせる**段階です。リスク基準で設定した受容可能なリスク基準を超えるリスクレベルは，許容範囲を超えるため，優先的にリスク対応を実施します。

表：受容可能なリスク基準

機密性	13
完全性	15
可用性	10

詳細リスク分析手法で使うリスクマトリックスに，この例のリスク基準（機密性は13）を超えたものを灰色で色分けすると，次のようになります。

脅威		1			2			3		
脆弱性		1	2	3	1	2	3	1	2	3
情報資産の価値	1	1	2	3	2	4	6	3	6	9
	2	2	4	6	4	8	12	6	12	18
	3	3	6	9	6	12	18	9	18	27
	4	4	8	12	8	16	24	12	24	36

この例では，許容範囲を超えたリスクレベルは，表の右端列（対策）に「要」と書き込み，他と区別します。

表：情報資産のリスク評価

情報資産				脅威		脆弱性		リスクレベル			対策
名称	価値										
	機密性	完全性	可用性	種類	値	種類	値	機密性	完全性	可用性	
サーバX	2	2	1	マルウェア感染	3	マルウェア対策ソフト未導入	3	**18**	**18**	**9**	要
				不正アクセス	3	アクセス制御の不備	2	**12**	**12**	**6**	
				故障	2	メンテナンス不足	3	**12**	**12**	**6**	

リスク対応

リスクに対し，**対策を打つ**段階です。リスクアセスメントで，リスク分析した結果をリスク評価したうえで，対策を打つ段階です。４種のリスク対応（リスク回避・リスク低減・リスク共有・リスク保有）から，予算や優先順位などを踏まえて最適な対策を打ちます。

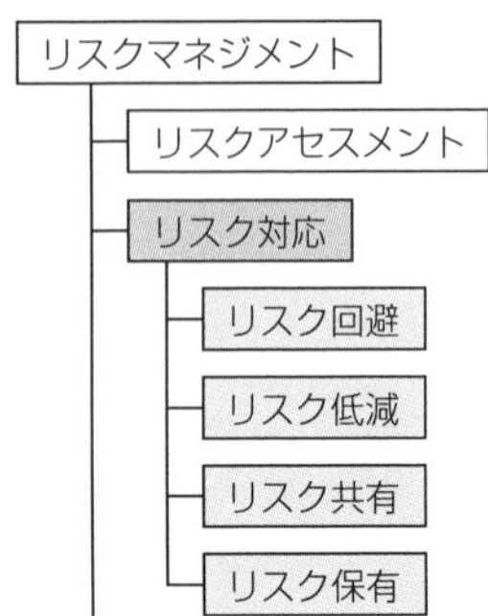

◆リスク回避

リスクを生じさせる原因を**なくしたり**，別の方法に置き換えたりして，リスクそのものを**取り去る**方法です。リスク自体をなくす抜本的な対策ですが，反面，それによるデメリットも大きいです。

- サーバがインターネット経由で不正侵入されることへの対策として，サーバのインターネット接続を禁止する。
- リスクが大きいにもかかわらず，利益が少ない業務であれば，その業務自体を廃止する。

◆リスク低減

リスクの**発生率**を**低下**させたり，リスクが顕在化（けんざいか）[*13]した場合の被害の**影響度**を**低下**させたりする方法です。リスク自体をなくす抜本的な対策ではありませんが，現実的な選択肢として選ばれます。

***13：顕在化**
リスクが現実になること。

- 従業者に対して，情報セキュリティ教育を行う。
- 就業規則に罰則規程を設ける。
- ノートPCの紛失・盗難に備えて，情報を暗号化しておく。

◆リスク共有

リスクを他者と分割する方法です。リスク共有には，**リスク移転**と**リスク分散**が含まれます。リスクが顕在化した時の影響度は大きいが，発生可能性は低い場合に向いています。

- **リスク移転**
  外部委託[*14]によりリスク自体を他者に移すことや，保険[*15]によりリスクの損害額を補うこと。

- **リスク分散**
  災害に備えてデータを遠隔地に分散して保管することなど。

***14：外部委託**
業務の一部を，自組織以外の外部の企業が実施すること。アウトソーシングともいう。

***15：保険**
サイバー保険ともいう。

◆リスク保有

リスクに対策を打たず，許容範囲内として，**残したまま**にする方法です。対策が見当たらない場合やコストが見合っていないなどの理由で意図的に**残す**場合と，リスクが特定されていないために結果的にリスクが**残る**場合があります。リスク保有は，リスクが顕在化したときの影響度が小さい場合に向いています。

第3章 情報セキュリティ管理

◆リスク対応の関係

最適な対策を打つために，リスク対応は４種に分類されています。この４種のリスク対応の相互関係は，次の図のとおりです。

- 基本となる対策は，**リスク低減**。
- リスクの影響度（リスク発生の際の損害の大きさ）が大きく，かつ，リスクの発生可能性が高い場合は，**リスク回避**を選ぶ。
- 影響度が小さく，かつ発生可能性が低い場合は，**リスク保有**を選ぶ。
- 影響度は大きいが，発生可能性が低い場合は，**リスク共有**を選ぶ。

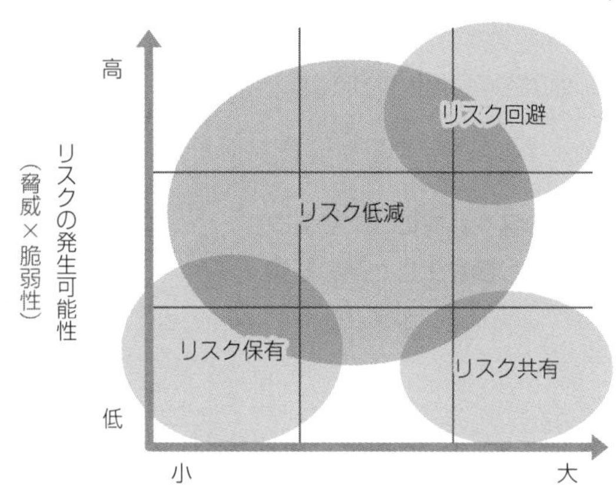

◆リスクコントロールとリスクファイナンシング

４種のリスク対応（リスク回避・リスク低減・リスク共有・リスク保有）を，次の２つに分類することもあります。

- リスクコントロール

  リスクの顕在化を防いだり，万一顕在化した場合に**被害**の拡大を**防止**したりする方法。４種のリスク対応のうち，**リスク回避**（リスクをなくす）・**リスク低減**（リスクを起こりにくくする）などが該当する。

- **リスクファイナンシング**[*16]

  リスクが顕在化した場合に，その損害から復旧させるために，金銭面の**損害額**を**補う**方法。リスクそのものは低減されない。4種のリスク対応のうち，リスク共有の**リスク移転**（保険で補う）・**リスク保有**（自己負担で補う）が該当する。

***16：リスクファイナンシング**
リスクファイナンスともいう。

4種のリスクを，リスクコントロールとリスクファイナンシングに分類すると，次の表のようになります。

表：リスクコントロールとリスクファイナンシング

種類		説明	リスクコントロール	リスクファイナンシング
リスク回避		リスク自体をなくす。	○	
リスク低減		リスクの発生率や被害を低下させる。	○	
リスク共有	リスク移転	外部委託によりリスクを他者に移す。	○	
		保険によりリスクの損害額を補う。		○
	リスク分散	災害に備えてデータを分散保管する。	○	
リスク保有		リスク対策をしない。		○

リスク受容

リスク対策をせずに**見送る**ことを，組織で**意思決定**[*17]することです。リスク対応の1つであるリスク保有と似ていますが，次の点で異なります。

リスク保有は，リスク特定で見逃し，リスクとして発見されていないものが含まれますが，リスク受容は含まれません。つまり，リスク受容は，あくまでもリスクを認識し承知したうえで，あえて受け容れることです。

***17：意思決定**
組織における今後の方針や戦略を決めること。

リスクコミュニケーション

リスクに関する情報提供のために，関係者と繰り返し行う**対話**です。組織がリスクの存在・特徴・起こりやすさ・重大性などを知ることに役立ちます。

リスクに関する用語

リスクに関連するその他の用語は，次のとおりです。

- リスク所有者
  リスクについて，アカウンタビリティ（説明責任）や**権限をもつ人**など。

- リスクヘッジ
  起こりうるリスクを**予測**して，リスクに備えること。

- 残留リスク
  リスク対応のあとで，リスク保有などによって**残ったリスク**。リスクとして特定されていないものが含まれる。

- リスク源
  リスクを発生させる可能性がある要因や状況。

- 地政学的リスク[*18]
  特定の地域の政治的・社会的・軍事的な緊張が国際的な影響を及ぼすリスク。

- リスク選好[*19]・リスク忌避[*20]
  考え方と状況の例は，次のとおりです。

  - リスク選好：当たると10,000円をもらえるが，はずれると何ももらえない（0円）。
  - リスク忌避：当たりはずれがなく，確実に5,000円をもらえる。

次に，混乱しがちな用語の違いをまとめます。

◆リスクマネジメントとリスクアセスメント

リスクマネジメントとリスクアセスメントの違いは，次のと

***18：地政学的リスク**
英語で，Geopolitical risk。地政学は，地理学と政治学を合成した用語。

***19：リスク選好（せんこう）**
リスク（不確実性）を好む考え方のこと。ハイリスク・ハイリターン型。

***20：リスク忌避（きひ）**
リスクを避けて，確実な方を選ぶ考え方のこと。ローリスク・ローリターン型。

おりです。

- **リスクマネジメント**
  リスク対策のためのPDCAサイクルの一連の取組み。

- **リスクアセスメント**
  リスクマネジメントのPDCAサイクルのうち，Planに該当する。

◆リスク保有とリスク受容

リスク保有とリスク受容の違いは，次のとおりです。

- **リスク保有**
  リスクが特定されていないために結果的に残ったリスクを含む，すべてのリスクについて対策を**見送る**こと。リスク対応のひとつであり，組織の意思決定ではない。

- **リスク受容**
  特定されていないリスクは含まず，リスクを承知したうえであえて対策を**見送る**こと。また，対策を見送ることを，組織で**意思決定**する。

◆リスク分析とリスク評価

リスク分析とリスク評価の違いは，次のとおりです。

- **リスク分析**
  リスクを発見し（リスク特定），リスクの大きさを決める（リスク算定）。この2つを含めた段階。分析をするだけで，評価（意味付け）はしない。

- **リスク評価**
  リスク分析の結果をリスク基準と照らし合わせる。分析結果を意味付けする。

練習問題❶

〔情報セキュリティマネジメント試験 平成28年秋 午前問6〕

問 情報セキュリティ対策を検討する際の手法の一つであるベースラインアプローチの特徴はどれか。

ア　基準とする望ましい対策と組織の現状における対策とのギャップを分析する。
イ　現場担当者の経験や考え方によって検討結果が左右されやすい。
ウ　情報資産ごとにリスクを分析する。
エ　複数のアプローチを併用して分析作業の効率化や分析精度の向上を図る。

《解説》

ベースラインアプローチとは，ベースライン（自組織の対策基準）を策定し，チェックしていく手法です。

ア：正解です。ベースラインアプローチの特徴です。
イ：非形式的アプローチの特徴です。
ウ：詳細リスク分析の特徴です。
エ：組合せアプローチの特徴です。

正解：ア

練習問題❷

〔応用情報技術者試験 令和4年秋 午前問41〕

問 JIS Q 31000:2019（リスクマネジメント－指針）におけるリスクアセスメントを構成するプロセスの組合せはどれか。

ア リスク特定，リスク評価，リスク受容
イ リスク特定，リスク分析，リスク評価
ウ リスク分析，リスク対応，リスク受容
エ リスク分析，リスク評価，リスク対応

《解説》

リスクアセスメントには，リスク特定とリスク算定を行うリスク分析と，リスク評価が含まれます。関連するプロセスは，次のとおりです。

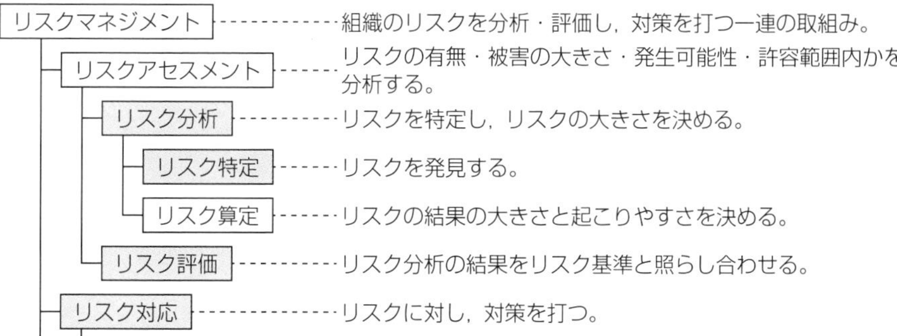

正解：イ

練習問題❸

〔情報セキュリティマネジメント試験 平成30年春 午前問3〕

問 JIS Q 27000:2014（情報セキュリティマネジメントシステム－用語）におけるリスク評価についての説明として，適切なものはどれか。

ア　対策を講じることによって，リスクを修正するプロセス
イ　リスクとその大きさが受容可能か否かを決定するために，リスク分析の結果をリスク基準と比較するプロセス
ウ　リスクの特質を理解し，リスクレベルを決定するプロセス
エ　リスクの発見，認識及び記述を行うプロセス

《解説》

リスク評価とは，リスクが許容範囲内かどうかを決めるために，リスク分析の結果をリスク基準と照らし合わせる段階です。リスク基準で設定した受容可能なリスク基準を超えるリスクレベルは，許容範囲を超えるため，優先的にリスク対応を実施します。

ア：リスク対応の説明です。
イ：正解です。リスク評価の説明です。
ウ：リスク分析の説明です。
エ：リスク特定の説明です。

正解：イ

重要度★★★

3-4 情報セキュリティ管理の実践

情報セキュリティポリシを策定し，リスクアセスメントを行うだけでは，被害を防げません。従業者への教育・セキュリティ事故の対応・外部委託先の管理など，ISMSのPDCAサイクルのDo（実施）・Check（点検・監査）の段階などを説明します。

情報セキュリティ教育

情報セキュリティのルールや手順を，組織の全従業者に**周知徹底**（しゅうち）するために行う教育です。受講の対象者は**全従業者**です。派遣社員・アルバイトも対象です。主に組織の次の内容を伝達します。

- 情報セキュリティポリシや関連規程。
- 緊急時の対応。
- 情報セキュリティの**脅威**と**対策**。

情報セキュリティ教育は，次の時期に行います。

- 情報セキュリティポリシの**運用開始**時と**変更**時。
- 新人や中途採用者の**入社**時，**異動**時。
- セキュリティ**事故発生**後・ルールを守っていない場合。

情報セキュリティ訓練

サイバー攻撃を想定した訓練です。代表的な訓練は，次のとおりです。

◆標的型攻撃メール訓練

従業者に対し，偽の標的型攻撃メールを送信し，添付ファイルの開封・本文中のURLのクリックなどの危険な行動を回避できるかを確認するための訓練です。

◆レッドチーム演習

情報セキュリティの専門家で構成された攻撃側のチーム（レッドチームという）が，依頼した組織で構成された防御型のチーム（ブルーチームという）に対し，実際に攻撃を仕掛ける**対戦型**の演習です。依頼した組織の情報セキュリティ対策の実効性を検証するために行います。

◆Capture The Flag*1

コンピュータを守る技術やサイバー攻撃への対処などを，クイズ形式や攻守攻防で学ぶ情報セキュリティ技術の競技です。**ハッカーコンテスト**とも呼ばれます。

◎脆弱性検査

情報システムにある脆弱性*2を発見するための検査です。システム構築時・更新時に行う**運用前検査**と，システム運用後に行う**定期検査**に分かれます。

◆ペネトレーションテスト*3

サーバ・システムを対象に，攻撃者が侵入可能かどうかを確認するために，疑似的な攻撃を試みる検査です。

◆ファジング*4

組込み機器*5や**ソフトウェア**を対象に，バグ（欠陥）・未知の脆弱性を検出するためのセキュリティテストです。問題を引き起こしそうな細工を施したデータを検査対象に送り，異常な動作の有無により検査します。

***1：Capture The Flag**
語源は，隠された旗を取る旗取りゲームから。CTFと略される。

***2：脆弱性**
脅威（攻撃）がつけ込める弱点。

***3：ペネトレーションテスト**
語源は，penetration（貫通）＋test（テスト）から。

***4：ファジング**
語源は，fuzz（問題を引き起こしそうなデータ）を大量に送りつけることから。

***5：組込み機器**
用途が限定された情報機器。PCのような様々な用途に使う情報機器と異なり，家電・自動車・機械などのように，ある用途に特化した情報機器。

脆弱性検査のその他の例は，次のとおりです。

- 接続先のポート番号[*6]に抜け穴があるかを調べる**ポートスキャン**を試みる。
- **セキュリティパッチ**[*7]の適用状況を調べる。
- 未使用や不要な**利用者ID**を**無効**にしたかを調べる。

◆SBOM（エスボム）[*8]

ソフトウェアに含まれる構成要素の名称・バージョン・依存関係などをまとめたリストです。発見された脆弱性がある構成要素を使用しているかどうかを判定するために用います。

脆弱性管理

脆弱性情報を管理するための代表的な仕様は，次のとおりです。

◆CVE[*9]

脆弱性情報を世界で一意に識別するためのID（識別子（しきべつし））です。

◆CVSS[*10]

脆弱性の深刻度を評価する手法です。脆弱性を世界共通の基準で定量的に評価します。

◆CWE[*11]

脆弱性の種類の一覧です。脆弱性がどのカテゴリに属するかを分類します。

インシデント[*12]管理

情報セキュリティ事故が発生した場合の対処を管理します。関連する用語は，次のとおりです。

***6：ポート番号**
TCP/IPプロトコルで，どのような種類の通信かを識別するための番号。

***7：セキュリティパッチ**
OS・ソフトウェアの脆弱性を修正するためのファイル。パッチの語源は，つぎはぎ用のあて布（patch）から。修正プログラムともいう。

***8：SBOM**
Software Bill of Materials（ソフトウェア部品構成表）の略。

***9：CVE**
共通脆弱性識別子。Common Vulnerabilities and Exposuresの略。

***10：CVSS**
共通脆弱性評価システム。Common Vulnerability Scoring Systemの略。

***11：CWE**
共通脆弱性タイプ一覧。Common Weakness Enumerationの略。

***12：インシデント**
語源は，incident（出来事・事件）から。

表：インシデント管理の関連用語

情報セキュリティ事象	必ずしも被害が出るわけではない事象
情報セキュリティインシデント	被害が出そうな事件・事故・事態
アクシデント	インシデントの結果，実際に被害が出ること

情報セキュリティ事象
（必ずしも被害が出るわけではない）
情報セキュリティインシデント
（被害が出そう）
アクシデント
（被害が出る）

セキュリティ評価

情報セキュリティ対策の有効性・実施状況を確認するために，評価を実施します。評価の方法には，自己評価と第三者評価があります。

◆自己評価*13

情報システムの**担当者**が，自組織の情報セキュリティ対策状況をみずから評価する方式です。チェックリストを使って，毎日・毎週・毎月，定期的に行います。手間・時間・費用がかからなくて済みます。

- 自己点検
  従業者が，**対策順守状況**をみずからチェックする方式。順守状況の把握・守るべき対策の徹底・情報セキュリティ意識向上の効果がある。**従業者**が行う点が，自己評価と異なる。

- CSA*14
  従業者が，自部門の活動の**監査**をみずから行う方式。

***13：自己評価**
第一者評価・セルフアセスメントともいう。

***14：CSA**
Control Self Assessment（統制自己評価）の略。コントロールセルフアセスメントともいう。

◆第三者評価

中立の立場の**専門家**に評価を依頼する方式です。事前準備が必要となるため，手間・時間・費用がかかりますが，信頼できる評価方式です。なお，情報セキュリティ監査では，内部監査と外部監査を行います。

- **内部監査**：組織内部の監査部門が行う監査。
- **外部監査**：外部の専門家に依頼する監査。

◆評価基準・方法

情報セキュリティ評価に関するその他の用語は，次のとおりです。

- PCI DSS[*15]
  クレジットカード情報を保護するための，クレジット業界のセキュリティ基準。カード会員情報を，格納・処理・伝送するすべての機関・加盟店に対して適用する。

- 情報セキュリティ対策ベンチマーク
  自組織の情報セキュリティ対策状況と企業情報を回答することで，情報セキュリティレベルを確認できる**自己診断システム**。

- ISMAP（イスマップ）[*16]
  政府が求める**セキュリティ要求**を満たした**クラウドサービス**を評価・登録する制度。**クラウド・バイ・デフォルト**原則（政府情報システムは，クラウドサービスの利用を第一候補とする基本方針）を円滑に行うことを目的としている。

- IT製品の調達におけるセキュリティ要件リスト
  デジタル複合機・ファイアウォールなどの製品分野ごとに考慮すべきセキュリティ上の脅威とそれに対抗するためのセキュリティ要件をまとめたリスト。経済産業省が策定した。安全な製品を調達するのに役立つ。

*15：PCI DSS
Payment Card Industry Data Security Standard の略。

*16：ISMAP
Information system Security Management and Assessment Program（政府情報システムのためのセキュリティ評価制度）の略。

- セキュリティクリアランス*17
  国の安全保障上，重要な情報にアクセスが必要な者の信頼性を政府が確認する制度。

*17：セキュリティクリアランス
英語で，Security Clearance（適格性評価）。

組織・機関

情報セキュリティを守るために作られた組織・機関は，次のとおりです。

◆CSIRT（シーサート）*18

情報セキュリティの**インシデント**発生時に対応する組織です。インシデント報告の受付・対応の支援・手口の分析・再発防止策の検討と助言を，**技術面**から行います。

*18：CSIRT
Computer Security Incident Response Teamの略。

- **国際連携CSIRT**
  国や地域を対象にしたCSIRT。

- **JPCERT/CC（ジェーピーサート）*19・JPCERTコーディネーションセンター**
  日本を代表するCSIRT。組織内CSIRTを構築するためのガイドラインである**CSIRTマテリアル**を作成する。

*19：JPCERT/CC
Japan Computer Emergency Response Team Coordination Centerの略。

- **組織内CSIRT**
  組織を対象にしたCSIRT。企業や役所などで，自組織で起きたインシデントに対応する。

◆PSIRT（ピーサート）*20

自社製品・サービスのインシデント発生時に対応する組織です。PSIRTとCSIRTの違いは，次のとおりです。

*20：PSIRT
Product Security Incident Response Teamの略。

- PSIRTは，自社製品・サービスのインシデント対応。
- CSIRTは，自社の組織内におけるインシデント対応。

◆JVN*21

日本で使用されているソフトウェアの**脆弱性情報**（セキュリティホール）と，その対策情報を提供するポータルサイト*22です。IPA*23セキュリティセンターとJPCERT/CCが共同で運営します。

関連する用語は，次のとおりです。

- JVN iPedia（アイペディア）
  日本で使用されているソフトウェアにおける**脆弱性情報**（セキュリティホール）のデータベース。JVNが運営している。

- MyJVN
  JVNで提供している**バージョンチェッカ**。

◆J-CRAT*24（サイバーレスキュー隊）

標的型攻撃の被害拡大を防止するための組織です。相談を受けた組織の被害を低減させたり，攻撃の連鎖を食い止めたりする活動を担います。IPAが運営しています。

◆J-CSIP*25（サイバー情報共有イニシアティブ）

参加組織内における**サイバー攻撃**の情報を**集約・共有**するための組織です。参加組織内で検知されたサイバー攻撃の情報を，**公的機関**であるIPAに集約し，情報を匿名化したうえで，参加組織間でその情報を共有することで，高度なサイバー攻撃対策につなげます。

◆SOC（ソック）*26

サイバー攻撃を防ぐため，情報機器の**監視**を**専業**で担当する組織です。監視を外部業者のセキュリティオペレーションセンターに委託することも多いです。背景として，セキュリティを監視する技能をもつ人材の確保が難しく，かつ24時間・365日，その体制を維持できないことが挙げられます。

***21：JVN**
Japan Vulnerability Notesの略。

***22：ポータルサイト**
Web上の様々な情報がまとめられ，利用者にとって玄関口となるWebサイト。例えば，検索サイトのトップページ。

***23：IPA**
独立行政法人 情報処理推進機構。頼れるＩＴ社会の実現を目的に，情報処理技術者試験の実施や，国民への情報セキュリティの啓発を行っている。

***24：J-CRAT（ジェイクラート）**
Cyber Rescue and Advice Team against targeted attack of Japanの略。

***25：J-CSIP（ジェイシップ）**
Initiative for Cyber Security Information sharing Partnership of Japanの略。

***26：SOC**
セキュリティオペレーションセンター（Security Operation Center）ともいう。

◆その他の組織・機関

その他の組織・機関・取組みの例は，次のとおりです。

- NOTICE（ノーティス）*27
  IoT機器に対するサイバー攻撃の観測や，利用者への意識啓発・注意喚起を行う取組み。

*27：NOTICE
National Operation Towards IoT Clean Environmentの略

- ISAC（アイザック）*28
  各業界内で，サイバー攻撃の脅威・脆弱性・インシデントに関する情報を共有・分析し，攻撃を予防したり，対応したりするための組織。国内では金融ISAC・交通ISAC・電力ISACなどがある。

*28：ISAC
Information Sharing and Analysis Center（セキュリティ情報共有組織）の略。

- サイバーセキュリティフレームワーク（CSF*29）
  組織がサイバーセキュリティ対策を実施するための代表的なガイドライン。次の5つのサイバーセキュリティ概念の対策を実施することで，サイバー攻撃から守るだけでなく，攻撃された場合の影響を最小限にとどめ早期の復旧につなげられる。

*29：CSF
CyberSecurity Frameworkの略。

表：サイバーセキュリティフレームワーク

識別	Identify	サイバー攻撃から守るべき情報を特定しておくこと
防御	Protect	守るべき情報を保護する対策を実施すること
検知	Detect	サイバー攻撃の兆候や発生を把握すること
対応	Respond	サイバー攻撃を受けた場合の報告や被害拡大防止の手順をあらかじめ計画しておき実行すること
復旧	Recover	被害を受けた機能やサービスの復旧の計画や手順をあらかじめ計画しておき実行すること

- **サイバー・フィジカル・セキュリティ対策フレームワーク（CPSF**[*30]**）**
  サイバー空間（仮想空間）とフィジカル空間（現実世界）を高度に融合させた社会（Society 5.0[*31]）におけるセキュリティ対策について経済産業省が策定したガイドライン。新たな産業社会において直面するリスクを捉えるためのモデルを構築し，セキュリティ対策の全体像をまとめ，サプライチェーン全体のセキュリティ確保を目的としている。

- **サイバーハイジーン**[*32]
  マルウェア感染しないための予防対策として，情報機器を**衛生的**な状態にしておくという取組み。

◆脆弱性情報の入手先

信頼できる脆弱性に関する情報の入手先は，次のとおりです。

- JPCERT/CC（➡p.250）
- JVN（➡p.251）
- J-CSIP（サイバー共有イニシアティブ）

信頼できない脆弱性に関する情報の入手先は，次のとおりです。

- ダークウェブ（➡p.121）
- SNS

***30：CPSF**
Cyber-Physical Security Frameworkの略。

***31：Society（ソサイアティ） 5.0**
サイバー空間とフィジカル空間を高度に融合させることで，新たなモノやサービスを提供し，経済発展と社会的課題の解決を両立する超スマート社会をめざすビジョン。

***32：サイバーハイジーン**
語源は，Cyber Hygiene（衛生）から。

練習問題❶

〔情報セキュリティマネジメント試験 平成29年秋 午前問30〕

問 ファジングの説明はどれか。

ア 社内ネットワークへの接続を要求するPCに対して，マルウェア感染の有無を検査し，セキュリティ要件を満たすPCだけに接続を許可する。
イ ソースコードの構文を機械的にチェックし，特定のパターンとマッチングさせることによって，ソフトウェアの脆弱性を自動的に検出する。
ウ ソースコードを閲読しながら，チェックリストに従いソフトウェアの脆弱性を検出する。
エ 問題を引き起こしそうな多様なデータを自動生成し，ソフトウェアに入力したときのソフトウェアの応答や挙動から脆弱性を検出する。

《解説》

ファジングとは，組込み機器やソフトウェアを対象に，バグ（欠陥）･未知の脆弱性を検出するためのセキュリティテストです。問題を引き起こしそうな細工を施したデータを検査対象に送り，異常な動作の有無により検査します。なお，**イ**のソースコード検査と**ウ**のソースコードレビューは，問われる用語ではないため，覚える必要はありません。

ア：検疫ネットワークの説明です。**検疫ネットワーク**とは，マルウェアが社内ネットワークに侵入することを防ぐために，PCを接続する前に，マルウェアに感染されていないかを検査する仕組みです。
イ：ソースコード検査の説明です。
ウ：ソースコードレビューの説明です。
エ：正解です。ファジングの説明です。

正解：エ

練習問題❷ 〔情報セキュリティマネジメント試験 平成30年春 午前問5〕

問 JIS Q 27000:2014（情報セキュリティマネジメントシステム－用語）及びJIS Q 27001:2014（情報セキュリティマネジメントシステム－要求事項）における情報セキュリティ事象と情報セキュリティインシデントの関係のうち，適切なものはどれか。

ア 情報セキュリティ事象と情報セキュリティインシデントは同じものである。
イ 情報セキュリティ事象は情報セキュリティインシデントと無関係である。
ウ 単独又は一連の情報セキュリティ事象は，情報セキュリティインシデントに分類され得る。
エ 単独又は一連の情報セキュリティ事象は，全て情報セキュリティインシデントである。

《解説》

インシデント管理の関連用語とその関係を表す図は，次のとおりです。

ア：図のとおり，両者は，同じものではありません。
イ：図のとおり，両者は，無関係ではありません。
ウ：正解です。情報セキュリティ事象のうち，一部は，情報セキュリティインシデントに分類される場合があります。
エ：情報セキュリティ事象であっても，情報セキュリティインシデントには分類されない場合もありえます。

正解：ウ

練習問題❸

〔応用情報技術者試験 令和5年春 午前問39〕

問 “政府情報システムのためのセキュリティ評価制度（ISMAP）”の説明はどれか。

ア 個人情報の取扱いについて政府が求める保護措置を講じる体制を整備している事業者などを評価して，適合を示すマークを付与し，個人情報を取り扱う政府情報システムの運用について，当該マークを付与された者への委託を認める制度

イ 個人データを海外に移転する際に，移転先の国の政府が定めた情報システムのセキュリティ基準を評価して，日本が求めるセキュリティ水準が確保されている場合には，本人の同意なく移転できるとする制度

ウ 政府が求めるセキュリティ要求を満たしているクラウドサービスをあらかじめ評価，登録することによって，政府のクラウドサービス調達におけるセキュリティ水準の確保を図る制度

エ プライベートクラウドの情報セキュリティ全般に関するマネジメントシステムの規格にパブリッククラウドサービスに特化した管理策を追加した国際規格を基準にして，政府情報システムにおける情報セキュリティ管理体制を評価する制度

《解説》

ISMAP（イスマップ）とは，政府が求めるセキュリティ要求を満たしたクラウドサービスを評価・登録する制度です。クラウド・バイ・デフォルト原則（政府情報システムは，クラウドサービスの利用を第一候補とする基本方針）を円滑に行うことを目的としています。

正解：ウ

練習問題❹

〔情報セキュリティスペシャリスト試験 平成26年春 午前Ⅱ問14〕

問　JVN（Japan Vulnerability Notes）などの脆弱性対策ポータルサイトで採用されているCWE（Common Weakness Enumeration）はどれか。

ア　基本評価基準，現状評価基準，環境評価基準の三つの基準でIT製品の脆弱性を評価する手法
イ　製品を識別するためのプラットフォーム名の一覧
ウ　セキュリティに関連する設定項目を識別するための識別子
エ　ソフトウェアの脆弱性の種類の一覧

《解説》

CWEとは，脆弱性の種類の一覧です。脆弱性がどのカテゴリに属するかを分類します。

正解：エ

練習問題❺

〔応用情報技術者試験 平成29年秋 午前問42〕

問　サイバーレスキュー隊（J-CRAT）の役割はどれか。

ア　外部からのサイバー攻撃などの情報セキュリティ問題に対して，政府横断的な情報収集や監視機能を整備し，政府機関の緊急対応能力強化を図る。
イ　重要インフラに関わる業界などを中心とした参加組織と秘密保持契約を締結し，その契約の下に提供された標的型サイバー攻撃の情報を分析及び加工することによって，参加組織間で情報共有する。
ウ　セキュリティオペレーション技術向上，オペレータ人材育成，及びサイバーセキュリティに関係する組織・団体間の連携を推進することによって，セキュリティオペレーションサービスの普及とサービスレベルの向上を促す。
エ　標的型サイバー攻撃を受けた組織や個人から提供された情報を分析し，社会や産業に重大な被害を及ぼしかねない標的型サイバー攻撃の把握，被害の分析，対策の早期着手の支援を行う。

《解説》

サイバーレスキュー隊（J-CRAT）とは，標的型攻撃の被害拡大を防止するための組織です。相談を受けた組織の被害を低減させたり，攻撃の連鎖を食い止めたりする活動を担います。IPAが運営しています。

ア：内閣サイバーセキュリティセンター（NISC）の役割です。
イ：サイバー情報共有イニシアティブ（J-CSIP）の役割です。
ウ：日本セキュリティオペレーション事業者協議会（ISOG-J）の役割です。なお，ISOG-Jは，問われる用語ではないため，覚える必要はありません。
エ：正解です。サイバーレスキュー隊（J-CRAT）の役割です。

正解：エ

練習問題❻

〔情報処理安全確保支援士試験 令和３年春 午前Ⅱ問9〕

問 サイバー情報共有イニシアティブ（J-CSIP）の説明として，適切なものはどれか。

ア　サイバー攻撃対策に関する情報セキュリティ監査を参加組織間で相互に実施して，監査結果を共有する取組
イ　参加組織がもつデータを相互にバックアップして，サイバー攻撃から保護する取組
ウ　セキュリティ製品のサイバー攻撃に対する有効性に関する情報を参加組織が取りまとめ，その情報を活用できるように公開する取組
エ　標的型サイバー攻撃などに関する情報を参加組織間で共有し，高度なサイバー攻撃対策につなげる取組

《解説》

J-CSIP（ジェイシップ）（サイバー情報共有イニシアティブ）とは，参加組織内におけるサイバー攻撃の情報を集約・共有するための組織です。参加組織内で検知されたサイバー攻撃の情報を，公的機関であるIPAに集約し，情報を匿名化したうえで，参加組織間でその情報を共有することで，高度なサイバー攻撃対策につなげます。

正解：エ

第4章

情報セキュリティ対策

情報セキュリティ対策は，大きく４つに分類されています。状況に応じて，それらを使い分けたり，組み合わせたりし，組織を守ります。この章では，第３章で紹介した組織的セキュリティ対策以外の，３種の情報セキュリティ対策と，その対策のターゲットである脅威について学びます。

（大文字のダブリュー）

4-1 脅威

情報セキュリティ対策の説明の前に，まず情報資産を危険にさらす脅威（攻撃）について，理解します。サイバー攻撃などの技術的脅威以外に，人的脅威・物理的脅威があり，これらも軽視できない脅威です。

脅威の3分類

脅威とは，情報資産を危険にさらす攻撃です。脅威は，人的脅威・技術的脅威・物理的脅威に分類できます。この3脅威を理解すれば，情報セキュリティにおける脅威の全体像を把握できます。

表：脅威の3分類

人的脅威	**人**によって起きる脅威。 例 盗み見・不正利用・ソーシャルエンジニアリング・誤操作・紛失。
技術的脅威	**技術**を使って起きる脅威。 例 不正アクセス・盗聴・なりすまし・改ざん・エラー・クラッキング。
物理的脅威	直接的に，情報資産を**破壊**することによって起きる脅威。 例 破壊・窃盗・不正侵入・事故・故障・自然災害。

人的脅威

人によって起きる脅威です。盗み見や不正利用のように**意図的**な脅威のほかに，誤操作や紛失のように**偶発的**な脅威もあります。とりわけ組織（企業や役所）内で起きる**内部不正**は，3種類の脅威の中でも人的脅威によるものが多く，軽視できません。

***1：ソーシャルエンジニアリング**
技術を使わずに，パスワードを盗み出すこと。例えば，電話で巧みに聞き出したり，肩越しに入力操作を見たり，ゴミ箱をあさったりする。

表：人的脅威の例

盗み見	こっそり見る。
不正利用	不正に利用する。
ソーシャルエンジニアリング[*1]	技術面でなく，人の心理的な隙（すき）や行動のミスにつけ込んで秘密情報を入手する。
誤操作	誤って操作する。操作ミスをする。
紛失	情報資産そのものをなくす。

技術的脅威

技術を使って起きる脅威です。マルウェアがその代表例です。マルウェアや不正アクセスのように**意図的**な脅威のほかに，エラーのように**偶発的**な脅威もあります。

***2：盗聴**
内容を盗み見ること。情報セキュリティでは，会話などの音声を聴くだけでなく，データを見ること，コピー・保存することを含む。

表：技術的脅威の例

不正アクセス	アクセス権限がないのに，侵入者がアクセスする。
盗聴[*2]	内容を盗み見る。
なりすまし	本人でないのに，本人であるかのようなふりをして，ログインする。
改ざん[*3]	Webページや文書などを別の内容に書き換える。
エラー	プログラムのバグのため，システムが停止する。
クラッキング	悪意ある目的で高い技術力を活かす人がシステムを破壊する。

物理的脅威

直接的に，情報資産を**破壊**することによって起きる脅威です。システムやデータが壊れたら，情報セキュリティの1要素である**可用性**[*4]が損なわれます。破壊などの物理的脅威は，一見，情報セキュリティの脅威と思われにくいため，注意が必要です。

***3：改ざん**
書き換えのこと。本来でない内容に変更すること。

***4：可用性**
必要なときは情報資産にいつでもアクセスでき，アクセス不可能がないこと。

破壊や窃盗のように**意図的**な脅威のほかに，事故や故障のように**偶発的**な脅威もあります。

表：物理的脅威の例

破壊	侵入者が故意に壊す。
窃盗(せっとう)	侵入者が情報資産を持ち去る。
不正侵入	管理者しか入れないサーバルームに侵入する。
事故	誤って落として破損する。
故障	経年による劣化によって，故障する。
自然災害	地震・洪水・火災によって，破損する。

練習問題❶

〔ＩＴパスポート試験 平成21年秋 問66〕

問 セキュリティ事故の例のうち，原因が物理的脅威に分類されるものはどれか。

ア 大雨によってサーバ室に水が入り，機器が停止する。
イ 外部から公開サーバに大量のデータを送られて，公開サーバが停止する。
ウ 攻撃者がネットワークを介して社内のサーバに侵入し，ファイルを破壊する。
エ 社員がコンピュータを誤操作し，データが破壊される。

《解説》

物理的脅威とは，直接的に，情報資産を破壊することによって起きる脅威です。

ア：正解です。物理的脅威の自然災害の説明です。
イ：技術的脅威の**クラッキング**の説明です。
ウ：技術的脅威の**不正アクセス**の説明です。
エ：人的脅威の誤操作の説明です。

正解：ア

重要度★★★

4-2 人的セキュリティ対策

技術面にばかり目が行きがちですが，情報セキュリティを危険にさらすのは，最終的には「人」です。人による被害を防ぐための情報セキュリティ対策を理解します。

情報セキュリティ対策

情報セキュリティ対策は，**管理的対策**（組織的・人的）と**技術的対策**（技術的・物理的）に分けられます。このうち技術的対策の一部は，第5章の情報セキュリティ製品で，組織的対策は，第3章の情報セキュリティ管理で解説していますが，それ以外はこの章で説明します。

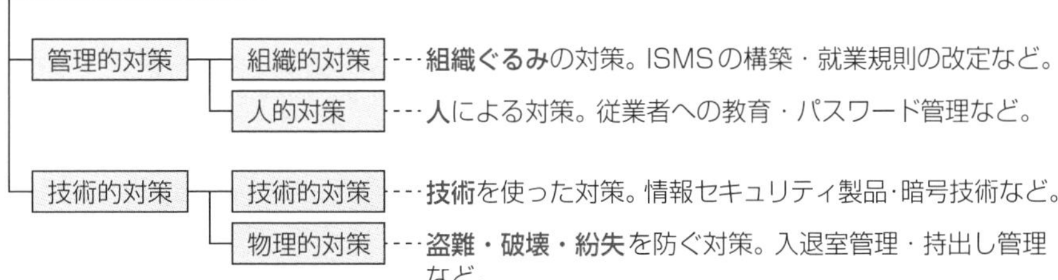

人的セキュリティ対策

人による情報セキュリティ対策です。

◆割れ窓理論

軽微な不正や犯罪（割れ窓）を放置することで，より大きな不正や犯罪が誘発されるという理論です。

◆状況的犯罪予防

犯罪が**起こりにくい**状況にするための方法です。次の方法を，情報セキュリティに当てはめて，人的対策を行います。

- 犯行を難しくする。
- 捕まるリスクを高める。
- 犯行の見返りを減らす。
- 犯行の挑発を減らす。
- 犯罪を容認する言い訳を許さない。

重要度★★★

4-3 技術的セキュリティ対策

技術的対策のうち，情報セキュリティ製品を使った対策は，第5章で説明します。ここでは，情報セキュリティ製品以外の様々な技術的対策と，製品の使い方・問題点を理解します。

技術的セキュリティ対策

技術を使った対策には，情報セキュリティ製品や暗号技術が含まれますが，ここでは，それ以外の対策を説明します。まず，すべてに共通する対策を次に挙げます。

- セキュリティパッチ[*1]**を適用する**
  ソフトウェアの既知の脆弱性(ぜいじゃくせい)を穴埋めするセキュリティパッチを必ず適用する。OS・ソフトウェアだけでなく，**ネットワーク機器**[*2]に内蔵されたソフトウェアも該当する。

- **マルウェア対策ソフトを導入する**
  新種のマルウェアに対応するために，頻繁に最新の**マルウェア定義ファイル**を更新する。

***1：セキュリティパッチ**
OS・ソフトウェアの脆弱性を修正するためのファイル。語源は，つぎはぎ用のあて布（patch）から。修正プログラムともいう。

***2：ネットワーク機器**
ファイアウォール・ルータ・IDS・IPSなどを含む。

出口対策

万一，不正侵入されたとしても，情報を**外部に送出させない**ための対策です。マルウェア対策ソフトやファイアウォールなどを使って，マルウェアを，外部（インターネットなど）から内部（社内ネットワーク）に入(い)れないための**入口対策**だけでは，対応しきれない攻撃が増えているため，**出口対策**[*3]が重要視されています。

***3：出口対策**
語源は，攻撃者が内部に侵入し，機密情報を持って出る際の出口になるから。

サイバー攻撃による被害を防ぐには，次の３つの対策をバランスよく実施する必要があります。

- **入口対策**：攻撃者をネットワークやシステムに不正侵入させない。
- **内部対策**：ネットワークやシステムの内部に不正侵入された後に被害を拡大させない。
- **出口対策**：情報を外部に送出させない。

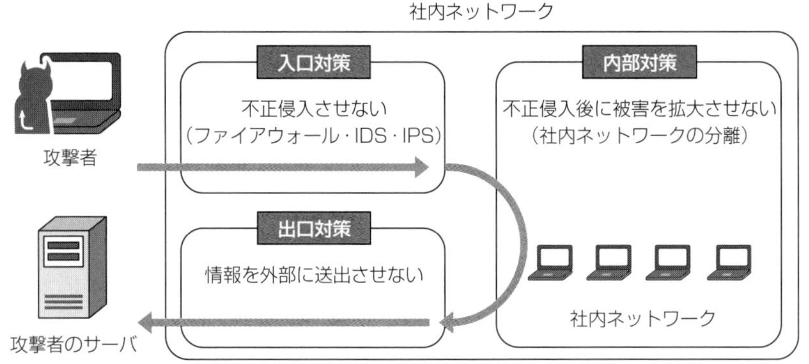

入口対策・出口対策では，マルウェア対策ソフト・ファイアウォール・IDS・IPS・セキュリティパッチなどを使います。一方で，内部対策では，通常利用する社内ネットワークと，機密情報にアクセスできる社内ネットワークとを，分離して設置します。また，入口対策・内部対策・出口対策のように，複数の対策を，多くの階層・段階で行うことを，**多層防御**といいます。関連する用語は，次のとおりです。

◆ラテラルムーブメント*4

社内ネットワーク内で感染活動が，横展開（ラテラルムーブメント）で広がることです。

***4：ラテラルムーブメント**
語源は，Lateral Movement（横方向の移動・内部感染行動）から。

電子メールのセキュリティ

迷惑メール・誤送信・ウイルスメール・標的型攻撃メールを防ぐ対策です。

◆送信側の迷惑メール対策：送信者認証

メール送信側で行う迷惑メール対策です。メール送信に使うSMTPプロトコルは，メール送信時に送信者を認証しません。そのため，なりすましや悪用により，**第三者中継**[*5]の被害や，迷惑メール送信の**踏み台**[*6]の被害にあうことがあります。それに対抗するための技術的対策として，**送信者認証**を行います。

- SMTP-AUTH（オース）[*7]

  SMTPに，**送信者認証**機能を追加した方式。メールソフトからメールサーバへのメール送信時に，利用者IDとパスワードにより送信者認証を行う。メールソフト・メールサーバの両方でこの方式に対応する必要がある。

- POP before SMTP（ポップ ビフォー）[*8]

  SMTPによるメール送信の前に，POP3による利用者認証を行い，成功した場合だけ，SMTPによるメール送信を許可する方式。メール送信に使うSMTPは，送信者認証機能がない。一方で，メール受信に使うPOP3は，利用者認証機能があるため，POP3により認証された場合だけ，メール送信を許可することで，実質的に**送信者認証**を行う。メールサーバはこの方式に対応する必要があるが，メールソフトは変更の必要はない。

- OP25B[*9]

  ISP[*10]の利用者に，外部のメールサーバ経由でのメール送信をさせないようにする方式。ISPのメールサーバを使うことを原則とし，外部のメールサーバを使いたい場合の例外の方法と組み合わせる。ISPがこの方式に対応する必要がある。

***5：第三者中継**
第三者のメールサーバを不正に中継し，身元を偽（いつわ）ってメールを送信すること。

***6：踏み台**
サイバー攻撃の攻撃者は，自身が犯人であることを隠すために，証拠を残さないよう第三者を経由して攻撃を仕掛ける。踏み台とは，中継点となる第三者のこと。

***7：SMTP-AUTH**
SMTP Service Extension for Authentication（認証）の略。

***8：POP before SMTP**
語源は，SMTPによるメール送信の前に（before），POP3による認証を行うことから。

***9：OP25B**
Outbound Port 25 Blocking（25番ポートからの送信ブロック）の略。

***10：ISP**
Internet Services Provider（インターネット接続業者）の略。

- **原則：メールを送信する場合**
  メール送信では，ISPが提供するメールサーバを必ず経由するようにする。具体的には，メール送信で使う**ポート番号25番**[*11]宛てのSMTP通信については，ISPのメールサーバ向けだけを許可し，それ以外の外部のメールサーバ向けのSMTP通信は遮断（しゃだん）する。

***11：ポート番号25番**
SMTPプロトコルが使うポート番号。

- **例外：外部のメールサーバ経由で，メール送信する場合**
  送信者認証を必要とする。具体的には，メール投稿専用の**ポート番号587番**[*12]宛てのSMTP通信は許可する。これにより，外部のメールサーバは，**ポート番号587番**でメールを受け取り，**SMTP-AUTH**によって，**送信者認証**を行う。正規の送信者の場合だけ，そのメールを宛先へ転送する。

***12：ポート番号587番**
サブミッション（Submission）ポートともいう。SMTP-AUTHが使うポート。

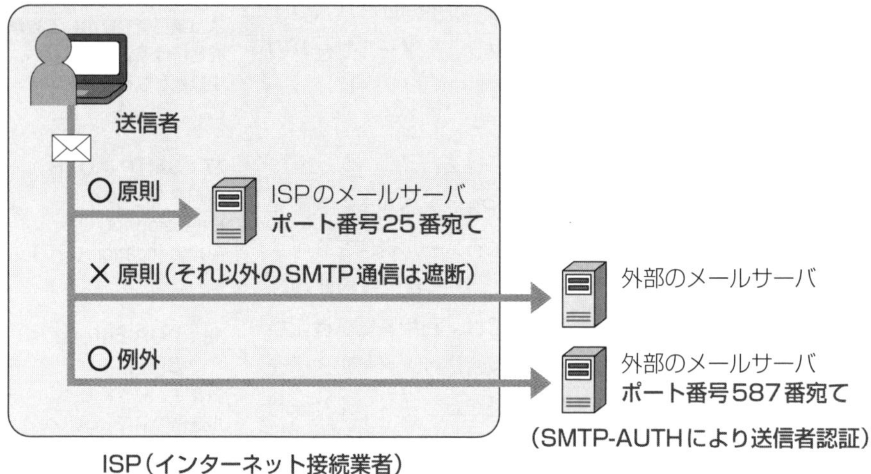

◆受信側の迷惑メール対策：送信ドメイン認証

メール受信側で行う迷惑メール対策です。**IPアドレス**や**デジタル署名**を使って，偽の送信元メールサーバからのメールを受信しないようにするための技術的対策として，送信元のメールサーバが正しいかどうかの**送信ドメイン認証**を行います。

- SPF*13

  受信側のメールサーバが，メールの送信元のドメイン情報と，送信元メールサーバの**IPアドレス**から，そのドメイン名が信頼できるかどうかを確認する**送信ドメイン認証**。具体的には，受信側のメールサーバが，送信側のDNSサーバに対し，受信したメールアドレスのドメイン名（@以降）に対応したIPアドレスは何かを問い合わせる。そのIPアドレスと，受信メールに記載された送信元メールサーバのIPアドレスとを照合する。両者が適合すれば，送信元メールサーバのドメイン名になりすましがないと判定し，受信者にメールを転送する。

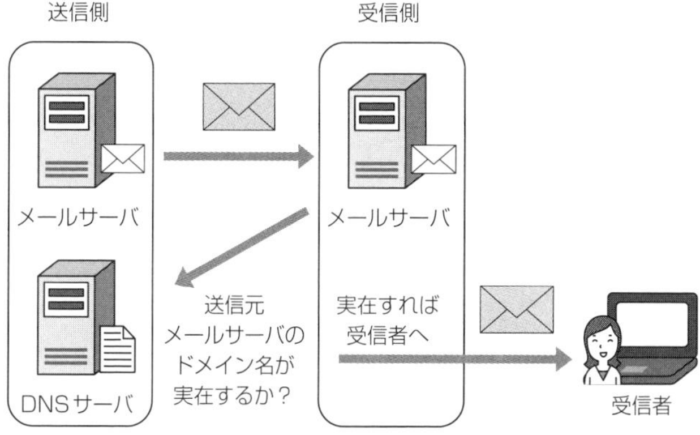

- DKIM(ディーキム)*14

  受信側のメールサーバが，メールに添付された**デジタル署名**により，送信元のメールサーバを信頼できるかどうかを確認する**送信ドメイン認証**。DKIMにより，偽の送信元メールサーバからのメール受信をしないための手順は，次のとおり。

  ① 送信側のメールサーバが，メールにデジタル署名を付ける。
  ② 受信側のメールサーバが，送信元のDNSサーバから公開鍵を入手する。
  ③ 受信側のメールサーバが，公開鍵をもとに，デジタル署名の正当性を確認する。

*13：SPF
Sender Policy Frameworkの略。

*14：DKIM
DomainKeys Identified Mailの略。

- DMARC[*15]（ディーマーク）
  SPFとDKIMを利用した送信ドメイン認証を補強するための技術。例えば，送信ドメインの認証失敗時にメールをどのように処理する（なし・隔離・拒否）かを，送信者が受信者に表明できる。

***15：DMARC**
Domain-based Message Authentication, Reporting, and Conformanceの略。

◆迷惑メールの判定

迷惑メールを判定するための技術は，次のとおりです。

- ベイジアンフィルタリング[*16]
  メール受信者が過去に迷惑メールと判定したメールに含まれる単語の出現頻度をベイズ統計をもとに分析し，それにより迷惑メールと判定する方法。

***16：ベイジアンフィルタリング**
語源は，統計学者ベイズが提唱したベイズ理論から

◆送信側と受信側の迷惑メール対策のまとめ

だれがだれを認証する技術かをまとめた図は，次のとおりです。

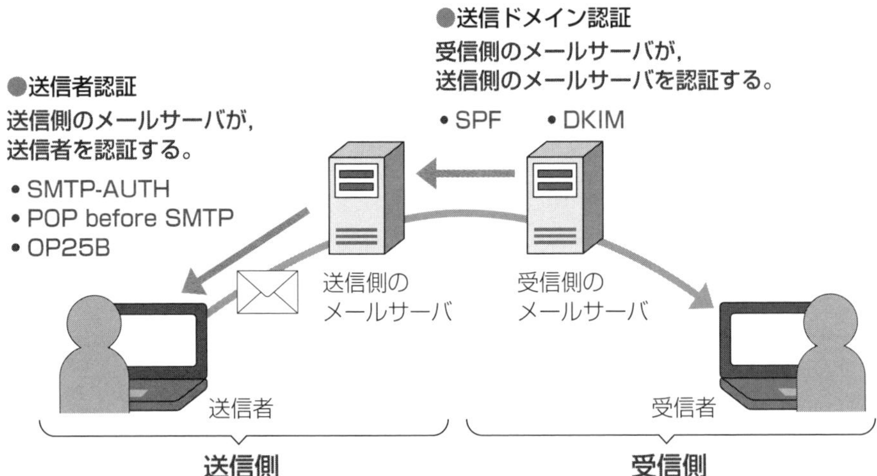

◆電子メールの誤送信

電子メールの誤送信を防ぐための対策は，次のとおりです。

- 誤送信防止のためのメールソフトの設定を使う。例えば，即時送信をさせない設定・宛先がアドレス帳にない場合に本当に送信してよいかを確認する設定。
- メールの添付ファイルを暗号化する。これにより，万一，誤送信しても内容が解読されない。

◆ウイルスメール対策

ウイルスメールによるマルウェア被害を防ぐための対策は，次のとおりです。

- メールの送受信は，簡易プログラムをメール本文に仕掛けられるHTML形式でなく，テキスト形式にする。
- メールはすべてテキスト形式で表示する。
- 受信したメールと同じ形式でなく，テキスト形式で返信する。

◆標的型攻撃メールによる被害を防ぐ

標的型攻撃メールによる被害を防ぐための対策は，次のとおりです。

- 不審なメールを開かない社員教育。
- 不審なメールに関する情報共有。
- メールソフトにある迷惑メールのフィルタリング機能を使う。

◎ 不正アクセス対策

盗聴のほか，攻撃者により踏み台にされて，別のシステムを攻撃する側にならないために，不正侵入・なりすましを防ぐ対策です。

- 利用者IDとパスワードを適切に設定・管理する。
- ファイル共有設定を無効にする。具体的には，ネットワーク探索機能を無効にし，ネットワーク経由で，コンピュータを参照できないように設定する。
- セキュリティ対策ソフトのファイアウォール機能を活用する。
- 万一に備え，データをバックアップしておく。

Webのセキュリティ

Web閲覧によるマルウェア感染を防ぐ対策は，次のとおりです。

- **URLフィルタリング**
  閲覧できるWebサイトを制限するために，指定したURL[*17]を許可・拒否する機能。

- **コンテンツフィルタリング**
  Webサイトの内容を監視し，あらかじめ設定された条件に合致したWebサイトを排除・遮断（しゃだん）する機能。Webサイト内に含まれる，業務とは無関係の語句を，遮断する条件に設定する。

*17：URL
Webサイトのアドレス。
例 https://www.kantei.go.jp/

スマートフォンのセキュリティ

携帯端末[*18]のマルウェア感染への対策は，次のとおりです。

- **OSを常に最新の状態にアップデート**
  PCだけでなく，スマートフォン・タブレット端末も，OSを最新状態にする。

- **セキュリティ対策アプリの利用**
  PCに比べ，スマートフォンではセキュリティ対策ソフトの導入率が低い。

- **信頼できる場所からのアプリのインストールと，最新バージョンへの更新**
  自動アップデート機能を活用する。また，Android端末では，「提供元不明のアプリ」をインストールしないように設定する。アプリをインストールする際には，アクセス許可をよく確認する。

*18：携帯端末
携帯電話・スマートフォン・タブレット端末など。

クラウドサービスのセキュリティ

クラウドサービス[*19]がもつ脅威と脆弱性への対策です。クラウドサービスとは，自前でサーバ・ソフトウェアを用意しなくても，インターネット経由でそれらを使えるサービスです。クラウドサービスの利用例は，次のとおりです。

- 電子メール・オフィスソフト（ワープロソフト・表計算ソフトなど）・ストレージ[*20]。
- 財務会計・税務計算・給与計算・人事管理・顧客管理などの経営管理アプリケーション。

***19：クラウドサービス**
語源は，インターネット経由のサービスであるため，イメージしにくい，接続先のシステムをcloud（雲）にたとえたことから。

***20：ストレージ**
データをクラウドサーバに保存し，共有・活用する。

◆クラウドサービスのメリット

クラウドサービスのメリットは，次のとおりです。

- 必要なときに必要な分だけサービスを受けられるため，初期投資を抑えられたり，繁忙期（はんぼうき）に柔軟に拡張できたりする。
- 法規の改正・技術の進歩に伴って利用中のサービスが古くなっても，新しいサービスへ乗り換えがしやすい。
- システムの管理・情報セキュリティ対策を，クラウドサービス提供者に任せられる。
- 多種多様なクラウドサービスを活用し，事業拡大の可能性を広げられる。

◆クラウドサービスのリスク

クラウドサービスのリスクは，次のとおりです。

- 外部のシステム利用であるための制約
  メンテナンス時期を選べない。障害時に復旧を早められない。サービスの機能が限られる。
- データを社外に預ける不安・制約
  障害時にデータの完全性[*21]・可用性[*22]を確保できない。組織で策定した委託先管理を実施できない。
- 利用量・処理量の増大に伴って，サービス使用料が急増する。
- 機能の細かな要望に応えてもらえない。
- 既存のデータと連携できない。

***21：完全性**
情報資産の正確さを維持し，改ざん（書き換え）させないこと。

***22：可用性**
必要なときは情報資産にいつでもアクセスでき，アクセス不可能がないこと。

第4章 情報セキュリティ対策

アプリケーションセキュリティ

アプリケーション内で使われる，パスワードクラックを防ぐ対策は，次のとおりです。

◆ソルト*23

パスワードを見破りにくくするために，パスワードとハッシュ関数をもとにハッシュ値を求める際に，パスワードに付け加える文字列のことです。ソルトは，長く，かつ利用者IDごとに異なるランダムな文字列にします。パスワードにソルトを付け加えた文字列をもとに，ハッシュ値を求めることにより，元のパスワードが同じであっても，ハッシュ値は利用者ごとに別々になります。そのため，元のパスワードを見破ることが難しくなります。

***23：ソルト**
語源は，見破りにくくするために文字列を付け加えることを，salt（塩）による味付けにたとえたことから。

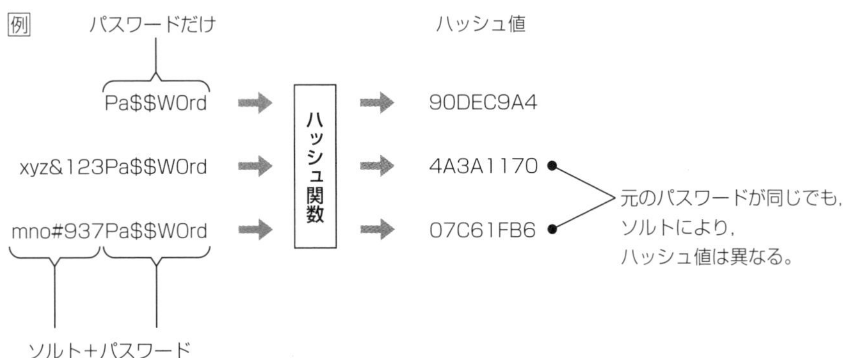

◆ペッパー*24

パスワードとハッシュ関数をもとにハッシュ値を求める際に，パスワードに付け加える文字列のことです。

***24：ペッパー**
語源は，ソルトが塩（salt）による味付けにたとえた一方で，ペッパーはスパイスであるコショウ（pepper）による味付けにたとえたことから。

ソルトとペッパーの違いは，次のとおりです。

- **ソルト**は，利用者ごとに異なるランダムな文字列。パスワードのハッシュ値と同一の箇所に格納することが多い。

- **ペッパー**は，全利用者で共通のランダムな文字列。パスワードのハッシュ値と異なる箇所であり，外部からはアクセスできない領域に格納することが多い。

◆ストレッチング*25

パスワードを見破るまでの時間を増やすために，パスワードをもとにハッシュ関数で計算して求めたハッシュ値に対し，さらにそのハッシュ値をもとにハッシュ関数で計算してハッシュ値を求める作業を繰り返すことです。

*25：ストレッチング
語源は，stretching（引き伸ばすこと）から。

◎ 電子透(す)かし

画像・音楽・映像データに，**著作権者**の情報を**埋め込む**技術です。例えば，画像データに，その著作権者名などの情報を埋め込んでおけば，画像データを不正コピーされても，あとでそのデータの本来の著作権者を確認できます。

◎ ステガノグラフィ*26

データに**情報**を**埋め込む**技術です。埋め込む情報の存在に気付かれない点が特徴です。乾燥すると無色になる果汁で文字を書き（埋め込む情報の存在が分からない），その用紙を加熱すると文字が浮かび上がる**あぶり出し**と似ています。

例えば，画像データを受け渡すたびに，データに日時・利用者名の情報を埋め込むようにすれば，利用者に気付かれることなく，データがたどってきた経路を解析できます。

*26：ステガノグラフィ
語源は，ギリシャ語の steganos(ステガノス)（覆われた）＋ graphein(グラペイン)（書く），つまり，書くことを覆う，から。

◆電子透かしとの違い

電子透かしとステガノグラフィは，埋め込む情報が利用者に見えない点で似ていますが，次の点で異なります。

- **電子透かし**は，埋め込みされるデータと，埋め込む情報との間に**関連**がある。例えば，画像・音楽・映像データに，その著作権者の情報を埋め込む。

- **ステガノグラフィ**は，埋め込みされるデータと，埋め込む情報との間は**無関係**である。例えば，画像データと，埋め込みする日時・利用者名の情報とは，関連がない。

◆暗号との違い

暗号とステガノグラフィは，情報を秘密にする点で似ていますが，次の点で異なります。

- **暗号**は，解読できないものの，暗号化された情報があること自体には気付かれる。
- **ステガノグラフィ**は，埋め込まれた情報があることにすら気付かれない。

◎ デジタルフォレンジックス[*27]

情報セキュリティの犯罪の**証拠**となるデータを**収集**・保全することです。例えば，ログや記憶媒体[*28]の消去・改ざんを防止するために，書込み禁止にしたり，コピーしたりして，その後の捜査や訴訟（そしょう）に備えます。

***27：デジタルフォレンジックス**
語源は，digital（デジタル）＋forensics（科学捜査・鑑識）から。コンピュータフォレンジクスともいう。

***28：記憶媒体**
情報を保存するための装置やメディア。例えば，DVD・USBメモリ。

練習問題❶ 〔応用情報技術者試験 令和4年秋 午前問44〕

問 SPF (Sender Policy Framework) の仕組みはどれか。

ア 電子メールを受信するサーバが，電子メールに付与されているデジタル署名を使って，送信元ドメインの詐称がないことを確認する。
イ 電子メールを受信するサーバが，電子メールの送信元のドメイン情報と，電子メールを送信したサーバのIPアドレスから，送信元ドメインの詐称がないことを確認する。
ウ 電子メールを送信するサーバが，電子メールの宛先のドメインや送信者のメールアドレスを問わず，全ての電子メールをアーカイブする。
エ 電子メールを送信するサーバが，電子メールの送信者の上司からの承認が得られるまで，一時的に電子メールの送信を保留する。

《解説》

SPFとは，受信側のメールサーバが，メールの送信元のドメイン情報と，送信元メールサーバのIPアドレスから，そのドメイン名が信頼できるかどうかを確認する送信ドメイン認証です。具体的には，受信側のメールサーバが，送信側のDNSサーバに対し，受信したメールアドレスのドメイン名（@以降）に対応したIPアドレスは何かを問い合わせます。そのIPアドレスと，受信メールに記載された送信元メールサーバのIPアドレスとを照合します。両者が適合すれば，送信元メールサーバのドメイン名になりすましがないと判定し，受信者にメールを転送します。

正解：イ

練習問題❷

〔情報セキュリティマネジメント試験 平成29年春 午前問15〕

問 ディジタルフォレンジックスの説明として，適切なものはどれか。

ア あらかじめ設定した運用基準に従って，メールサーバを通過する送受信メールをフィルタリングすること

イ 外部からの攻撃や不正なアクセスからサーバを防御すること

ウ 磁気ディスクなどの書換え可能な記憶媒体を廃棄する前に，単に初期化するだけではデータを復元できる可能性があるので，任意のデータ列で上書きすること

エ 不正アクセスなどコンピュータに関する犯罪に対してデータの法的な証拠性を確保できるように，原因究明に必要なデータの保全，収集，分析をすること

《解説》

デジタルフォレンジックスとは，情報セキュリティの犯罪の証拠となるデータを収集・保全することです。例えば，ログや記憶媒体の消去・改ざんを防止するために，書込み禁止にしたり，コピーしたりして，その後の捜査や訴訟（そしょう）に備えます。

ア：電子メールのフィルタリングの説明です。

イ：**サーバの要塞化**（ようさいか）の説明です。サーバの要塞化とは，サーバ自体を対象に行うセキュリティ対策です。

ウ：データを完全消去するための方法の説明です。

エ：正解です。デジタルフォレンジックスの説明です。

正解：エ

4-4 物理的セキュリティ対策

破壊・窃盗・不正侵入・事故・故障・自然災害により，情報セキュリティが危険にさらされることを防ぐための対策が，物理的セキュリティ対策です。

物理的セキュリティ対策

窃盗（せっとう）・破壊・紛失を防ぐための対策です。基本となる対策は，情報資産がある区域に不審者を立ち入らせないことです。

◆セキュリティゾーニング

オフィスなどで，セキュリティレベルに合わせた区画・領域を設定することです。情報資産がある区域に，立ち入ることを制限します。

- 職務に応じて立ち入りできる区域をレベル分けする。
- **セキュリティゲート**[*1]・間仕切りで区分けする。

***1：セキュリティゲート**
ICカードなどによる認証が成功した正規の利用者のみが通行できる出入口や門。駅の自動改札機もその一種。フラッパーゲートともいう。

表：立ち入り可能区域のレベル

レベル	立ち入り可能	例
レベル3	特定の人のみ立ち入り可能	サーバルーム・重要資料室
レベル2	許可された人のみ	執務室・会議室
レベル1	誰でも	受付・ロビー

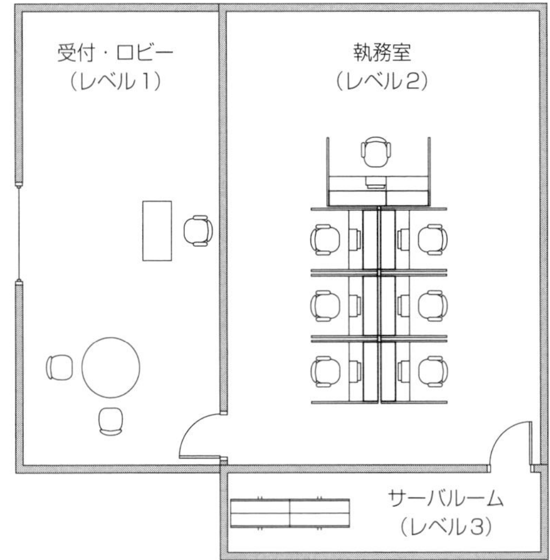

◆入退室管理

入退室を管理するために，次の方法を使います。

- ICカード・指紋認証・警備員による目視・入退室の記録・監視カメラ。
- **アンチパスバック**
  共連れ[*2]などにより入室（または退室）の記録がない場合，認証を拒否して，退室（または入室）できないようにすること。入退室時の共連れを防げるが，入室時も退室時も共連れした場合は防げない。
- **インターロックゲート**
  共連れを確実に防ぐために，扉を二重に設置すること。入室者は，１つめ（手前）の扉が開いても２つめ（奥）の扉は閉じているため，両扉の間で立ち止まる。すると，１つめの扉が閉じ，ここで入室者が１人だと確認されて初めて，２つめの扉が開き，入室できる。

***2：共連れ**
侵入者が，正規の利用者と共に不正に入退室すること。背後に潜み，認証時に一緒に入り込み，2人以上が1回の認証で同時に入退室する。

◆訪問者の管理

訪問者や受渡しの業者にも，適切な管理が必要です。

- **訪問者対応**
  会議室で対応・ネームプレート（名札）の着用・訪問相手の付き添い・入退室の記録。

- **受渡し業者の管理**
  レベル1区域での受渡し・安全区域内の限定立ち入り・職員の立会い。

◆情報機器の保護

情報機器を保護するために，次の方法を使います。

- **盗難・持出し防止**
  セキュリティワイヤ[*3]・クリアデスク[*4]。

- **不正操作**
  利用者認証・USBキー[*5]・離席時のログアウト。

- **のぞき見防止**
  離席時に画面にロックをかける**クリアスクリーン**。

◆管理区域内のセキュリティ管理

管理区域内のセキュリティ管理の対策は，次のとおりです。

- 身分証明書の携帯。
- 持込み持出しの管理。
- 重要書類や記録媒体の管理（整理整頓・施錠）。

◆サポートユーティリティ

電気・通信サービス・給水・ガス・下水・換気・空調などのことであり，その不具合による停電や故障から，装置を保護することが望ましいとされています。地震・火災・水害などの自然災害や，それに伴う停電からシステムを守るための対策は，次のとおりです。

- **サーバラック**[*6]の固定・消火設備・無停電電源装置（UPS）・

***3：セキュリティワイヤ**
情報機器と机を結ぶための金属製のチェーン。不正な持出しを防ぐ。

***4：クリアデスク**
情報機器を施錠収納すること。利用者の帰宅後に，犯人により情報機器を操作される危険を防ぐ。

***5：USBキー**
PCのUSB端子に差し込まないと，PCが操作可能にならない機器。PCを紛失してもUSBキーがなければ盗聴できない。

***6：サーバラック**
サーバを積み重ねて収納する専用の棚。

空調設備・耐震耐火設備・非常口非常灯の設置。

- 地震などの自然災害で，地域全体が被害を受けても，事業を継続できるように，遠隔地にバックアップを配置する**遠隔バックアップ**。
- 機器を複数用意して，システム停止時間を削減する**二重化技術**・データの複製を別の場所に同時に保存する**ミラーリング**。

練習問題❶

〔情報セキュリティマネジメント試験 平成29年秋 午前問15〕

問 入室時と退室時にIDカードを用いて認証を行い，入退室を管理する。このとき，入室時の認証に用いられなかったIDカードでの退室を許可しない，又は退室時の認証に用いられなかったIDカードでの再入室を許可しないコントロールを行う仕組みはどれか。

ア　TPMOR (Two Person Minimum Occupancy Rule)
イ　アンチパスバック
ウ　インターロックゲート
エ　パニックオープン

《解説》

共連れを防ぐための対策です。**共連れ**（ともづれ）とは，侵入者が，正規の利用者と共に不正に入退室することです。背後に潜み（ひそみ），認証時に一緒に入り込み，２人以上が１回の認証で同時に入退室します。

ア：TPMORとは，常に２人以上を在室させるために，最初の入室者と最後の退室者は２人同時でないと入室・退室ができないようにすることです。
イ：正解です。**アンチパスバック**とは，共連れなどにより入室（または退室）の記録がない場合，認証を拒否して，退室（または入室）できないようにすることです。
ウ：インターロックゲートとは，共連れを確実に防ぐために，扉を二重に設置することです。入室者は，１つめ（手前）の扉が開いても２つめ（奥）の扉は閉じているため，両扉の間で立ち止まります。すると，１つめの扉が閉じ，ここで入室者が１人だと確認されて初めて，２つめの扉が開き，入室できます。
エ：パニックオープンとは，非常事態発生時に，ドアを解錠することです。

正解：イ

TOPICS

1桁増やすと何通り増える?

パスワードの桁数を1桁増やすと，文字種（文字の種類）分，パターン数（○通り・組合せ数）が増えます。例えば，英数字の文字種は，英大文字26 ＋ 英小文字26 ＋ 数字10 ＝ 62種類であるため，**1桁増やすごとに**パターン数は**62倍**になります。

● 6桁のパターン数

パスワードの全6桁のうち，1桁目が62パターン，2桁目も62パターン，3桁目も62パターン…であることから，パスワードが6桁の場合のパターン数は，次のとおりです。

$62 \times 62 \times 62 \times 62 \times 62 \times 62 = 62^6$ パターン（約56億通り）

1桁目 2桁目 3桁目 4桁目 5桁目 6桁目

● 7桁のパターン数

$62 \times 62 \times 62 \times 62 \times 62 \times 62 \times 62 = 62^7$ パターン（約3兆通り）

1桁分（7桁目）が加わり，6桁の62倍に。

● 8桁のパターン数

$62 \times 62 \times 62 \times 62 \times 62 \times 62 \times 62 \times 62 = 62^8$ パターン（約218兆通り）

さらに1桁分（8桁目）が加わり，6桁の 62^2（3,844）倍に。

つまり，パスワードを6桁から8桁へと2桁増やすだけで，パターン数は3,844倍になります。

第5章

情報セキュリティ製品

サイバー攻撃を防ぐため，数多くの製品（ソフトウェアやハードウェア機器）が存在します。ただし，完璧な製品は存在しないため，製品と製品を組み合わせて守りを固めます。それでもすべての攻撃は防げないのが実情です。完璧は難しくても，少しでも被害を減らすために，情報セキュリティ製品を活用します。

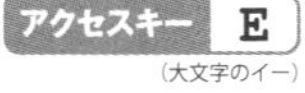

（大文字のイー）

重要度★★☆

5-1 マルウェア対策ソフト

新種や亜種(あしゅ)[*1]が次々に登場し，猛威を振(ふ)るうマルウェアに，どのように対策を打てばよいのでしょう。ここでは，マルウェア対策のうち，試験に出るものを紹介します。

マルウェア対策ソフト

マルウェア[*2]を**検出**・**削除**し，コンピュータにマルウェアが感染することを防ぐための製品です。代表的な検出方法は，次のとおりです。これらを組み合わせてマルウェアを検知します。

◆パターンマッチング法

あらかじめマルウェアの特徴（**シグネチャコード**[*3]）を定義したマルウェア定義ファイルを用意し，それに合致するかどうかでマルウェアの有無を調べる方法です。ただし，マルウェア定義ファイルに定義されていない未知のマルウェアは，検出できません。

◆ビヘイビア法[*4]

プログラムが行う**危険な行動**（振舞い）を検出した時点で，マルウェア対策ソフトは，マルウェアに感染したと判断します。**動的解析**の一種です。例えば，ファイルの書込み・コピー・削除，通信量の異常増加を危険な行動とみなします。

◆ヒューリスティック[*5]法

プログラムの内容を解析し危険な動作を行うと検出した場合にマルウェアに感染したと判断します。ビヘイビア法はプログラ

***1：亜種(あしゅ)**
元となるマルウェアを改造したマルウェア。

***2：マルウェア**
利用者の意図しない動作をするソフトウェア全般をいう。コンピュータウイルス・ワーム・トロイの木馬などを含む。

***3：シグネチャコード**
マルウェアであると識別できる，プログラムコード中の特徴のある一部分。英語で，signature code。

***4：ビヘイビア法**
振舞い検知法ともいう。語源は，behavior（振舞い）から。

***5：ヒューリスティック**
英語で，heuristic（推測に基づいた）。

ラムを実行して検出を試みますが，ヒューリスティック法はプログラムを実行させずにプログラムの内容を解析し検出を試みます。

◆チェックサム[*6]法

あらかじめ検査対象ファイルに，マルウェアに感染していないことを保証する情報を記録しておき，検査時にその情報が無効などの不整合がある場合，マルウェアに感染したと判断します。マルウェアは別のファイルに悪意のある機能を追加して感染させるため，感染するとファイルサイズなどが変わることを検出の手がかりとしています。

***6：チェックサム**
英語で，Checksum。語源は，感染前後のファイルサイズなどをもとに検出することから。

ハニーポット[*7]

クラッカーの手口やマルウェアの動作を調査する目的で，インターネット上に設置された，わざと侵入しやすくした**おとり**のサーバやネットワーク機器です。セキュリティ企業や研究者は，ハニーポットを**おとり**として使い，新たな手口を情報収集します。

***7：ハニーポット**
語源は，甘い蜜（ハニー）の入った壺（つぼ）（ポット）の意味で，クラッカーをおびき寄せることから。

ダークネット[*8]

インターネット上の**未使用**の**IPアドレス空間**のことです。本来，宛先となることはないダークネットに対する通信を観測することで，マルウェアの活動傾向を分析できます。

***8：ダークネット**
英語で，Dark Net。

サンドボックス[*9]

マルウェアかどうかを識別するために，影響が他へ及ばないように**隔離した領域**内で，対象のプログラムを動作させることです。サンドボックス内では，実行可能な機能・ファイル操作・インターネット接続などが制限されています。関連する用語は，次のとおりです。

***9：サンドボックス**
語源は，保護された領域を，公園の砂場（サンドボックス）にたとえたことから。

◆Webアイソレーション[*10]

Web閲覧によるマルウェア感染を防ぐために，サンドボックスや仮想マシンなど，隔離された環境で，Web閲覧を行うための技術です。

*10：Webアイソレーション
英語で，Web Isolation（Web分離）。

その他のマルウェア対策

この対策だけですべてを防げるわけではありませんが，利用者は，最低限，次の対策をとる必要があります。

- **マルウェア定義ファイルを最新版にする**
  次々に登場する新種や亜種に対応するため，マルウェア定義ファイルを最新にする。対策ソフトにある自動更新機能を利用するとよい。

- **外部からのファイルは，まずマルウェア検査する**
  メールの添付ファイルやWebサイトからダウンロードしたファイルは，マルウェア検査のあとで開くようにする。とりわけ次の拡張子（かくちょうし）のファイルは，実行形式ファイルであるため，要注意である。

*11：拡張子は表示しない
Windows 11での設定方法は，次のとおり。
① エクスプローラーを開く。
② メニューの［…］を選択する。
③［オプション］を選択する。
④［表示］タブを選択する。
⑤「登録されている拡張子は表示しない」のチェックを外す。

～.exe

～.pif

～.com

～.bat

～.scr

なお，ファイルの拡張子が表示されない設定だと，拡張子を確認できないため，設定を変更する。例えば，Windowsに搭載（とうさい）されたファイル管理ソフトでは，「登録されている拡張子は表示しない[*11]」のチェックを外す。

- **アプリケーションのセキュリティ機能を活用する**
  メールソフト・Webブラウザなどに搭載されたセキュリティ機能を活用する。例えば，マクロウイルスの感染を防ぐため，オフィスソフトのマクロ機能を無効にする。

- **修正パッチ[*12]を適用する**
  OSやアプリケーションのセキュリティホール（脆弱性[*13]）を埋めるための修正プログラムを適用する。

- **データのバックアップを取る**
  マルウェアによって破壊されたデータは，修復できないため，万一のマルウェア感染に備え，日頃からデータのバックアップを取っておく。

***12：修正パッチ**
OS・ソフトウェアの脆弱性を修正するためのファイル。語源は，つぎはぎ用のあて布（patch）から。修正プログラム・セキュリティパッチともいう。

***13：脆弱性**（ぜいじゃくせい）
脅威（攻撃）がつけ込める弱点。

練習問題❶

〔情報セキュリティマネジメント試験 平成28年秋 午前問18〕

問 ウイルス検出におけるビヘイビア法に分類されるものはどれか。

ア　あらかじめ検査対象に付加された，ウイルスに感染していないことを保証する情報と，検査対象から算出した情報とを比較する。
イ　検査対象と安全な場所に保管してあるその原本とを比較する。
ウ　検査対象のハッシュ値と既知のウイルスファイルのハッシュ値とを比較する。
エ　検査対象をメモリ上の仮想環境下で実行して，その挙動を監視する。

《解説》

ビヘイビア法では，プログラムが行う危険な行動（振舞い）を検出した時点で，マルウェア対策ソフトは，マルウェアに感染したと判断します。

正解：エ

練習問題❷

〔応用情報技術者試験 令和元年秋 午前問43〕

問 ダークネットは，インターネット上で到達可能であるが，使われていないIPアドレス空間を示す。このダークネットにおいて観測されるものはどれか。

ア インターネット上で公開されているWebサイトに対してWebブラウザから送信するパケット

イ インターネットにつながっており，実在するIoT機器から実在するサーバに送信されるパケット

ウ マルウェアがIoT機器やサーバなどの攻撃対象を探すために送信するパケット

エ 有効な電子メールアドレスに対して攻撃者が標的型攻撃メールを送信するSMTPのパケット

《解説》

ダークネットとは，インターネット上の未使用のIPアドレス空間のことです。本来，宛先となることはないダークネットに対する通信を観測することで，マルウェアの活動傾向を分析できます。

正解：ウ

練習問題❸

〔情報処理安全確保支援士試験 平成29年春 午前Ⅱ問16〕

問 サンドボックスの仕組みに関する記述のうち，適切なものはどれか。

ア Webアプリケーションの脆(ぜい)弱性を悪用する攻撃に含まれる可能性が高い文字列を定義し，攻撃であると判定した場合には，その通信を遮断する。

イ クラウド上で動作する複数の仮想マシン（ゲストOS）間で，お互いの操作ができるように制御する。

ウ プログラムの影響がシステム全体に及ばないように，プログラムが実行できる機能やアクセスできるリソースを制限して動作させる。

エ プログラムのソースコードでSQL文の雛(ひな)形の中に変数の場所を示す記号を置いた後，実際の値を割り当てる。

《解説》

サンドボックスとは，マルウェアかどうかを識別するために，影響が他へ及ばないように**隔離した領域**内で，対象のプログラムを動作させることです。サンドボックス内では，実行可能な機能・ファイル操作・インターネット接続などが制限されています。

正解：ウ

5-2 ファイアウォール

外部から内部へ不正侵入することを防ぐ製品の代表格が，ファイアウォールです。至るところで使われており，身近な製品です。利点だけでなく，欠点（限界）も知っておく必要があります。

ファイアウォール[*1]

インターネット（外部）と社内ネットワーク[*2]（内部）の境界に配置し，外部と内部との間の不正な通信の侵入を遮断（しゃだん）する製品です。例えば，ファイアウォールにより，プロキシサーバ[*3]を経由しない，内部から外部への通信を遮断します。

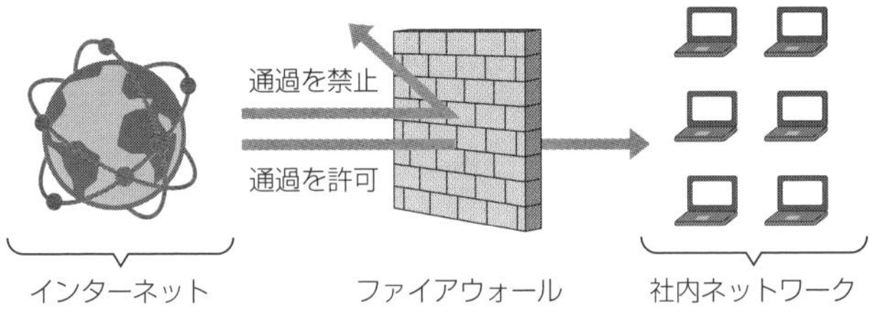

パケットフィルタリング型のファイアウォールでは，IPアドレス・ポート番号[*4]などの種類別に，ルールを設定し，そのルールに従って通信をフィルタリング（絞込み）します。フィルタリングすべき通信かどうかは，**パケット**[*5]の**ヘッダ部**の情報から見極めます。**データ部**（通信内容）は対象外です。ファイアウォールは，ヘッダ部にある次の情報を監視します。

- 送信元IPアドレス・宛先IPアドレス
- 送信元ポート番号・宛先ポート番号

***1：ファイアウォール**
語源は，firewall（防火壁）から。防火壁とは，火災の延焼を防ぐ目的で設置される耐火構造の壁である。

***2：社内ネットワーク**
企業などの組織内のみで構築されたネットワーク環境。**イントラネット・内部ネットワーク・社内LAN・内部LAN・LAN**。

***3：プロキシサーバ**
社内ネットワークとインターネットの境界に配置し，インターネットとの接続を代理する機器。

***4：ポート番号**
TCP/IPプロトコルで，どのような種類の通信かを識別するための番号。宛先アドレスとともに送信される。ポート番号は，0から65535まであり，Web閲覧（HTTPプロトコル）が80，メール送信（SMTPプロトコル）が25などと，プロトコルによって決まっている。

● 通信の方向（外部から内部へ・内部から外部へ）

◆ルール設定

フィルタリングのルール設定には，**ブラックリスト**と**ホワイトリスト**という2つの方式があります。

- **ブラックリスト**は，通過を**禁止**する対象をまとめた一覧。
- **ホワイトリスト**は，通過を**許可**する対象をまとめた一覧。

ファイアウォールでは，多くの場合，次のような優先順位でルールを設定します。これにより，ホワイトリスト以外のすべての通信の通過を，ブラックリストにより禁止し，正規でない通信の通過を防ぎます。

① 通信の通過を許可するルール（ホワイトリスト）を設定する。
② すべての通信の通過を禁止するルール（ブラックリスト）を設定する。

◆ファイアウォールの限界

ファイアウォールは，**通過禁止**とルールで定められた通信については，通過させません。しかし，**通過許可**とルールで定められた通信を，攻撃者によって悪用された攻撃は防げません。例は，次のとおりです。

- ファイアウォールは，悪意の有無を判断できないため，通過を許可された通信は，たとえ**DoS攻撃**[*6]であっても通過を禁止できない。
- Webサイト上に文字を巧みに入力した**スクリプト攻撃**[*7]は，文字内容に問題があっても，通信自体は正規のため，通過を許可する。

***5：パケット**
通信データを一定のサイズに分割したデータのこと。このサイズより大きいデータは，パケットのサイズごとに分割されて送信される。これにより，通信回線を占有することがなくなり，複数の通信を併存・共有させられる。語源は，packet（小包）から。

***6：DoS（ドス）攻撃**
何度も連続してサーバに通信を行い，サーバをパンク状態にしてサービスを停止させる攻撃。

***7：スクリプト攻撃**
掲示板など，文字を入力するWebサイトで，入力内容にスクリプト（簡易プログラム）を紛れ込ませて行うサイバー攻撃。クロスサイトスクリプティング，OSコマンドインジェクション，ディレクトリトラバーサルなど。

ルータ [*8]

異なるネットワーク同士を**相互接続**する製品です。ルータとファイアウォールは，ネットワークとネットワークの境界に位置し，通信データの転送や不正な通信の遮断（しゃだん）をする点で，似た機能をもっています。両者とも機能強化に伴って大きな違いはなくなっています。ただ，成り立ちが違うため，次の相違点があります。

- **ルータ**は，本業が通信データの**転送**であり，その機能が充実している。
- **ファイアウォール**は，本業が不正な通信の**遮断**であり，その機能が充実している。

***8：ルータ**
語源は，router（ルート・経路をたどって送ること）から。

パーソナルファイアウォール [*9]

不正な通信の通過を禁止したり，正規の通信の通過を許可したりするソフトウェア製品です。ファイアウォールとの違いは，次のとおりです。

***9：パーソナルファイアウォール**
語源は，各情報機器に個別に（personal）に導入するファイアウォールであることから。

表：ファイアウォールとパーソナルファイアウォール

	ファイアウォール	パーソナルファイアウォール
製品の種類	**ハードウェア機器・ソフトウェア**	各情報機器にインストールする**ソフトウェア**
目的	インターネットと社内ネットワークの境界に配置し，外部から内部への**不正侵入**を防ぐ。	社内ネットワーク内の各情報機器に導入し，内部での**被害**の**拡大**や情報の**外部**への**送出**を防ぐ。

パーソナルファイアウォールは，サイバー攻撃により不正侵入されたとしても，そこから同じネットワーク上にある別の情報機器に被害を広めないため（**内部対策**）や，情報を外部に送出させない（**出口対策**）ために，使用します。

練習問題❶

〔応用情報技術者試験 平成31年春 午前問44〕

問 パケットフィルタリング型ファイアウォールが，通信パケットの通過を許可するかどうかを判断するときに用いるものはどれか。

ア Webアプリケーションに渡されるPOSTデータ
イ 送信元と宛先のIPアドレスとポート番号
ウ 送信元のMACアドレス
エ 利用者のPCから送信されたURL

《解説》

パケットフィルタリング型の**ファイアウォール**では，IPアドレス・ポート番号などの種類別に，ルールを設定し，そのルールに従って通信をフィルタリング（絞込み）します。

正解：イ

5-3 DMZ

ファイアウォールでガチガチに固めると，正規の通信も遮断(しゃだん)してしまうことがあり，使いにくいものになります。この相反(あいはん)する関係に，どうバランスを取るのかが長らく頭痛のタネでした。そこで考え出された工夫が，DMZ（非武装地帯）です。

DMZ[*1]

危険が多いインターネットと，安全な社内ネットワークの境界に位置し，どちらからもアクセス可能だが，そこから社内ネットワーク内へはアクセス禁止であるネットワーク上のエリアです。ファイアウォールを通る２つの経路の間に位置します。

*1：DMZ
語源は，DeMilitarized Zone（非武装地帯）から。本来は，軍事用語。例えば，韓国と北朝鮮の軍事境界線付近には非武装地帯がある。

◆ファイアウォールが１台のときに起こる問題

ファイアウォールが１台だと，次の問題点がありました。

- **社内ネットワーク側に公開サーバを設置した場合**

  危険が多いインターネットから，社内ネットワーク内にある公開サーバ[*2]へのアクセスが頻繁にあるため，仮にファイアウォールが適切に設定されていても，脆弱性(ぜいじゃくせい)（弱点）が生ま

*2：公開サーバ
インターネットに公開されたWebサーバ・メールサーバなど。

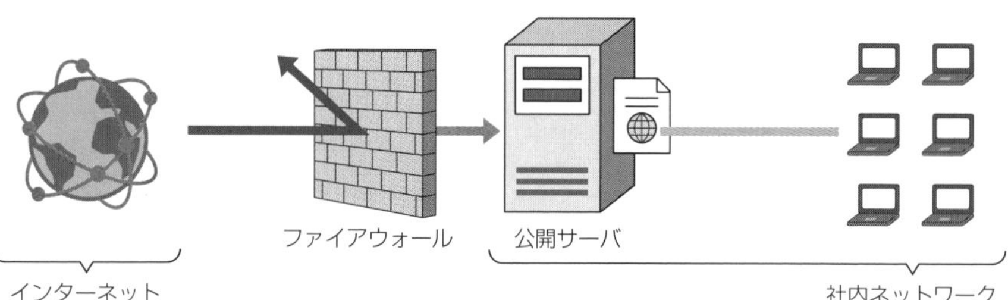

れやすくなる。つまり，インターネットから社内ネットワーク内へサイバー攻撃を受けやすくなる。

- **インターネット側に公開サーバを設置した場合**

  インターネットから社内ネットワーク内へのアクセスが少ないため安全だが，インターネット側にある公開サーバは，ファイアウォールがないまま，インターネットからアクセスができるため，無防備である。つまり，インターネットから公開サーバへサイバー攻撃を受けやすく，公開サーバ内の機密情報が漏えいしかねない。

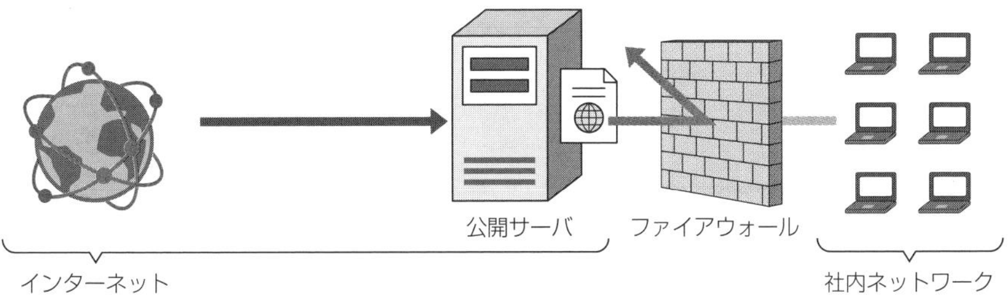

◆ 2台のファイアウォールの間に公開サーバを設置した場合

ファイアウォールを2台にし，その間であるDMZ（非武装地帯）に公開サーバを設置すると，この問題点を解決できます。これがDMZの利用目的です。

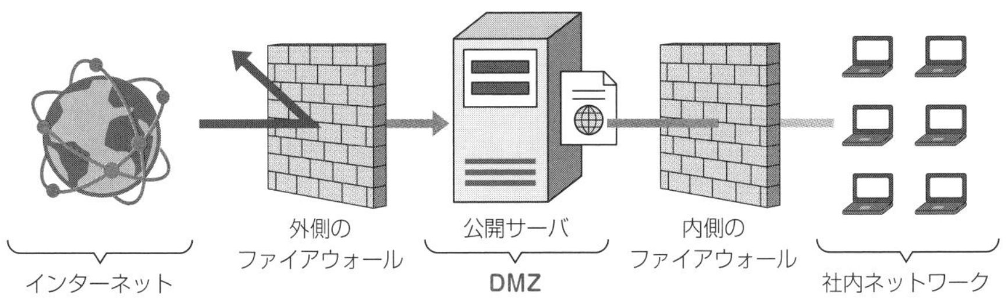

- 外側のファイアウォールでは，インターネットからDMZへの通信は公開サーバの利用に限り，許可する。つまり，インターネットから公開サーバへはアクセスできる。
- 内側のファイアウォールでは，DMZから社内ネットワークへの通信は，すべて禁止する。つまり，公開サーバから社内ネットワークへはアクセスできない。
- 社内ネットワークからDMZへの通信と，DMZからインターネットへの通信は，すべて許可する。つまり，社内ネットワークからインターネットへはアクセスできる。

ただし，ファイアウォールを2台にすると，コスト高になるため，1台で2役にすることも多いです。

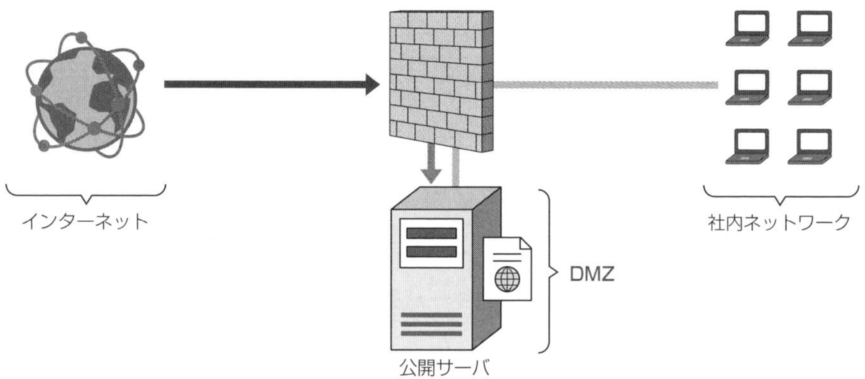

練習問題❶

〔ＩＴパスポート試験 平成23年特別 問55〕

問　企業のネットワークにおけるDMZの設置目的として，最も適切なものはどれか。

ア　Webサーバやメールサーバなど，社外に公開したいサーバを，社内のネットワークから隔離する。
イ　グローバルIPアドレスをプライベートIPアドレスに変換する。
ウ　通信経路上にあるウイルスを除去する。
エ　通信経路を暗号化して，仮想的に専用回線で接続されている状態を作り出す。

《解説》

DMZとは，危険が多いインターネットと，安全な社内ネットワークの境界に位置し，どちらからもアクセス可能だが，そこから社内ネットワーク内へはアクセス禁止であるネットワーク上のエリアです。ファイアウォールを通る２つの経路の間に位置します。

ア：正解です。DMZの設置目的です。
イ：NAT（Network Address Translation）の設置目的です。
ウ：DMZとは無関係です。
エ：VPNの設置目的です。

正解：ア

重要度★☆☆

5-4 IDS・IPS

ファイアウォールは，ルールに従って不正な通信を遮断(しゃだん)できる一方で，融通が利かない側面があります。その弱点を補うために，通信データのパケットのヘッダ部だけでなく，データの内容も監視して対策する製品が，IDSとIPSです。

IDS*1

ネットワークやホスト*2をリアルタイムで**監視**し，不正アクセスなどの異常を発見し，**管理者**に**通報**する製品です。通報を受けた管理者が，攻撃開始や攻撃の前兆だと判断すると，ファイアウォールのフィルタリングルールを変更するなどして，それ以降の発生を防ぎます。ファイアウォールよりも融通(ゆうずう)が利(き)くルール設定が可能で，ファイアウォールの弱点を補います。IDSは，ネットワーク型IDS（NIDS）とホスト型IDS（HIDS）に分けられます。

- **ネットワーク型IDS**（NIDS）
  社内ネットワークなど，ネットワーク上に配置し，ネットワークに流れるすべての通信を監視する。

- **ホスト型IDS**（HIDS）
  Webサーバなど，ホストにインストールし，そのホストへのすべての通信を監視する。

***1：IDS**
Intrusion Detection System（侵入検知システム）の略。

***2：ホスト**
ネットワーク経由で，他の情報機器にサービスを提供するコンピュータ。

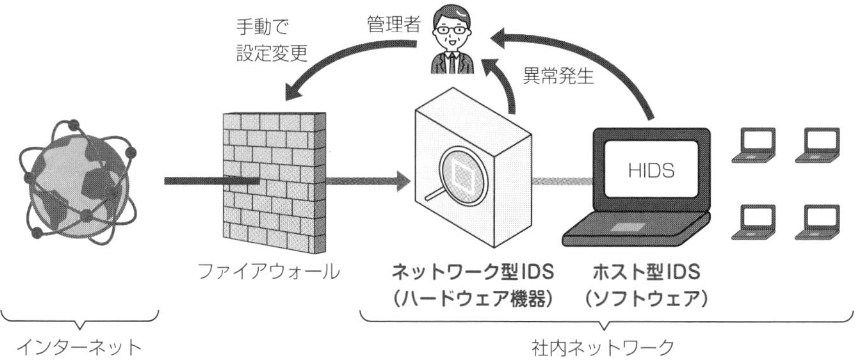

IPS*3

IDSを**拡張**し，異常の監視・管理者への通報だけでなく，自動的に攻撃自体を防ぐ製品です。IPSは，ファイアウォールと同じく，すべての通信を監視し，不審な通信の通過を禁止します。IDSでは，管理者が手動でファイアウォールのルールを変更しますが，IPSでは自動でそれを行います。

IPSもIDSと同じく，ネットワーク型IPS（NIPS）とホスト型IPS（HIPS）があります。

*3：IPS
Intrusion Prevention System（侵入防止システム）の略。

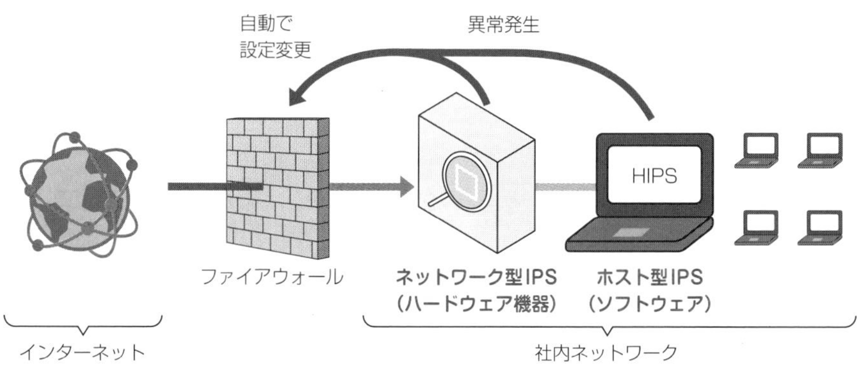

◆誤検知

情報セキュリティ製品における誤検知の性質は，次のとおりです。

第5章 情報セキュリティ製品

- フォールスポジティブ[*4]
  正常なのに，誤って異常と検知すること。セーフなのにアウトと判定する。誤検知。

- フォールスネガティブ[*5]
  異常なのに，誤って正常とすること。アウトなのにセーフと判定する。検知漏れ。

***4：フォールスポジティブ**
語源は，False（誤り）+ Positive（陽性・異常・検知あり）。

***5：フォールスネガティブ**
語源は，False（誤り）+ Negative（陰性・正常・検知なし）。

練習問題❶

〔情報セキュリティマネジメント試験 平成28年春 午前問12〕

問 IDSの機能はどれか。

ア　PCにインストールされているソフトウェア製品が最新のバージョンであるかどうかを確認する。
イ　検査対象の製品にテストデータを送り，製品の応答や挙動から脆（ぜい）弱性を検出する。
ウ　サーバやネットワークを監視し，セキュリティポリシを侵害するような挙動を検知した場合に管理者へ通知する。
エ　情報システムの運用管理状況などの情報セキュリティ対策状況と企業情報を入力し，組織の情報セキュリティへの取組状況を自己診断する。

《解説》

IDSとは，ネットワークやホストをリアルタイムで監視し，不正アクセスなどの異常を発見し，管理者に通報する製品です。

ア：JVNで提供しているMyJVNバージョンチェッカの説明です。
イ：ファジングの説明です。**ファジング**とは，組込み機器やソフトウェアを対象に，バグ（欠陥）・未知の脆弱性を検出するためのセキュリティテストです。問題を引き起こしそうな細工を施（ほどこ）したデータを検査対象に送り，異常な動作の有無により検査します。
ウ：正解です。IDSの説明です。**IDS**とは，ネットワークやホストをリアルタイムで監視し，不正アクセスなどの異常を発見し，管理者に通報する製品です。
エ：情報セキュリティ対策ベンチマークの説明です。

正解：ウ

5-5 WAF

サイバー攻撃全般を防ぐためのIDS・IPSとは別に，最も攻撃を受けやすいWebサイトに特化した製品が，WAFです。IDS・IPSでは対策できない攻撃を防ぐために使います。

WAF（ワフ）[*1]

Webアプリケーション[*2]を攻撃から守ることに**特化**した製品です。Webアプリケーションの脆弱性（ぜいじゃくせい）[*3]に対処するには，本来はその開発者が脆弱性をすべて修正することが根本的な対策ですが，現実的にはすべてに対応しきれないため，WAFを使って，攻撃による被害を低減します。

WAFの「F」はFirewall（ファイアウォール）ですが，ファイアウォールとは別物です。違いは，次のとおりです。

***1：WAF**
Web Application Firewall の略。

***2：Webアプリケーション**
例えば，掲示板・ネット通販・オンラインバンキングなどのWebサイト。

***3：脆弱性**
脅威（攻撃）がつけ込める弱点。

表：ファイアウォール・IDS・IPS・WAFの違い

ファイアウォール	通信データの内容でなく，**ヘッダ部の情報**（IPアドレス・ポート番号など）をもとに不正アクセスを制限する。正規の通信を使ったDoS攻撃・スクリプト攻撃を防げない。
IDS・IPS	ヘッダ部の情報だけでなく，**通信データの内容**も監視して，様々な種類の攻撃を防ぐ。例えば，OSの脆弱性を悪用する攻撃・ファイル共有サービスへの攻撃。
WAF	**Webアプリケーションへの攻撃**に特化して防御する。Webアプリケーションへの攻撃や，Webアプリケーションから外部へ不正に流出するデータの有無を，**通信データの内容**などから検出する。ファイアウォール・IDS・IPSでは防げないスクリプト攻撃についても，WAFでは防げる。一方で，処理時間がかかったり，サーバに負荷がかかったりするデメリットがある。

第5章 情報セキュリティ製品

サイバー攻撃と，それに対抗する情報セキュリティ製品の関係は，次のとおりです。

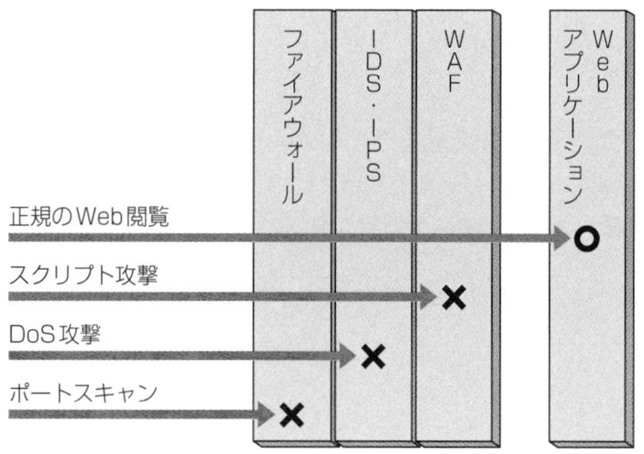

練習問題❶

〔情報セキュリティマネジメント試験 平成28年春 午前問13〕

問 クライアントとWebサーバの間において，クライアントからWebサーバに送信されたデータを検査して，SQLインジェクションなどの攻撃を遮断するためのものはどれか。

ア SSL-VPN機能　　イ WAF

ウ クラスタ構成　　エ ロードバランシング機能

《解説》

ア：SSL-VPNとは，VPNの方式の1つで，SSL暗号通信により構築するVPNです。

イ：正解です。**WAF**とは，Webアプリケーションを攻撃から守ることに特化した製品です。SQLインジェクションなどのスクリプト攻撃を防ぎます。

ウ：クラスタ構成は，複数のコンピュータが連結され，あたかも1台であるかのように振る舞うことです。これにより，1台が稼働不可になっても，残りで稼働し続け，システム全体の停止を防げます。

エ：ロードバランシング機能とは，並列で稼働している機器の間で，処理の負荷を均等になるように分散させる機能です。

正解：イ

練習問題❷

〔応用情報技術者試験 平成29年春 午前問43〕

問 図のような構成と通信サービスのシステムにおいて，Webアプリケーションの脆弱性対策のためのWAFの設置場所として，最も適切な箇所はどこか。ここで，WAFには通信を暗号化したり，復号したりする機能はないものとする。

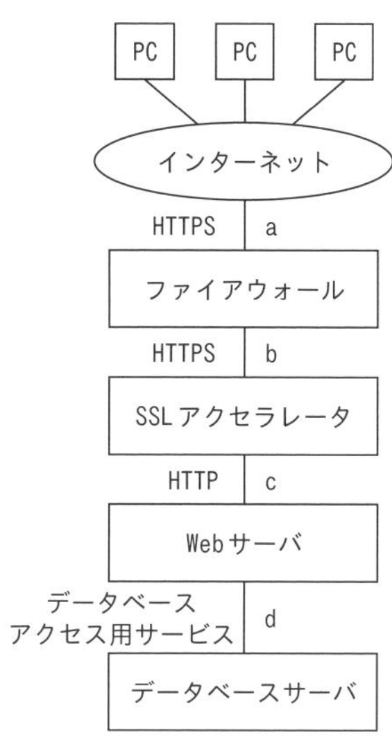

ア a　　イ b　　ウ c　　エ d

《解説》

WAF（Web Application Firewall）とは，Webアプリケーションへの攻撃に特化して防御する製品です。Webアプリケーションへの攻撃や，Webアプリケーションから外部へ不正に流出するデータの有無を，通信データの内容などから検出します。

aとbは，HTTPS通信により暗号化されている段階のため，通信データの内容が読み取れず，WAFの設置場所としては不適切です。

dは，Webサーバ内のWebアプリケーションによる処理の実行後の段階であるため，Webアプリケーションの脆弱性対策のためのWAFの設置場所としては不適切です。

正解：ウ

第5章 情報セキュリティ製品

重要度★★★

5-6 VPN・VLAN

盗聴を防ぐため，インターネット経由で仮想の専用回線網を構築するVPN。社内のネットワークを，通常業務用と機密情報用とに分離する際に欠かせないVLAN。ネットワークに関連するこの2製品もセキュリティ向上に一役買います。

VPN[*1]

インターネットを経由した**仮想**の**専用回線網**です。インターネットは**公衆回線**[*2]であり，また，通常，通信データは暗号化せずに送信するので，盗聴されやすいです。しかし，VPNを使うと，通信データをすべて暗号化することから，第三者は盗聴できないため，あたかも当事者間のみの専用回線のように，通信を行えます。VPNは，暗号技術によって盗聴なしを，認証技術によってなりすましなし・改ざんなしを実現します。主な方式には，インターネットVPNとIP-VPNがあります。

◆インターネットVPN

インターネットを経由してVPNを使います。費用が安く済む一方で，インターネットは公衆回線のため，通信品質が不安定な場合があります。インターネット環境さえあれば，外出先や自宅でもVPNを使えます。

◆IP-VPN

通信事業者[*3]の専用回線を経由してVPNを使います。インターネット経由よりも通信の品質が安定しているため，企業は事業所と別の事業所との間の通信で，通信事業者が設置した専用回線を使ったIP-VPNを利用することがあります。

***1：VPN**
Virtual Private Network（仮想私設網）の略。

***2：公衆回線**
不特定多数が共有して利用する回線。通信内容は容易に読み取れる。

***3：通信事業者**
通信サービスを提供する企業。

◯ VLAN（ブイラン）[*4]

スイッチングハブ[*5]に接続された**情報機器**を，**グループ分け**して管理する機能です。例えば，社内のネットワークで，情報セキュリティ対策のために，通常の業務で使用するネットワークと，機密情報にアクセスできるネットワークの2種類に分けて運用することにします。

VLANを使うと，わざわざ各ネットワーク用にスイッチングハブを別個に設置しなくても，共用のスイッチングハブを設置するだけで済みます。なぜならVLANを使えば，スイッチングハブに接続された**2種類のネットワーク**を**別物**として扱えるためです。費用が削減でき，またセキュリティ向上を目的としたネットワークの分離がしやすくなります。

VLANを使ってグループ分けする方式の代表格は，**ポートVLAN**方式です。スイッチングハブの接続ポート（端子）別にネットワークをグループ分けします。例えば，ポート1～3は通常業務のネットワーク，ポート4～6は機密情報のネットワークと決め，そのポートに接続することで，グループ分けします。

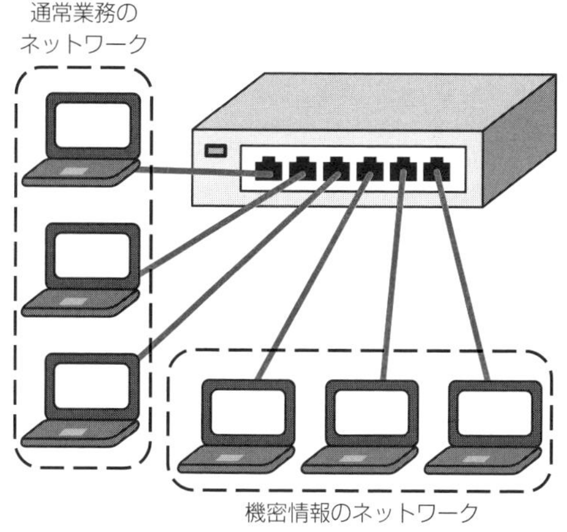

***4：VLAN**
Virtual LAN（仮想LAN）の略。

***5：スイッチングハブ**
レイヤ2スイッチともいう。

第5章 情報セキュリティ製品

練習問題❶

〔ITパスポート試験 平成23年秋 問70〕

問 社外からインターネット経由でPCを職場のネットワークに接続するときなどに利用するVPN (Virtual Private Network) に関する記述のうち，最も適切なものはどれか。

ア インターネットとの接続回線を複数用意し，可用性を向上させる。
イ 送信タイミングを制御することによって，最大の遅延時間を保証する。
ウ 通信データを圧縮することによって，最小の通信帯域を保証する。
エ 認証と通信データの暗号化によって，セキュリティの高い通信を行う。

《解説》

VPNとは，インターネットを経由した仮想の専用回線網です。VPNを使うと，通信データをすべて暗号化することから，第三者は盗聴できないため，あたかも当事者間のみの専用回線のように，通信を行えます。VPNは，暗号技術によって盗聴なしを，認証技術によってなりすましなし・改ざんなしを実現します。

正解：エ

5-7 無線LAN

無線LANは，ケーブルなしでインターネット接続できて便利なため，利用が増えています。しかし，電波を経由した無線接続であることから，盗聴の危険性が付きまとうため，適切な情報セキュリティ対策を行う必要があります。

無線LAN（ラン）

LANケーブルなしで，社内ネットワークに接続するための技術です。無線LANの代表例が**Wi-Fi**（ワイファイ）[*1]です。ワイヤレスのため有線に比べ，便利な反面，通信内容を盗聴されるおそれがあります。関連する用語は，次のとおりです。

表：無線LANの用語

親機	アクセスポイント・無線LANルータともいう。無線LAN子機が電波を経由して無線LAN親機に接続し，親機は有線LANで，社内ネットワーク機器と接続されている。
子機	無線LAN経由で通信を行う機器。例えば，PC・スマートフォン・タブレット端末・ゲーム機・プリンタ。
SSID[*2]	親機の接続先を識別するための名称。周囲の子機向けに電波で公開されている。**ESSID**（Extended SSID）ともいう。

***1：Wi-Fi**
異なるメーカーの機器同士の接続ができないことを防ぐため，Wi-Fiアライアンスという業界団体が，無線LANの標準規格に沿って接続できると確認した製品に対し，「Wi-Fi」ブランドの使用を許可したもの。

***2：SSID**
Service Set IDentifierの略。

無線LANで通信内容を暗号化する目的は，次の2つです。

- 通信が盗み見されても解読できないため，情報漏えいを防ぐ。
- 第三者が簡単に無線LANに接続することを防ぐ。

無線LANの暗号技術は，次のとおりです。

表：無線LANの暗号技術

WEP(ウェップ)[*3]	多くの脆弱性(ぜいじゃくせい)が発見され危殆化(きたいか)した暗号技術。
WPA[*4]	WEPの弱点を補強し，セキュリティ強度を高めた暗号技術。
WPA2	WPAをさらにバージョンアップし，より強力なアルゴリズムである**AES**を採用した暗号技術。
WPA3	WPA2に発見された脆弱性を補った暗号技術。しかし，WPA3にも脆弱性が発見されている。

*3：WEP
Wired Equivalent Privacy（有線と同等のプライバシー）の略。

*4：WPA
Wi-Fi Protected Access の略。

無線LANの暗号技術のセキュリティ強度を比較すると，次のとおりです。

弱い　WEP < WPA < WPA2 < WPA3　強い

◆WPA2-PSK[*5]

無線LANのアクセスポイントに，**事前共有鍵**（Pre-Shared Key，パスフレーズともいう）を設定しておき，接続を求めてきた情報機器が，それを知っている場合に限り，接続を許可する方式です。無線LANの利用を許可する者だけに限定して事前共有鍵を知らせることで，それ以外の第三者による無断接続の防止に効果があります。

*5：WPA2-PSK
WPA2 Pre-Shared Key の略。

◆SSIDステルス

無線LAN親機が発信する電波に**SSIDを含めない**ようにする機能です。通常，無線LAN子機は，親機が発信するSSIDを探して，そのSSIDに対して接続を試みます。なりすましによる不正アクセスを防ぐために，SSIDステルスを使ってSSIDを隠すと，SSIDを知る人しか接続しないため，情報セキュリティ対策になります。

無線LANのセキュリティ対策

ウォードライビング[*6]によって，無線LAN環境が第三者によって不正利用されると，社内ネットワークの通信内容が盗聴され，サーバやPCに保管された情報が漏えいしたり，改ざん・削除されたりします。

***6：ウォードライビング**
無防備な無線LAN親機（アクセスポイント）を，自動車で移動しながら探し回る行為。

- **用意された最強の暗号技術を利用する**
  できるだけWPA2を，最低でもWPAを利用する。WEPは，脆弱性が発見されており，わずか数分で解読できるため，使用すべきではない。

- **パスフレーズは，20文字以上にする**
  暗号技術で使う，パスフレーズ（パスワード）は長くし，ブルートフォース攻撃により解読されないようにする。

- **接続ログ**[*7]**を収集する**
  あとで事実確認・解析できるよう，無線LAN親機などで，無線接続のログを記録する。

***7：ログ**
通信履歴。システムやネットワークで起きた異常を時系列に記録・蓄積したデータ。あとでたどったり，分析したりする目的で利用する。

練習問題❶　〔応用情報技術者試験 令和元年秋 午前問39〕

問　無線LAN環境におけるWPA2-PSKの機能はどれか。

ア　アクセスポイントに設定されているSSIDを共通鍵とし，通信を暗号化する。
イ　アクセスポイントに設定されているのと同じSSIDとパスワード（Pre-Shared Key）が設定されている端末だけに接続を許可する。
ウ　アクセスポイントは，IEEE 802.11acに準拠している端末だけに接続を許可する。
エ　アクセスポイントは，利用者ごとに付与されたSSIDを確認し，無線LANへのアクセス権限を識別する。

《解説》

WPA2-PSK（WPA2 Pre-Shared Key）とは，無線LANのアクセスポイントに，事前共有鍵（Pre-Shared Key，パスフレーズともいう）を設定しておき，接続を求めてきた情報機器が，それを知っている場合に限り，接続を許可する方式です。無線LANの利用を許可する者だけに限定して事前共有鍵を知らせることで，それ以外の第三者による無断接続の防止に効果があります。

SSID（Service Set IDentifier）とは，親機の接続先を識別するための名称です。周囲の子機向けに電波で公開されています。ESSID（Extended SSID）ともいいます。

ア：SSIDを暗号化の鍵として用いることはありません。
イ：正解です。WPA2-PSKの説明です。
ウ：WPA2-PSKとは，事前共有鍵により接続を許可する方式です。
エ：SSIDは利用者ごとに付与されるものではありません。

正解：イ

練習問題❷

〔情報セキュリティマネジメント試験 平成29年秋 午前問19〕

問 参加者が毎回変わる100名程度の公開セミナにおいて，参加者に対して無線LAN接続環境を提供する。参加者の端末以外からのアクセスポイントへの接続を防止するために効果があるセキュリティ対策はどれか。

ア　アクセスポイントがもつDHCPサーバ機能において，参加者の端末に対して動的に割り当てるIPアドレスの範囲をセミナごとに変更する。
イ　アクセスポイントがもつURLフィルタリング機能において，参加者の端末に対する条件をセミナごとに変更する。
ウ　アクセスポイントがもつ認証機能において，参加者の端末とアクセスポイントとの間で事前に共有する鍵をセミナごとに変更する。
エ　アクセスポイントがもつプライバシセパレータ機能において，参加者の端末へのアクセス制限をセミナごとに変更する。

《解説》

ア：**DHCPサーバ**とは，情報機器の起動時などに，IPアドレスを自動で割り当てるためのサーバです。アクセスポイントのDHCPサーバ機能だけでは，どの端末に対してどの範囲を割り当てるかを設定できません。

イ：**URLフィルタリング**とは，閲覧できるWebサイトを制限するために，指定したURLを許可・拒否する機能です。

ウ：正解です。

エ：プライバシセパレータ機能とは，同じ無線LANのアクセスポイントに接続している情報機器同士の直接通信を禁止する機能です。アクセスポイントアイソレーションともいいます。

正解：ウ

練習問題❸

〔情報セキュリティマネジメント試験 令和元年秋 午前問18〕

問 WPA3はどれか。

ア HTTP通信の暗号化規格

イ TCP/IP通信の暗号化規格

ウ Webサーバで使用するディジタル証明書の規格

エ 無線LANのセキュリティ規格

《解説》

WPA3とは，無線LANの通信を暗号化するWPA2で発見された脆弱性を補った暗号技術です。しかし，WPA3にも既に脆弱性が発見されています。

正解：エ

重要度★★★

5-8 その他の製品

サイバー攻撃の多様化・巧妙化に伴い，情報セキュリティ製品の種類も増加しています。ここでは，これまでに紹介していない製品を説明します。

検疫(けんえき)[*1] ネットワーク

マルウェアが社内ネットワークに侵入することを防ぐために，**PC**を**接続**する**前**に，マルウェアに感染されていないかを**検査**する仕組みです。例えば，外出先で使用したPCを社内ネットワークに接続しようとすると，まず，検疫ネットワークによりマルウェア感染の検査が行われます。感染なしと判明して初めて，社内ネットワークに接続できるようになります。

*1：検疫
伝染病が国内へ侵入することを防ぐために，空港・海港・国境で，人・動物・食品などが伝染病に汚染されているかを検査すること。これになぞらえて，検疫ネットワークという。

耐(たい)タンパ性(せい)[*2]

ICカードなどの，中身の細工(さいく)・改ざん・偽造(ぎぞう)に対する耐性です。例えば，耐タンパ性があるICカードでは，ICチップに触ると，記憶内容が破壊されて，外部から盗み見されることを防ぐ技術が使われています。また，**電子透(す)かし**は，音楽データなどに著作権者の情報を埋め込むことから，偽造を防ぎ，耐タンパ性を高めます。

*2：耐タンパ性
語源は，tamper（改ざんする）＋resistant（耐える・抵抗力のある）から。

DLP[*3]

組織[*4]内のデータが外部に情報漏えいすることを防ぐための製品です。手順は，次のとおりです。

*3：DLP
Data Loss Prevention（データ漏えい防止）の略。

*4：組織
企業・役所・法人・団体などを含む。

① 組織内に存在する機密情報を検索・検出する。
② 機密情報が含まれるファイルの利用状況を監視する。
③ 機密情報のコピー・変更・送信を制限する。

SIEM（シーム）[*5]

サーバ・ネットワーク機器・セキュリティ関連機器・アプリケーションから集めた**ログ**を**分析**し，異常を発見した場合，**管理者**に**通知**して対策する仕組みです。巧妙化するサイバー攻撃に対抗するため，事前の予兆から異常を発見する機能や，リスクが顕在化[*6]したあとで原因を追跡するための機能が備わっています。

UTM[*7]

様々な**セキュリティ製品をまとめた**，中小企業向けの製品を使って対策を行うことです。マルウェア対策ソフト・ファイアウォール・IDS・IPS・WAFなど，対策に必要なセキュリティ製品の機能を一通り備えた製品を使います。1つずつ全製品を揃えるよりも安価であり，設定・管理が簡素化されているため手間がかからない一方で，拡張性が劣（おと）ったり，融通（ゆうずう）が利（き）かなかったりするデメリットがあります。

SSL/TLSアクセラレータ[*8]

WebサーバのCPU負荷を軽減するために，SSLやTLSによる暗号化と復号の処理を，Webサーバでなく，それ専門で行うための製品です。

SSLとは，通信データを暗号化するためのプロトコル[*9]です。なお，SSLに脆弱性（ぜいじゃくせい）が見つかったため，SSLは，SSLをもとに作られた**TLS**に置き換えられました。しかし，SSLの方が広く名称が知られているため，SSLアクセラレータとも呼ばれています。

***5：SIEM**
Security Information and Event Management（セキュリティ情報イベント管理）の略。

***6：顕在化（けんざいか）**
リスクが現実になること。

***7：UTM**
Unified Threat Management（統合脅威管理）の略。

***8：SSL/TLSアクセラレータ**
語源は，SSL/TLS＋accelerator（加速するもの）から。TLSアクセラレータともいう。

***9：プロトコル**
ネットワーク通信に必要な約束事・取り決め。

プロキシサーバ*10

社内ネットワークとインターネットの境界に配置し，**インターネットとの接続を代理**する機器です。アクセス可能なWebサイトを制限します。特徴は，次のとおりです。

- 受信したWebページを，一時的に保存する**キャッシュ機能**により，一度見たWebサイトを再度閲覧する場合，毎回Webサイトを読み直さず，保存されたキャッシュを表示させることで，通信を減らし**高速表示**する。
- プロキシサーバ上でキャッシュに保存されたファイルの**マルウェア**を**検出**できる。

*10：プロキシサーバ
語源は，proxy（代理）+ server（サーバ）から。

リバースプロキシサーバ

インターネットとWebサーバの境界に配置し，**Webサーバへの接続を代理**する機器です。Web閲覧者からの通信要求を，リバースプロキシサーバがWebサーバに代わって処理します。特徴は，次のとおりです。

- インターネットからWebサーバへの接続は，直接でなく，リバースプロキシサーバを経由して間接的に行うため，外部からのWebサーバへの**直接攻撃**を**防ぐ**。
- 処理に時間がかかる暗号化通信を，Webサーバの代わりに，リバースプロキシサーバが行うことにより，Webサーバの**負荷**を**軽減**する。

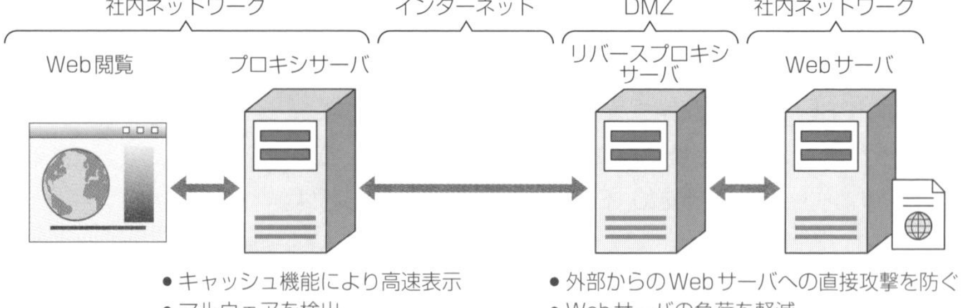

BYOD[*11]

個人所有（**私物**）の情報機器を**業務**で**利用**することです。メリットは，企業がPC・スマホなどの情報機器を購入せずに済むため，コストを削減できることです。また，利用者は，使い慣れた機器で仕事ができるため，仕事の生産性や効率が向上します。

一方で，デメリットは，私物の情報機器で業務上の情報を扱うため，機器を外部へ持ち出した際に，誤って情報が漏えいする危険性が増大することです。BYODを導入するのであれば，それに対応したルールづくりが必要です。

関連する用語は，次のとおりです。

- **シャドーＩＴ**[*12]
  個人所有（私物）の情報機器を，許可なく業務に利用すること。

- **サンクションＩＴ**[*13]
  個人所有（私物）の情報機器を，組織から許可を得て利用すること。シャドーＩＴの反対語。

MDM[*14]

企業が自社の従業員に貸し出す**スマートフォン**の利用状況を**遠隔地**から**一元管理**する仕組みです。用途は，次のとおりです。

- すべてのスマートフォンに対し，企業の情報セキュリティポリシに従った設定を行う。
- 紛失・盗難時の情報漏えい対策として，遠隔地からスマートフォンをロックしたり，**リモートワイプ**[*15]したりする。
- すべてのスマートフォンに対し，一斉に同じアプリケーションをインストールする。

***11：BYOD**
Bring Your Own Device（私物の機器を業務で利用する）の略。

***12：シャドーＩＴ**
語源は，Shadow（影の）＋ＩＴから。

***13：サンクションＩＴ**
語源は，Sanctioned（認可された）＋ＩＴから。

***14：MDM**
Mobile Device Management（モバイルデバイス管理）の略。

***15：リモートワイプ**
遠隔地から，情報機器のデータの消去を行うこと。

EDR[*16]

不正な挙動の**検知**と，マルウェア感染後の速やかな**インシデント対応**を目的に，組織内の**情報端末**を**監視**する製品です。マルウェア感染を未然に防ぐことが困難なため，感染後の対応を効率的に行うことに主眼を置いています。

***16：EDR**
Endpoint Detection and Responseの略。語源は，Endpoint（末端で）脅威をDetection（検知し）Response（対応）することを支援することから。

VDI[*17]

通常は，情報機器が行う処理を，サーバ上の**仮想環境**上で行い，情報機器にはその**画面だけ**を**転送**する方式です。アプリケーション・データなどはすべてサーバ上にあり，利用者の情報機器にはないことによるメリットは，次のとおりです。

***17：VDI**
Virtual Desktop Infrastructure（仮想デスクトップ基盤）の略。

- 情報機器の管理を，個人任せにせず，サーバ側で統括して行える。そのため，最新のマルウェア定義ファイル・セキュリティパッチ[*18]を速やかに適用でき，抜け・漏れを防げる。
- 情報機器にはデータが入っていないため，紛失・盗難があっても情報漏えいを防げる。

***18：セキュリティパッチ**
OS・ソフトウェアの脆弱性を修正するためのファイル。語源は，つぎはぎ用のあて布（patch）から。修正プログラムともいう。

VDIは，仮想環境上で処理を行い，画面を転送します。一方で，**シンクライアント**は，実機上で処理を行う点が異なります。

LANアナライザ[*19]

ネットワーク上を通過する通信データを監視・記録するための機器，またはソフトウェアです。

***19：LANアナライザ**
語源は，LAN＋Analyzer（測定器）から。

◆ミラーポート[*20]

ネットワーク機器のポートで送受信するデータと同じデータを，別のポートから同時に送出する機能です。LANアナライザと組み合わせて使うことで，通信データを監視・記録できます。

***20：ミラーポート**
語源は，Mirror（鏡）＋Port（差込口）から。

セキュアブート[*21]

OS起動時のマルウェア感染を防ぐために，書換えができないROM[*22]から起動したり，デジタル署名により改ざんを検知したりしながら，OSを起動する方法です。

TPM[*23]

セキュリティチップともいい，PCに内蔵された，耐タンパ性がある半導体です。TPMが内蔵されたPC内の，暗号化されたハードディスクが万一，盗難にあっても，他のPCでは，データの読出しが困難なため，不正な持出しの対策となります。また，暗号や認証のために用いる，次の機能が搭載されています。

- RSAによる暗号化と復号，公開鍵・秘密鍵の生成
- ハッシュ関数による計算
- デジタル署名の生成・検証

WORM（ワーム）[*24]

書込みは**1回限り**で，読取りは何回も可能な記憶媒体です。例えば，CD-R・DVD-R・BD-Rがあります。一度書き込んだ情報は，消去も書き換えもできないため，ログ[*25]など，故意に消される危険性があるデータを保存する場合に使います。

ゼロトラスト[*26]

社内（内部）を信用できる領域，社外（外部）を信用できない領域として，外部からの通信を遮断する**境界型防御**でなく，内部ネットワークすら信用できない領域とし，すべての通信を検査・認証するという情報セキュリティの概念です。

***21：セキュアブート**
語源は，secure（安全な）＋boot（起動）から。

***22：ROM（ロム）**
語源は，Read Only Memory（読込み専用メモリ）から。

***23：TPM**
Trusted Platform Moduleの略。

***24：WORM**
Write Once Read Manyの略。

***25：ログ**
通信履歴。システムやネットワークで起きた異常を時系列に記録・蓄積したデータ。あとでたどったり，分析したりする目的で利用する。

***26：ゼロトラスト**
英語で，Zero Trust。

ゼロ知識証明

ある人がある事柄を証明したいときに，機密情報を明かすことなくそれを証明するための手法です。

練習問題❶

〔応用情報技術者試験 令和3年秋 午前問40〕

問 IoTデバイスの耐タンパ性の実装技術とその効果に関する記述として，適切なものはどれか。

ア CPU処理の負荷が小さい暗号化方式を実装することによって，IoTデバイスとサーバとの間の通信経路での情報の漏えいを防止できる。

イ IoTデバイスにGPSを組み込むことによって，紛失時にIoTデバイスの位置を検知して捜索できる。

ウ IoTデバイスに光を検知する回路を組み込むことによって，ケースが開けられたときに内蔵メモリに記録されている秘密情報を消去できる。

エ IoTデバイスにメモリカードリーダを実装して，IoTデバイスの故障時にはメモリカードをIoTデバイスの予備機に差し替えることによって，IoTデバイスを復旧できる。

《解説》

耐（たい）**タンパ性**（せい）とは，ICカードなどの，中身の細工（さいく）・改ざん・偽造（ぎぞう）に対する耐性です。例えば，耐タンパ性があるICカードでは，ICチップに触ると，記憶内容が破壊されて，外部から盗み見されることを防ぐ技術が使われています。

正解：ウ

練習問題❷　〔情報セキュリティマネジメント試験 平成28年秋 午前問15〕

問　SIEM（Security Information and Event Management）の機能として，最も適切なものはどれか。

ア　機密情報を自動的に特定し，機密情報の送信や出力など，社外への持出しに関連する操作を検知しブロックする。
イ　サーバやネットワーク機器などのログデータを一括管理，分析して，セキュリティ上の脅威を発見し，通知する。
ウ　情報システムの利用を妨げる事象を管理者が登録し，各事象の解決・復旧までを管理する。
エ　ネットワークへの侵入を試みるパケットを検知し，通知する。

《解説》

SIEM（シーム）とは，サーバ・ネットワーク機器・セキュリティ関連機器・アプリケーションから集めたログを分析し，異常を発見した場合，管理者に通知して対策する仕組みです。巧妙化するサイバー攻撃に対抗するため，事前の予兆から異常を発見する機能や，リスクが顕在化したあとで原因を追跡するための機能が備わっています。

ア：DLPの機能です。**DLP**とは，組織内のデータが外部に情報漏えいすることを防ぐための製品です。
イ：正解です。SIEMの機能です。
ウ：問題管理データベースの説明です。
エ：IDSの機能です。**IDS**とは，ネットワークやホストをリアルタイムで監視し，不正アクセスなどの異常を発見し，管理者に通報する製品です。

正解：イ

第5章 情報セキュリティ製品

練習問題❸ 〔情報セキュリティマネジメント試験 平成30年春 午前問9〕

問 ネットワーク障害の発生時に，その原因を調べるために，ミラーポート及びLANアナライザを用意して，LANアナライザを使用できるようにしておくときに，留意することはどれか。

ア LANアナライザがパケットを破棄してしまうので，測定中は測定対象外のコンピュータの利用を制限しておく必要がある。
イ LANアナライザはネットワークを通過するパケットを表示できるので，盗聴などに悪用されないように注意する必要がある。
ウ 障害発生に備えて，ネットワーク利用者に対してLANアナライザの保管場所と使用方法を周知しておく必要がある。
エ 測定に当たって，LANケーブルを一時的に抜く必要があるので，ネットワーク利用者に対して測定日を事前に知らせておく必要がある。

《解説》

LANアナライザとは，ネットワーク上を通過する通信データを監視・記録するための機器，またはソフトウェアです。ミラーポートとは，ネットワーク機器のポート（差込口）で送受信するデータと同じデータを，別のポートから同時に送出する機能です。LANアナライザと組み合わせて使うことで，通信データを監視・記録できます。

ア：LANアナライザは，パケットを破棄するわけではありません。また，測定対象外のコンピュータの利用を制限する必要はありません。
イ：正解です。通信データの盗聴に悪用できうるため，注意する必要があります。
ウ：LANアナライザにより，監視・記録される事態を防ぐため，LANアナライザの保管場所・使用方法を周知してはいけません。
エ：LANケーブルを抜く必要はありません。LANアナライザで通信データを受信するために，LANケーブルはミラーポートに差す必要があります。

正解：イ

練習問題❹

〔応用情報技術者試験 令和5年秋 午前問42〕

問 セキュアブートの説明はどれか。

ア BIOSにパスワードを設定し，PC起動時にBIOSのパスワード入力を要求することによって，OSの不正な起動を防ぐ技術

イ HDD又はSSDにパスワードを設定し，PC起動時にHDD又はSSDのパスワード入力を要求することによって，OSの不正な起動を防ぐ技術

ウ PCの起動時にOSのプログラムやドライバのデジタル署名を検証し，デジタル署名が有効なものだけを実行することによって，OS起動完了前のマルウェアの実行を防ぐ技術

エ マルウェア対策ソフトをスタートアッププログラムに登録し，OS起動時に自動的にマルウェアスキャンを行うことによって，マルウェアの被害を防ぐ技術

《解説》

セキュアブートとは，OS起動時のマルウェア感染を防ぐために，書換えができないROMから起動したり，デジタル署名により改ざんを検知したりしながら，OSを起動する方法です。

ア：**BIOSパスワード**の説明です。
イ：**HDDパスワード**の説明です。
ウ：正解です。セキュアブートの説明です。
エ：セキュアブートとは無関係です。

正解：ウ

第5章 情報セキュリティ製品

TOPICS

受験者の生の声

著者が勤務する専門学校の学生による受験後の感想は，次のとおりです。

- **緊張**してしまい，試験に集中できなかった。試験中に何度か**深呼吸**をして，自分を落ち着かせた。
- **本人確認書類**（運転免許証・学生証など）を持っていないため，受験を拒まれた人を試験会場で見かけた。
- 試験会場に着くまでは落ち着いていたが，試験室に入った瞬間からとても緊張して焦った。
- 試験初めの受験者向けチュートリアルは重要。画面の**白黒反転**（目の疲れを抑える）・**後で見直す**（目印を付ける）・**縮小表示**（長い問題文を見渡す）など，便利な機能の紹介があるため。
- 序盤に時間を使い過ぎて，見直しの時間を確保できなかった。**時間配分**は重要。
- エアコンからの風の直撃に遭い，寒くて集中できなかった。上着を持っていけばよかった。
- 試験中に**白紙のメモ用紙**と**ボールペン**を使用できた。ただし，ボールペンでは消せないため，試験の学習時のシャープペンシルとは異なり，とまどった。
- 追加の**メモ用紙**は，監督員を呼べばもらえる。
- 自分の得意な分野や，解けそうな問題から先に解いた方が，焦らずに解答に集中できる。
- 公開されているサンプル問題がまだ数少ないので，その貴重な問題を収録した**模擬問題**（➡p.417）と**サンプル問題**（➡p.493）を繰り返し解いた。
- 科目Bは知識と着眼点を習得すると，点数が取りやすい。書籍の序章2「科目B **虎の巻**」（➡p.055）を丸暗記した。

第6章

セキュリティ関連法規

情報セキュリティを危険にさらす新たな手口・技術が次々と生み出されることに伴って，その対策として，法律が増え続けています。この章では，情報セキュリティに関連する法律を学びます。

重要度★★☆

6-1 知的財産権

ＩＴで取り扱う情報・データは，容易にコピーできます。しかし，価値あるアイデアを出しても，その対価が支払われずに，次々とコピーされると，アイデアを出すことをやめてしまい，ひいては文明の発達をも妨げかねません。そのため，法律による権利の保護が必要です。

知的財産権

人間の知的な活動から生じる創造物に対して与えられる財産権です。大別すると，**著作権**・**産業財産権**・**営業秘密**[*1]があります。各権利とそれに対応する法律は，次のとおりです。

***1：営業秘密**
トレードシークレットともいう。

権利の名称	保護する対象	法律
知的財産権		
著作権	**創作された表現**	著作権法
著作者人格権	**著作者**の利益・名誉を侵害する，**著作物の利用**	著作権法
著作財産権	著作物を**公開**することで得られる**財産**	著作権法
産業財産権	特許権・実用新案権・意匠権・商標権の総称	
特許権	自然法則を利用した創作で，高度な**発明**	特許法
実用新案権	発明自体ではなく，革新的な**アイデア**	実用新案法
意匠権	製品の価値を高める形状や**デザイン**	意匠法
商標権	商品の名称や**ロゴマーク**	商標法
営業秘密	企業のノウハウや**アイデア**	不正競争防止法

著作権法

創作された表現を保護する法律です。申請や出願が不要で，著作物が創作された時点で権利が発生します。著作権法の対象のうち，試験でよく出題されるものは，次のとおりです。

- 対象　：プログラム・データベース
- 対象外：**プログラム言語**・**アルゴリズム**・**規約**・統計情報

著作権は，著作者人格権と著作財産権の２つに分けられます。

◆著作者人格権

著作者の利益・名誉を侵害（しんがい）する，**著作物の利用**を禁止する権利です。著作者だけのものであるため，他者へ譲渡（じょうと）できません。著作者人格権に含まれる権利は，次のとおりです。

表：著作者人格権に含まれる権利

公表権	未発表の著作物を公表する権利
氏名表示権	著作者名を表示する権利
同一性保持権	著作物の変更・削除・改変を禁止する権利

◆著作財産権

著作物を**公開**することで得られる**財産**の権利です。著作者でなく，著作物を公表する権利のため，他者へ譲渡できます。著作財産権に含まれる権利（一部）は，次のとおりです。

表：著作財産権に含まれる権利（一部）

複製権	著作物をコピーする権利
上演権	公衆を対象に実演する権利
公衆送信権	テレビ・インターネットなどで，不特定多数に向けて著作物を発信する権利
口述（こうじゅつ）権	不特定多数を対象に著作物を朗読（ろうどく）する権利

第6章 セキュリティ関連法規

著作者人格権よりも，著作財産権が問題となることが一般的です。著作財産権は，他人に譲渡できるためです。例は，次のとおりです。

- プログラムの不正コピー。（複製権の侵害）
- CDから作ったMP3ファイルをWebサイトで公開する。（上演権の侵害）
- 他人の著作物を許可なくWebサイトでダウンロードできる状態にする。（公衆送信権の侵害）

◎ 産業財産権

知的財産権のうち，特許権・実用新案権・意匠権・商標権の総称です。産業財産権は，新しい発明・デザイン・ネーミングなどに独占権を与え，模倣（もほう）を防止するために保護します。

◆特許権・著作権・営業秘密

3つは類似していますが，次の点で異なります。

表：特許権・著作権・営業秘密

	特許権	著作権	営業秘密
対象	自然法則を利用した創作で，高度な**発明**	**創作された表現物**	技術上・営業上の情報や**アイデア**
出願	出願しなければ権利が発生しない。	出願がなくても，創作された段階で権利が発生する。	
公開	権利の内容が公開される。	秘匿したまま権利を保護できる。	
保護期間	原則，出願日から**20年**	**著作者の死後70年**	**半永久的**

著作権（著作物）と営業秘密は，情報の存在を秘匿（ひとく）したまま保護できます。一方で，特許は公開されるため，特許に該当する営業秘密について，あえて特許をとらないケースが増えています。

不正競争防止法

営業秘密を保護し不正競争を防止することにより，企業間の公正な競争の促進を目的とした法律です。第三者が営業秘密を不正に入手・使用する場合，企業に差止請求権・損害賠償請求権などが認められます。不正競争防止法でいう営業秘密の要件は，次の3点です。

- **秘密管理性**：客観的に秘密として管理されている。
- **有用性**：事業活動にとって有用である。
- **非公知性**（ひこうちせい）：一般的には知られていない。容易に知ることができない。

また，不正競争防止法は，商品の形態をまねたり，表示を類似させて別のものと誤認させたりすることを禁止します。

練習問題❶

〔基本情報技術者試験 平成29年春 午前問79〕

問 著作権法によるソフトウェアの保護範囲に関する記述のうち，適切なものはどれか。

ア　アプリケーションプログラムは著作権法によって保護されるが，OSなどの基本プログラムは権利の対価がハードウェアの料金に含まれるので，保護されない。
イ　アルゴリズムやプログラム言語は，著作権法によって保護される。
ウ　アルゴリズムを記述した文書は著作権法で保護されるが，そのアルゴリズムを用いて作成されたプログラムは保護されない。
エ　ソースプログラムとオブジェクトプログラムの両方とも著作権法によって保護される。

《解説》

著作権法とは，創作された表現を保護する法律です。申請や出願が不要で，著作物が創作された時点で権利が発生します。著作権法の対象のうち，試験でよく出題されるものは，次のとおりです。

- 対象　：プログラム・データベース
- 対象外：プログラム言語・アルゴリズム・規約・統計情報

ア：OSなどの基本プログラムは，著作権法の対象です。
イ：アルゴリズムやプログラム言語は，著作権法の対象外です。
ウ：プログラムは，著作権法の対象です。
エ：正解です。プログラムは著作権法の対象です。なお，ソースプログラム（ソースコードともいう）とは，プログラム言語で記述されたプログラムです。オブジェクトプログラムとは，コンパイラがソースプログラムをコンピュータが実行できる形式に変換してできたプログラムです。

正解：エ

練習問題❷

〔基本情報技術者試験 平成28年秋 午前問79〕

問　プログラム開発において，法人の発意に基づく法人名義の著作物について，著作権法で規定されているものはどれか。

ア　就業規則などに特段の取決めがない限り，権利は法人に帰属する。
イ　担当した従業員に権利は帰属するが，法人に譲渡することができる。
ウ　担当した従業員に権利は帰属するが，法人はそのプログラムを使用できる。
エ　法人が権利を取得する場合は，担当した従業員に相当の対価を支払う必要がある。

《解説》

法人の発意（指示・意思決定）に基づく法人名義の著作物の権利は，法人に帰属します。

正解：ア

練習問題❸

〔応用情報技術者試験 令和元年秋 午前問78〕

問 プログラムの著作物について，著作権法上，適法である行為はどれか。

ア 海賊版を複製したプログラムと事前に知りながら入手し，業務で使用した。
イ 業務処理用に購入したプログラムを複製し，社内教育用として各部門に配布した。
ウ 職務著作のプログラムを，作成した担当者が独断で複製し，他社に貸与した。
エ 処理速度を向上させるために，購入したプログラムを改変した。

《解説》

ア：海賊版（著作権を無視した複製物）を用いることは，違法な行為です。
イ：著作物を許可なく複製したり，頒布（配布など）したりすることは，違法な行為です。
ウ：職務著作とは職務として作成した著作であり，著作権者はその著作を発意した企業などです。作成した担当者が著作権者の許可なく複製することは，違法な行為です。
エ：正解です。処理速度を向上させるために，購入したプログラムを改変することは著作権法上，適法な行為です。

正解：エ

重要度★★★

6-2 セキュリティ関連法規

ＩＴの進展にともなって，多くの情報セキュリティに関する法律が制定されてきました。情報セキュリティの担当者は，法令順守のため，情報セキュリティ関連の法律を理解する必要があります。

サイバーセキュリティ基本法

国家レベルでサイバーセキュリティ対策を強化する体制を構築するための法律です。**サイバーセキュリティ戦略本部を内閣官房**に設置し，政府や行政機関のサイバーセキュリティ対策を指揮します。対象者別に，次の責務を規定しています。

- 国・地方公共団体[*1]は，サイバーセキュリティの施策を策定・実施する責務がある。
- 重要社会基盤事業者[*2]・サイバー関連事業者[*3]は，サイバーセキュリティの確保に努める。
- 国民は，サイバーセキュリティの確保に必要な注意を払うよう努める。

***1：地方公共団体**
都道府県・市町村。

***2：重要社会基盤事業者**
情報通信・電力・ガス・航空・鉄道など，重要インフラの事業者。

***3：サイバー関連事業者**
ネットワークの整備・情報通信技術の活用・サイバーセキュリティに関する事業を行う者。

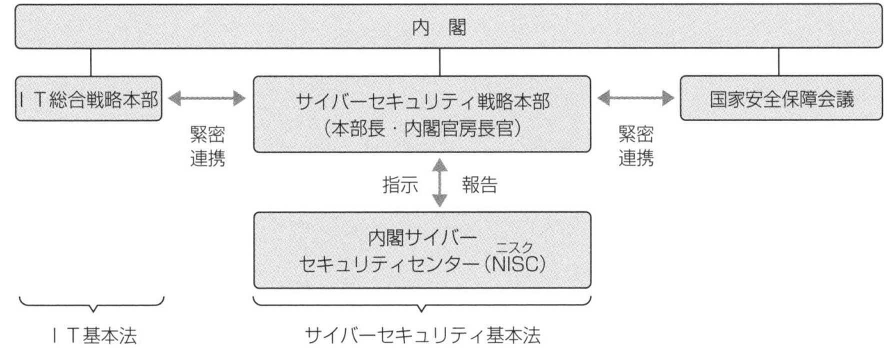

サイバーセキュリティ基本法の成立前に比べ，次の点で，サイバーセキュリティ戦略本部の権限が強化されました。

- **政府の推進体制を構築**
  日本のサイバーセキュリティ分野の司令塔を担うために，サイバーセキュリティ戦略本部と，その事務処理を行う**内閣サイバーセキュリティセンター**（NISC（ニスク）*4）を設置する。

- **各省庁への権限**
  従来は各省庁が自主的な監査を行っていたが，NISCが各省庁の監査（マネジメント監査と**ペネトレーションテスト**）を行う。

- **基本戦略**
  基本法に基づく**サイバーセキュリティ戦略** *5へと格上げした。

***4：NISC**
National center of Incident readiness and Strategy for Cybersecurityの略。

***5：サイバーセキュリティ戦略**
基本法に基づき，閣議決定・国会報告を行う。

基本法とは

サイバーセキュリティ基本法にもあるような「基本法」という名称をもつ法律には，次の特徴があります。

- 国政に重要なウェイトを占める分野について，国の制度・政策・対策に関する基本方針を明示する。
- いわば「親法」として，他の法律に対して優越的な地位にあり，行政上の施策の方向付けと，他の法律・行政を指導・誘導する役割を果たす。
- 従来の，憲法➡法律➡命令（政令省令など）から，最近では，憲法➡基本法➡法律➡命令という法体系に変容しているとされることもある。

刑法*6

刑法には，情報セキュリティやコンピュータに関する罪が記されています。

*6：刑法
犯罪に関する規定・個別の犯罪の成立要件・刑罰を定める法律。

表：情報セキュリティやコンピュータに関する罪

罪名	例
不正指令電磁的記録に関する罪（マルウェア作成罪）	マルウェアを作成する。
電子計算機使用詐欺(さぎ)罪	なりすましをする。データを改ざんする。
電子計算機損壊等業務妨害(ぼうがい)罪	コンピュータやデータを破壊し，業務を妨害する。
電磁的記録不正作出及び供用罪	データを偽造(ぎぞう)する。偽造データを使用する。
支払用カード電磁的記録不正作出等罪	クレジットカード・キャッシュカードを偽造する。

不正アクセス禁止法

ネットワーク経由で，コンピュータへ不正にアクセスする行為や，それを助長する行為を処罰する法律です。この法律を適用するためには，利用者ID・パスワードの適切な管理が求められます。

刑法は，データの改ざん・消去を処罰の対象にしています。一方で，不正アクセス禁止法は，ネットワーク・コンピュータへの侵入を処罰の対象にしています。

不正アクセス行為の例は，次のとおりです。

- 他人の利用者ID・パスワードを無断使用し，不正アクセスする行為。
- セキュリティホールを突いた侵入攻撃。

不正アクセス行為を助長する行為の例は，次のとおりです。

- 他人のパスワードを許可なく第三者に教える行為。

個人情報保護法

企業が個人情報を保護するための取扱いを定めた法律です。

- 個人情報とは，氏名・生年月日などにより，特定の個人を識別できる情報。
- 適正な方法により個人情報を取得し，個人情報の利用は原則，収集目的の範囲内で行う。
- 個人情報の漏えいを防ぐため，情報セキュリティ対策を行う。
- 開示・訂正・削除を求められた場合は，原則として応じる。

◆利用目的

利用目的について，個人情報保護法では，次の規定があります。

- 本人から**直接**，個人情報を**取得**する場合は，利用目的を**明示**しなければならない。
- 個人情報を取得した場合は，利用目的を，本人に**通知**・**公表**しなければならない。

◆個人情報の種類

個人情報の種類は，次のとおりです。

個人情報		特定の個人を識別できる情報。
	特定個人情報	個人番号（マイナンバー）を含む個人情報。
	要配慮個人情報	不当な差別・偏見などの不利益が生じないように，その取扱いに特に配慮を要する個人情報。
	個人識別符号	•特定の個人の身体の一部の特徴（指紋データ・顔認証データなど）。 •個人に付与される符号（免許証番号・旅券番号など）。

なお，**要配慮個人情報**とは，不当な差別・偏見などの不利益が生じないように，その取扱いに特に配慮を要する個人情報です。例えば，人種・信条・病歴・犯罪の経歴・障害があります。

要配慮個人情報の取得や第三者への提供には，原則として本人の同意が必要です。

◆匿名加工情報

特定の個人を識別することができないように個人情報を加工し，個人情報を復元できないようにした情報です。匿名加工情報は，次のルールに基づくことで，本人の同意を得ることなく，事業者間におけるデータ取引・データ連携を行えます。これにより，匿名加工情報を**ビッグデータ**[*7]として有効に活用することもできます。

***7：ビッグデータ**
今までは管理しきれず見過ごされてきた巨大なデータを収集し，解析することで，これまでにない新たな仕組みやビジネスを生み出すとされているもの。

- **適切な加工**
  特定の個人を識別できる記述を削除・置換する。例えば，氏名・個人識別符号（指紋など）・個人情報と結び付く番号（顧客番号など）を削除・置換する。

- **安全管理措置**
  匿名加工情報の加工方法など情報の漏えい防止の対策を打つ。

- **公表義務**
  匿名加工情報を作成したときや，匿名加工情報を第三者に提供するときに公表する。

- **識別行為の禁止**
  本人を識別するために，匿名加工情報を他の情報と照合することは禁止。

◆個人情報保護委員会

個人情報保護法に基づき発足された，国の行政機関です。個人情報取扱事業者は，個人情報が漏えいした場合，事実関係・再発防止策を，個人情報保護委員会などに報告するよう努めるべきです。

ただし，次の２つに該当する場合，個人情報保護委員会などに報告する必要はないとされています。

- 実質的に個人データなどが，外部に漏えいしていないと判断される場合。例は次のとおり。
  - 高度な**暗号化**等の秘匿化(ひとくか)がされている場合。
  - 第三者に閲覧されないうちに**全て**を**回収**した場合。
  - 第三者では，個人情報への**復元**が**できない**場合。
- FAX・メールの誤送信や，荷物の誤配のうち，**宛名・送信者名以外**の個人情報が**含まれていない**場合。

特定電子メール法

迷惑メール・スパムメールを防止するための法律です。送信者の氏名やメールアドレスの表示義務・受信者の同意のないメールの規制・架空のメールアドレスによる送信の規制が定められています。

特定電子メール法では，広告・宣伝メールを**送信**するためには，**オプトイン方式**を採用しなければいけません。また，**オプトアウト方式**によるメール**送信拒否**の**要求**に応じなければいけません。

- **オプトイン*8方式**
  メール受信者が，メール送信者からのメール送信にあらかじめ同意した場合だけ，メール送信者はメールを送信してよい方式。
- **オプトアウト*9方式**
  メール送信者が，受信者からメール送信をしないように求める通知を受けたときは，メール送信を取りやめる方式。

特定電子メール法で規制の対象となるものは，次のとおりです。

- 対象　：メールとSMS*10。国内からの送信。国内に着信。
- 対象外：**非営利**目的の送信。広告・宣伝を**含まない**もの。

***8：オプトイン**
受信者がメール送信者に対し，メール送信に同意すること。語源は，opt-in（選択）から。

***9：オプトアウト**
受信者がメール送信者に対し，メール送信をしないように通知すること。語源は，opt-out（脱退）から。

***10：SMS**
ショートメッセージサービス（Short Message Service）。電話番号を宛先にして短い文章を送受信できる。

その他の法律

情報セキュリティに関する法律は，増加傾向にあります。ここまでに紹介したもの以外の法律は，次のとおりです。

***11：ISP**
Internet Services Provider（インターネットサービスプロバイダ）の略で，インターネット接続業者のこと。

***12：GDPR**
General Data Protection Rule（一般データ保護規則）の略。

表：情報セキュリティに関するその他の法律

法律名	説明
マイナンバー法	国民に固有の番号を付与し，社会保障や納税の情報を一元管理する番号制度に関する法律。マイナンバーは個人番号ともいう。
電子署名法	**デジタル署名**に，自筆の署名や印鑑による捺印（なついん）と同じ効力をもたせるための法律。
プロバイダ責任制限法	インターネットでプライバシや著作権が侵害された場合に，特定電気通信役務提供者（**ISP**[*11]やWebサイト管理者）に対し情報の開示を請求する権利や，ISPが負う損害賠償責任の範囲を定めた法律。求められた場合に，ISPが迅速に情報開示することを目的としている。
ＩＴ基本法	世界最先端の**ＩＴ国家**にするために，国のＩＴ戦略の基本理念を定めた法律。
ｅ-文書法	企業の書類や財務帳簿を，電子データで保存することを認める法律。**電子文書法**ともいう。
電子帳簿保存法	**国税**関係帳簿書類を，電子データで保存することを認める法律。
特定商取引に関する法律	特定商取引（通信販売・訪問販売など）における，事業者と消費者との間のトラブルを防ぐための法律。業者や商取引についての情報開示・勧誘方法の規制・クーリングオフ制度による解決手続きなどについて定められている。特定商取引を行うすべての事業者に適用される。
製造物責任法（PL法）	製造物の欠陥により，被害が生じた場合における，製造業者の損害賠償の責任について定めた法律。製造物に限定されるため，ハードウェアは法律の対象だが，ソフトウェア・データは対象外。
GDPR[*12]	欧州連合（EU）の**個人情報保護法制**。対象は，EU域内の居住者の個人情報だが，それを取り扱う場合には，EU域外に拠点を置く日本企業などにもGDPRを遵守することが求められる。

◎ 情報倫理

情報倫理に関連する用語は，次のとおりです。

◆ミスインフォメーション[*13]

事実誤認や過失により誤解を招く文脈で発信される，故意や悪意のない**誤情報**です。

◆ディスインフォメーション[*14]

社会への攻撃を目的とした害意のある情報です。**偽**の**情報**だけでなく，誤った文脈で拡散される真の情報も含まれます。

◆マルインフォメーション[*15]

リークやハラスメントなど，害意をもって広められる**真**の**情報**です。機密情報や個人情報の暴露を含むことが多いです。

◆デジタルタトゥー[*16]

情報をインターネットで一度公開すると，消すことは困難になり，残り続けることです。

◆ファクトチェック

情報の正確性・妥当性を検証するプロセスです。誤情報・デマが広がるのを防ぐために，日本ファクトチェックセンター（JFC）などが，情報源の確認・証拠の検証などを行っています。

***13：ミスインフォメーション**
英語で，Misinformation（誤情報）。

***14：ディスインフォメーション**
英語で，Disinformation（偽情報）。

***15：マルインフォメーション**
英語で，Malinformation（悪意ある情報）。

***16：デジタルタトゥー**
英語で，Digital＋tattoo（刺青・入れ墨）。

練習問題❶

〔情報セキュリティマネジメント試験 平成30年秋 午前問32〕

問 不正アクセス禁止法で規定されている，“不正アクセス行為を助長する行為の禁止”規定によって規制される行為はどれか。

ア 正当な理由なく他人の利用者IDとパスワードを第三者に提供する。
イ 他人の利用者IDとパスワードを不正に入手する目的でフィッシングサイトを開設する。
ウ 不正アクセスを目的とし，他人の利用者IDとパスワードを不正に入手する。
エ 不正アクセスを目的とし，不正に入手した他人の利用者IDとパスワードをPCに保管する。

《解説》

不正アクセス禁止法とは，ネットワーク経由で，コンピュータへ不正にアクセスする行為や，それを助長する行為を処罰する法律です。また，不正アクセス行為を助長する行為の例は，他人のパスワードを許可なく第三者に教える行為です。

正解：ア

練習問題❷

〔応用情報技術者試験 平成31年春 午前問78〕

問　個人情報のうち，個人情報保護法における要配慮個人情報に該当するものはどれか。

ア　個人情報の取得時に，本人が取扱いの配慮を申告することによって設定される情報
イ　個人に割り当てられた，運転免許証，クレジットカードなどの番号
ウ　生存する個人に関する，個人を特定するために用いられる勤務先や住所などの情報
エ　本人の病歴，犯罪の経歴など不当な差別や不利益を生じさせるおそれのある情報

《解説》

個人情報保護法における**個人情報**の種類は，次のとおりです。

個人情報		特定の個人を識別できる情報。
	特定個人情報	個人番号（マイナンバー）を含む個人情報。
	要配慮個人情報	不当な差別・偏見などの不利益が生じないように，その取扱いに特に配慮を要する個人情報。
	個人識別符号	• 特定の個人の身体の一部の特徴（指紋データ・顔認証データなど）。 • 個人に付与される符号（免許証番号・旅券番号など）。

ア：要配慮個人情報は，本人の申告の有無に応じて決まるものではありません。
イ，ウ：要配慮個人情報でなく，個人情報に該当します。
エ：正解です。要配慮個人情報とは，不当な差別や不利益が生じないように，その取扱いに特に配慮を要する個人情報です。

正解：エ

練習問題❸

〔応用情報技術者試験 令和3年春 午前問79〕

問 特定電子メール法における規制の対象に関する説明のうち，適切なものはどれか。

ア　海外の電気通信設備から国内の電気通信設備に送信される電子メールは，広告又は宣伝が含まれていても，規制の対象外である。

イ　携帯電話のショートメッセージサービス（SMS）は，広告又は宣伝が含まれていれば，規制の対象である。

ウ　政治団体が，自らの政策の普及や啓発を行うために送信する電子メールは，規制の対象である。

エ　取引上の条件を案内する事務連絡や料金請求のお知らせなど取引関係に係る通知を含む電子メールは，広告又は宣伝が含まれていなくても規制の対象である。

《解説》

特定電子メール法とは，迷惑メール・スパムメールを防止するための法律です。送信者の氏名やメールアドレスの表示義務・受信者の同意のないメールの規制・架空のメールアドレスによる送信の規制が定められています。

特定電子メール法で規制の対象となるものは，次のとおりです。

- 対象　：メールとSMS。国内からの送信。国内に着信。
- 対象外：**非営利**目的の送信。広告・宣伝を含まないもの。

ア：国内に着信する電子メールは，規制の対象です。
イ：正解です。営利目的のショートメッセージサービス（SMS）は，規制の対象です。
ウ：非営利目的の電子メールは，規制の対象外です。
エ：広告・宣伝を含まないため，規制の対象外です。

正解：イ

練習問題❹

〔応用情報技術者試験 令和2年秋 午前問79〕

問 マイナンバー法の個人番号を取り扱う事業者が特定個人情報の提供をすることができる場合はどれか。

ア A社からグループ企業であるB社に転籍した従業員の特定個人情報について，B社での給与所得の源泉徴収票の提出目的で，A社がB社から提出を求められた場合

イ A社の従業員がB社に出向した際に，A社の従業員の業務成績を引き継ぐために，個人番号を業務成績に付加して提出するように，A社がB社から求められた場合

ウ 事業者が，営業活動情報を管理するシステムを導入する際に，営業担当者のマスタ情報として使用する目的で，システムを導入するベンダから提出を求められた場合

エ 事業者が，個人情報保護委員会による特定個人情報の取扱いに関する立入検査を実施された際，同委員会から資料の提出を求められた場合

《解説》

特定個人情報とは，個人番号（マイナンバー）を含む個人情報です。特定個人情報の取得は，利用範囲が社会保障・税・災害対策に限定されています。そのため，**イ**の業務成績や**ウ**の営業活動は，利用範囲が不適切です。また，**ア**の転籍とは，従業員が元の企業との契約を解除して，別の企業に移ることであるため，B社は従業員から改めて特定個人情報を入手する必要があります。**エ**はそのような場合に例外的に資料の提出が認められています。

正解：エ

重要度★★★

6-3 労働関連法規

企業には，正社員だけでなく，派遣社員や請負業者の社員など，様々な契約形態の労働者がいます。その契約形態や関連する法律を理解したうえで，契約形態に応じた情報セキュリティ教育などの取組みを推し進める必要があります。

労働基準法

労働者を**保護**するために，賃金・労働時間・休日・年次有給休暇などの最低基準を定めた法律です。例えば，労働時間は，1日8時間以内，かつ，週40時間以内と定められています。

◆36（さぶろく）協定 *1

労働時間を超えた時間外労働を労働者にさせる場合に必要な，労使 *2 で締結する協定です。36協定の協定文書は，時間外労働をさせる前に，労働基準監督署に届け出なければいけません。

***1：36協定**
語源は，労働基準法第36条に規定された協定であることから。

***2：労使**
労働者（従業者）と使用者（企業）の略。

労働者派遣法

派遣労働者の労働条件・権利を**保護**するための法律です。繁忙（はんぼうき）期に，企業は自社の従業者に加え，外部の労働力を求めて，派遣労働者を活用することがあります。派遣契約・請負契約・準委任契約は，似た契約形態ですが，違いがあります。

◆派遣契約

労働者は，派遣元企業（派遣会社）に雇用され，派遣先企業（一般企業）にて働きます。派遣先企業から業務の**指揮命令** *3 を受けますが，労働者と雇用契約を結んでいるのは派遣元企業であり，給料は派遣元企業から支払われます。派遣先企業で働

***3：指揮命令**
業務における直接的な指示を行うこと。

いているだけであるため，派遣先企業の，派遣以外の労働者と同じく，**完成責任**[*4]や**契約不適合責任**[*5]までは負いません。

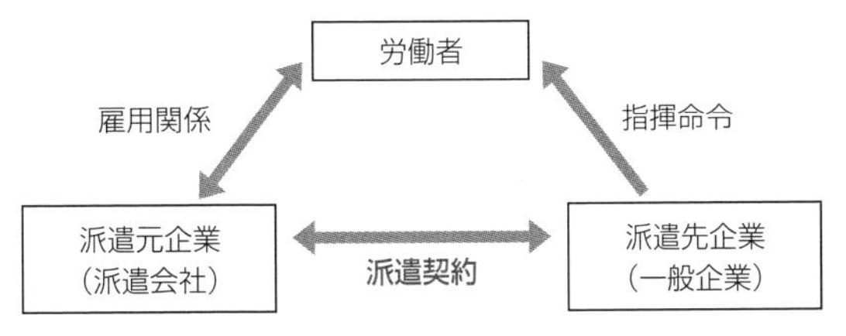

◆請負契約[*6]

労働者は，請負業者に雇用されます。請負業者から業務の指揮命令を受け，給料が支払われます。請負の注文者の企業（委託元企業）と請負業者（委託先企業）との間で，請負契約が成立しており，請負業者は，完成責任や契約不適合責任を負います。

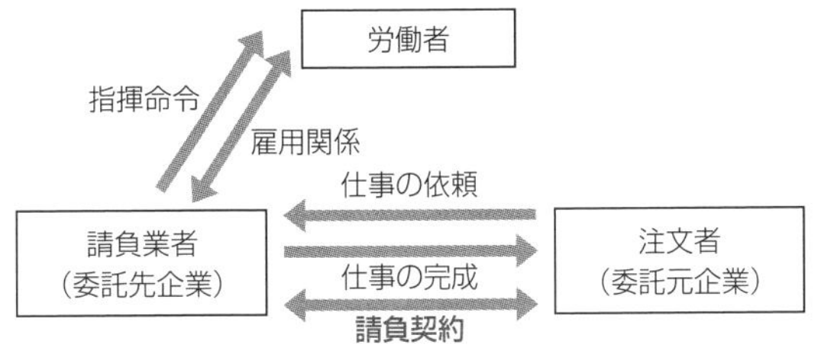

◆準委任契約[*7]

労働者は，受託業者に雇用されます。受託業者から業務の指揮命令を受け，給料が支払われます。受託業者（委託先企業）に，**契約不適合責任**を**負わせない**形態で委託する契約です。ただし，通常期待される注意義務（**善管注意義務**[*8]）を負います。

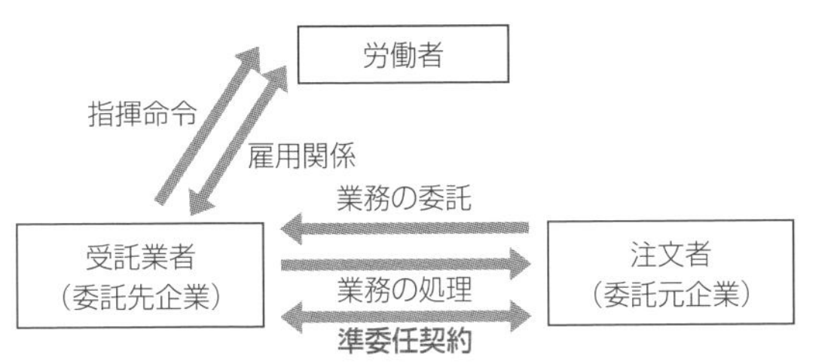

***4：完成責任**
仕事を完成させる結果責任。

***5：契約不適合責任**
品質不良や不備があった場合に，請負業者が負う責任。請負業者は，品質不良や不備の修正・損害賠償・契約の解除の請求に応じる義務がある。なお，2020年の法改正よりも前は瑕疵担保責任と呼ばれていた。

***6：請負契約**
外部委託（アウトソーシング）の業務を請け負うこと。また，請負契約と準委任契約は，民法で規定されている。

***7：準委任契約**
民法では，法律の専門家への法律業務の委託を委任契約といい，それ以外の業務の委託を準委任契約という。

***8：善管注意義務**
善良な管理者としての注意義務ともいう。

◆出向契約

労働者は，在籍出向の場合は出向元企業に雇用され，転籍出向の場合は出向先企業に雇用されます。出向先企業から業務の指揮命令を受けます。通常の労働者と同じく，完成責任や契約不適合責任までは負いません。

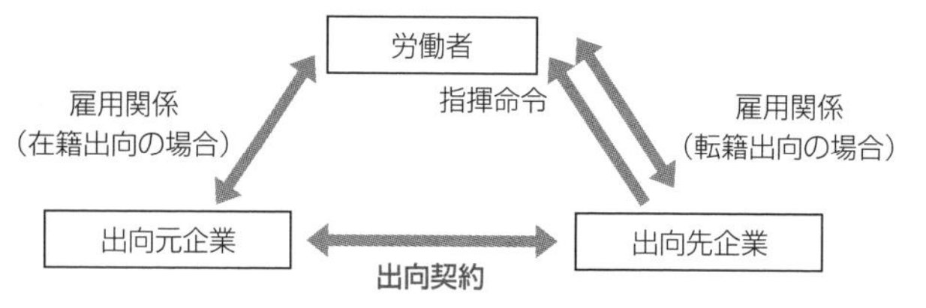

契約形態による違いをまとめると，次のとおりです。

表：派遣契約・請負契約・準委任契約・出向契約

	派遣先企業・注文者・出向先企業による指揮命令	完成責任・契約不適合責任	選ぶ基準の例
派遣契約	可能	なし	労働力を補いたい
請負契約	不可	あり	仕事を完成させたい
準委任契約	不可	なし	知恵やノウハウを借りたい
出向契約	可能	なし	人材育成をしたい 雇用調整をしたい

なお，派遣先企業は，労働者とは，原則３年を超える派遣契約は結べません。

練習問題❶

〔基本情報技術者試験 平成26年春 午前問80〕

問 労働者派遣における派遣元の責任はどれか。

ア 派遣先での時間外労働に関する法令上の届出
イ 派遣労働者に指示する業務の遂行状況の管理
ウ 派遣労働者の休日や休憩時間の適切な取得に関する管理
エ 派遣労働者の日々の就業で必要な職場環境の整備

《解説》

派遣契約では，労働者は，派遣元企業（派遣会社）に雇用され，派遣先企業（一般企業）にて働きます。派遣先企業から業務の指揮命令を受けますが，労働者と雇用契約を結んでいるのは派遣元企業であり，給料は派遣元企業から支払われます。**ア**は雇用契約を結んでいる派遣元が行います。**ア**の時間外労働に関する法令上の届出とは，**36協定**（さぶろく）（労働時間を超えた時間外労働を労働者にさせる場合に必要な，労使で締結する協定）などです。

正解：ア

練習問題❷　〔情報セキュリティマネジメント試験 平成28年春 午前問36〕

問 請負契約の下で，自己の雇用する労働者を契約先の事業所などで働かせる場合，適切なものはどれか。

ア　勤務時間，出退勤時刻などの労働条件は，契約先が定めて管理する。
イ　雇用主が自らの指揮命令の下に当該労働者を業務に従事させる。
ウ　当該労働者は，契約先で働く期間は，契約先との間にも雇用関係が生じる。
エ　当該労働者は，契約先の指揮命令によって業務に従事するが，雇用関係の変更はない。

《解説》

請負（うけおい）契約では，労働者は，請負業者に雇用されます。請負業者から業務の指揮命令を受け，給料が支払われます。請負の注文者の企業（委託元企業）と請負業者（委託先企業）との間で，請負契約が成立しており，請負業者は，完成責任や契約不適合責任（瑕疵担保（かしたんぽ）責任）を負います。

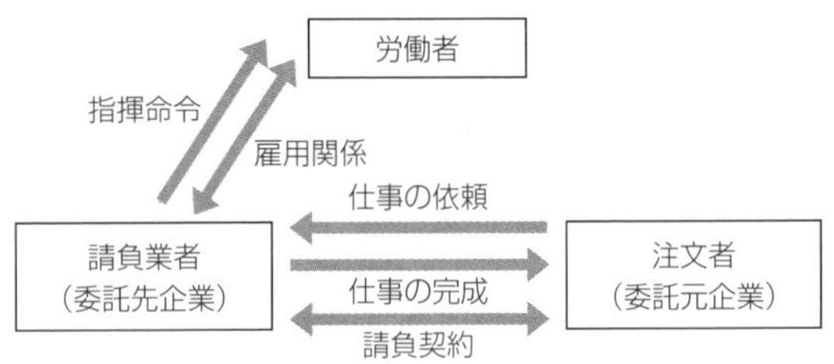

ア：労働条件の管理は，請負契約先でなく，請負業者が行います。
イ：正解です。請負業者の労働者への指揮命令は，請負業者（雇用主）が行います。
ウ：請負業者の労働者は，請負契約先との間に，雇用関係はありません。
エ：請負業者の労働者への指揮命令は，請負契約先でなく，請負業者が行います。

正解：イ

練習問題❸
〔情報セキュリティマネジメント試験 令和元年秋 午前問36〕

問 常時10名以上の従業員を有するソフトウェア開発会社が，社内の情報セキュリティ管理を強化するために，秘密情報を扱う担当従業員の扱いを見直すこととした。労働法に照らし，適切な行為はどれか。

ア 就業規則に業務上知り得た秘密の漏えい禁止の一般的な規定があるときに，担当従業員の職務に即して秘密の内容を特定する個別合意を行う。

イ 就業規則には業務上知り得た秘密の漏えい禁止の規定がないときに，漏えい禁止と処分の規定を従業員の意見を聴かずに就業規則に追加する。

ウ 情報セキュリティ事故を起こした場合の処分について，担当従業員との間で，就業規則よりも処分の内容を重くした個別合意を行う。

エ 情報セキュリティに関連する規定は就業規則に記載してはいけないので，就業規則に規定を設けずに，各従業員と個別合意を行う。

《解説》

ア：正解です。職務に即して秘密の内容を特定することについて，個別合意すること自体に問題はありません。

イ：就業規則を作成・変更した場合，労働者から意見を聴く必要があります。「従業員の意見を聴かずに」は不適切です。

ウ：懲戒については，あらかじめ就業規則に定めておく必要があります。

エ：情報セキュリティに関連する規定を就業規則に記載してはいけないということはありません。

正解：ア

練習問題❹

〔応用情報技術者試験 平成29年秋 午前問78〕

問 企業が請負で受託して開発したか，又は派遣契約によって派遣された社員が開発したプログラムの著作権の帰属に関し契約に定めがないとき，著作権の原始的な帰属はどのようになるか。

ア 請負の場合は発注先に帰属し，派遣の場合は派遣先に帰属する。
イ 請負の場合は発注先に帰属し，派遣の場合は派遣元に帰属する。
ウ 請負の場合は発注元に帰属し，派遣の場合は派遣先に帰属する。
エ 請負の場合は発注元に帰属し，派遣の場合は派遣元に帰属する。

《解説》

著作権法とは，創作された表現を保護する法律です。**請負契約**では，労働者は，請負業者に雇用されるため，開発したプログラムの著作権は請負業者（発注先）に帰属します。一方で，**派遣契約**では，労働者は，派遣元企業（派遣会社）に雇用され，派遣先企業（一般企業）にて働くため，開発したプログラムの著作権は派遣先企業（派遣先）に帰属します。

正解：ア

第7章

テクノロジ系

情報セキュリティマネジメント試験では，情報セキュリティ以外の分野も出題範囲となっています。第７章～第９章では，それらの分野を学習します。まず，この章では，「テクノロジ系」（技術）に含まれる，システム構成要素・データベース・ネットワークについて学びます。

（大文字のワイ）

重要度★★★

7-1 システム構成要素

情報セキュリティの3要素のうち，可用性（必要なときは情報資産にいつでもアクセスでき，アクセス不可能がないこと）の維持に必要な，システムの故障・障害（システムが稼働できない状態）対策を理解します。

集中処理

1台のコンピュータで，**すべて**の処理を**行う**形態です。システムの処理形態には，集中処理と分散処理があり，集中処理は汎用機(はんようき)*1など，旧来のシステムで使われてきました。集中処理の特徴は，次のとおりです。

***1：汎用機**
企業の基幹(きかん)業務システムに使われる大型のコンピュータシステム。安定性・信頼性に優れている。メインフレームともいう。

- 1台のコンピュータのみ，情報セキュリティ対策をすればよく，運用管理しやすい。
- 1台の故障が全システムの故障に直結する。

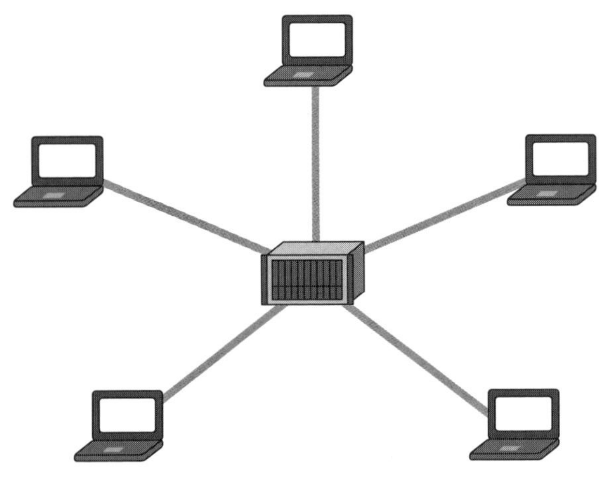

集中処理には，次の２種類の方式があります。

◆バッチ処理

処理するまではデータを溜めておき，**一括して**処理し，結果を一度にまとめて取得する方式です。例えば，給与計算・売上集計システムがあります。

◆リアルタイム処理

データを溜めることなく，**即座に**処理し，結果をすぐに取得する方式です。例えば，銀行ATM・チケット予約・株取引システムがあります。

◎ 分散処理

複数のコンピュータで，処理を**分業する**形態です。分散処理の特徴は，次のとおりです。

- 複数のコンピュータに，情報セキュリティ対策をしなければならない。
- １台が故障しても，全システムの故障とはならない。

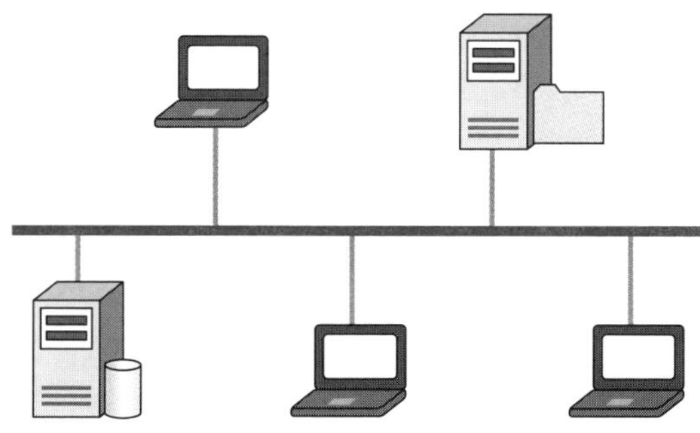

分散処理には，次の３種類の方式があります。

第7章 テクノロジ系

◆クライアントサーバ[*2]

クライアントは，通常の処理は自分で行い，必要な場合に，**サーバ**に**処理**を**依頼**することにより，サーバに負荷がかかり過ぎることを防ぐ方式です。

***2：クライアントサーバ**
語源は，client server（クライアント＝サービスを受けるコンピュータ＋サーバ＝サービスを提供するコンピュータ）から。

◆シンクライアント[*3]

クライアントサーバの方式のうち，とりわけ**サーバ**側の**依存度**が**高い**方式です。クライアントは，画面表示・操作・入力など，必要最小限の機能しかもたず，それ以外の主な処理は，サーバが行います。データをクライアントに保存しないため，情報漏えいのリスクを減らせ，情報セキュリティ対策にもなります。

***3：シンクライアント**
語源は，thin client（薄い・貧弱な＋クライアント）から。

◆ピアツーピア[*4]

コンピュータ同士が**対等な関係**でやり取りし，サーバに処理が集中することがないため，負荷を分散できる方式です。例えば，IP電話・Skype（スカイプ）があります。

***4：ピアツーピア**
語源は，peer to peer（対等な者から対等な者へ）から。

◎デュアルシステム

同じシステムを２組用意し，平常時には，**両者**に**同じ処理**をさせることで，万一，片方が故障した場合には，残るもう片方のシステムを使って，処理を継続する方式です。また，２組同じ処理をさせているため，両者の処理結果を比較し，誤動作の有無を確認する**クロスチェック**にも使われます。

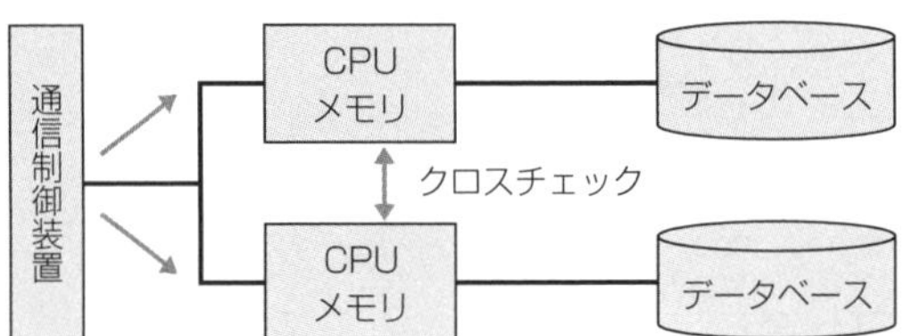

デュプレックスシステム

平常時には，片方に主系*5として処理をさせ，もう片方に従系*6として**別の処理**をさせる方式です。同じシステムを２組分用意するためコスト高であるデュアルシステムに比べ，システムを無駄なく効率的に使えます。一方で，デュプレックスシステムは，主系のシステムが故障した場合に，従系のシステムを主系へと切り替えるための時間がかかるデメリットがあります。

***5：主系**
現用系ともいう。

***6：従系**
待機系ともいう。

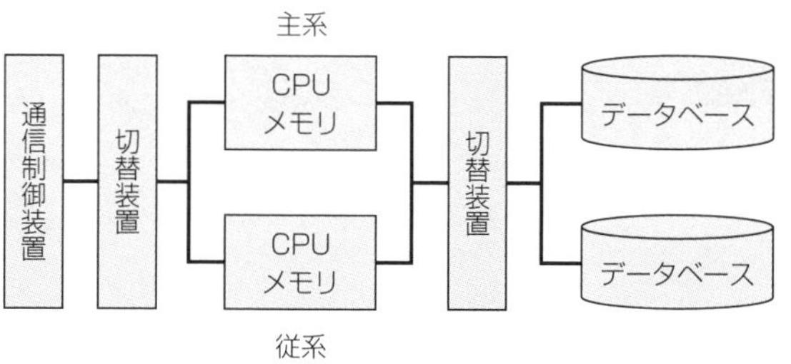

従系のシステムを主系へと切り替えるための方式は，次のとおりです。

- **ホットスタンバイ**方式では，従系のOSが起動しており，主系の処理内容やデータを同期（一致させること）しているため，障害発生時には，即座に主系から従系へと切り替える。
- **ウォームスタンバイ**方式では，従系のOSは起動しているが，主系の処理内容やデータは同期していないため，障害発生時には，主系から処理内容やデータを同期させたうえで，主系から従系へと切り替える。
- **コールドスタンバイ**方式では，従系のOSは起動していないため，障害発生時には，従系のOSを起動し，さらに主系から処理内容やデータを同期させたうえで，主系から従系へと切り替える。

RAID[*7]

データを保存するハードディスクを，複数台組み合わせて**冗長**[*8]な構成にし，信頼性[*9]を向上させる技術です。万一，ハードディスクが故障しても，データを復元させられます。RAIDの主な方式は，次のとおりです。

◆RAID 0[*10]

データを，複数のハードディスクに分散して同時に保存・読み込みすることで，アクセス速度を向上させます。あくまでも速度を高めるだけで，データの信頼性が向上するわけではありません。

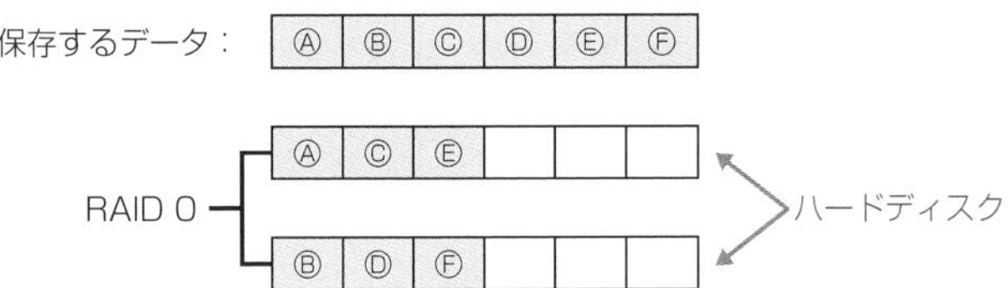

◆RAID 1[*11]

同じデータを，2台のハードディスクに保存し，1台が故障しても，残りの1台からデータを復元させます。データの信頼性は向上するものの，ハードディスク2台で1台分のデータしか保存できないため，コスト高になります。

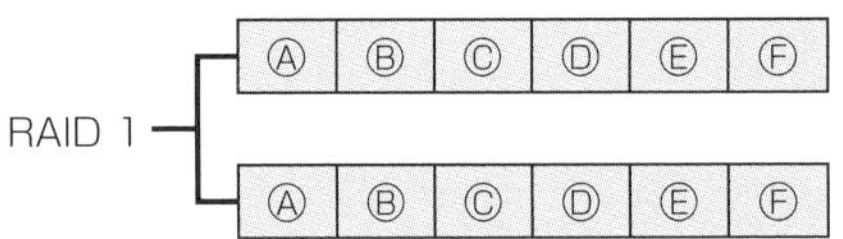

◆RAID 5

データと，データから求めた**パリティ**[*12]を，各ハードディスクに保存します。最低**3台**必要です。次の図では，RAID 5を5台のハードディスクで構成しています。データⒶを1～4

***7：RAID**
Redundant Arrays of Inexpensive Disks（安価なハードディスクの冗長な並び）の略。

***8：冗長**
ムダがあること。万一の際，データを復元できるように，ハードディスクを二重化することなど。

***9：信頼性**
システムが正常に稼働し，故障が少ないこと。

***10：RAID 0**
ストライピングともいう。

***11：RAID 1**
ミラーリングともいう。

***12：パリティ**
誤り補正のために使うチェックデータ。

に細切れにし，それらの値から求めたパリティを「Ⓐパ」として，別のハードディスクに保存しています。仮に「Ⓐ2」のハードディスクが故障しても，残るデータと「Ⓐパ」をもとに，計算し，元の値「Ⓐ2」を復元できます。

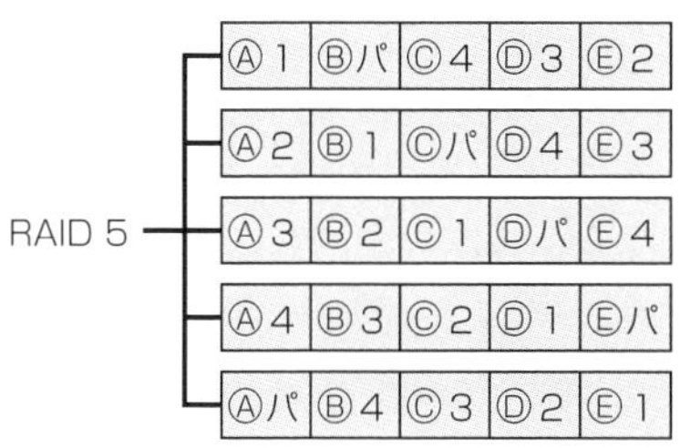

RAID 5を5台のハードディスクで構成すると，データを4台に，パリティを1台に保存するため，全体の80%にデータを保存することになります。一方で，RAID 1だと，正味50%分のデータしか保存できません。

NAS（ナス）*13

ネットワークに直接接続した外部記憶装置*14で，**ファイルサーバ専用機**です。データの保管のみに特化しているため，内蔵のCPU・OSは簡易ですが，複数台のハードディスクを搭載でき，RAIDによる信頼性の向上を実現します。

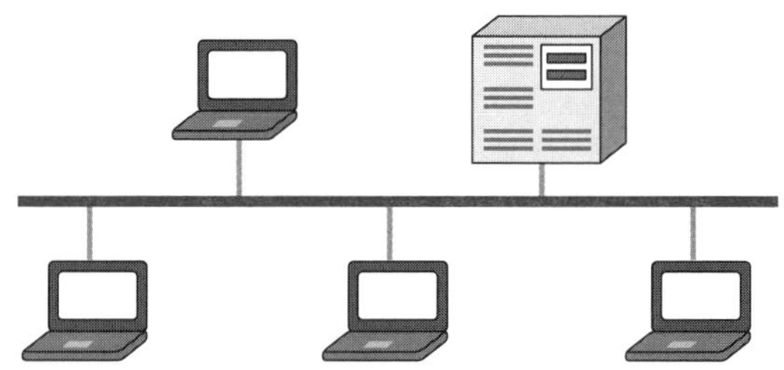

***13：NAS**
Network Attached Storageの略。

***14：外部記憶装置**
ストレージともいう。データを長期間保存するための装置で，ハードディスクやフラッシュメモリなど。

第7章 テクノロジ系

SAN[*15]

サーバと外部記憶装置を結ぶ専用のネットワークです。サーバが外部記憶装置のデータを読み書きする際，社内ネットワークを経由するのに比べて，高速に，かつ社内ネットワークに負担を掛けずに，サーバは外部記憶装置を使えます。

*15：SAN
Storage Area Network の略。

フォールトアボイダンス[*16]

なるべく故障しないようにする**耐障害技術**（たいしょうがい）です。個々の品質を高めたり，十分なテストを行ったりして，できる限り故障原因を取り除きます。ただし，完全に取り除くことは難しいため，フォールトトレラントも採り入れます。

*16：フォールトアボイダンス
語源は，fault avoidance（故障＋回避）から。

フォールトトレラント[*17]

「故障しない」ように対策するのではなく，「故障しても大丈夫」にすることです。故障の影響を最小限にするための耐障害技術です。

*17：フォールトトレラント
語源は，fault tolerant（故障＋抵抗力のある）から。

◆フェールセーフ[*18]

故障時に，**安全な形**で故障することです。例は，次のとおりです。

- 踏切の遮断機（しゃだんき）は，停電時に重みにより自然と遮断機の竿（さお）が下りる。これにより，停電のため踏切が動かない場合でも，踏切内に立ち入ることを防げ，電車との衝突を回避する。
- 無停電電源装置（UPS）により，停電時にサーバへの電源供給が止まっても，電源を供給し続ける。これにより，サーバの停止を防ぐ。

*18：フェールセーフ
語源は，fail safe（障害＋安全）から。

◆フェールソフト[*19]

故障してもシステム全体を停止させないために，あえて一部を切り捨て，残りで稼働を継続することです。全体での機能は

*19：フェールソフト
語源は，fail soft（障害＋やわらかい）から。

低下するものの，システムの全停止は避けられます。

- 航空機は，エンジンが１基停止しても，故障していない残りのエンジンで飛行できるよう設計されている。

◆フールプルーフ [*20]

誤操作しても，**致命的な結果**にしないことです。「人にはミス [*21] がつきもの」と考え，利用者が想定外の操作をしても，影響が出ないようにする安全対策です。

- 洗濯機は，ふたを閉めないと動作しない。これにより，悪ふざけして子どもが洗濯機に入った場合でも，事故の発生を防ぐ。

***20：フールプルーフ**
語源は，foolproof（誰にでも扱える）から。

***21：ミス**
人為的ミスを，ヒューマンエラーという。

RASIS（ラシス）

システムの**信頼性**を表す**評価指標**です。５つの評価指標の頭文字からとったもので，各評価指標が高いと，より信頼性が高い優れたシステムといえます。

表：RASIS

Reliability（信頼性）	システムが正常に稼働し，故障が少ないこと。 指標は，MTBF（平均故障間隔）。
Availability（可用性）	必要なときはいつでも利用でき，使用不可能がないこと。 指標は，稼働率。
Serviceability（保守性）	障害発生時に素早く発見・修復できること。 指標は，MTTR（平均修理時間）。
Integrity（完全性）	誤作動がなく，正確さを維持すること。
Security（安全性）	権限がある人だけが利用できること。

稼働率

システムが運用開始してから現在までの間に，**正常に稼働**した時間の**割合**です。稼働率を求めるためには，MTBFとMTTRの値を使います。次の図を使って，各指標の求め方を説明します。

稼働 90時間	故障 9時間	稼働 105時間	故障 15時間	稼働 75時間	故障 6時間

◆MTBF*22

故障と故障の間隔の平均時間，つまり故障と故障の間はシステムが問題なく稼働している時間なので，**稼働時間**です。この時間が長いほど，信頼性の高い優れたシステムです。**平均故障間隔**ともいいます。次の計算式で求めます。

MTBF = 稼働時間の合計 ÷ 故障の回数

図のMTBF = (90 + 105 + 75時間) ÷ 3回 = 90時間

◆MTTR*23

修理するための平均時間，つまり**故障**している平均**時間**です。この時間が短いほど，信頼性の高い優れたシステムです。**平均修理時間**ともいいます。次の計算式で求めます。

MTTR = 故障時間の合計 ÷ 故障の回数

図のMTTR = (9 + 15 + 6時間) ÷ 3回 = 10時間

◆稼働率

システムが運用開始してから現在までの間に，**正常に稼働**した時間の**割合**です。100%や1に近いほど，信頼性の高い優れ

*22：MTBF
Mean Time Between Failures（故障と故障の間隔の平均時間，つまり稼働時間）の略。

*23：MTTR
Mean Time To Repair（平均修理時間，つまり故障している時間）の略。

たシステムです。

$$1台の稼働率 = \frac{平均故障間隔（MTBF）}{平均故障間隔（MTBF）+平均修理時間（MTTR）}$$

$$図の1台の稼働率 = \frac{MTBF（90時間）}{MTBF（90時間）+MTTR（10時間）} = 0.9（90\%）$$

表：稼働率のまとめ

用語	説明	求め方
MTBF （平均故障間隔）	平均稼働時間。 長いほど，優れている。	稼働時間の合計 ÷ 故障の回数
MTTR （平均修理時間）	平均故障時間。 短いほど，優れている。	故障時間の合計 ÷ 故障の回数
稼働率	正常に稼働した時間の割合。 100%や1に近いほど，優れている。	$\frac{MTBF}{MTBF + MTTR}$

覚えるべきその他の用語は，次のとおりです。

表：システムの性能の用語

レスポンスタイム （応答時間）	コンピュータに処理の依頼をし終わってから，**最初の応答**が返され始めるまでの時間。この数値が小さいほど，性能が高いことを意味する。
ターンアラウンドタイム	コンピュータに処理の依頼をし始めてから，**すべての応答**が完全に返されるまでの時間。この数値が小さいほど，性能が高いことを意味する。
スループット	時間あたりに処理可能な**仕事量**。この数値が大きいほど，性能が高いことを意味する。

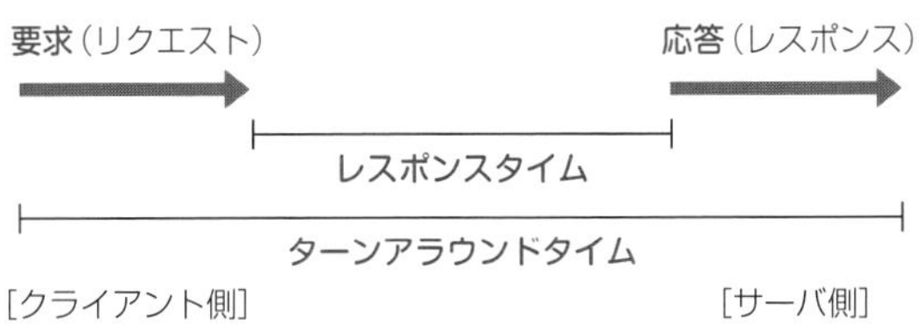

第7章 テクノロジ系

練習問題❶

〔基本情報技術者試験 平成25年春 午前問14〕

問 フォールトトレラントシステムの説明として，適切なものはどれか。

ア システムが部分的に故障しても，システム全体としては必要な機能を維持するシステム
イ 地域的な災害などの発生に備えて，遠隔地に予備を用意しておくシステム
ウ 複数のプロセッサがネットワークを介して接続され，資源を共有するシステム
エ 複数のプロセッサで一つのトランザクションを並行して処理し，結果を照合するシステム

《解説》

フォールトトレラントとは，「故障しない」ように対策するのではなく，「故障しても大丈夫」にすることです。故障の影響を最小限にするための耐障害技術です。

正解：ア

練習問題❷

〔基本情報技術者試験 平成18年春 午前問33〕

問 工作機械をマイクロコンピュータで制御するときの処置のうち，フェールセーフを考慮したものはどれか。

ア　異常動作の信号を検知したときは，自動的に停止するようにした。
イ　機能ごとの部品を交換しやすくして，修復時間を極力短くした。
ウ　部品の一部が故障しても，できるだけ停止しないで処理を続けるようにした。
エ　万一に備えて，メーカの保守担当部門とホットラインを設けた。

《解説》

フェールセーフとは，故障時に，安全な形で故障することです。

ア：正解です。フェールセーフを考慮しています。
イ，**エ**：MTTRを短縮し，稼働率を向上させます。
ウ：フェールソフトを考慮しています。

正解：ア

重要度★★★

7-2 データベース

データベースは，多くの情報システムで使われています。そのなかでも，障害を予防するためのトランザクション処理・排他制御と，障害から復旧するためのバックアップを学習します。

関係データベース*1

データを2次元の表に格納し，表のデータと，別の表のデータとを，列の値を使って相互に関係付ける方式のデータベースです。例えば，図では，次の内容が分かります。

- 受注表の受注番号1001は，受注明細表に関連付けられている。
- 受注明細表でその受注番号をたどると，受注した商品IDは，A・Bだと分かる。
- 商品表の商品IDから，商品名は鉛筆・定規だと分かる。

*1：関係データベース
リレーショナルデータベースともいう。

受注表

受注番号	日付
1001	8月30日
1002	3月 7日

受注明細表

受注番号	商品ID	数量
1001	A	50
1001	B	20
1002	A	20
1002	C	10

商品表

商品ID	商品名	単価
A	鉛筆	100
B	定規	50
C	ペン	200

このように，商品データは，商品表に格納するなど，目的別に表を分け，互いを関係付けることで，データを無駄なく重複なく管理できます。

データベース管理システム[*2]

データベースを管理するためのソフトウェアです。トランザクション制御・障害発生時の復旧・バックアップ・情報セキュリティ対策などを一元的に行います。

***2：データベース管理システム**
DBMS（DataBase Management System）ともいう。

トランザクション

「どこまで処理を進めたかが分からない」という事態を防ぐ目的で，処理がすべて成功したか，まったく成功しなかったかのどちらかにするための，**ひとまとまりの処理**です。例えば，Aさんの銀行口座から，Bさんの銀行口座に振り込む場合，次の処理を行います。

- 処理1：振込金額を，Aさんの銀行口座から差し引く。
- 処理2：Bさんの銀行口座にその金額を加える。

仮に，処理1と処理2の間で障害が発生したとします。具体的には，処理1でAさんの銀行口座から差し引いた時点で，データベースに障害が発生し処理が中断した場合，Aさんの銀行口座から振込金額が差し引かれたにもかかわらず，Bさんの銀行口座は変わらないままになる矛盾（むじゅん）が生じます。

そこで，処理1と処理2をひとまとまりの処理（**トランザクション**）にし，障害発生時にも，2つの処理が，途中で分離しないようにします。障害発生時には，処理1と処理2の2つとも処理を巻き戻し（**ロールバック**），データの矛盾を防ぎます。

ロールバック[*3]

トランザクションの**処理中**に発生した障害[*4]に対する**復旧処理**です。詳しくは，次の処理を行います。

- 障害発生時に白紙に戻せるように，元のデータを事前に記録しておく。（**更新前ログ**）

***3：ロールバック**
英語で，roll back。

***4：障害**
停電・ハードディスクの故障などによるコンピュータの停止。

第7章 テクノロジ系

- トランザクションを処理し，データファイル[*5]へ書き込んで，データを更新する。（**更新後ログ**[*6]）
- 障害発生時には，更新後ログの値を取り消し，更新前ログの値に**巻き戻す**。（ロールバック）

なお，ロールバックでは，データが白紙に戻されるため，障害復旧後にトランザクションを改めて行う**再処理**の必要があります。

ロールフォワード[*7]

トランザクションの**処理後**に，データファイルへデータの書込み処理を行う途中で発生した障害に対する**復旧処理**です。トランザクションを処理したあとに，すべてのデータ（更新後ログ）を，障害なくデータファイルへ書き込むことが理想ですが，このタイミングで，障害を引き起こしがちです。そのため，**データファイル**以外に，**ログファイル**[*8]が用意されています。違いは，次のとおりです。

- **データファイル**には，データが保存される。この書込み処理は，時間・負荷がかかるため，途中で障害を引き起こしがちである。
- **ログファイル**には，書込みの処理内容（変更履歴）が保存される。データは含まれない。ログファイルへ保存する変更履歴は，データファイルに比べて，小サイズであり，一瞬で書込みが完了するため，その途中で障害はほとんど発生しない。

仮に，データファイルへデータの書込み処理を行う途中で障害が発生した場合，ログファイルの変更履歴を**再現**します。（ロールフォワード）

***5：データファイル**
データが保存されるファイル。

***6：更新後ログ**
変更した後の値が格納されている。障害がなければ，この値をデータファイルへ書き込む。

***7：ロールフォワード**
英語で，roll forward。

***8：ログファイル**
書込みの，処理内容・手順・方法が記録される。ジャーナルファイルともいう。

排他(はいた)[*9]制御

複数のトランザクションを同時に実行しても，データベースを同時に更新しないようにすることです。処理の途中で，他の処理に割り込みされ，データを更新・読み取りされた結果，データに不整合が生じることがないように，事前にデータを**ロック**[*10]します。ロックには，次の２種類があります。

*9：排他
自分以外の者をしりぞけて受け入れないこと。

*10：ロック
lock（鍵）。排他制御を実現するための方法。

表：ロックの種類

共有ロック	他の処理からは，データを更新不可・**読み取り許可**とするロック。データの読み取り中に，データを，他の処理から書き換えられたくない場合に使う。
専有(せんゆう)ロック	他の処理からは，データを更新不可・**読み取り不可**とするロック。データの更新中に，処理中のデータを，他の処理から書き換えも読み取りもされたくない場合に使う。

◆ロック粒度(りゅうど)[*11]

ロックをかけるデータの範囲（行数）です。粒度は，粗(あら)すぎず細かすぎずで，適度にする必要があります。

*11：粒度
粒の大きさの度合い。転じて，ロックをかけるデータの行数の大小の度合い。

- 粒度が粗いと，他の処理から使用できないデータが増える。
- 粒度が細かいと，制御が複雑になり，処理に時間がかかる。

バックアップ

障害発生時にデータを復元できるように，データを複製（コピー）しておくことです。次の３種類を組み合わせます。

◆フルバックアップ

すべてのデータをバックアップします。

- 障害発生時の復元では，フルバックアップだけが必要。
- バックアップファイルのサイズが大きく，バックアップに時

第7章 テクノロジ系

間がかかる。

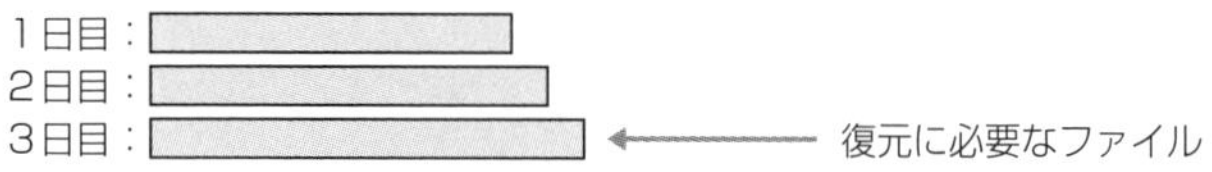

1日目：
2日目：
3日目：　　← 復元に必要なファイル

◆差分バックアップ

前回の**フルバックアップ以降**に，作成・変更されたデータだけをバックアップします。3日目の差分バックアップでは，2日目と3日目のデータがバックアップの対象になります。

- 復元では，フルバックアップと，直近の差分バックアップが必要。
- フルバックアップに比べ，サイズが小さく，時間がかからない。

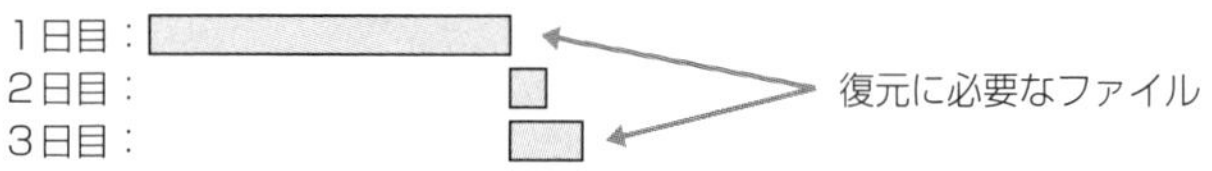

1日目：
2日目：
3日目：　　← 復元に必要なファイル

◆増分バックアップ

前回のフル・差分・増分バックアップ以降に作成・変更されたデータだけをバックアップします。3日目の増分バックアップでは，前回（2日目の増分バックアップ）以降である3日目のデータだけがバックアップの対象になります。

- 復元では，フルバックアップと，すべての増分バックアップが必要。
- 差分バックアップに比べ，さらにサイズが小さい。

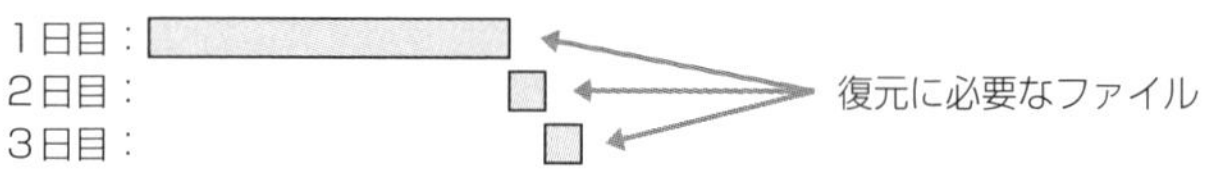

1日目：
2日目：
3日目：　　← 復元に必要なファイル

データ分析

蓄積したデータを分析・解析し，有効活用します。関連する用語は，次のとおりです。

*12：意思決定
組織の今後の事業方針や戦略を決めること。

表：データ分析の用語

データウェアハウス	時系列のデータを大量に整理・統合して蓄積しておき，**意思決定** *12 の際に利用するもの。
データマート	利用者の利用目的に合わせて，**部門別**のデータベースを作成する技術。
データマイニング	大量のデータを統計的・数学的手法で分析し，**法則**や**因果関係**を見つけ出す技術。
ビッグデータ	今までは管理しきれず見過ごされてきた**巨大**なデータを収集し，解析することで，これまでにない新たな仕組みやビジネスを生み出すとされているもの。
データディクショナリ	システムの複雑化に伴い，同じデータ項目を重複して設計することがないように，**システム全体**で扱う**データ項目**をすべて定義・列挙したデータベースや書類。

練習問題❶

〔情報セキュリティマネジメント試験 平成30年春 午前問46〕

問 DBMSにおいて，複数のトランザクション処理プログラムが同一データベースを同時に更新する場合，論理的な矛盾を生じさせないために用いる技法はどれか。

ア 再編成　　イ 正規化　　ウ 整合性制約　　エ 排他制御

《解説》

排他制御（はいた）とは，複数のトランザクションを同時に実行しても，データベースを同時に更新しないようにすることです。処理の途中で，他の処理に割り込みされ，データを更新・読み取りされた結果，データに不整合が生じることがないように，事前にデータをロックします。

正解：エ

第7章 テクノロジ系

練習問題❷

〔情報セキュリティマネジメント試験 平成28年秋 午前問43〕

問 メールサーバのディスクに障害が発生して多数の電子メールが消失した。消失した電子メールの復旧を試みたが，2週間ごとに行っている磁気テープへのフルバックアップしかなかったので，最後のフルバックアップ以降1週間分の電子メールが回復できなかった。そこで，今後は前日の状態までには復旧できるようにしたい。対応策として，適切なものはどれか。

ア　2週間ごとの磁気テープへのフルバックアップに加え，毎日，磁気テープへの差分バックアップを行う。

イ　電子メールを複数のディスクに分散して蓄積する。

ウ　バックアップ方法は今のままとして，メールサーバのディスクをミラーリングするようにし，信頼性を高める。

エ　毎日，メールサーバのディスクにフルバックアップを行い，2週間ごとに，バックアップしたデータを磁気テープにコピーして保管する。

《解説》

ア：正解です。ディスクの障害発生時には，磁気テープのフルバックアップと，毎日の差分バックアップにより，前日の状態まで復旧できます。

イ，ウ：分散して蓄積したり，ミラーリングにより信頼性を高めたりしても，電子メールはディスクに保存されているため，ディスクの障害発生時には，前日の状態まで復旧できません。

エ：フルバックアップは，ディスクに保存されたままで，2週間ごとにしか磁気テープにコピーしません。そのため，ディスクの障害発生時には，最長で2週間前のフルバックアップにより復旧することになります。

正解：ア

練習問題❸

〔応用情報技術者試験 平成29年秋 午前問30〕

問 データマイニングの説明として，適切なものはどれか。

ア 基幹業務のデータベースとは別に作成され，更新処理をしない集計データの分析を主目的とする。
イ 個人別データ，部門別データ，サマリデータなど，分析の目的別に切り出され，カスタマイズされたデータを分析する。
ウ スライシング，ダイシング，ドリルダウンなどのインタラクティブな操作によって多次元分析を行い，意思決定を支援する。
エ ニューラルネットワークや統計解析などの手法を使って，大量に蓄積されているデータから，特徴あるパターンを探し出す。

《解説》

データマイニングとは，大量のデータを統計的・数学的手法で分析し，法則や因果関係を見つけ出す技術です。

ア：データウェアハウスの説明です。
イ：データマートの説明です。
ウ：OLAP（Online Analytical Processing）の説明です。
エ：正解です。データマイニングの説明です。

正解：エ

練習問題❹

〔情報セキュリティマネジメント試験 平成29年春 午前問45〕

問 ビッグデータの活用例として，大量のデータから統計学的手法などを用いて新たな知識（傾向やパターン）を見つけ出すプロセスはどれか。

ア データウェアハウス
イ データディクショナリ
ウ データマイニング
エ メタデータ

《解説》

ビッグデータとは，今までは管理しきれず見過ごされてきた巨大なデータを収集し，解析することで，これまでにない新たな仕組みやビジネスを生み出すとされているものです。

ア：**データウェアハウス**とは，時系列のデータを大量に整理・統合して蓄積しておき，意思決定の際に利用するものです。
イ：**データディクショナリ**とは，システムの複雑化に伴い，同じデータ項目を重複して設計することがないように，システム全体で扱うデータ項目をすべて定義・列挙したデータベースや書類です。
ウ：正解です。**データマイニング**とは，大量のデータを統計的・数学的手法で分析し，法則や因果関係を見つけ出す技術です。
エ：メタデータとは，あるデータについて，関連する情報を格納したデータです。例えば，あるデータの，作成日時・作成者・関連キーワードです。メタデータは，あるデータを検索・絞込み・管理する際に使われます。

正解：ウ

重要度★★★

7-3 ネットワーク

ネットワークと情報セキュリティは，切っても切れない関係です。ここでは，安全な通信に必要なセキュアプロトコルと，ネットワーク装置を学びます。

◎ プロトコル[*1]

ネットワーク通信に必要な**約束事・取り決め**です。送信元と宛先の双方で，通信データを，どのような形式でどの順序で送るかという共通の約束事を取り決めておかなければ，通信は成功しません。そのため，プロトコルが必要です。

◆セキュアプロトコル

通信データの，暗号化（盗聴を防ぐ）・認証（なりすましを防ぐ）と，改ざんの検知を目的としたプロトコルです。代表的なセキュアプロトコルは，次のとおりです。

表：代表的なセキュアプロトコル

TLS[*2]	OSI基本参照モデルの**トランスポート層**で暗号化などを行うセキュアプロトコル
IPSec（アイピーセック）[*3]	IPプロトコルを拡張し，OSI基本参照モデルの**ネットワーク層**で暗号化などを行うセキュアプロトコル

TLSは，従来，SSL[*4]と呼ばれていましたが，SSLに脆弱性[*5]が見つかったため，SSLをもとに作られたTLSに置き換えられました。しかし，SSLの方が広く名称が知られているため，TLSは，SSLやSSL/TLSとも呼ばれます。また，TLSを用い

*1：プロトコル
ネットワークプロトコルともいう。

*2：TLS
Transport Layer Security（トランスポート層セキュリティ）の略。語源は，トランスポート層で暗号化などを行うことから。

*3：IPSec
IP Securityの略。

*4：SSL
Secure Sockets Layerの略。

*5：脆弱性（ぜいじゃくせい）
脅威（攻撃）がつけ込める弱点。

たセキュアな通信（HTTPS通信など）を**TLS通信**といいます。
TLSとIPSecの違いは，次のとおりです。

- **TLS**は，使うための準備・設定が手軽。WebブラウザとWebサーバ間の通信で幅広く活用されている。
- **IPSec**は，様々な形式に対応するために，汎用性[*6]が高い一方で，使うための準備・設定が面倒なため，広く普及しているわけではない。

◆Webのプロトコル

Webサイトの閲覧などで使用する，代表的なプロトコルは，次のとおりです。

表：Webの代表的なプロトコル

HTTP[*7]	**Web**ブラウザとWebサイトの間で，通信データをやり取りするためのプロトコル。ポート番号は**80番**。
HTTPS[*8]	TLSにより**暗号化**した**HTTP通信**。HTTPS自体は，プロトコルでなく，プロトコルであるTLSとHTTPとを組み合わせたセキュアな通信。ポート番号は**443番**。

◆メールのプロトコル

電子メールの送受信で使用する，代表的なプロトコルは，次のとおりです。

表：メールの代表的なプロトコル

POP3（ポップスリー）[*9]	メール**受信用**のプロトコルで，メールサーバに届いたメールを，受信する情報機器[*10]にダウンロードし，そのダウンロードしたメールを読む方式。1台の情報機器のみでメールを読みたい場合に向く。ポート番号は**110番**。
IMAP4（アイマップ）[*11]	メール**受信用**のプロトコルで，メールサーバに届いたメールを，そのまま読む方式。複数の情報機器からメールを読みたい場合に向く。
SMTP[*12]	メール**送信用**のプロトコル。ポート番号は**25番**。

***6：汎用性（はんようせい）**
いろいろな用途・場面で用いられ，有用であること。

***7：HTTP**
Hypertext Transfer Protocolの略。

***8：HTTPS**
HTTP over TLSともいう。

***9：POP3**
Post Office Protocol-Version 3の略。

***10：情報機器**
PC・スマートフォン・タブレット・サーバなど。

***11：IMAP4**
Internet Message Access Protocol Version 4の略。

***12：SMTP**
Simple Mail Transfer Protocolの略。

POP3とIMAP4の違いは，次のとおりです。

- **POP3**では，未読既読の状態はダウンロードした情報機器上で管理するため，別の情報機器で受信するとメールはすべて未読状態になる。
- **IMAP4**では，未読既読の状態もメールサーバで管理するため，1台の情報機器で既読にすると，他の情報機器でも既読状態になる。これにより，POP3の場合のように，既に読み終えたのに未読状態のため，既読メールを何度も読み直す手間を省ける。

◆その他のプロトコル

覚えておくべきその他のプロトコルは，次のとおりです。

表：覚えておくべきその他のプロトコル

TELNET（テルネット）*13	遠隔地のコンピュータを**遠隔操作**するためのプロトコル。ポート番号は**23番**。
SSH*14	遠隔地のコンピュータを**安全**に**遠隔操作**するためのセキュアプロトコル。
FTP*15	ファイルを転送するためのプロトコル。ポート番号は**21番**。
DHCP*16	情報機器の起動時などに，IPアドレス*17を自動で割り当てるためのプロトコル。これにより，情報機器1台ずつにIPアドレスを設定する手間を省ける。
DNS	ドメイン名（FQDN*18）をもとに，IPアドレスを取得するためのプロトコル。
NTP*19	正確な現在時刻を取得するためのプロトコル。
SNMP*20	ネットワーク機器を遠隔から監視・制御するためのプロトコル。
RADIUS（ラディウス）*21	外部から接続した利用者や情報機器が，正規のものであることを認証するためのプロトコル。例えば，外部から社内ネットワークに接続してよい，正規の情報機器かどうかを認証する**検疫ネットワーク**で使われる。

***13：TELNET**
TELetype NETworkの略。

***14：SSH**
Secure SHellの略。語源は，安全な＋OSを操作するためのソフトウェアから。

***15：FTP**
File Transfer Protocolの略。

***16：DHCP**
Dynamic Host Configuration Protocolの略。

***17：IPアドレス**
機器を識別するための番号。ネットワーク層（第3層）で使う。

***18：FQDN**
例えば「https://www.kantei.go.jp/index.html」の場合，「www.kantei.go.jp」の部分。Fully Qualified Domain Nameの略。完全修飾ドメイン名ともいう。

***19：NTP**
Network Time Protocolの略。

***20：SNMP**
Simple Network Management Protocolの略。

***21：RADIUS**
Remote Authentication Dial In User Serviceの略。語源は，当初，電話によるダイヤルアップ接続の利用者認証を目的としていたことから。

OSI基本参照モデル

プロトコルを7階層に区分し，それぞれの階層を差し替え可能にすることで，様々な通信方式・通信手段で使えるようにするための考え方です。7階層にはそれぞれの役割が決められています。

例えば，有線LANと無線LANは，通信方式が大きく異なるにもかかわらず，利用者は両者の違いを意識せずに使えます。理由は，OSI基本参照モデルの考え方に基づき，プロトコルの役割を分担し，同じ階層のプロトコルは，差し替え可能になるように，プロトコルを設計したためです。

表：OSI基本参照モデル

			LAN間接続装置
第7層	アプリケーション層	アプリケーションに応じた通信	ゲートウェイ
第6層	プレゼンテーション層	データ形式・暗号化・データの圧縮伸張	
第5層	セション層	通信の開始から終了までの管理	
第4層	トランスポート層	通信の信頼性の確保	
第3層	ネットワーク層	ネットワーク間の通信の経路選択・中継機能	ルータ
第2層	データリンク層	同一ネットワーク内の通信	ブリッジ スイッチングハブ
第1層	物理層	電気信号の取り決め・ケーブルの形状	リピータハブ

LAN間接続装置

多くの機器をネットワークにつなぐために，様々な種類の装置があり，状況に応じて使い分けます。

◆ゲートウェイ

プロトコルが**異なる**ネットワーク間で，第4層以上のプロトコルを変換することで，両者の接続を可能にします。

トランスポート層（第４層）以上で中継する装置です。

◆ルータ *22

異なるネットワーク間を中継し，**IPアドレス**をもとに，最適な経路へと転送します。

ネットワーク層（第３層）で中継する装置です。

*22：ルータ
レイヤ３スイッチ・Ｌ３スイッチともいう。

◆ブリッジ

接続中の機器の**MACアドレス** *23を学習し，該当するネットワークにのみ中継します。

データリンク層（第２層）で中継する装置です。

*23：MACアドレス
機器を識別するための機器固有の番号。データリンク層（第２層）で使う。

◆スイッチングハブ *24

複数のLANケーブルを差し込み，ケーブル同士をつなげます。すべてを転送するリピータハブと異なり，スイッチングハブは，宛先MACアドレスが該当するケーブルにのみ，通信を転送します。

*24：スイッチングハブ
レイヤ２スイッチ・Ｌ２スイッチともいう。

◆リピータハブ

弱くなった**電気信号**を**増幅**（ぞうふく）して，ケーブルの使用可能範囲を延長します。

物理層（第１層）で中継する装置です。

ネットワークコマンド

トラブルを解決する目的で，通信の状況把握・到達確認を行うためのコマンドの例は，次のとおりです。

表：ネットワークコマンド

arp（アープ）	IPアドレスとMACアドレスの対応表を表示・設定する。
ipconfig（アイピーコンフィグ）	ネットワーク機器の設定状況を表示・設定する。
ping（ピン）	通信が宛先に到達するかを表示する。

第7章 テクノロジ系

練習問題❶

〔情報セキュリティマネジメント試験 平成31年春 午前問46〕

問 PCを使って電子メールの送受信を行う際に，電子メールの送信とメールサーバからの電子メールの受信に使用するプロトコルの組合せとして，適切なものはどれか。

	送信プロトコル	受信プロトコル
ア	IMAP4	POP3
イ	IMAP4	SMTP
ウ	POP3	IMAP4
エ	SMTP	IMAP4

《解説》

電子メールの送受信で使用する，代表的なプロトコルは，次のとおりです。

POP3（ポップスリー）	メール受信用のプロトコルで，メールサーバに届いたメールを，受信する情報機器にダウンロードし，そのダウンロードしたメールを読む方式。1台の情報機器のみでメールを読みたい場合に向く。
IMAP4（アイマップフォー）	メール受信用のプロトコルで，メールサーバに届いたメールを，そのまま読む方式。複数の情報機器からメールを読みたい場合に向く。
SMTP	メール送信用のプロトコル。

送信プロトコルはSMTP，受信プロトコルはIMAP4です。

正解：エ

練習問題❷ 〔情報セキュリティマネジメント試験 令和元年秋 午前問47〕

問 PCが，Webサーバ，メールサーバ，他のPCなどと通信を始める際に，通信相手のIPアドレスを問い合わせる仕組みはどれか。

ア ARP (Address Resolution Protocol)

イ DHCP (Dynamic Host Configuration Protocol)

ウ DNS (Domain Name System)

エ NAT (Network Address Translation)

《解説》

ア：ARP（アープ）とは，IPアドレスをもとに，MACアドレスを取得するためのプロトコルです。

イ：DHCPとは，情報機器の起動時などに，IPアドレスを自動で割り当てるためのプロトコルです。これにより，情報機器1台ずつにIPアドレスを設定する手間を省けます。

ウ：正解です。DNSとは，ドメイン名（FQDN）をもとに，IPアドレスを取得するためのプロトコルです。FQDN（Fully Qualified Domain Name，完全修飾ドメイン名）とは，例えば「https://www.kantei.go.jp/index.html」の場合，「www.kantei.go.jp」の部分です。

エ：NAT（ナット）とは，社内ネットワークで使うプライベートIPアドレスと，インターネット上のグローバルIPアドレスを相互に変換するためのプロトコルです。

正解：ウ

練習問題❸

〔基本情報技術者試験 平成25年春 午前問33〕

問 OSI基本参照モデルにおけるネットワーク層の説明として，適切なものはどれか。

ア エンドシステム間のデータ伝送を実現するために，ルーティングや中継などを行う。

イ 各層のうち，最も利用者に近い部分であり，ファイル転送や電子メールなどの機能が実現されている。

ウ 物理的な通信媒体の特性の差を吸収し，上位の層に透過的な伝送路を提供する。

エ 隣接ノード間の伝送制御手順（誤り検出，再送制御など）を提供する。

《解説》

ネットワーク層は，ネットワーク間の通信の経路選択・中継機能を担います。

ア：正解です。ネットワーク層の説明です。
イ：アプリケーション層の説明です。
ウ：物理層の説明です。
エ：データリンク層の説明です。

正解：ア

練習問題❹

〔応用情報技術者試験 令和2年秋 午前問33〕

問 スイッチングハブ（レイヤ2スイッチ）の機能として，適切なものはどれか。

ア IPアドレスを解析することによって，データを中継するか破棄するかを判断する。
イ MACアドレスを解析することによって，必要なLANポートにデータを流す。
ウ OSI基本参照モデルの物理層において，ネットワークを延長する。
エ 互いが直接，通信ができないトランスポート層以上の二つの異なるプロトコルの翻訳作業を行い，通信ができるようにする。

《解説》

スイッチングハブとは，複数のLANケーブルを差し込み，ケーブル同士をつなげます。すべてを転送するリピータハブと異なり，スイッチングハブは，宛先MACアドレスが該当するケーブルにのみ，通信を転送します。

ア：ルータの説明です。
イ：正解です。スイッチングハブの説明です。
ウ：リピータの説明です。
エ：ゲートウェイの説明です。

正解：イ

TOPICS

出題者はだれ？

情報処理技術者試験の各試験の問題を作成するのは，「試験委員」です。２年に一度公募され，応募したＩＴの現場で活躍する専門家から選ばれます。任期は２年で，更新も可能です。問題作成に関する打ち合わせは19時に開始するなど，試験委員は現職のＩＴの仕事との掛け持ちを前提にしており，本来の仕事を離れずに試験委員になれます。試験委員は，2024年9月時点で約430名います。

試験委員は，専門分野（データベースやネットワークなど）別か，試験区分（情報セキュリティマネジメント試験や基本情報技術者試験など）別に，配属されます。各所属には作成部会・選定部会・チェック部会があり，各試験委員が個別に作業をしたうえで，所属する試験委員全員が集まり，合同で分析検討する「部会」を行います。部会は年間10～20回程度，１回３～４時間程度です。

試験委員の応募要件は，

- **業務経験　：情報システム又は組込みシステム関連業務を10年程度以上**
- **資格　　　：情報処理技術者試験のいずれかの試験区分に合格していること**

などがあるほか，「試験委員活動を通じて知り得た秘密を口外しないこと」とともに「国家試験の問題作成を通じて高度ＩＴ人材の育成に積極的に貢献する意思があること」が明記されています。情報処理技術者試験が，その目的で実施されているからです。

第8章

マネジメント系

情報セキュリティを守るために，情報システムの開発・運用に関与・参画するなど，情報システムのライフサイクル全般から取組みを行うべきです。この章では，それに関連する「マネジメント系」（経営管理）に含まれる，プロジェクトマネジメント・サービスマネジメント・システム監査について学びます。

アクセスキー　s
（小文字のエス）

重要度★★★

8-1 プロジェクトマネジメント

企業がプロジェクトチームを編成し，社内の各部署やシステム開発企業とともに，システムを構築することが多いです。そのため，情報セキュリティを危険にさらすことのないシステムを構築するために，プロジェクトを適切に管理する必要があります。

プロジェクトマネジメント

プロジェクト*1を管理するために行う，効果的な取組み・仕組みです。プロジェクトマネジメントの推奨される事例をまとめたPMBOK（ピンボック）ガイド*2などを活用します。

プロジェクトマネジメントは，次の10項目の知識エリアに区分し，体系的に行われます。また，その取組みは，**PDCAサイクル**を回し，継続的に改善します。

表：プロジェクトマネジメントの知識エリア

プロジェクト統合マネジメント	プロジェクトの立上げ・計画・実行・終結などのライフサイクルの中で，変更要求に対して**コスト・期間**の調整を行う。
プロジェクトステークホルダ*3マネジメント	プロジェクトのステークホルダを把握し，**連絡方法**を決定する。
プロジェクトスコープ*4マネジメント	プロジェクトに**必要な作業**を，過不足（かふそく）なく抽出する。
プロジェクト資源*5マネジメント	プロジェクトチームを編成し，**要員**を**育成**する。
プロジェクトタイムマネジメント	プロジェクトの**スケジュール**を作成し，進捗状況や変更要求に応じてスケジュールの調整を行う。

次ページへ続く

***1：プロジェクト**
独自の成果物を生み出すために実施される，一時的な業務。目的を達成すると，活動は終了する。

***2：PMBOKガイド**
米国プロジェクトマネジメント協会が策定した手本集。国際規格ではないが，デファクトスタンダード。PMBOKはProject Management Body of Knowledgeの略。試験では第6版を用いる。

***3：ステークホルダ**
利害関係者。例えば，プロジェクトの発注者・プロジェクトマネージャ・プロジェクトチーム（従業者・関係会社）・顧客・利用者。

***4：スコープ**
プロジェクトの限られた予算・人員で，どの内容を，どこまでやるか。

***5：資源**
ここでは，人材・人員などの人的資源。

プロジェクト コストマネジメント	プロジェクトの当初の**予算**と進捗状況から，費用が予算内に収まるように管理を行う。
プロジェクト リスクマネジメント	プロジェクトの**リスク**を識別し，対策案を検討する。
プロジェクト 品質マネジメント	プロジェクトの成果物の**品質目標**と負うべき責任を定める。
プロジェクト 調達[*6]マネジメント	プロジェクトに必要な商品・サービスを，**外部から購入**するために必要な契約と管理を行う。
プロジェクト コミュニケーション マネジメント	プロジェクトのステークホルダ間で適切な**情報共有**を行うことで，プロジェクトを円滑に進める。

アロ－ダイアグラム[*7]

「プロジェクトを完了させるために必要な時間」を把握するために使う図です。複数人で行うプロジェクトでは，それぞれの作業を同時並行で進めても，全体が完了するわけではありません。

例えば，次の図のとおり，作業「カレーを作る」と「ご飯を炊く」はどちらとも揃って初めて，次の作業である「盛り付ける」へ進めます。アローダイアグラムは，この「揃って次へ進む」という関係を図で表します。

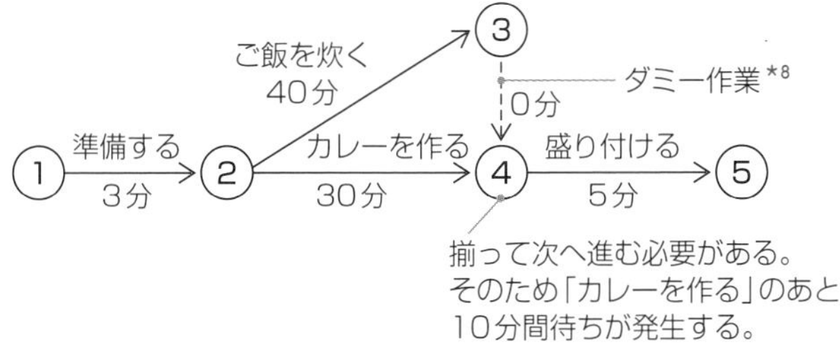

***6：調達**
必要なものを取りそろえること。

***7：アローダイアグラム**
PERT図ともいう。

***8：ダミー作業**
作業時間0の作業。次のとおり，○から○へ，2つ作業があると，分かりにくくなる。

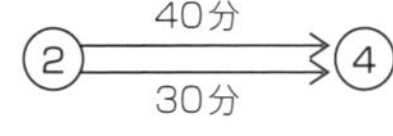

そのため，あえてダミー（偽物）作業を追加し，○から○への作業はすべて1つにする。

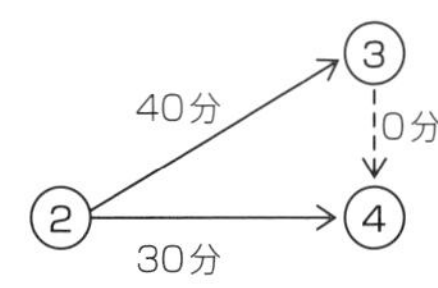

関連する用語は，次のとおりです。

- **クリティカルパス**
  プロジェクトの開始から終了までにかかる最短時間の**経路**。全経路のうち**最も時間がかかる経路**により求められる。仮にクリティカルパスの作業で遅延が生じると，プロジェクト全体が遅れる結果となる。

- **最短所要時間**
  プロジェクトの開始から終了までにかかる**最短時間**。クリティカルパスでかかる総所要時間により求められる。

この図の場合，経路数は２であり，経路・所要時間・クリティカルパスは，それぞれ次のとおりです。

経路	所要時間	
・①→②→③→④→⑤	：3＋40＋0＋5＝48分	最も時間がかかるため，これがクリティカルパスとなる。そのため，最短所要時間は48分。
・①→②→④→⑤	：3＋30＋5　＝38分	

練習問題❶

〔応用情報技術者試験 平成27年秋 午前問51〕

問 WBS作成プロセスが含まれるマネジメントプロセスはどれか。

ア　プロジェクトコストマネジメント
イ　プロジェクトスコープマネジメント
ウ　プロジェクト品質マネジメント
エ　プロジェクトリスクマネジメント

《解説》

WBS（Work Breakdown Structure）は，プロジェクト全体を詳細な作業に分割する手法です。**プロジェクトスコープマネジメント**（プロジェクトに必要な作業を，過不足なく抽出する）で用いられます。

正解：イ

〔応用情報技術者試験 令和元年秋 午前問52〕

問 アローダイアグラムで表される作業A～Hを見直したところ，作業Dだけが短縮可能であり，その所要日数は6日に短縮できることが分かった。作業全体の所要日数は何日短縮できるか。

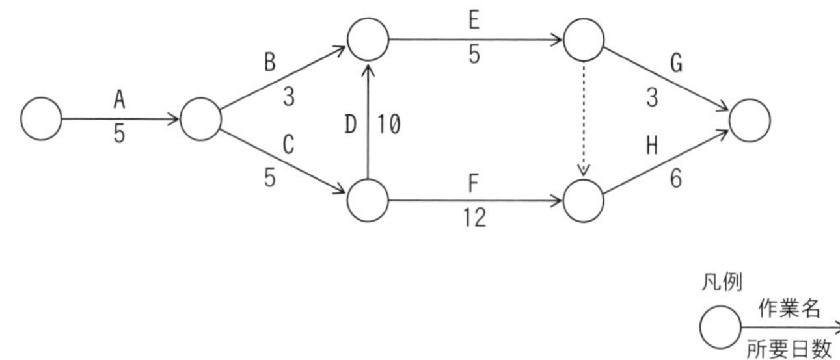

┈┈┈> ：ダミー作業

ア 1　　イ 2　　ウ 3　　エ 4

《解説》

アローダイアグラムとは，「プロジェクトを完了させるために必要な時間」を把握するために使う図です。プロジェクトの開始から終了までの全経路のうち，最も時間がかかる経路の総所要時間が「プロジェクトを完了するために必要な最短時間」（最短所要時間）となります。なお，凡例にあるダミー作業とは，所要時間のかからない経路です。

図のアローダイアグラムの全経路と所要日数の合計を求めます。

◆**短縮前**

- A（5）→B（3）→E（5）→G（3）＝16日
- A（5）→B（3）→E（5）→ダミー作業→H（6）＝19日
- A（5）→C（5）→D（10）→E（5）→G（3）＝28日
- A（5）→C（5）→D（10）→E（5）→ダミー作業→H（6）＝31日←短縮前の最短所要時間
- A（5）→C（5）→F（12）→H（6）＝28日

短縮前の最短所要時間は，最長の経路であるため，31日間です。

作業Dの作業日数が10日間から6日間に短縮されると，作業Dを含む次の2つの所要日数が変わります。

◆**短縮後**

- A（5）→B（3）→E（5）→G（3）＝16日
- A（5）→B（3）→E（5）→ダミー作業→H（6）＝19日
- A（5）→C（5）→D（6）→E（5）→G（3）＝24日
- A（5）→C（5）→D（6）→E（5）→ダミー作業→H（6）＝27日
- A（5）→C（5）→F（12）→H（6）＝28日←短縮後の最短所要時間

短縮後の最短所要時間は，28日間です。つまり，短縮前の31日間が，短縮後では28日間となり，短縮日数は3日です。

正解：ウ

重要度★★☆

8-2 サービスマネジメント

システムは,「正常に稼働するのが当たり前」と思われがちですが,そう簡単ではありません。安定稼働するために行うサービスマネジメントの管理技術・管理手法は,情報セキュリティの3要素のうち,可用性を高めることになります。

サービスマネジメント

顧客の要求を満たすサービス*1を提供するために,サービスの提供者の活動を管理することです。情報システムは,「開発すれば終わり」ではなく,その後の利用・運用*2の段階で,トラブルが少なく,かつトラブル時の対応も迅速かつ的確である必要があるために行う取組みです。

◆ITIL(アイティル)*3

システムを,安定的かつ効率的に運用するための**手本集**です。サービスマネジメントの,いわば**攻略本**として使われます。英国政府が策定しており,規格ではなく,**デファクトスタンダード***4です。

サービスマネジメントでは,完璧を目指すと,かえって費用・時間がかかりすぎることから,目標保証型と努力目標型に区分けし,どこまで許容するかなど,求めるレベルを事前に決めておきます。

ITILでは,当事者間でサービスのレベル(定義・範囲・品質)を明示した合意文書の締結を推奨しており,その対象者に応じて,SLAとOLAなどがあります。

◆SLA*5

サービスの**提供者**と**利用者**(顧客)との間で結ばれる合意文

***1:サービス**
顧客に価値を提供するための手段。

***2:運用**
情報システムが正常稼働し続けられるように維持すること。

***3:ITIL**
Information Technology Infrastructure Libraryの略。

***4:デファクトスタンダード**
事実上の標準。規格として制定していないにもかかわらず,市場競争の結果,世界でルール・取り決めとして利用されること。

***5:SLA**
Service Level Agreement(サービスレベル合意書)の略。

書です。

◆OLA[*6]

サービスの**提供者同士**（サービスデスクと情報システム部など）で結ばれる合意文書です。顧客からのインシデントを受付するサービスデスクと，そのインシデントを解決するためにサービスデスクを支援する，社内の別の部署（情報システム部など）との間で結ばれる合意文書です。

***6：OLA**
Operational Level Agreement（運用レベル合意書）の略。

サービスマネジメントプロセス

ITILを実践するための**活動**です。よく出題されるサービスマネジメントプロセスと，インシデント[*7]「エンジンがかからない」に対応した例は，次のとおりです。

***7：インシデント**
やりたいことができない状況。システム障害だけでなく，印刷ができないなどのトラブルも含む。

表：サービスマネジメントプロセスと例

サービスマネジメントプロセス	説明	例
インシデント管理	発生したインシデントを，通常のサービスへと**復旧**させる活動。	原因究明はさておき，とりあえずエンジンをかける。
問題管理	インシデントの**根本原因**を突き止め，解決策や再発防止策を実施する活動。それらを**既知の誤り**という。	エンジンがかからない**根本原因**を究明し，対策を打つ。
構成管理	現状把握のため，情報機器・ソフトウェア・関連資料を格納したデータベースを参照・更新する活動。	設計図面・車検証・過去のインシデントを見て，エンジンの**修理**の**下準備**をする。
変更管理	変更要求に関して，変更に伴う影響を調査し，変更するかどうかを検討する活動。	エンジンを修理した場合の**影響**を検討する。
可用性管理	SLAの目標を達成するために，インシデントが発生しないように，継続的に可用性[*8]を高める活動。	点検・車検を行う。

次ページへ続く

キャパシティ管理	システム障害を防ぐため，将来必要となるシステム資源のキャパシティ[*9]の状況を監視・分析・予測する活動。	エンジンの老朽化対策・消耗品のへたり具合の監視を行う。
サービスレベル管理	SLAで合意された業務要件を満たすために，PDCAサイクルを回して，ＩＴサービスを継続的に改善する活動。	上記の活動を継続的に行う。

◆問題管理とインシデント管理の違い

問題管理とインシデント管理の違いは，次のとおりです。

- **問題管理**は，インシデントの**根本原因**を突き止め，インシデントそのものを取り除くことを目的とする。つまり，医療でいえば**根本治療**（原因療法(りょうほう)），火災でいえば**防火対策**。
- **インシデント管理**は，発生したインシデントを**とりあえず抑(おさ)える**ことを目的とする。インシデントの根本原因は必ずしも解明されなくてもよい。つまり，医療でいえば**対症(たいしょう)療法**，火災でいえば**消火活動**。

*8：可用性
必要なときは情報資産にいつでもアクセスでき，アクセス不可能がないこと。

*9：システム資源のキャパシティ
メモリ・ハードディスクなどのcapacity（容量）。例えば，応答時間・CPU使用率。

◆可用性管理の指標

可用性管理では，RTOとRPOという指標が使われます。

- RTO[*10]：インシデント発生後に，**どのくらいの時間**で，システムを**復旧**させるかの目標時間。値が小さいほど，時間が短く，優れている。
- RPO[*11]：インシデント発生時に，**どのくらい前**まで**さかのぼったデータ**を使って，システムを復旧させるかの目標時間。値が小さいほど，時間が短く，優れている。
- RLO[*12]：**どのレベル**（復旧の範囲・数値・能力）までシステムが**復旧**したら，**再開とする**かの目標数値。値が小さいほど，RTOも短くなり，早期復旧が可能。

*10：RTO
Recovery Time Objective（目標復旧時間）の略。

*11：RPO
Recovery Point Objective（目標復旧時点）の略。

*12：RLO
Recovery Level Objective（目標復旧レベル）の略。

ファシリティマネジメント[*13]

企業・役所の施設・設備を維持保全するための取組み・仕組みです。例は，次のとおりです。

- 盗難防止のための**セキュリティワイヤ**[*14]。
- 停電による被害を防ぐ**無停電電源装置（UPS）**
  停電時に情報機器に電力を供給するためのバッテリー装置。長時間は利用できず，通常，自家発電装置により電力が供給されるまでの間，稼働させる。なお，**瞬断**[*15]をなくせる種類のUPSもある。

***13：ファシリティマネジメント**
語源は，Facility（施設）＋Management（管理）から。

***14：セキュリティワイヤ**
情報機器と机を結ぶための金属製のチェーン。不正な持出しを防ぐ。

***15：瞬断（しゅんだん）**
停電時に電力供給を切り変える際，一瞬供給が断たれる現象。

サービスデスク・ヘルプデスク

サービスの利用者からの問合せに対して，単一の窓口機能を提供し，担当部署への引継ぎ・対応結果の記録・記録の管理などを行う部署です。主なサービスデスクの形態は，次のとおりです。

◆ローカルサービスデスク

拠点ごとに，サービスデスクを設置する形態です。利用者の**近く**にサービスデスクがあるため，担当者が直接出向きやすく，また，拠点ごとの言語や文化に合わせて，きめ細やかに対応しやすいです。

◆中央サービスデスク

複数拠点を統括し，**1拠点**にサービスデスクを設置する形態です。**集中的**に問合せを受け付けるため，サービス要員を効率的に配置したり，大量の問合せに対応したりしやすいです。

◆バーチャル[*16]サービスデスク

実際には複数拠点に存在しますが，ＩＴを活用することで，**あたかも1拠点**にサービスデスクを設置しているかのように，利用者からは見える形態です。

***16：バーチャル**
virtual（仮想の）。語源は，実際には複数拠点だが，あたかも1拠点に見えることから。

◆**フォロー・ザ・サン**[*17]

24時間体制を構築するために，地理的に分散し，時差がある複数拠点を組み合わせる形態です。全拠点を中央で統括管理する方式でもあるため，ある拠点でその日のうちに対応できなかった問合せを，**時差**のある別の拠点で**引き継いで**対応するなど，統制のとれたサービスを提供できます。

***17：フォロー・ザ・サン**
語源は，Follow the Sun（太陽を追いかける）から。太陽が出ている昼間に行うことを，各拠点で太陽の動きに合わせて，時間差で行うことで，24時間体制になることから。

練習問題❶

〔情報セキュリティマネジメント試験 平成30年秋 午前問42〕

問 ITサービスマネジメントにおいて，一次サポートグループが二次サポートグループにインシデントの解決を依頼することを何というか。ここで，一次サポートグループは，インシデントの初期症状のデータを収集し，利用者との継続的なコミュニケーションのための，コミュニケーションの役割を果たすグループであり，二次サポートグループは，専門的技能及び経験をもつグループである。

ア　回避策　　イ　継続的改善　　ウ　段階的取扱い　　エ　予防処置

《解説》

段階的取扱いとは，自分たちだけでは解決できないインシデントについて，その解決・判断を他者に依頼することです。**エスカレーション**ともいいます。

正解：ウ

練習問題❷

〔情報セキュリティマネジメント試験 平成30年春 午前問42〕

問 サービスデスク組織の構造とその特徴のうち，ローカルサービスデスクのものはどれか。

ア　サービスデスクを1拠点又は少数の場所に集中することによって，サービス要員を効率的に配置したり，大量のコールに対応したりすることができる。

イ　サービスデスクを利用者の近くに配置することによって，言語や文化が異なる利用者への対応，専用要員によるVIP対応などができる。

ウ　サービス要員が複数の地域や部門に分散していても，通信技術の利用によって単一のサービスデスクであるかのようにサービスが提供できる。

エ　分散拠点のサービス要員を含めた全員を中央で統括して管理することによって，統制のとれたサービスが提供できる。

《解説》

サービスデスクとは，サービスの利用者からの問合せに対して，単一の窓口機能を提供し，担当部署への引継ぎ・対応結果の記録・記録の管理などを行う部署です。**ローカルサービスデスク**とは，拠点ごとに，サービスデスクを設置する形態です。利用者の近くにサービスデスクがあるため，担当者が直接出向きやすく，また，拠点ごとの言語や文化に合わせて，きめ細やかに対応しやすいです。

ア：中央サービスデスクの説明です。
イ：正解です。ローカルサービスデスクの説明です。
ウ：バーチャルサービスデスクの説明です。
エ：フォロー・ザ・サンの説明です。

正解：イ

重要度★★★

8-3 システム監査

第三者が監査することにより，問題を未然に防いだり，早期に発見したり，取組みについて外部から信頼を得たりします。ここでは，情報セキュリティに関連する，システム・情報セキュリティ・財務会計の監査について学びます。

システム監査

情報システムを対象にした，**第三者**の評価です。システムの複雑化・高度化に伴って，当事者以外の利害関係者*1が，システムの信頼性・安全性・効率性・有効性を把握しにくくなっています。そのため，依頼を受けたシステムの専門家や担当部署が，システムの企画・開発・運用・保守・利用までの状況を客観的に評価し，**お墨付き**（保証）を与えたり，**助言**したりします。

***1：利害関係者**
この場合，顧客・取引先・株主・金融機関など。

情報セキュリティ監査

組織の**情報セキュリティマネジメント体制**を対象にした，**第三者**の評価です。情報セキュリティに特化した監査で，情報資産*2すべてを対象にし，情報セキュリティの取組み・対策が適切に実施されているかを，外部の専門家が客観的に評価します。

情報セキュリティ監査のために，経済産業省が策定した，次の基準があります。

***2：情報資産**
価値があるデータやシステム。

***3：実践規範**
行うべきとされるルール。ベストプラクティスともいう。

***4：行為規範**
守るべきとされるルール。

表：情報セキュリティ監査のための基準

情報セキュリティ管理基準	情報セキュリティ監査を受ける**組織**の**実践規範***3で，情報セキュリティ監査において組織が行うべき推奨事例をまとめたもの。また，情報セキュリティ管理基準にどれほど沿っているかが，監査における判断の尺度（基準）となる。
情報セキュリティ監査基準	**監査人**の**行為規範***4で，監査を実際に行う監査人が行うべき内容をまとめたもの。例えば，独立性の確保・守秘義務。

◆システム監査と情報セキュリティ監査の違い

両者は，第三者による監査である点で同じですが，次の点で異なります。

表：システム監査と情報セキュリティ監査の違い

	システム監査	情報セキュリティ監査
監査の対象	**情報システム**	**情報資産**
監査の目的	情報セキュリティを含む，情報システムの信頼性・安全性・効率性・有効性を監査する。	組織の情報セキュリティ確保のためのマネジメント（管理）の実施状況を監査する。

◆監査とコンサルティングの違い

両者は，依頼元である監査対象の組織（企業や役所）に対して，助言する点で同じですが，次の点で異なります。

- **監査**は，監査報告書を，監査対象の組織と，その組織の利害関係者に公開する。利害関係者からの信頼を得ることが目的。
- **コンサルティング**は，調査報告を対象の組織のみに公開する。自組織の状況把握が目的。

内部統制

企業が財務会計でミスや不正を行わないように，組織内部のルールや仕事のやり方を整備・実施・証明することです。例えば，担当者任せ・部署任せだと，不正行為が発生しやすくなるため，相互にチェックするルールを整備します。

ＩＴ統制

内部統制のうち，ＩＴに関連した内容を統制*5することです。システムやシステムを使った業務について，ルールや仕事のやり方を整備・実施・証明します。

***5：統制**
整備・実施・証明すること。

予防統制と発見統制の段階があります。

- **予防統制**は，ミスや不正を防ぐための統制。例えば，ミスをしにくい画面を設計する・適切なアクセス権限を付与する。
- **発見統制**は，ミスや不正を発見するための統制。例えば，入力した値の合計値や件数を元データと比較する。

また，統制の対象には，次の２種類があります。

◆ＩＴ業務処理統制

システムを使った**業務**を統制することです。

例は，次のとおりです。

- あらかじめ決まった金額を入力する際，手入力でなく，金額を一覧から選択する方式にする。
- 事前に設定した限度額を超える入金・出金処理は，行わない。

◆ＩＴ全般統制

ＩＴ業務処理統制を実施できるように，適切に**システム**を開発・運用することです。仮に，正しくＩＴ業務処理統制を行っても，そもそもシステム自体に誤りがあれば，内部統制が不十

第8章 マネジメント系

分になるため，システムの開発・運用を統制します。

ＩＴ全般統制で問題となる例は，次のとおりです。

- システムの欠陥（けっかん）により，財務情報システムのデータを削除した。
- 財務情報システムのアクセス権を不適切に付与したため，会計の数値が外部に流出した。

ＩＴガバナンス

企業が，経営目標を達成するために，ＩＴを過不足（かふそく）なく活用することです。経営戦略をもとにした適切なＩＴ戦略を決めたり，情報セキュリティ事故にならないように，従業者によるＩＴの利用を統制したりします。ガバナンス[*6]を使う用語は，次のとおりです。

表：コーポレートガバナンスと情報セキュリティガバナンス

コーポレートガバナンス	企業の利害関係者（株主・顧客・従業員・取引先など）が，企業経営層を統制・監視するための仕組み。企業統治ともいう。
情報セキュリティガバナンス	企業が，情報資産のリスク管理のために，情報セキュリティの意識・取組み・業務活動を，組織内に徹底させるための仕組み。

◆３つのガバナンスの違い

３つのガバナンスの違いは，対象とする範囲です。

- ＩＴガバナンスは，非ＩＴ（ＩＴでないもの）は含まない。
- 情報セキュリティガバナンスは，情報セキュリティ以外は含まない。
- ＩＴガバナンスと情報セキュリティガバナンスは，コーポレートガバナンスに含まれる。

***6：ガバナンス**
語源は，governance（管理・支配・統治）から。法的拘束力のあるガバメント（government・政府）とは対照的に，組織が主体的に行う意思決定・合意形成のこと。

表：３つのガバナンスの対象範囲

	ＩＴガバナンス	情報セキュリティガバナンス
情報セキュリティ	対象	対象
情報セキュリティ以外	対象	対象外
ＩＴ	対象	対象
非ＩＴ（ＩＴでないもの）	対象外	対象

コーポレートガバナンス

練習問題❶

〔応用情報技術者試験 令和元年秋 午前問60〕

問 販売管理システムにおいて，起票された受注伝票の入力が，漏れなく，かつ，重複することなく実施されていることを確かめる監査手続として，適切なものはどれか。

ア 受注データから値引取引データなどの例外取引データを抽出し，承認の記録を確かめる。
イ 受注伝票の入力時に論理チェック及びフォーマットチェックが行われているか，テストデータ法で確かめる。
ウ 販売管理システムから出力したプルーフリストと受注伝票との照合が行われているか，プルーフリストと受注伝票上の照合印を確かめる。
エ 並行シミュレーション法を用いて，受注伝票を処理するプログラムの論理の正確性を確かめる。

《解説》

各選択肢における検証の対象を読み取り，それが漏れ・重複かどうかを判断します。

ア：例外処理を検証します。
イ：受注伝票の入力形式を検証します。

ウ：正解です。**プルーフリスト**とは，入力したデータの件数などを出力した一覧表です。入力データの照合，重複・紛失データの発見，修復に用います。受注伝票の漏れ・重複を検証します。

エ：受注伝票の処理を検証します。

正解：ウ

練習問題❷

〔情報セキュリティマネジメント試験 平成28年秋 午前問40〕

問 "情報セキュリティ監査基準"に関する記述のうち，最も適切なものはどれか。

ア "情報セキュリティ監査基準"は情報セキュリティマネジメントシステムの国際規格と同一の内容で策定され，更新されている。

イ 情報セキュリティ監査人は，他の専門家の支援を受けてはならないとしている。

ウ 情報セキュリティ監査の判断の尺度には，原則として，"情報セキュリティ管理基準"を用いることとしている。

エ 情報セキュリティ監査は高度な技術的専門性が求められるので，監査人に独立性は不要としている。

《解説》

情報セキュリティ監査基準とは，監査人の行為規範で，監査を実際に行う監査人が行うべき内容をまとめたものです。例えば，独立性の確保・守秘義務です。また，情報セキュリティ管理基準とは，組織が効果的な情報セキュリティマネジメント体制を構築するための実践規範で，推奨される事例をまとめたものです。

ア：情報セキュリティ管理基準の説明です。

イ：情報セキュリティ監査人は，必要な場合に，他の専門家の支援を受けても構いません。

ウ：正解です。情報セキュリティ監査の判断の尺度は，情報セキュリティ管理基準を用います。情報セキュリティ監査基準は，監査の判断の尺度でなく，監査人が行うべき内容をまとめたものです。

エ：監査人は，監査対象とは独立していなければいけません。

正解：ウ

練習問題❸

〔情報セキュリティマネジメント試験 平成31年春 午前問40〕

問 経済産業省“情報セキュリティ監査基準 実施基準ガイドライン (Ver1.0)”における，情報セキュリティ対策の適切性に対して一定の保証を付与することを目的とする監査（保証型の監査）と情報セキュリティ対策の改善に役立つ助言を行うことを目的とする監査（助言型の監査）の実施に関する記述のうち，適切なものはどれか。

ア　同じ監査対象に対して情報セキュリティ監査を実施する場合，保証型の監査から手がけ，保証が得られた後に助言型の監査に切り替えなければならない。

イ　情報セキュリティ監査において，保証型の監査と助言型の監査は排他的であり，監査人はどちらで監査を実施するかを決定しなければならない。

ウ　情報セキュリティ監査を保証型で実施するか助言型で実施するかは，監査要請者のニーズによって決定するのではなく，監査人の責任において決定する。

エ　不特定多数の利害関係者の情報を取り扱う情報システムに対しては，保証型の監査を定期的に実施し，その結果を開示することが有用である。

《解説》

情報セキュリティ監査基準とは，監査人の行為規範で，監査を実際に行う監査人が行うべき内容をまとめたものです。例えば，独立性の確保・守秘義務です。

ア：順序が反対です。助言型の監査により，改善を進めたうえで，保証型の監査により，保証を得るという段階的な導入を取り入れます。

イ：両者の関係は排他的（自分以外の者をしりぞけて受け入れないさま）ではありません。

ウ：保証型で実施するか助言型で実施するかは，検討すべき観点が多いため，監査要請者のニーズを含めたうえで決定する必要があります。

エ：正解です。保証型の監査を実施し，その結果を開示することで，利害関係者からの信頼を得られます。

正解：エ

練習問題❹ 〔情報セキュリティマネジメント試験 平成30年秋 午前問8〕

問 JIS Q 27014:2015（情報セキュリティガバナンス）における，情報セキュリティガバナンスの範囲とＩＴガバナンスの範囲に関する記述のうち，適切なものはどれか。

ア 情報セキュリティガバナンスの範囲とＩＴガバナンスの範囲は重複する場合がある。
イ 情報セキュリティガバナンスの範囲とＩＴガバナンスの範囲は重複せず，それぞれが独立している。
ウ 情報セキュリティガバナンスの範囲はＩＴガバナンスの範囲に包含されている。
エ 情報セキュリティガバナンスの範囲はＩＴガバナンスの範囲を包含している。

《解説》

情報セキュリティガバナンスとは，企業が，情報資産のリスク管理のために，情報セキュリティの意識・取組み・業務活動を，組織内に徹底させるための仕組みです。

ＩＴガバナンスとは，企業が，経営目標を達成するために，ＩＴを過不足（かふそく）なく活用することです。経営戦略をもとにした適切なＩＴ戦略を決めたり，情報セキュリティ事故にならないように，従業者によるＩＴの利用を統制したりします。

両者の対象範囲は，次のとおりです。

	ＩＴガバナンス	情報セキュリティガバナンス
情報セキュリティ	対象	対象
情報セキュリティ以外	対象	対象外
ＩＴ	対象	対象
非ＩＴ（ＩＴでないもの）	対象外	対象

コーポレートガバナンス

表のとおり，情報セキュリティとＩＴについては，両者ともに対象範囲です。また，両者が包含したり，包含されたりはしていません。なお，コーポレートガバナンスは，両者を包含しています。

正解：ア

第9章

ストラテジ系

情報セキュリティを守るために，情報システムの企画段階から関与・参画し，問題を未然に防ぐ取組みが重要です。この章では，それに関連する「ストラテジ系」（経営戦略）に含まれる，システム戦略・システム企画・企業活動について学びます。

（大文字のキュー）

重要度★★★

9-1 システム戦略

システム開発は，ゼロから設計・開発する従来の方式だけでなく，新たな仕組みの登場により，多様化しています。それに伴って，情報セキュリティのあり方も変わるため，新たな仕組みを理解します。

情報システム戦略

企業における情報システム戦略を練るうえで，必要となる仕組み・業務プロセスは，次のとおりです。

◆ERP[*1]

部門別・業務別のシステムでなく，企業全体で**統合されたシステム**を使って経営を効率化する管理手法です。不統一の業務プロセス（仕事のやり方・手順）を見直して，全社で標準化[*2]し，情報を共有して業務を効率化します。

◆SCM[*3]

商品の調達・製造・配送・販売までの**一連の流れ**を，複数の企業間で統合的に管理し，在庫や滞留（たいりゅう）を減らすことで，コストの削減と経営の効率化を実現する経営管理手法です。

◆BPR[*4]

企業が，**業務プロセス**を改めるために，従来の，業務手順・規則・組織を抜本的に見直し，再構築することです。顧客に対して価値を提供するという本来の目的とは異なる業務プロセス（仕事のやり方・手順）になることがあります。例えば，時間の経過とともに，部署・個人にとっての部分最適に陥（おちい）ったり，必要以上に分業化されたりします。それを改革するために行います。

***1：ERP**
Enterprise Resource Planning（企業資源計画）の略。

***2：標準化**
ルールを統一すること。

***3：SCM**
Supply Chain Managementの略。

***4：BPR**
Business Process Reengineeringの略。

◆BPM[*5]

業務プロセスを**継続的**に**改善**するための管理手法です。業務の流れを業務プロセスごとに分析・整理し，問題点を洗い出して継続的に業務の流れを改善します。

*5：BPM
Business Process Managementの略。

◆BPO[*6]

自社の業務の一部を，業務システムだけでなく業務そのものを含めて，**外部企業に委託**することです。

*6：BPO
Business Process Outsourcingの略。

練習問題❶

〔情報セキュリティマネジメント試験 平成28年春 午前問47〕

問 利用者が，インターネットを経由してサービスプロバイダのシステムに接続し，サービスプロバイダが提供するアプリケーションの必要な機能だけを必要なときにオンラインで利用するものはどれか。

ア　ERP　　イ　SaaS　　ウ　SCM　　エ　XBRL

《解説》

ア：ERP（Enterprise Resource Planning）とは，部門別・業務別のシステムでなく，企業全体で統合されたシステムを使って経営を効率化する管理手法です。不統一の業務プロセス（仕事のやり方・手順）を見直して，全社で標準化し，情報を共有して業務を効率化します。

イ：正解です。SaaS（Software as a Service）とは，アプリケーション（ソフトウェア）をサービスとして提供する方式です。

ウ：SCM（Supply Chain Management）とは，商品の調達・製造・配送・販売までの一連の流れを，複数の企業間で統合的に管理し，在庫や滞留を減らすことで，コストの削減と経営の効率化を実現する経営管理手法です。

エ：XBRL（eXtensible Business Reporting Language）とは，ソフトウェアに依存することなく，企業の財務情報を利用・共有するために標準化されたデータ形式です。

正解：イ

練習問題❷

〔基本情報技術者試験 平成30年秋 午前問62〕

問　BPOを説明したものはどれか。

ア　自社ではサーバを所有せずに，通信事業者などが保有するサーバの処理能力や記憶容量の一部を借りてシステムを運用することである。

イ　自社ではソフトウェアを所有せずに，外部の専門業者が提供するソフトウェアの機能をネットワーク経由で活用することである。

ウ　自社の管理部門やコールセンタなど特定部門の業務プロセス全般を，業務システムの運用などと一体として外部の専門業者に委託することである。

エ　自社よりも人件費の安い派遣会社の社員を活用することによって，ソフトウェア開発の費用を低減させることである。

《解説》

BPO（Business Process Outsourcing）とは，自社の業務の一部を，業務システムだけでなく業務そのものを含めて，外部企業に委託することです。

ア：ホスティングサービスの説明です。
イ：SaaS（サース）（Software as a Service）の説明です。
ウ：正解です。BPOの説明です。
エ：派遣契約によるコスト削減の説明です。

正解：ウ

重要度★★★

9-2 システム企画

情報セキュリティの面で安全なシステムを導入するためには，企業が，システム開発企業と適切に連携する必要があります。そのための手順や取り決めを，ここで説明します。

要求分析

ビジネスの実現のために，どんなシステムが必要かを分析する段階です。利用者が求めるシステムの機能であり，また，システムが実現すべき目標でもあります。

要件[*1]定義

要求を満たすシステムの機能・仕様と，システム導入後の業務の手順・ルールをまとめ，利害関係者間で合意する段階です。要件の詳細は，次のとおりです。

◆機能要件

システムに求められる機能の要件です。例えば，処理内容・画面表示・帳票（ちょうひょう）[*2]の形式です。

◆非機能要件

システムに求められる，**機能要件以外**の要件です。例は，次のとおりです。

- 品質（パフォーマンス・信頼性）
- 技術（プログラム言語・開発基準）
- 運用（作業手順・災害対策）
- 付帯作業（教育）

***1：要件**
必要な条件。

***2：帳票**
定型的な書類。例えば，請求書・見積書・伝票。

セキュリティバイデザイン[*3]

情報システムの企画・設計段階から，情報セキュリティを確保するための方策です。後付けでなく，**設計段階から**情報セキュリティ対策に取り組むことにより，安全で，手戻り（やり直し）が少なく，コストがかからない情報システムを構築できます。

調達（ちょうたつ）

一般企業が，ＩＴベンダ[*4]に対して，システムの開発を依頼することです。次の手順で実施します。

① RFIの提示

一般企業が，調達先の選定のために，ＩＴベンダに対して，システム化の目的や業務内容を示したうえで，RFI[*5]を提示し，情報提供を依頼する。ＩＴベンダに対して求める情報は，開発実績・提供可能な製品やサービスなど。

② RFP・RFQの提示

一般企業が，調達先選定のために，ＩＴベンダに対して，開発してほしいシステムと条件を示したRFP[*6]とRFQ[*7]を提示し，提案書・見積書の提出を依頼する。

③ 調達先の選定

ＩＴベンダの提案書や見積書から，システム開発の確実性・信頼性・費用・最終納期などをもとに，調達先を選定する。

④ 契約の締結（ていけつ）

選定したＩＴベンダと契約について交渉し，システム・費用・納入時期・役割分担などを文書で確認し，契約を締結する。

***3：セキュリティバイデザイン**
英語で，Security by Design。セキュアバイデザインともいう。

***4：ＩＴベンダ**
情報技術に関連したソフトウェア・システム・機器を販売する企業。

***5：RFI**
Request For Information（情報提供依頼書）の略。

***6：RFP**
Request For Proposal（提案依頼書）の略。

***7：RFQ**
Request For Quotation（見積依頼書）の略。

練習問題❶

〔情報セキュリティマネジメント試験 平成29年春 午前問49〕

問　受注管理システムにおける要件のうち，非機能要件に該当するものはどれか。

ア　顧客から注文を受け付けるとき，与信残金額を計算し，結果がマイナスになった場合は，入力画面に警告メッセージを表示できること

イ　受注管理システムの稼働率を決められた水準に維持するために，障害発生時は半日以内に回復できること

ウ　受注を処理するとき，在庫切れの商品であることが分かるように担当者に警告メッセージを出力できること

エ　商品の出荷は，顧客から受けた注文情報を受注担当者がシステムに入力し，営業管理者が受注承認入力を行ったものに限ること

《解説》

非機能要件とは，要件定義のうち，システムに求められる，機能要件以外の要件です。例は，次のとおりです。

- 品質（パフォーマンス・信頼性）
- 技術（プログラム言語・開発基準）
- 運用（作業手順・災害対策）
- 付帯作業（教育）

なお，要件定義とは，要求を満たすシステムの機能・仕様と，システム導入後の業務の手順・ルールをまとめ，利害関係者間で合意する段階です。

ア，ウ，エ：システムに求められる機能の要件である「機能要件」の説明です。
イ：正解です。信頼性（システムが正常に稼働し，故障が少ないこと）についてであり，機能要件以外の要件である非機能要件の説明です。

正解：イ

重要度★★★

9-3 企業活動

情報セキュリティ対策は，企業を存続させるために行います。ここでは，情報セキュリティ対策以外に，企業の存続のために行われる，万一の事態が発生した場合の計画と，企業の財務面の現状を把握するための会計について，説明します。

組織形態

業務を効率的に行うために，組織の形態を使い分けます。代表的な組織形態は，次のとおりです。

◆職能別組織

営業部・総務部・人事部など，業務内容の専門性によって，**機能**を分けた部門をもつ組織です。専門的に業務を行えるため効率がよい一方で，部署と部署の間で連携しにくくなります。

◆プロジェクト組織

ある問題を解決するために，各部門から専門家を集めて結成し，問題の解決とともに解散する組織です。いわゆる**プロジェクトチーム**です。専門的な業務をすばやく行える一方で，最終的にプロジェクトチームは解散するため，業務で得た経験・知識を組織として蓄積しにくくなります。

◆マトリックス組織

従業者が，自分が専門とする**職能部門**と，**プロジェクト**ごとの部門の２つに所属する組織です。両者の利点を得られる一方で，２人の上司から指揮命令を受けるため，混乱を招くこともあります。

◆事業部制組織

製品別・地域別に担当する組織を構成し，その組織に経営責任をもたせた**独立採算制度**の組織です。各事業部で意思決定がすばやく行える一方で，企業全体としての方針を統一しにくくなります。

◆カンパニ制組織

あたかも１つの企業のように，権限と責任を移した組織です。いわゆる**社内分社**のことです。事業部制組織に比べて，より独立性が高く，人事・投資・財務の権限ももちます。

◆社内ベンチャ組織

新しく有望な事業を育てる目的で，大企業の中で，あたかも新規事業を**起業**したかのような形態で行う組織です。大企業の経営資源を利用できる一方で，実際の起業に比べると，チャレンジ精神に欠けることもあります。

◎ 事業継続計画

緊急時の対応を事前に決めて，文書にし，準備しておくことです。情報セキュリティ事故・自然災害・サイバーテロリズムなど，予期しない事態が発生した場合に，被害拡大を防ぎ，早期に復旧するための計画を策定します。

表：緊急時の計画

事業継続計画 *1 (BCP)	災害・事故発生時に，**基幹業務**の**継続**を目的とした対応計画。
緊急時対応計画 *2	災害・事故発生時に，**被害拡大**の**防止**や，早期の**復旧**を目的とした対応計画。
事業継続管理 *3 (BCM)	事業継続計画の策定から，導入・運用・継続的改善を行う**マネジメント**。

***1：事業継続計画**
Business Continuity Planの略。

***2：緊急時対応計画**
コンティンジェンシ計画ともいう。

***3：事業継続管理**
Business Continuity Managementの略。

企業会計

企業に適用される会計です。企業の現状を，数値で外部に示したり，自社で分析したりするために使われます。企業会計は，目的別に，財務会計と管理会計に分けられます。

- **財務会計**は，商法・法人税法・金融商品取引法に準拠する会計。会計基準に基づいて行う必要がある。
- **管理会計**は，経営層が自社の分析や意思決定に活用する情報を提供するための会計。

- **財務諸表**(ざいむしょひょう)

  企業の業績・経営状況を，数値をもとに分析するために作成される書類です。企業における**健康診断書**のようなものです。主な財務諸表は，次のとおりです。

***4：損益計算書**
P/L（Profit and Loss statement）ともいう。

***5：貸借対照表**
B/S（Balance Sheet）ともいう。

***6：キャッシュフロー**
語源は，cash flow（現金の流れ）から。

表：主な財務諸表

損益計算書(そんえきけいさんしょ) *4	企業の一会計期間の**儲け**(もう)を示す財務諸表。企業のどの部門でどう儲けたかという，利益の質を分析できる。
貸借対照表(たいしゃくたいしょうひょう) *5	企業の一定の時点の**財政状態**を示す財務諸表。資金をどう集め，資産としてどう保有したかという，経営の質を分析できる。
キャッシュフロー計算書 *6	企業の一会計期間の現金の**収支**を示す財務諸表。企業の支払い能力の大きさを，営業活動・投資活動・財務活動の各視点から分析したもの。

◆損益計算書の報告式

損益計算書の書式のひとつで，収益・費用・利益を，区分別に表示します。

表：損益計算書の報告式の区分と金額の例

区分	金額例	説明
売上高	790	商品・サービスの販売金額などの収益
売上原価	480	商品・サービスの原材料費・製造費・仕入費などの費用
売上総利益	310	商品・サービスの販売から得た利益。粗利
販売費及び一般管理費	180	販売費用（広告宣伝費など）と会社全体の経費・費用
営業利益	130	営業活動から得られた利益
営業外収益	40	営業活動以外による収益。受取利息や配当金など
営業外費用	60	営業活動以外による損失。支払利息など
経常利益	110	経営活動の結果，得られた利益
特別利益	5	通常の経営活動以外による収益。土地の売却益など
特別損失	15	通常の経営活動以外による損失。災害による損失など
税引前当期純利益	100	経営活動の最終結果として得られた利益

各利益を求めるには，次の計算式を使います。なお，計算式の数値は，上表の「金額例」の値です。

- 売上総利益 ＝ 売上高 － 売上原価
  ＝ 790 － 480 ＝ 310
- 営業利益 ＝ 売上総利益 － 販売費及び一般管理費
  ＝ 310 － 180 ＝ 130
- 経常利益 ＝ 営業利益 ＋ 営業外収益 － 営業外費用
  ＝ 130 ＋ 40 － 60 ＝ 110
- 税引前当期純利益 ＝ 経常利益 ＋ 特別利益 － 特別損失
  ＝ 110 ＋ 5 － 15 ＝ 100

この計算式の関係を図で表すと，次のとおりです。なお，図の数値は，上表の「金額例」の値です。

売上高
(790)
売上原価
(480)
売上総利益
(310)
販売費及び一般管理費
(180)
営業利益
(130)
営業外収益
(40)
営業外費用
(60)
経常利益
(110)
特別利益
(5)
特別損失
(15)
税引前当期純利益
(100)

□ は，収益
□ は，費用
□ は，利益

練習問題❶ 〔情報セキュリティマネジメント試験 平成28年秋 午前問50〕

問 マトリックス組織を説明したものはどれか。

ア 業務遂行に必要な機能と利益責任を，製品別，顧客別又は地域別にもつことによって，自己完結的な経営活動が展開できる組織である。

イ 構成員が，自己の専門とする職能部門と特定の事業を遂行する部門の両方に所属する組織である。

ウ 購買・生産・販売・財務など，仕事の専門性によって機能分化された部門をもつ組織である。

エ 特定の課題の下に各部門から専門家を集めて編成し，期間と目標を定めて活動する一時的かつ柔軟な組織である。

《解説》

マトリックス組織とは，従業者が，自分が専門とする職能部門と，プロジェクトごとの部門の２つに所属する組織です。両者の利点を得られる一方で，２人の上司から指揮命令を受けるため，混乱を招くこともあります。

ア：**事業部制組織**の説明です。
イ：正解です。マトリックス組織の説明です。
ウ：**職能別組織**の説明です。
エ：**プロジェクト組織**の説明です。

正解：イ

第9章 ストラテジ系

練習問題❷

〔基本情報技術者試験 平成24年春 午前問76〕

問 図の損益計算書における経常利益は何百万円か。ここで，枠内の数値は明示していない。

単位　百万円

損益計算書

Ⅰ．売上高	1,585
Ⅱ．売上原価	951
	□
Ⅲ．販売費及び一般管理費	160
	□
Ⅳ．営業外収益	80
Ⅴ．営業外費用	120
	□
Ⅵ．特別利益	5
Ⅶ．特別損失	15
	□

ア　424　　イ　434　　ウ　474　　エ　634

《解説》

この問の各利益の関係を図で表すと，次のとおりです。経常利益は，434になります。

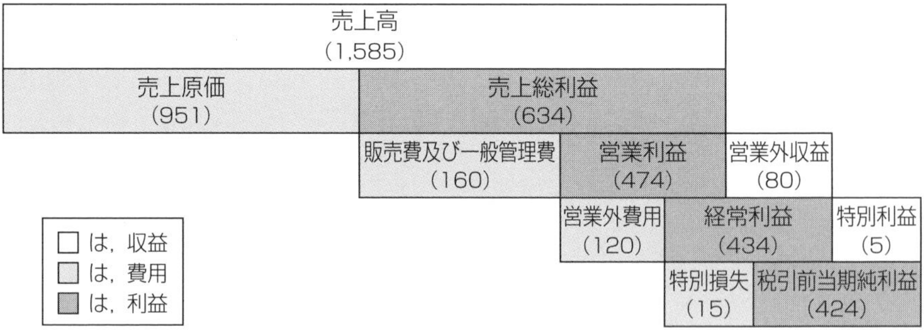

売上高 (1,585)
売上原価 (951) | 売上総利益 (634)
販売費及び一般管理費 (160) | 営業利益 (474) | 営業外収益 (80)
営業外費用 (120) | 経常利益 (434) | 特別利益 (5)
特別損失 (15) | 税引前当期純利益 (424)

□ は，収益
□ は，費用
□ は，利益

正解：イ

練習問題❸

〔応用情報技術者試験 令和4年春 午前問76〕

問 新製品の設定価格とその価格での予測需要との関係を表にした。最大利益が見込める新製品の設定価格はどれか。ここで，いずれの場合にも，次の費用が発生するものとする。

固定費：1,000,000円

変動費：600円／個

新製品の設定価格（円）	新製品の予測需要（個）
1,000	80,000
1,200	70,000
1,400	60,000
1,600	50,000

ア 1,000　　イ 1,200　　ウ 1,400　　エ 1,600

《解説》

「利益 ＝ 売上 － 費用」です。「売上 ＝ 価格 × 販売個数」で求められます。費用（固定費と変動費）のうち，変動費は1個あたり600円で販売個数に比例するため，「全変動費 ＝ 変動費 × 販売個数」で求められます。つまり，利益は，次の式で求められます。この式に選択肢の設定価格と予測需要を当てはめます。

利益 ＝ 価格 × 販売個数 － 固定費 － 変動費 × 販売個数

ア：1,000 × 80,000 － 1,000,000 － 600 × 80,000
　＝ 80,000,000 － 1,000,000 － 48,000,000 ＝ 31,000,000

イ：1,200 × 70,000 － 1,000,000 － 600 × 70,000
　＝ 84,000,000 － 1,000,000 － 42,000,000 ＝ 41,000,000

ウ：1,400 × 60,000 － 1,000,000 － 600 × 60,000
　＝ 84,000,000 － 1,000,000 － 36,000,000 ＝ 47,000,000

エ：1,600 × 50,000 － 1,000,000 － 600 × 50,000
　＝ 80,000,000 － 1,000,000 － 30,000,000 ＝ 49,000,000

このうち，最大利益は，**エ**の49,000,000です。

正解：エ

TOPICS

CBT方式 挑戦の歴史

従来は紙の試験だった情報処理技術者試験を，CBT方式（コンピュータを利用して実施する試験方式）により実施するまでには，苦難の道がありました。

2003年（平成15年）度から，基本情報技術者試験をCBT方式で実施するために，希望者にCBT方式による模擬試験（モニター試験）を実施し，問題点を検証しました。また，試験問題の漏えい対策として，出題候補となる問題数を増やすために，過去問題もそれに加えようと，平成14年春・平成14年秋・平成15年春の計3回分の試験問題を“非公開”とし，問題冊子の持ち帰りや，試験問題の出版を許しませんでした。しかし，多くの問題点が残ったため（「諸般の事情により」と説明），このときはCBT方式の導入が見送られ，非公開だった試験問題は後日公開されました。

その後，検討が進められ，2009年から紙の試験により実施されてきたＩＴパスポート試験は，2011年11月からCBT方式により実施されています。

また，2020年10月の試験は新型コロナウイルス感染症の影響により，試験会場を十分に確保できないことから，一部が急遽延期となり，CBT方式での試験実施が検討され，情報セキュリティマネジメント試験は2020年12月から，基本情報技術者試験は2021年1月から実施されました。

2023年から，両試験はCBT方式を前提とした試験問題に移行しました。また，従来は年に最大2回しか受験できませんでしたが，現試験では仮に不合格でも1か月後以降に再受験可能なため，年に最大11回受験できます。受験機会の増加は，受験者に大きなメリットとなることでしょう。

模擬問題

選りすぐりの過去問題とその解説を掲載しています。本書を学習する前に試験の概要を把握する目的や，学習の終盤に理解度を把握する目的で，この模擬問題に取り組んでみましょう。

科目A（問1～問48）は，情報セキュリティマネジメント試験の過去問題にとどまらず，基本情報技術者試験・応用情報技術者試験・情報処理安全確保支援士試験などの過去問題も多く盛り込み，難しい問題にも対応できるようにしています。

科目B（問49～問60）は，情報セキュリティマネジメント試験・応用情報技術者試験・情報処理安全確保支援士試験などの午後問題をもとに，科目Bの形式にあわせて改題しています。

▶模擬問題〈科目A〉

問1　JIS Q 27000:2014（情報セキュリティマネジメントシステム－用語）において定義されている情報セキュリティの特性に関する記述のうち，否認防止の特性に関する記述はどれか。 (解説p.463)

ア　ある利用者があるシステムを利用したという事実が証明可能である。
イ　認可された利用者が要求したときにアクセスが可能である。
ウ　認可された利用者に対してだけ，情報を使用させる又は開示する。
エ　利用者の行動と意図した結果とが一貫性をもつ。

問2　Webアプリケーションのセッションが攻撃者に乗っ取られ，攻撃者が乗っ取ったセッションを利用してアクセスした場合でも，個人情報の漏えいなどの被害が拡大しないようにするために，Webアプリケーションが重要な情報をWebブラウザに送信する直前に行う対策として，最も適切なものはどれか。 (解説p.463)

ア　Webブラウザとの間の通信を暗号化する。
イ　発行済セッションIDをCookieに格納する。
ウ　発行済セッションIDをURLに設定する。
エ　パスワードによる利用者認証を行う。

問3　ドメイン名ハイジャックを可能にする手口はどれか。 (解説p.463)

ア　PCとWebサーバとの通信を途中で乗っ取り，不正にデータを窃取する。
イ　Webサーバに，送信元を偽装したリクエストを大量に送信して，Webサービスを停止させる。
ウ　Webページにアクセスする際のURLに余分なドットやスラッシュなどを含め，アクセスが禁止されているディレクトリにアクセスする。
エ　権威DNSサーバに登録された情報を不正に書き換える。

模擬問題〈科目A〉

問4 インターネットバンキングの利用時に被害をもたらすMITB（Man-in-the-Browser）攻撃に有効なインターネットバンクでの対策はどれか。 （解説p.464）

ア インターネットバンキングでの送金時に接続するWebサイトの正当性を確認できるよう，EV SSLサーバ証明書を採用する。

イ インターネットバンキングでの送金時に利用者が入力した情報と，金融機関が受信した情報とに差異がないことを検証できるよう，トランザクション署名を利用する。

ウ インターネットバンキングでのログイン認証において，一定時間ごとに自動的に新しいパスワードに変更されるワンタイムパスワードを導入する。

エ インターネットバンキング利用時の通信をSSLではなくTLSを利用して暗号化するようにWebサイトを設定する。

問5 サーバへのログイン時に用いるパスワードを不正に取得しようとする攻撃とその対策の組合せのうち，適切なものはどれか。 （解説p.464）

	辞書攻撃	スニッフィング	ブルートフォース攻撃
ア	推測されにくいパスワードを設定する。	パスワードを暗号化して送信する。	ログインの試行回数に制限を設ける。
イ	推測されにくいパスワードを設定する。	ログインの試行回数に制限を設ける。	パスワードを暗号化して送信する。
ウ	パスワードを暗号化して送信する。	ログインの試行回数に制限を設ける。	推測されにくいパスワードを設定する。
エ	ログインの試行回数に制限を設ける。	推測されにくいパスワードを設定する。	パスワードを暗号化して送信する。

問6 ディレクトリトラバーサル攻撃に該当するものはどれか。 （解説p.464）

ア 攻撃者が，Webアプリケーションの入力データとしてデータベースへの命令文を構成するデータを入力し，管理者の意図していないSQL文を実行させる。

イ 攻撃者が，パス名を使ってファイルを指定し，管理者の意図していないファイルを不正に閲覧する。

ウ 攻撃者が，利用者をWebサイトに誘導した上で，WebアプリケーションによるHTML出力のエスケープ処理の欠陥を悪用し，利用者のWebブラウザで悪意のあるスクリプトを実行させる。

エ セッションIDによってセッションが管理されるとき，攻撃者がログイン中の利用者のセッションIDを不正に取得し，その利用者になりすましてサーバにアクセスする。

問7 BEC（Business E-mail Compromise）に該当するものはどれか。 （解説p.465）

ア 巧妙なだましの手口を駆使し，取引先になりすまして偽の電子メールを送り，金銭をだまし取る。
イ 送信元を攻撃対象の組織のメールアドレスに詐称し，多数の実在しないメールアドレスに一度に大量の電子メールを送り，攻撃対象の組織のメールアドレスを故意にブラックリストに登録させて，利用を阻害する。
ウ 第三者からの電子メールが中継できるように設定されたメールサーバを，スパムメールの中継に悪用する。
エ 誹謗（ひぼう）中傷メールの送信元を攻撃対象の組織のメールアドレスに詐称し，組織の社会的な信用を大きく損なわせる。

問8 DNSキャッシュサーバに対して外部から行われるキャッシュポイズニング攻撃への対策のうち，適切なものはどれか。 （解説p.465）

ア 外部ネットワークからの再帰的な問合せに応答できるように，コンテンツサーバにキャッシュサーバを兼ねさせる。
イ 再帰的な問合せに対しては，内部ネットワークからのものだけに応答するように設定する。
ウ 再帰的な問合せを行う際の送信元のポート番号を固定する。
エ 再帰的な問合せを行う際のトランザクションIDを固定する。

問9 ゼロデイ攻撃の特徴はどれか。 （解説p.465）

ア 脆弱（ぜい）性に対してセキュリティパッチが提供される前に当該脆弱性を悪用して攻撃する。
イ 特定のWebサイトに対し，日時を決めて，複数台のPCから同時に攻撃する。
ウ 特定のターゲットに対し，フィッシングメールを送信して不正サイトに誘導する。
エ 不正中継が可能なメールサーバを見つけて，それを踏み台にチェーンメールを大量に送信する。

問10 公開鍵暗号方式を用いて，図のようにAさんからBさんへ，他人に秘密にしておきたい文章を送るとき，暗号化に用いる鍵Kとして，適切なものはどれか。

（解説p.465）

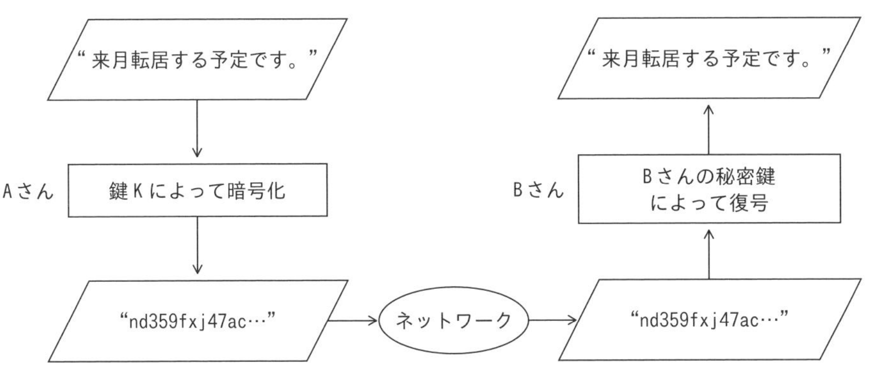

ア　Aさんの公開鍵
イ　Aさんの秘密鍵
ウ　Bさんの公開鍵
エ　共通鍵

問11 手順に示す電子メールの送受信によって得られるセキュリティ上の効果はどれか。

（解説p.466）

〔手順〕

(1)　送信者は，電子メールの本文を共通鍵暗号方式で暗号化し（暗号文），その共通鍵を受信者の公開鍵を用いて公開鍵暗号方式で暗号化する（共通鍵の暗号化データ）。

(2)　送信者は，暗号文と共通鍵の暗号化データを電子メールで送信する。

(3)　受信者は，受信した電子メールから取り出した共通鍵の暗号化データを，自分の秘密鍵を用いて公開鍵暗号方式で復号し，得た共通鍵で暗号文を復号する。

ア　送信者による電子メールの送達確認
イ　送信者のなりすましの検出
ウ　電子メールの本文の改ざん箇所の修正
エ　電子メールの本文の内容の漏えいの防止

問12 パスワードを用いて利用者を認証する方法のうち，適切なものはどれか。

(解説p.466)

ア パスワードに対応する利用者IDのハッシュ値を登録しておき，認証時に入力されたパスワードをハッシュ関数で変換して比較する。

イ パスワードに対応する利用者IDのハッシュ値を登録しておき，認証時に入力された利用者IDをハッシュ関数で変換して比較する。

ウ パスワードをハッシュ値に変換して登録しておき，認証時に入力されたパスワードをハッシュ関数で変換して比較する。

エ パスワードをハッシュ値に変換して登録しておき，認証時に入力された利用者IDをハッシュ関数で変換して比較する。

問13 ワームの検知方式の一つとして，検査対象のファイルからSHA-256を使ってハッシュ値を求め，既知のワーム検体ファイルのハッシュ値のデータベースと照合する方式がある。この方式によって，検知できるものはどれか。 (解説p.466)

ア ワーム検体と同一のワーム

イ ワーム検体と特徴あるコード列が同じワーム

ウ ワーム検体とファイルサイズが同じワーム

エ ワーム検体の亜種に該当するワーム

問14 ディジタル証明書をもつA氏が，B商店に対して電子メールを使って商品を注文するときに，A氏は自分の秘密鍵を用いてディジタル署名を行い，B商店はA氏の公開鍵を用いて署名を確認する。この手法によって実現できることはどれか。ここで，A氏の秘密鍵はA氏だけが使用できるものとする。 (解説p.467)

ア A氏からB商店に送られた注文の内容が，第三者に漏れないようにできる。

イ A氏から発信された注文が，B商店に届くようにできる。

ウ B商店からA氏への商品販売が許可されていることを確認できる。

エ B商店に届いた注文が，A氏からの注文であることを確認できる。

問15 XML署名を利用することによってできることはどれか。 (解説p.467)

ア TLSにおいて，HTTP通信の暗号化及び署名の付与に利用することによって，通信経路上でのXMLファイルの盗聴を防止する。

イ XMLとJavaScriptがもつ非同期のHTTP通信機能を使い，Webページの内容を動的に書き換えた上で署名を付与することによって，対話型のWebページを作成する。

ウ XML文書全体に対する単一の署名だけではなく，文書の一部に対して署名を付与する部分署名や多重署名などの複雑な要件に対応する。

エ 隠したい署名データを画像データの中に埋め込むことによって，署名の存在自体を外から判別できなくする。

問16 リスクベース認証に該当するものはどれか。 (解説p.467)

ア インターネットからの全てのアクセスに対し，トークンで生成されたワンタイムパスワードを入力させて認証する。

イ インターネットバンキングでの連続する取引において，取引の都度，乱数表の指定したマス目にある英数字を入力させて認証する。

ウ 利用者のIPアドレスなどの環境を分析し，いつもと異なるネットワークからのアクセスに対して追加の認証を行う。

エ 利用者の記憶，持ち物，身体の特徴のうち，必ず二つ以上の方式を組み合わせて認証する。

問17 ソフトウェアの脆(ぜい)弱性管理のためのツールとしても利用されるSBOM（Software Bill of Materials）はどれか。 (解説p.467)

ア ソフトウェアの脆弱性に対する，ベンダーに依存しないオープンで汎用的な深刻度の評価方法

イ ソフトウェアのセキュリティアップデートを行うときに推奨される管理プロセス，組織体制などをまとめたガイドライン

ウ ソフトウェアを構成するコンポーネント，互いの依存関係などのリスト

エ 米国の非営利団体MITREによって策定された，ソフトウェアにおけるセキュリティ上の弱点の種類を識別するための基準

問18 プロジェクトマネジメントにおけるリスクの対応例のうち，PMBOKのリスク対応戦略の一つである転嫁に該当するものはどれか。 （解説p.468）

ア あるサブプロジェクトの損失を，他のサブプロジェクトの利益と相殺する。
イ 個人情報の漏えいが起こらないように，システムテストで使用する本番データの個人情報部分はマスキングする。
ウ 損害の発生に備えて，損害賠償保険を掛ける。
エ 取引先の業績が悪化して，信用に不安があるので，新規取引を止める。

問19 JIS Q 27002:2014には記載されていないが，JIS Q 27017:2016において記載されている管理策はどれか。 （解説p.468）

ア クラウドサービス固有の情報セキュリティ管理策
イ 事業継続マネジメントシステムにおける管理策
ウ 情報セキュリティガバナンスにおける管理策
エ 制御システム固有のサイバーセキュリティ管理策

問20 情報セキュリティ管理を推進する取組みa～dのうち，IPA“中小企業の情報セキュリティ対策ガイドライン（第2.1版）”において，経営者がリーダシップを発揮し自ら行うべき取組みとして示されているものだけを全て挙げた組合せはどれか。 （解説p.468）

〔情報セキュリティ管理を推進する取組み〕
a 情報セキュリティ監査の目的を有効かつ効率的に達成するために，監査計画を立案する。
b 情報セキュリティ対策の有効性を維持するために，対策を定期又は随時に見直す。
c 情報セキュリティ対策を組織的に実施する意思を明確に示すために，方針を定める。
d 情報セキュリティの新たな脅威に備えるために，最新動向を収集する。

ア a，b，c　　イ a，b，d　　ウ a，c，d　　エ b，c，d

問21 リスクの顕在化に備えて地震保険に加入するという対応は，JIS Q 31000:2010に示されているリスク対応のうち，どれに分類されるか。 (解説p.469)

ア ある機会を追求するために，そのリスクを取る又は増加させる。
イ 一つ以上の他者とそのリスクを共有する。
ウ リスク源を除去する。
エ リスクを生じさせる活動を開始又は継続しないと決定することによって，リスクを回避する。

問22 JIS Q 31000:2010（リスクマネジメント－原則及び指針）において，リスクマネジメントは，“リスクについて組織を指揮統制するための調整された活動”と定義されている。そのプロセスを構成する活動の実行順序として，適切なものはどれか。

(解説p.469)

ア リスク特定→リスク対応→リスク分析→リスク評価
イ リスク特定→リスク分析→リスク評価→リスク対応
ウ リスク評価→リスク特定→リスク分析→リスク対応
エ リスク評価→リスク分析→リスク特定→リスク対応

問23 自社製品の脆弱性に起因するリスクに対応するための社内機能として，最も適切なものはどれか。 (解説p.469)

ア CSIRT　　イ PSIRT
ウ SOC　　エ WHOISデータベースの技術連絡担当

問24 総務省及び国立研究開発法人情報通信研究機構（NICT）が2019年2月から実施している取組“NOTICE”に関する記述のうち，適切なものはどれか。 （解説p.470）

ア NICTが運用するダークネット観測網において，マルウェアに感染したIoT機器から到達するパケットを分析した結果を当該機器の製造者に提供し，国内での必要な対策を促す。

イ 国内のグローバルIPアドレスを有するIoT機器に対して，容易に推測されるパスワードを入力することなどによって，サイバー攻撃に悪用されるおそれのある機器を調査し，インターネットサービスプロバイダを通じて当該機器の利用者に注意喚起を行う。

ウ 国内の利用者からの申告に基づき，利用者の所有するIoT機器に対して無料でリモートから，侵入テストやOSの既知の脆(ぜい)弱性の有無の調査を実施し，結果を通知するとともに，利用者が自ら必要な対処ができるよう支援する。

エ 製品のリリース前に，不要にもかかわらず開放されているポートの存在，パスワードの設定漏れなど約200項目の脆弱性の有無を調査できるテストベッドを国内のIoT機器製造者向けに公開し，市場に流通するIoT機器のセキュリティ向上を目指す。

問25 経済産業省が“サイバー・フィジカル・セキュリティ対策フレームワーク（Version 1.0）”を策定した主な目的の一つはどれか。 （解説p.470）

ア ICTを活用し，場所や時間を有効に活用できる柔軟な働き方（テレワーク）の形態を示し，テレワークの形態に応じた情報セキュリティ対策の考え方を示すこと

イ 新たな産業社会において付加価値を創造する活動が直面するリスクを適切に捉えるためのモデルを構築し，求められるセキュリティ対策の全体像を整理すること

ウ クラウドサービスの利用者と提供者が，セキュリティ管理策の実施について容易に連携できるように，実施の手引を利用者向けと提供者向けの対で記述すること

エ データセンタの利用者と事業者に対して“データセンタの適切なセキュリティ”とは何かを考え，共有すべき知見を提供すること

問26 IT製品及びシステムが，必要なセキュリティレベルを満たしているかどうかについて，調達者が判断する際に役立つ評価結果を提供し，独立したセキュリティ評価結果間の比較を可能にするための規格はどれか。 (解説p.471)

ア ISO/IEC 15408　　イ ISO/IEC 27002
ウ ISO/IEC 27017　　エ ISO/IEC 30147

問27 PCI DSS v3.2.1において，取引承認を受けた後の加盟店及びサービスプロバイダにおけるカードセキュリティコードの取扱方法の組みのうち，適切なものはどれか。ここで，用語の定義は次のとおりとする。 (解説p.471)

〔用語の定義〕
加盟店とは，クレジットカードを商品又はサービスの支払方法として取り扱う事業体をいう。
サービスプロバイダとは，他の事業体の委託でカード会員データの処理，保管，伝送に直接関わる事業体をいう。イシュア(クレジットカード発行や発行サービスを行う事業体)は除く。
カードセキュリティコードには，カード表面又は署名欄に印字されている，3桁又は4桁の数値がある。

	加盟店におけるカードセキュリティコードの取扱方法	サービスプロバイダにおけるカードセキュリティコードの取扱方法
ア	暗号化して加盟店内に保管する。	暗号化してサービスプロバイダのシステム内に保管する。
イ	平文で加盟店内に保管する。	保管しない。
ウ	保管しない。	平文でサービスプロバイダのシステム内に保管する。
エ	保管しない。	保管しない。

問28 CSIRTの説明として，適切なものはどれか。 (解説p.472)

ア 企業や行政機関などに設置され，コンピュータセキュリティインシデントに対応する活動を行う組織

イ 事業者が個人情報について適切な保護措置を講じる体制を整備・運用しており，かつ，JIS Q 15001に適合していることを認定する組織

ウ 電子政府のセキュリティを確保するために，安全性及び実装性に優れると判断される暗号技術を選出する組織

エ 内閣官房に設置され，サイバーセキュリティ政策に関する総合調整を行いつつ，“自由，公正かつ安全なサイバー空間”の創出に向け，官民一体となって様々な活動に取り組む組織

問29 システム管理者に対する施策のうち，IPA“組織における内部不正防止ガイドライン”に照らして，内部不正防止の観点から適切なものはどれか。 (解説p.472)

ア システム管理者間の会話・情報交換を制限する。

イ システム管理者の操作履歴を本人以外が閲覧することを制限する。

ウ システム管理者の長期休暇取得を制限する。

エ 夜間・休日のシステム管理者の単独作業を制限する。

問30 データベースのアカウントの種類とそれに付与する権限の組合せのうち，情報セキュリティ上，適切なものはどれか。 (解説p.472)

	アカウントの種類	レコードの更新権限	テーブルの作成・削除権限
ア	データ構造の定義用アカウント	有	無
イ	データ構造の定義用アカウント	無	有
ウ	データの入力・更新用アカウント	有	有
エ	データの入力・更新用アカウント	無	有

問31 不正が発生する際には“不正のトライアングル”の3要素全てが存在すると考えられている。“不正のトライアングル”の構成要素の説明として，適切なものはどれか。
(解説p.473)

ア “機会”とは，情報システムなどの技術や物理的な環境，組織のルールなど，内部者による不正行為の実行を可能又は容易にする環境の存在である。
イ “情報と伝達”とは，必要な情報が識別，把握及び処理され，組織内外及び関係者相互に正しく伝えられるようにすることである。
ウ “正当化”とは，ノルマによるプレッシャなどのことである。
エ “動機”とは，良心のかしゃくを乗り越える都合の良い解釈や他人への責任転嫁など，内部者が不正行為を自ら納得させるための自分勝手な理由付けである。

問32 軽微な不正や犯罪を放置することによって，より大きな不正や犯罪が誘発されるという理論はどれか。
(解説p.473)

ア 環境設計による犯罪予防理論
イ 日常活動理論
ウ 不正のトライアングル理論
エ 割れ窓理論

問33 受信した電子メールの送信元ドメインが詐称されていないことを検証する仕組みであるSPF（Sender Policy Framework）の特徴はどれか。
(解説p.473)

ア 受信側のメールサーバが，受信メールの送信元IPアドレスから送信元ドメインを検索してDNSBLに照会する。
イ 受信側のメールサーバが，受信メールの送信元IPアドレスと，送信元ドメインのDNSに登録されているメールサーバのIPアドレスとを照合する。
ウ 受信側のメールサーバが，受信メールの送信元ドメインから送信元メールサーバのIPアドレスを検索してDNSBLに照会する。
エ メール受信者のPCが，送信元ドメインから算出したハッシュ値と受信メールに添付されているハッシュ値とを照合する。

問34 機密ファイルが格納されていて，正常に動作するPCの磁気ディスクを産業廃棄物処理業者に引き渡して廃棄する場合の情報漏えい対策のうち，適切なものはどれか。

(解説p.474)

ア 異なる圧縮方式で，機密ファイルを複数回圧縮する。
イ 専用の消去ツールで，磁気ディスクのマスタブートレコードを複数回消去する。
ウ ランダムなビット列で，磁気ディスクの全領域を複数回上書きする。
エ ランダムな文字列で，機密ファイルのファイル名を複数回変更する。

問35 ファイルの属性情報として，ファイルに対する読取り，書込み，実行の権限を独立に設定できるOSがある。この3種類の権限は，それぞれに1ビットを使って許可，不許可を設定する。この3ビットを8進数表現0～7の数字で設定するとき，次の試行結果から考えて，適切なものはどれか。

(解説p.474)

〔試行結果〕

① 0を設定したら，読取り，書込み，実行ができなくなってしまった。
② 3を設定したら，読取りと書込みはできたが，実行ができなかった。
③ 7を設定したら，読取り，書込み，実行ができるようになった。

ア 2を設定すると，読取りと実行ができる。
イ 4を設定すると，実行だけができる。
ウ 5を設定すると，書込みだけができる。
エ 6を設定すると，読取りと書込みができる。

問36 MTBFがx時間，MTTRがy時間のシステムがある。使用条件が変わったので，MTBF，MTTRがともに従来の1.5倍になった。新しい使用条件での稼働率はどうなるか。

（解説p.475）

ア　x，yの値によって変化するが，従来の稼働率よりは大きい値になる。
イ　従来の稼働率と同じ値である。
ウ　従来の稼働率の1.5倍になる。
エ　従来の稼働率の2／3倍になる。

問37 IPv4アドレス表記として，**正しくないもの**はどれか。 （解説p.476）

ア　10.0.0.0　　イ　10.10.10.256
ウ　192.168.0.1　　エ　224.0.1.1

問38 図のアローダイアグラムにおいて，プロジェクト全体の期間を短縮するために，作業A～Eの幾つかを1日ずつ短縮する。プロジェクト全体の期間を2日短縮できる作業の組みはどれか。

（解説p.477）

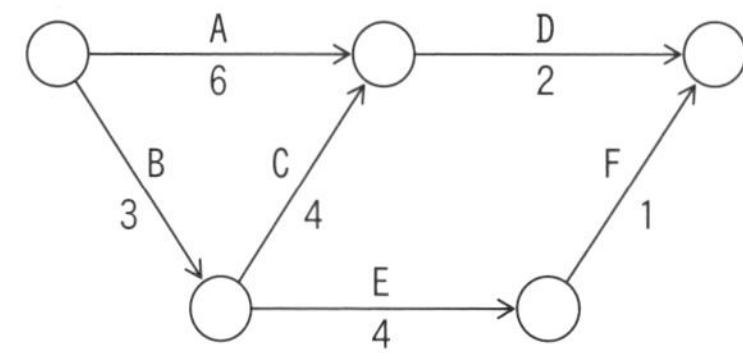

ア　A，C，E　　イ　A，D　　ウ　B，C，E　　エ　B，D

問39 情報セキュリティに係るリスクマネジメントが効果的に実施されるよう，リスクアセスメントに基づいた適切なコントロールの整備，運用状況を検証又は評価し，保証又は助言を与えるものであり，実施者に独立かつ専門的な立場が求められるものはどれか。 (解説p.478)

ア　コントロールセルフアセスメント（CSA）
イ　情報セキュリティ監査
ウ　情報セキュリティ対策ベンチマーク
エ　ディジタルフォレンジックス

問40 非機能要件の定義で行う作業はどれか。 (解説p.478)

ア　業務を構成する機能間の情報（データ）の流れを明確にする。
イ　システム開発で用いるプログラム言語に合わせた開発基準，標準の技術要件を作成する。
ウ　システム機能として実現する範囲を定義する。
エ　他システムとの情報授受などのインタフェースを明確にする。

問41 図は二つの会社の損益分岐点を示したものである。A社とB社の損益分析に関する記述のうち，適切なものはどれか。 (解説p.479)

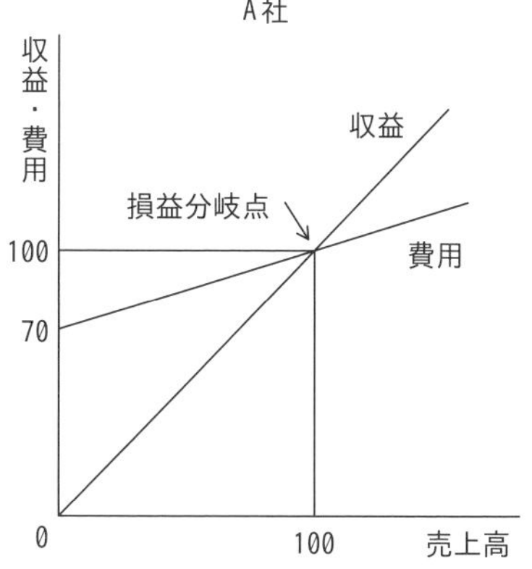

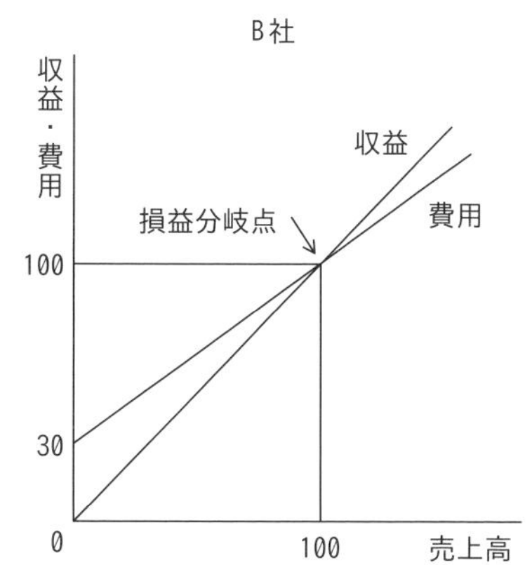

ア　A社，B社ともに損益分岐点を超えた等しい売上高のとき，固定費の少ないB社の方がA社よりも利益が大きい。

イ　A社はB社より変動費率が小さいので，損益分岐点を超えた等しい売上高のとき，B社に比べて利益が大きい。

ウ　両社の損益分岐点は等しいので，等しい利益を生み出すために必要な売上高は両社とも等しい。

エ　両社は損益分岐点が等しく，固定費も等しいので，売上高が等しければ，損益も等しい。

問42 次の契約条件でコストプラスインセンティブフィー契約を締結した。完成時の実コストが8,000万円の場合，受注者のインセンティブフィーは何万円か。

(解説p.480)

〔契約条件〕

(1) 目標コスト
9,000万円

(2) 目標コストで完成したときのインセンティブフィー
1,000万円

(3) 実コストが目標コストを下回ったときのインセンティブフィー
目標コストと実コストとの差額の70%を1,000万円に加えた額。

(4) 実コストが目標コストを上回ったときのインセンティブフィー
実コストと目標コストとの差額の70%を1,000万円から減じた額。
ただし，1,000万円から減じる額は，1,000万円を限度とする。

ア 700　　イ 1,000　　ウ 1,400　　エ 1,700

問43 3Dセキュア2.0（EMV 3-D セキュア）は，オンラインショッピングにおけるクレジットカード決済時に，不正取引を防止するための本人認証サービスである。3Dセキュア2.0で利用される本人認証の特徴はどれか。

(解説p.480)

ア 利用者がカード会社による本人認証に用いるパスワードを忘れた場合でも，安全にパスワードを再発行することができる。

イ 利用者の過去の取引履歴や決済に用いているデバイスの情報から不正利用や高リスクと判断される場合に，カード会社が追加の本人認証を行う。

ウ 利用者の過去の取引履歴や決済に用いているデバイスの情報にかかわらず，カード会社がパスワードと生体認証を併用した本人認証を行う。

エ 利用者の過去の取引履歴や決済に用いているデバイスの情報に加えて，操作しているのが人間であることを確認した上で，カード会社が追加の本人認証を行う。

問44 エンベロープ暗号化の説明はどれか。 (解説p.481)

ア 暗号化鍵で平文を暗号化してから，その暗号化鍵を別の暗号化鍵で暗号化する。

イ 暗号化メールを送信する際に，送信者が電子メールの返信先メールアドレスを設定する。

ウ 公開鍵暗号方式を利用し，電子メールの受信者の公開鍵でメール本文を暗号化する。

エ 光の最小単位である光子1個1個に1ビットのデータを載せて送り，受信した光子の数を確認することによって盗聴を発見できる。

問45 不良品の個数を製品別に集計すると表のようになった。ABC分析を行って，まずA群の製品に対策を講じることにした。A群の製品は何種類か。ここで，A群は70%以上とする。 (解説p.481)

製品	P	Q	R	S	T	U	V	W	X	合計
個数	182	136	120	98	91	83	70	60	35	875

ア 3　　イ 4　　ウ 5　　エ 6

問46 工程管理図表に関する記述のうち，ガントチャートの特徴はどれか。 (解説p.482)

ア 工程管理上の重要ポイントを期日として示しておき，意思決定しなければならない期日が管理できる。

イ 個々の作業の順序関係，所要日数，余裕日数などが把握できる。

ウ 作業開始と作業終了の予定と実績や，仕掛かり中の作業などが把握できる。

エ 作業の出来高の時間的な推移を表現するのに適しており，費用管理と進捗管理が同時に行える。

問47　散布図のうち，“負の相関”を示すものはどれか。　(解説p.482)

ア

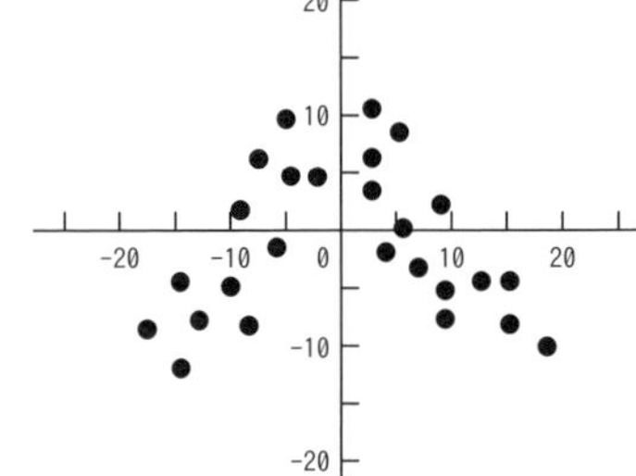

イ

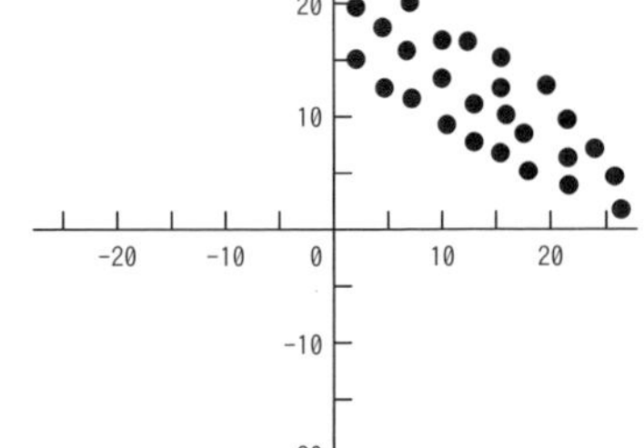

ウ

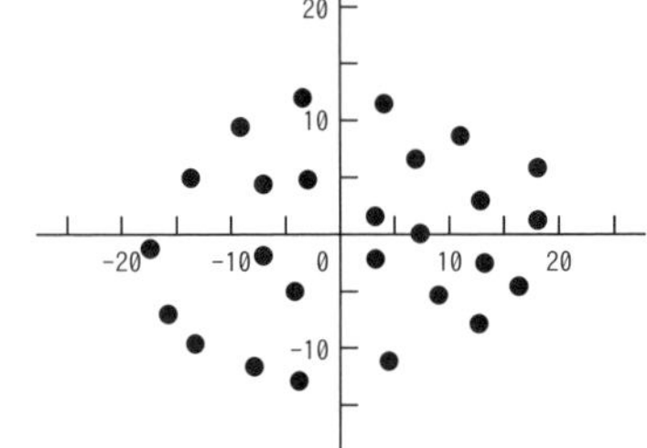

エ

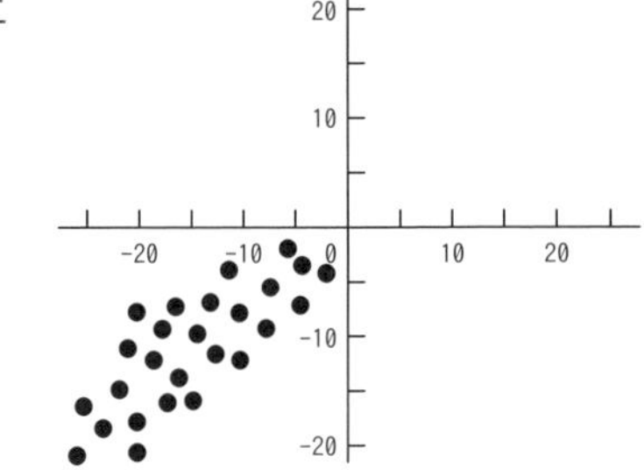

問48　マーケットバスケット分析の説明はどれか。　(解説p.482)

ア　POSシステムなどで収集した販売情報から，顧客が買物をした際に同時に購入した商品の組合せを見つける。

イ　網の目状に一定の経線と緯線で区切った地域に対して，人口，購買力など様々なデータを集計し，より細かく地域の分析を行う。

ウ　一定の目的で地域を幾つかに分割し，各地域にオピニオンリーダを選んで反復調査を行い，地域の傾向や実態を把握する。

エ　商品ごとの販売金額又は粗利益額を高い順に並べ，その累計比率から商品を三つのランクに分けて分析し，売れ筋商品を把握する。

▶ 模擬問題〈科目B〉

出題数：12問（全問解答必須）　　　試験時間：120分（両科目）

問49

解説 p.483

J社は，従業員数90名の生活雑貨販売会社であり，店舗とECサイト（以下，J社のECサイトをJサイトという）で生活雑貨を販売している。EC営業部のCさんは，同部の情報セキュリティリーダに任命されている。

〔Jサイトの情報セキュリティ対策〕

顧客用アカウントとその認証の仕様は顧客の利便性を考慮し，次のようになっている。

- 利用者IDとパスワードの組み（以下，利用者IDとパスワードの組みを認証情報という）を採用
- パスワードは8文字以上で英数字混在が必要
- 顧客が登録している情報を確認又は変更する際には認証情報の再入力が必要
- 新規にアカウントを登録する際に，既に使われている利用者IDを指定すると，使用されている旨を画面に表示
- 顧客用アカウントをもっていない者でも問合せを投稿できるようにするために，問合せを投稿する際には利用者認証が不要

〔情報セキュリティインシデントの発生〕

今回のインシデントについて，情報システム部のU部長及びカスタマサポート部のM部長から調査結果が表1のとおり報告された。

表1　調査結果

攻撃	調査結果
攻撃1	Jサイトの2018年10月からのログインログを確認したところ，2018年11月5日の3:00～4:00に海外のあるIPアドレスから，不正ログインの試みと思われる攻撃が980件の顧客用アカウントに対して1件ずつあり，その全てがJサイトに実在する顧客用アカウントに対するものであった。980件の不正ログインの試みのうち，90件が成功していた。

情報セキュリティ委員会は，EC営業部のE部長に対し，表1の攻撃について，対策を検討するよう指示した。E部長はCさんと協力し，対策を検討した。

〔追加の対策の検討〕

Cさんは，追加の対策として，表1の攻撃を早期に検知するために監視することにし，監視すべき値を表2にまとめた。これらの値が単位時間当たり一定数以上となった場合，EC営業部の情報セキュリティ責任者と情報セキュリティリーダにメールで通知する。

表2 監視すべき値

攻撃	監視すべき値
攻撃1	[i]

設問 表2中の[i]に入れる字句はどれか。解答群のうち，最も適切なものを選べ。

解答群

- ア WAFが検知した攻撃のうちJサイトの脆弱性を悪用した攻撃の数
- イ カスタマサポート部に入った電話での問合せ数
- ウ 同一IPアドレスからの問合せフォームへのアクセス数
- エ 同一の顧客用アカウントについて一定数以上のIPアドレスから試行したログイン数
- オ 同一の顧客用アカウントについて失敗したログイン数
- カ 複数の顧客用アカウントについて同一のIPアドレスから試行したログイン数

問50

解説 p.484

F社は従業員数300名の高級家具卸販売会社である。

〔コールセンタの情報セキュリティ対策の検討〕

通信販売事業における消費者からの問合せ増加に伴い，別の事業所で通販事業部専用のコールセンタを立ち上げることになった。F社従業員の一部を配置転換するとともに，新たに20人のパート又はアルバイトを雇用してコールセンタ要員とする。さらに，新製品の発売などで問合せが増加した際には，臨時で短期間のアルバイトを雇用する。W氏は，N部長に依頼され，コールセンタでの情報セキュリティ対策案（表3）を作成した。

表3　コールセンタでの情報セキュリティ対策案

No	脅威	対策
1	コールセンタ要員以外の者が侵入する。	・[　　　]
2	コールセンタ要員が記憶媒体を持ち込み，情報を窃取する。	（省略）
3	コールセンタ要員がノートPC を盗み出す。	（省略）

設問　表3中の[　　　]に入れる対策として考えられるものは次のうちどれか。考えられる理由として適切なものだけを全て挙げた組合せを，解答群の中から選べ。

（一）　入り口の外にロッカーを設置し，私物をそこに預け，業務上必要な物だけを透明なバッグに入れて執務室に出入りするようにする。
（二）　コールセンタ内での記憶媒体の使用を禁止する。
（三）　出入口に警備員を配置し，入館証チェックや持ち物チェックを行う。
（四）　ネックストラップ式の入館証をコールセンタ要員に貸与し，着用させる。
（五）　ノートPCの画面にプライバシフィルタを装着する。
（六）　ノートPCをセキュリティケーブルで机に固定する。
（七）　ホスト型侵入検知装置（HIDS）を設置する。

解答群

ア　（一），（二）
イ　（一），（二），（三）
ウ　（一），（三）
エ　（一），（三），（六）
オ　（二），（三）
カ　（三），（四）
キ　（三），（四），（六）
ク　（四），（七）
ケ　（五），（六）
コ　（七）

問51

解説 p.485

R社は従業員数600名の投資コンサルティング会社である。R社では顧客の個人情報（以下，顧客情報という）を取り扱っていることから，情報セキュリティの維持に注力している。

R社ネットワークではURLフィルタリングを導入しており，フリーメールサービスを提供するWebサイトやソフトウェアのダウンロードサイトへのアクセスを禁止している。また，従業員にノートPC又はデスクトップPCのどちらかを貸与しており，それらのPC（以下，貸与PCという）ではUSBメモリを使用できないようにしている。貸与PCのうち，ノートPCだけが，リモート接続サービスによる社内ネットワークへの接続を許可されている。

海外営業部の部員は10人で，顧客は500人弱である。各部員は，担当顧客に，電子メールや電話を使って営業を行っている。海外営業部は他の営業部のオフィスとは離れた海外営業部専用のオフィスで業務を行っている。海外営業部で使用している顧客管理システム（以下，Cシステムという）は，海外営業部だけが使用している。Cシステムでは，アクセスログを3か月分保存している。海外営業部の部員は，出張がなく，全員がデスクトップPCだけを使っている。

海外営業部では，情報システム部が運用管理を行っているファイルサーバを使用しており，各部員は顧客情報を含むファイルを当該ファイルサーバに一時的に保存する場合がある。その場合は，ファイルのアクセス権を各部員が最小権限の原則に基づいて設定することになっている。R社では，顧客情報を保護するために，次の2点を各担当者が定期的に確認することとなっている。

- ファイルサーバに不要な顧客情報を保存していないか。
- ファイルのアクセス権は適切に設定されているか。

R社では，情報セキュリティ推進部が実施する情報セキュリティ教育があり，海外営業部では，新たに配属された部員だけが受講することになっている。教育終了後には試験があるが，1回では合格できず，再度教育と試験を受ける部員が時々いる。この教育資料は，世の中で新たなセキュリティ脅威が発見される都度，情報セキュリティ推進部で更新している。

〔統制自己評価の実施〕

海外営業部にも監査部から統制自己評価を実施するよう依頼があり，W氏が海外営業部の評価を行うことになった。W氏は，監査部から送付されてきた統制自己評価シートに従って，職場の状況を観察したり，部員にヒアリングしたりして評価を行った。評価結果を表3に示す。統制自己評価シートの評価結果は次のルールに従って記入する。

- 評価項目どおりに実施している場合："OK"
- 評価項目どおりには実施していないが，代替コントロールによって，"OK"の場合と同程度にリスクが低減されていると考える場合："(OK)"（代替コントロールを具体的に評価根拠欄に記入する。）
- 評価項目どおりには実施しておらず，かつ，代替コントロールによって評価項目に関するリスクが抑えられているわけではないと考える場合："NG"
- 評価項目に関するリスクがそもそも存在しない場合："NA"

表3　統制自己評価シート（海外営業部の評価結果）（抜粋）

No.	評価項目	評価結果	評価根拠
11	リモート接続のためのパスワードを90日ごとに変更している。	b	
25	業務用アプリケーションの利用者IDの登録・変更・削除をルールどおり実施している。	OK	承認済みの利用者ID登録申請書を証跡として添付。

設問　表3中の［　b　］に入れる字句はどれか。解答群のうち，最も適切なものを選べ。

bに関する解答群

	評価結果	評価根拠
ア	OK	会社のルールで決められている。
イ	NG	誰も1回も変更をしていない。
ウ	NG	リモート接続ができない。
エ	NA	部内ではリモート接続は誰も行わない。

問52

解説 p.486

F社は従業員数300名の高級家具卸販売会社である。

〔D事業所のレイアウト変更〕

F社は，今年，通販事業部を新設し，消費者に直接通信販売する新規事業を開始した。通販事業部は，本社から離れた所にある平屋建てのD事業所を卸事業部とともに使用している。D事業所では，卸事業部の人数と通販事業部の人数を合計して40名の従業員が働いている。これまでF社は，個人情報はほとんど取り扱っていなかったが，通信販売事業が順調に拡大し，複合機で印刷した送り状など，顧客の個人情報を大量に取り扱うようになってきた。そこで，通販事業部のN部長は，情報セキュリティを強化するために，オフィスレイアウトの変更を本社の総務部に依頼することにした。

これまでF社では，D事業所の事業部エリアへの入退室時に何のチェックもしていなかった。そこで，D事業所で働く全ての従業員にICカード機能を備えた従業員証を新たに配布した上で，通販事業部の従業員だけが通販事業部エリアに入退室できるようにした。具体的には，オフィスレイアウトを変更し，通販事業部エリアの出入口に，ICカード認証でドアを解錠するシステム（以下，ICカードドアという）を設置することにした。D事業所の新たなオフィスレイアウトを図1に示す。

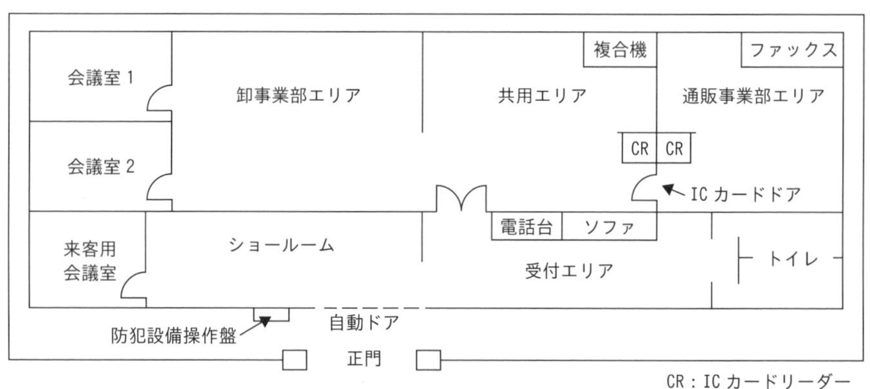

図1　D事業所の新たなオフィスレイアウト

〔新たなオフィスレイアウトでの業務観察〕

レイアウト変更の工事が終了し，新たなオフィスレイアウトでの業務が開始された。N部長は，D事業所の情報セキュリティリーダである通販事業部のW氏に，新たなオフィスレイアウトにおける業務運用に情報セキュリティ上の問題がないかどうかを改めて確認し，問題がある場合は改善の提案をするように指示した。W氏が新たなレイアウトでの業務を観察したところ，表1に示す三つの問題点が発見された。

表1　W氏が発見した問題点

問題点番号	問題点
問題点1	(省略)
問題点2	通販事業部が，ファックスで受信した注文書，商品発送時の送り状の控えなど，個人情報が記録された紙媒体を大量に保有しているが，十分な管理がされていない。
問題点3	(省略)

そこでW氏は，各問題点に対する改善案を自ら検討し，あわせて，業務に日々従事しているD事業所の従業員からも意見を広く募り，それらを取りまとめることにした。

設問　問題点2の改善策として適切なものだけを全て挙げた組合せを，解答群の中から選べ。

(五)　個人情報が記録された紙媒体は，業務上の必要の有無にかかわらず，1週間以内に細断し，廃棄する。細断するまでは，キャビネットに施錠保管する。

(六)　新たに文書管理システムを導入し，個人情報が記録された紙媒体は，スキャナで電子化して適切に管理する。不要となった紙媒体は細断し，廃棄する。

(七)　個人情報が記録された紙媒体は，バインダにとじた上で，機密情報であることが分かるように機密区分を明示し，キャビネットに施錠保管する。

(八)　個人情報が記録された紙媒体は，どこにあるか分からないように，他の文書と混ぜて机の上に並べる。

解答群

ア　(五)　　イ　(五)，(七)　　ウ　(五)，(八)　　エ　(六)

オ　(六)，(七)　　カ　(六)，(八)　　キ　(七)　　ク　(八)

模擬問題〈科目B〉

問53

解説 p.486

K社は，IT製品の卸売会社であり，300社の販売店に製品を卸している。K社では，8年前に従業員が，ある販売店向けの奨励金額が記載されたプロモーション企画書ファイルを添付した電子メール（以下，メールという）を，担当する全販売店の担当者宛てに誤送信するというセキュリティ事故が発生した。この事故を機に，メールの添付ファイルを，使い捨てのパスワード（以下，DPWという）によって復元可能なZIPファイルに変換する添付ファイル圧縮サーバを導入した。K社では，ファイルの受渡しが業務運営上欠かせない。

添付ファイル圧縮サーバ導入後のメール送信手順を図1に示す。

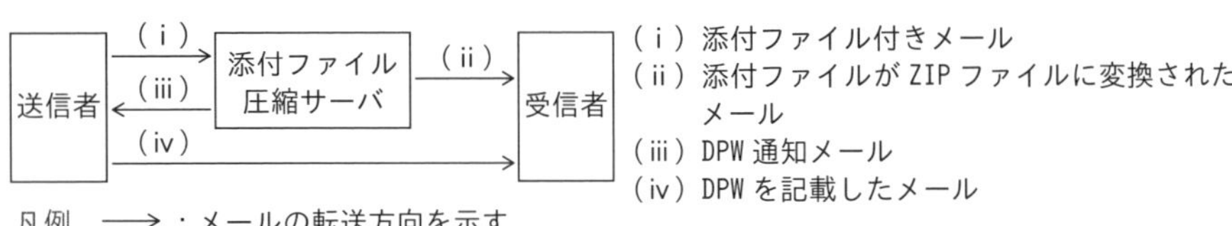

図1　添付ファイル圧縮サーバ導入後のメール送信手順

〔現在のメール運用の問題点と対策〕

K社では，添付ファイル圧縮サーバを利用して，最初にDPWで復元可能なZIPファイルを添付したメール（以下，本文メールという）を送信し，その後，ZIPファイルを復元するためのDPWを記載したメール（以下，PWメールという）を送信することによって，メールのセキュリティを確保する方式（以下，この方式をPPAPという）を運用している。

しかし，現在運用しているPPAPは，政府のある機関において中止するという方針が公表され，K社の販売店や同業者の中でもPPAPの運用を止める動きが見られるようになった。

このような状況から，K社の情報セキュリティ委員会は，自社のPPAPの運用上の問題点を検証することが必要であると判断して，情報セキュリティリーダーのL主任に，PPAPの運用上の問題点の洗い出しと，その改善策の検討を指示した。

L主任は，現在のPPAPの運用状況を調査して，次の二つの問題点を洗い出した。

(1) 本文メールの宛先を確認せずに，本文メールと同じ宛先に対してPWメールを送信している従業員が多い。

(2) ほとんどの従業員が，PWメールを本文メールと同じメールシステムを使用して送信している。したがって，本文メールが通信経路上で何らかの手段によって盗聴された場合，PWメールも盗聴されるおそれがある。

設問 PPAPの対策として考えられるものは次のうちどれか。考えられる理由として適切なものだけを全て挙げた組合せを，解答群の中から選べ。

(一) DPWを，電話や携帯メールなど異なった手段で伝える。

(二) DPWでなく，ワンタイムパスワードで復元可能なZIPファイルを添付したメールを本文メールとして送信する。

(三) 本文メールを受信した際に，メールソフトで「添付ファイルを削除しました」と表示する機能を利用する。

(四) ファイルの受渡しをすべて手渡しで行うようにする。

(五) 認証機能のあるクラウドストレージサービスに受渡しをしたいファイルを格納し，両者で利用する。

解答群

ア (一)，(二)	イ (一)，(二)，(五)	ウ (一)，(三)
エ (一)，(三)，(五)	オ (二)，(三)	カ (二)，(三)，(四)
キ (二)，(五)	ク (三)，(四)	ケ (三)，(四)，(五)
コ (三)，(五)		

問54

解説 p.487

P社は，従業員数1,200名の大学受験及び高校受験のための大手予備校である。先日開催した経営会議において，次年度から中学受験向けコースの事業部（以下，C事業部という）を新たに立ち上げることが決まり，現在，開講に向けた準備作業を進めている。C事業部は，教務部，営業部，総務部，マーケティング部の計4部で構成され，マーケティング部は，市場調査，広報活動，外部公開のWebサービスの企画，導入，運用などを担当している。

〔情報セキュリティの重点方針〕

現在，P社の最高情報セキュリティ責任者（CISO）は，情報セキュリティ活動を推進し情報を守ることと，情報を活用しビジネスを成長させることの両立が必要不可欠であると考えている。そこで，P社の情報セキュリティの重点方針として，“個人情報の漏えい防止”と“Webサービスの継続性確保”の2点を定めて，情報セキュリティ委員会のメンバに通知している。

〔Webサービスの仕様〕

C事業部のマーケティング部では，模擬試験の結果速報，成績推移などを，P社の中学受験向けコースに通う児童（以下，児童という），及び児童の保護者（以下，保護者という）が閲覧できるように，ログイン機能を有したWebサービス（以下，Wサービスという）をWebアプリケーションソフトウェア（以下，Webアプリという）として開発し，提供することを検討している。マーケティング部のNさんは，Wサービスの企画を担当している。図1は，Nさんが作成したWサービスの仕様案である。

1．サービスメニューの概要
　(1) 模擬試験の結果速報
　(2) 成績推移
　(3) 料金の自動引落し明細
2．認証機能
　(1) ログイン
　　任意に設定できる英数字の利用者IDと数字4桁の児童用パスワードを使用してログインする。
　(2) アカウントロック
　　5回連続してログインに失敗すると，1分間，アカウントをロックする。

(3) 保護者用パスワードによる追加ログイン
料金の自動引落し明細メニューにアクセスするためには英数記号8文字以上の保護者用パスワードによる追加ログインを必要とする。

(4) ログアウト
“ログアウト”ボタンをクリックするとログアウトする。“ログアウト”ボタンを押さない限り，ログインしたままとする。

(5) パスワードの表示
児童用パスワードも保護者用パスワードも，パスワード入力内容の表示，非表示を切り替えられるようにする。初期状態は，非表示とする。

図1 Wサービスの仕様案（抜粋）

マーケティング部の情報セキュリティリーダであるS主任は，Nさんが作成したWサービスの仕様案を情報セキュリティの観点からレビューした。

次は，S主任とNさんとの会話である。

S主任：模擬試験の結果などが児童本人及びその保護者以外に閲覧されるリスク（以下，閲覧リスクという）を減らすために，Wサービスはログイン機能を実装することになっていたね。

Nさん：はい。児童でも覚えやすい数字4 桁のパスワードを用いる仕様です。

S主任：料金の自動引落し明細メニューのログインについても教えてくれないか。

Nさん：こちらは，保護者がアクセスします。児童が閲覧する必要はないことから，英数記号8文字以上の保護者用パスワードで追加ログインする仕様です。また，パスワードの入力間違いを減らすために，保護者がパスワード入力内容を表示に切り替えて，入力内容を確認することができます。

S主任：よく分かった。この仕様案では，ブルートフォース攻撃のリスクが大きいね。また，児童の場合，自分専用のPCをもっているケースは少ないと思うよ。図書館，学校などの共用PCを利用することが多く，そこでログアウトを忘れることもあるので，閲覧リスクが大きいね。

S主任は，レビュー後に，次の2点の変更，追加をNさんに指示した。

- ブルートフォース攻撃のリスクを低減するために機能の仕様を変更する。
- ②共用PCにおける閲覧リスクを低減するために機能を追加する。

設問 本文中の下線②について，追加すべき機能はどれか。解答群のうち，最も適切なものを選べ。

解答群

ア アカウントロックを利用者が自ら解除できる機能の追加

イ 定期的なパスワード変更を利用者に促すメッセージ機能の追加

ウ パスワード強度をチェックする機能の追加

エ パスワードを忘れた際に使う利用者への“秘密の質問”機能の追加

オ マルウェア検知機能の追加

カ ログイン状態をタイムアウトさせる機能の追加

問55

解説 p.487

R社は，インターネット上でショッピングモール（以下，ECサイトという）を運営する，従業員数3,000名の企業である。ECサイトの総店舗数は5,000店，会員数は300,000名である。R社には，情報システム部，開発部，サポート部，営業部及び総務部がある。

〔不審な通信の発見〕

情報システム部では，セキュリティ監視業務の一環として8時間ごとにプロキシサーバのアクセスログを確認している。ある日の正午過ぎ，その日の午前4時から正午までのプロキシサーバのアクセスログの集計情報を確認していた情報システム部のU君は，特定の社内PCから特定のサーバに多数のHTTPS通信が行われていることを発見した。U君は不審に思い，アクセスログを急いで調査した結果，次のことが判明したので，それを午後0時30分に情報システム部のT部長に報告した。

- 1台の事務用PCから，社外の同一サーバ（以下，被疑サーバという）に対して多数のHTTPS通信が，およそ30 分おきに行われている。
- HTTPS通信が行われるごとに，数100kバイトのデータを送信している。

〔インシデントへの初動対応〕

報告を受けたT部長は，インシデントが発生したと判断して，情報システム部内に設置されているCSIRTの責任者であるV課長に対してインシデント対応を開始するよう指示した。V課長は，CSIRTメンバのM君を呼び，対応を開始するよう指示した。M君は，図に示すインシデント対応規程に従って，初動対応を行った。

- PCからの不審な通信を発見した場合
  (1) 各種のログを調査して，不審な通信の送信元を特定する（以下，特定した送信元を不審PCという）。
  (2) 不審PCをLANから切り離す。電源オンの状態のまま移動できる場合は，直ちに解析室へ移動する。電源オンの状態のまま移動できない場合は，電源をオフにすると消去されてしまう情報について，必要な調査を電源オンの状態で行い，調査終了後，電源をオフにして直ちに解析室へ不審PCを移動する。
  (3) 不審な通信を行っているPCが他にないか確認する。同様の通信を行っているPCを発見した場合は，不審PCと同じ対処をする。
  (4) 解析室内でマルウェア感染の可能性について初期判定を行う。
  (5) 不審PCを利用していた部署に初期判定結果を報告する。
  (6) 初期判定でマルウェアの可能性ありと判定したら，マルウェアの動作を特定するために詳細解析を開始する。
  (7) 特定されたマルウェアの動作から，被害の有無及び影響範囲を確認するとともに，被害拡大を防ぐために必要な措置を決定し，実施する。

図　インシデント対応規程（抜粋）

設問　不審PCをLANから切り離さない場合，マルウェアがどのような活動をすると想定されるか。想定される適切な活動だけを全て挙げた組合せを，解答群の中から選べ。

(一) 不審PC内のファイルを暗号化する。
(二) 不審PC内のソフトウェアを勝手に実行する。
(三) R社のLANにマルウェアの感染を拡大する。
(四) R社の情報をインターネットに送信する。

解答群

ア　(一)	イ　(一)，(二)	ウ　(一)，(三)	エ　(一)，(四)
オ　(二)	カ　(二)，(三)	キ　(二)，(四)	ク　(三)
ケ　(三)，(四)	コ　(四)		

問56

解説 p.488

A社は，小，中，高校生及び大学受験生向けに通信教育を行っている。A社では，受講生の個人情報や受講履歴などを管理する受講生管理システムと複数の業務システム（以下，A社の各種システムという）をE社のデータセンタで運用している。A社の各種システムの運用管理は，社内のシステム運用管理室で，F社から派遣された技術者（以下，F社技術者という）が行っている。

メール管理システムは，電子メール（以下，メールという）の誤送信を防止する目的で導入されている。PCから送信されたメールは，メール管理サーバで一旦保留され，送信者によって，宛先，メール本文及び添付ファイルに間違いがないことの確認操作が行われた後に，メールサーバに転送される。インターネットアクセスは，プロキシサーバ経由で行う。

A社では，情報セキュリティ担当役員を委員長とする情報セキュリティ委員会によって，情報セキュリティ管理規程（以下，管理規程という）が整備されている。社員は，社外の関係者との間で，添付ファイル付きメールの送受信を行っている。業務上不要なWebサイトへのアクセスやメールの私的利用は禁止されているが，徹底できていない。

昨今，正社員や派遣社員など，内部者の不正行為による個人情報や営業情報の漏えい事件の報道が後を絶たない。そこで，情報セキュリティ委員会では，内部不正による情報漏えいの追加の対策を実施することを決め，A社の情報セキュリティリーダのB主任に，情報システム部の支援を受けて対策案をまとめるように指示した。

〔現状の調査〕

B主任は，まず，内部不正が発生する要因について調査した。次の三つの問題があることが判明した。

(1)（省略）

(2) メールや社外のWeb サイトの利用が，管理規程どおりに行われていない。

(3)（省略）

これらの問題への対策を実施することによって，不正のトライアングルの要因の一つである機会が低減されることから，不正の抑止につながると考えられるので，これらの問題への対策について検討することにした。

〔内部不正に対する技術面での対策〕

問題の（2）については，メール管理システムとプロキシサーバの設定の見直しで対処することにした。導入済みのメール管理システムの未使用の機能を図2に示す。

1. 情報漏えい対策機能
   - ②添付ファイル付きメールに対して，指定された処理を行う。

図2　メール管理システムの未使用の機能（抜粋）

メール管理システムでは，新たに，図2中の情報漏えい対策機能を有効にする。

設問　図2中の下線②の“指定された処理”について，A社の業務内容を考慮した場合，最も適切な処理の内容を解答群の中から選べ。

解答群

ア　あらかじめ指定された上司に通知し，上司の承認後に送信する。

イ　一旦保留し，送信者によるメール内容の確認操作後に送信する。

ウ　添付ファイルを暗号化し，パスワードを別メールで送信する。

エ　添付ファイルを削除して，メールの本文だけを送信する。

問57

解説 p.489

Q社は，従業員数300名の保険代理店であり，生命保険会社2社，損害保険会社2社と代理店委託契約を締結し，保険商品を販売している。

〔内部不正事案の発生〕

T営業所のJ主任が3月31日付で退職したいと申し出た。H主任は，従業員退職時の点検手続に従って，J主任が退職申出日の１か月前からこれまでに社外に送信したメールをチェックした。Q社では，情報セキュリティ関連規程で会社の秘密情報の社外持出しを原則禁止するとともに，万一持ち出したものがあれば全て返却した旨を退職者に退職時の誓約書で誓約させている。

チェックの結果，J主任の私用と思われるメールアドレス宛てに，ファイルが5回送信されていることが分かった。送信されたファイルは，暗号化されていた。H主任は，分かったことをすぐに営業部長に報告した。営業部長は，総務部長及びK所長に連絡し，H主任とともにT営業所に赴いた。営業部長とK所長は，J主任に面談して事情を確認した。その後，営業部長は，K所長とも面談した。J主任との面談結果を図4に，K所長との面談結果を図5に示す。

2. 私用のメールアドレス宛てに顧客ファイルを送信した理由，状況

J主任は，次のように考えた。

- 試行期間中にT営業所で担当している全顧客情報が顧客システムに登録されたが，その中には自分が担当する顧客の情報も多くあるので，退職後ももっていても構わない。
- 同業他社に転職したときに，営業所の全顧客情報を利用して営業で良い成績を上げたい。
- 登録された顧客情報を利用することはQ社に迷惑を掛けるようなことではないし，後ろめたいようなことでもない。
- K所長は外回りなどで多忙なので，メールの確認は余りしていないようであり，またスタッフも様々な事務で忙しそうであったので，見つかりはしない。

3. 退職理由など

他チームの営業成績が良い中で，自分のチームだけノルマが達成できず，J主任は孤独を感じていた。今の状況では自分の実力を発揮できず公平に評価もされないが，同業他社に転職すればもっと実力を発揮でき，評価されると考えた。ただし，他社との雇用契約は未締結。

図4　J主任との面談結果（抜粋）

3. 教育など

顧客システムの試行終了時に，顧客ファイルをPCから消去するよう，開発チームから連絡があり，K所長からも営業所内に周知したが，K所長は試行利用者のPCの中までは点検しなかった。

図5　K所長との面談結果（抜粋）

〔事案の原因分析〕

H主任とG主任は，事案発生までの顧客システムやメールの取扱い，J主任及びK所長との面談結果から，“不正のトライアングル”を基に，表2のとおり，J主任の立場から見た事案の原因を整理した。

表2　“不正のトライアングル”を基にした原因の整理

項番	要因	事案の原因
1	動機・プレッシャ	• [c] （省略）
2	機会	• 顧客システムから顧客情報を大量にダウンロードできたこと • メールに顧客ファイルを添付して，私用のメールアドレス宛てに送信できたこと （省略）
3	正当化	（省略）

注記　要因の分類は，米国の組織犯罪研究者ドナルド・R・クレッシーによる。

設問　表2中の[c]に入れる字句はどれか。解答群のうち，最も適切なものを選べ。

cに関する解答群

ア　Q社が，自分のことを公平に評価してくれないので，営業成績を悪化させて損害を与えたいと考えたこと

イ　T営業所が担当する顧客情報には，自分が担当する顧客の情報も多くあり，退職後ももっていても構わないと考えたこと

ウ　営業所長が多忙で，不在なときが多く，メールの確認が十分に行われていなかったこと

エ　顧客情報を持ち出して利用すれば，転職先で実力が発揮できて高く評価されると考えたこと

オ　顧客ファイルを会社のPCに保管し続けることができたこと

問58

解説 p.490

T社は従業員数200名の建築資材商社であり，本社と二つの営業所の3拠点がある。このうち，Q営業所には，業務用PC（以下，PCという）30台と，NAS1台がある。

NASは，Q営業所の営業課と総務課が共用しており，課ごとにデータを共有しているフォルダ（以下，共有フォルダという）と，各個人に割り当てられたフォルダ（以下，個人フォルダという）がある。個人フォルダの利用方法についての明確な取決めはないが，PCのデータの一部を個人フォルダに複製して利用している者が多い。

Q営業所と本社はVPNで接続されており，営業所員は本社にある業務サーバ及びメールサーバにPCからアクセスして，受発注や出荷などの業務を行っている。

T社には，本社の各部及び各課の責任者，並びに各営業所長をメンバーとする情報セキュリティ委員会が設置されている。Q営業所の情報セキュリティ責任者はK所長，情報セキュリティリーダは，総務課のA課長である。

〔マルウェア感染〕

ある土曜日の午前10時過ぎ，自宅にいたA課長は，営業課のBさんからの電話を受けた。休日出勤していたBさんによると，BさんのPC（以下，B-PCという）を起動して電子メール（以下，メールという）を確認するうちに，取引先からの出荷通知メールだと思ったメールの添付ファイルをクリックしたという。ところが，その後，画面に見慣れないメッセージが表示され，B-PCの中のファイルや，Bさんの個人フォルダ内のファイルの拡張子が変更されてしまい，普段利用しているソフトウェアで開くことができなくなったという。これらのファイルには，Bさんが手掛けている重要プロジェクトに関する，顧客から送付された図面，関連社内資料，建築現場を撮影した静止画データなどが含まれていた。そこで，BさんはT社の情報セキュリティポリシ（以下，ポリシという）に従ってA課長に連絡したとのことであった。

A課長は，B-PCにそれ以上触らずそのままにしておくようBさんに伝え，取り急ぎ出社することにした。

A課長がQ営業所に到着してB-PCを確認したところ，画面にはファイルを復元するための金銭を要求するメッセージと，支払の手順が表示されていた。A課長は，B-PCがマルウェアに感染したと判断し，K所長に連絡して，状況を報告した。この報告を受けたK所長は，インシデントの発生を宣言した。また，Bさんは，A課長の指示に従ってB-PCとNASからLANケーブルを抜いた。

〔対策の見直し〕

今回のインシデントを受けて，T社の情報セキュリティ委員会が開催された。A課長は，CISOから，今回のインシデントに関する問題点は何かと尋ねられた。A課長は，データの取扱い及びバックアップに関するルールの内容が不十分であったことが問題点であったと回答し，次のことを提案した。

- データの取扱い及びバックアップに関するルールを全面的に見直し，全社的なルールを定めること
- 営業所でのNASの利用は半年以内に廃止すること
- NASの利用を暫定的に継続する間は，営業所では今回の種類のマルウェアに感染することによってファイルが暗号化されてしまうという被害に備えたバックアップを実施し，あわせて⑥バックアップ対象のデータの可用性確保のための対策を検討すること

これらの提案は情報セキュリティ委員会で承認された。T社はマルウェア感染を契機として情報セキュリティの改善を図ることになった。

設問 本文中の下線⑥について，次の（一）～（四）のうち，効果があるものだけを全て挙げた組合せを，解答群の中から選べ。

（一） バックアップした媒体からデータが正しく復元できるかテストする。
（二） バックアップした媒体を二つ作成し，一つは営業所に，もう一つは別の安全な場所に保管する。
（三） バックアップした媒体を再び読み出せないようにしてから廃棄する。
（四） バックアップする際にデータに暗号化を施す。

解答群

ア （一）　　イ （一），（二）　　ウ （一），（二），（三）
エ （一），（四）　　オ （二）　　カ （二），（三）
キ （二），（三），（四）　　ク （二），（四）　　ケ （三）
コ （三），（四）

問59

解説 p.490

Z社は，従業員数2,000名の生命保険会社であり，東京に本社をもち，全国に支社が点在している。以下，本社及び各支社を拠点という。

Z社では，拠点の営業員が，会社貸与の持出し用ノートPC（以下，NPCという）を携帯して顧客を訪問し，商品説明資料，見積書，契約書の作成などを行っている。NPCではクラウドサービスで提供される契約管理システムを利用している。

Z社は，各拠点に情報セキュリティ管理責任者とその配下の情報セキュリティリーダを置いている。また，各拠点に配置された情報システム担当は，各拠点で利用するPCなどの情報機器の貸出し，持出し管理の実施指導，本社情報システム部と連携した情報システムの運用管理，利用支援などを行っている。情報セキュリティ対策を施したNPCに"対策済NPC"の文字列と有効期限日（最長6か月）を記載したシールを貼り付ける。

Z社の情報セキュリティ管理規程では，顧客情報を含めZ社が秘密として管理している情報（以下，秘密情報という）の漏えい及びその可能性がある情報セキュリティインシデント（以下，情報セキュリティインシデントをインシデントという）が発生した場合の対応手順を定めている。そのうち，従業員に貸与している情報機器の紛失・盗難が発生した場合の対応手順は図1のとおりである。

1. インシデントの発生

紛失・盗難の発生又はその可能性がある事象を発見した従業員は，直ちに，所属する部課（以下，当該部課という）の長に報告する。報告を受けた長は，直ちに，その時点で確認した事実関係を，当該部課がある拠点（以下，当該拠点という）の情報セキュリティ管理責任者に報告する。情報セキュリティ管理責任者は，情報機器への不正なアクセスのおそれ，秘密情報の紛失・漏えいの発生又はその可能性があると判断した場合には，インシデントの発生を宣言する。

2. 初動対応

情報セキュリティ管理責任者は，配下の情報セキュリティリーダに対して，直ちに，初動対応の体制の編成及び初動対応の開始を指示する。情報セキュリティリーダは，当該拠点の情報システム担当と協力して，インシデントの事実関係を整理し，情報機器に保存されていた情報の内容及び量，並びに暗号化，アクセス制御などの情報セキュリティ対策の実施状況を確認する。保存されていた情報に情報システムのアカウント情報が含まれる場合は，パスワードの変更やアカウントの停止を行うなど，インシデントの影響拡大を防止する措置をとる。情報セキュリティリーダは，確認結果と防止措置を当該拠点の情報セキュリティ管理責任者に報告する。情報セキュリティリーダは，必要に応じてインシデントの対応に当たるメンバを指名することができる。

以下省略（“3. 調査”，“4. 通知，報告及び公表”，“5. 復旧”，“6. 事後対応” が続く）。

図1　情報機器の紛失・盗難発生時の対応手順（抜粋）

〔情報機器の紛失〕

R支社は，従業員数100名の支社であり，営業員が60名いる。R支社では，支社長が情報セキュリティ管理責任者を務め，各部課の長が情報セキュリティリーダを務めている。

10月12日（水）10時30分頃，R支社の営業部1課のFさんが，客先からR支社に戻る途中，電車の網棚にかばんを置き忘れるという事象が発生した。かばんの中には，NPCが入っていた。

報告を受けたR支社長は，インシデントの発生を宣言し，営業部1課の情報セキュリティリーダであるK課長に対して，直ちに初動対応を開始するよう指示した。また，R支社長の指示によって，K課長，各部の部長，及びR支社の情報システム担当として初動対応に当たるW主任が出席して，インシデント対策会議が開催されることとなった。

幸い，当日の15時頃にかばんとその中のNPC を回収することができた。しかし，紛失している間に，外部の者によってNPCを操作されたり，NPCから情報を窃取されたりした可能性は否定できない。K課長は，調査を継続しつつ，16時30分に開催予定のインシデント対策会議に向けてインシデント報告書案を作成することにした。

〔インシデント報告書案の作成〕

Fさんが置き忘れた情報機器（以下，紛失機器という）の資産管理番号はZR00XXXXで，10月3日に1か月間のNPC期間持出しを承認した記録があった。K課長は，インシデント報告書案の一部として，初動対応の経緯を図2のとおり整理した。

(2) 初動対応		
11:00	K課長	関係者を召集して状況説明。初動対応を次のとおり開始。 (a) K課長の実施内容 ・紛失物の捜索活動の支援 ・情報機器紛失時の状況など，事実関係の確認 （省略） (b) W主任の実施内容 ・紛失機器の特定 （省略） ・［ c ］システムの特定 ・上記で特定したシステムにおいてFさんのアクセス権の無効化 ・上記で特定したシステムにおいて社外から不審なアクセスがないかどうかの幅広い確認

図2　インシデント発生とその初動対応の経緯

設問　図2中の［ c ］に入れる字句はどれか。解答群のうち，最も適切なものを選べ。

cに関する解答群

ア　Fさんがオフィスで使っている

イ　Fさんが外出先からアクセスできる

ウ　Fさんが顧客情報を保管している

エ　Fさんが顧客訪問の際に画面を見せてもらったことがある

問60

解説 p.492

マンション管理会社Q社は，マンションの管理組合から委託を受けて管理業務を行っており，契約している管理組合数は3,000組合である。東京の本社には，経営企画部，営業統括部，人事総務部，経理部，情報システム部，監査部などの管理部門があり，東日本を中心に30の支店がある。従業員数は，マンションの管理人（以下，管理員という）3,300名を含めて3,800名である。

U支店には，支店長，主任2名，管理組合との窓口を務めるフロント担当者10名が勤務している。U支店の情報セキュリティ責任者はB支店長，情報セキュリティリーダは第1グループのA主任である。U支店に勤務する従業員には，一人1台のノートPC（以下，NPCという）が貸与されている。NPCにはデジタル証明書をインストールし，Q社のネットワークに接続する際に端末認証を行っている。

U支店が契約している管理組合数は80組合であり，フロント担当者1名当たり5～10の管理組合を担当している。U支店が担当する管理組合のマンションはそれぞれ，管理事務室が1か所設置されており，管理員が1～2名勤務している。管理事務室には，管理員以外に，Q社従業員，マンション居住者が立入ることがある。多くのマンションでは，管理事務室の入室にマンションごとの暗証番号が必要である。暗証番号はおおむね2年ごとに変更される。管理事務室には，管理組合の許可を受けた上で，管理員とU支店の連絡用に，LTE通信機能付きNPCを1台設置し，インターネットVPN経由でQ社のネットワークと接続している。①管理事務室に複数の管理員が勤務する場合には，管理員間でNPC，利用者ID，パスワード，メールアドレスを共用している。

設問　本文中の下線①について，次の（一）～（四）のうち，共用することによって高くなるリスクはどれか。該当するものだけを全て挙げた組合せを，解答群の中から選べ。

（一）　NPCを操作した者を特定できないという状況を狙われて，不正に操作されるリスク

（二）　異動者や退職者など，利用資格を失った者にNPCを不正に操作されるリスク

（三）　共用者の1人がパスワードを変更した際に，他の共用者に変更後のパスワードを伝えるためのメモを書き，そのメモからパスワードが漏えいし，不正に操作されるリスク

（四）　クリアスクリーンをし忘れ，その隙に不正に操作されるリスク

解答群

ア　(一)	イ　(一)，(二)	ウ　(一)，(二)，(三)
エ　(一)，(二)，(四)	オ　(一)，(三)	カ　(一)，(三)，(四)
キ　(一)，(四)	ク　(二)，(三)	ケ　(二)，(四)
コ　(三)，(四)		

▸模擬問題 解答

• 試験時間：120分　　• 選択方法：全問必須

• 問題番号：問1～問60（科目Aは問1～問48，科目Bは問49～問60）

□問1 ア やさしい	□問21 イ やさしい	□問41 イ ふつう
□問2 エ やさしい	□問22 イ やさしい	□問42 エ ふつう
□問3 エ やさしい	□問23 イ やさしい	□問43 イ やさしい
□問4 ア やさしい	□問24 イ やさしい	□問44 ア 難しい
□問5 ア やさしい	□問25 イ やさしい	□問45 ウ 難しい
□問6 イ やさしい	□問26 ア 難しい	□問46 イ 難しい
□問7 ア やさしい	□問27 エ 難しい	□問47 ウ ふつう
□問8 イ ふつう	□問28 ア やさしい	□問48 ア 難しい
□問9 ア やさしい	□問29 エ ふつう	□問49 カ
□問10 ウ やさしい	□問30 イ ふつう	□問50 カ
□問11 エ やさしい	□問31 ア やさしい	□問51 エ
□問12 ウ やさしい	□問32 エ やさしい	□問52 オ
□問13 ア ふつう	□問33 イ やさしい	□問53 エ
□問14 エ やさしい	□問34 ウ 難しい	□問54 カ
□問15 ウ 難しい	□問35 イ ふつう	□問55 ケ
□問16 ウ やさしい	□問36 イ ふつう	□問56 ア
□問17 ウ やさしい	□問37 イ 難しい	□問57 エ
□問18 ウ 難しい	□問38 エ やさしい	□問58 イ
□問19 ア 難しい	□問39 イ やさしい	□問59 イ
□問20 エ ふつう	□問40 イ やさしい	□問60 ウ

凡例

やさしい……計27問
本書に掲載された用語を覚えておけば，**ズバリ正解**できる。また，的中率も高く，学習のやりがいがある問題。

ふつう……計10問
問題文を読解したり，情報セキュリティの考え方をもとにしたりすれば，正解できる**変化球問題**。

難しい……計11問
「出題範囲」「シラバス」に掲載された用語例から逸脱した内容で，的中率が低く，正解はむずかしい**難問・悪問**。

• 予想配点：〈科目A〉48問×16点＋〈科目B〉12問×20点 ＝ 1,008点。
ただし合計得点の上限は1,000点とする。基準点（600点）以上の場合に合格。

▸模擬問題〈科目A〉解説

問1 ：**ア** 〔情報セキュリティマネジメント試験 平成29年秋 午前問11〕 用語p.030 問題p.418 やさしい

否認防止とは，責任追跡性でたどった証拠を「知らない」と言い訳されずに，客観的に証明できることです。責任追跡性とは，いつ誰がアクセスし，何をしたかをあとでたどれることです。

ア：正解です。否認防止の説明です。
イ：可用性の説明です。
ウ：機密性の説明です。
エ：信頼性の説明です。

問2 ：**エ** 〔応用情報技術者試験 平成28年春 午前問41〕 用語p.128 問題p.418 やさしい

セッションハイジャックへの対策は，重要な情報をWebブラウザで表示する直前に，パスワードによる利用者認証を行うことです。これにより，なりすましの場合，パスワードが分からず，その後の処理を行えなくなります。

問3 ：**エ** 〔情報セキュリティマネジメント試験 平成30年春 午前問20〕 用語p.151 問題p.418 やさしい

ドメイン名ハイジャックとは，攻撃者が，上位に位置するDNSサーバ（権威DNSサーバ・コンテンツサーバ）を改ざんし，偽の権威DNSサーバを参照させ，利用者がWebサイトを開く際，偽のWebサイトに接続させることで，利用者をだます攻撃です。特徴は，次のとおりです。

- パスワードを盗んだり，システムの脆弱性を突いたりして，管理者になりすまして改ざんする。
- アクセス数が多い著名なドメイン名が狙われる。

ア：**中間者攻撃**の説明です。
イ：**DoS攻撃**の説明です。
ウ：**ディレクトリトラバーサル**の説明です。
エ：正解です。ドメイン名ハイジャックの説明です。

問4：**ア**〔情報処理安全確保支援士試験 令和4年春 午前Ⅱ問11〕　用語p.125，p.128　問題p.419　やさしい

MITB（Man-in-the-Browser）とは，情報端末に潜伏し，Webブラウザがオンラインバンキングに接続すると，Webブラウザの通信内容を盗聴・改ざんして，不正送金を行う攻撃です。

トランザクション署名とは，MITB攻撃に対抗するために，送金取引時にその内容を確認する目的で使われる仕組みです。オンラインバンキングにおける，送金者と金融機関との間の経路を，Webブラウザでない経路にすることで，送金の確認画面を，さらに改ざんされるという事態を防ぎます。

MITB攻撃では，送金取引やログインが正しく行われたうえで，送金先や送金額が改ざんされます。そのため，**ア**のインターネットバンクのサーバが正規だと確認するためのEV SSLサーバ証明書，**ウ**のログイン時のワンタイムパスワード，**エ**のセキュアな通信をするためのTLSでは，送金先や送金額の改ざんには対抗できないため，MITB攻撃を防げません。

問5：**ア**〔情報セキュリティマネジメント試験 平成29年春 午前問16〕　用語p.115～117，p.121　問題p.419　やさしい

辞書攻撃は，パスワードに単語を使う人が多いことを悪用し，辞書の単語を利用してパスワードを推察する方法のため，その対策は，人名など意味のある単語を使わず，「推測されにくいパスワードを設定する」です。**スニッフィング**は，ネットワークを流れる通信データを監視・記録する盗聴行為のため，その対策は，「パスワードを暗号化して送信する」です。**ブルートフォース攻撃**は，総当たり攻撃のため，その対策は，「ログインの試行回数に制限を設ける」です。

問6：**イ**〔情報セキュリティマネジメント試験 平成29年春 午前問23〕　用語p.142　問題p.419　やさしい

ディレクトリトラバーサル攻撃とは，攻撃者が相対パス記法を悪用して，Webサイト内にある，インターネット上では非公開のファイルを閲覧・削除・改ざんする攻撃です。

ア：SQLインジェクションの説明です。**SQLインジェクション**とは，データベースのデータを操作するWebサイトで，文字を巧みに入力し，データを盗み見・改ざんする攻撃です。

イ：正解です。ディレクトリトラバーサル攻撃の説明です。

ウ：クロスサイトスクリプティングの説明です。**クロスサイトスクリプティング**とは，Web閲覧者により入力された内容を画面表示するWebページで，攻撃者が入力内容に罠（わな）（スクリプト）をまぜ込むことで，別のWebサイトを表示し，Web閲覧者に個人情報などを送らせてしまう攻撃です。

エ：セッションハイジャックの説明です。**セッションハイジャック**とは，Webサイト提供

者とWeb閲覧者との間のセッションを，攻撃者が盗聴し，正規のWeb閲覧者になりすましして不正アクセスする攻撃です。

問7：**ア**〔情報セキュリティマネジメント試験 令和元年秋 午前問1〕　用語p.147　問題p.420　やさしい

BEC（Business E-mail Compromise，ビジネスメール詐欺）とは，取引先になりすましして，偽のメールを送りつけ，金銭をだまし取る詐欺の手口です。

問8：**イ**〔応用情報技術者試験 平成29年春 午前問41〕　用語p.150，p.154　問題p.420　ふつう

DNSキャッシュポイズニングへの対策は，「社内ネットワークからDNSサーバへの再帰的な問合せだけを許可するように設定する」です。

よって，正解は**イ**です。

問9：**ア**〔情報セキュリティマネジメント試験 平成30年秋 午前問13〕　用語p.153　問題p.420　やさしい

ゼロデイ攻撃とは，ソフトウェアにセキュリティホール（脆弱性）が発見された際，修正プログラムが提供されるより前に，そのセキュリティホールを悪用して行われる攻撃です。

ア：正解です。ゼロデイ攻撃の説明です。
イ：DDoS攻撃の説明です。**DDoS攻撃**とは，複数台の情報機器から何度も連続してサーバに通信を行い，サーバをパンク状態にしてサービスを停止させる攻撃です。
ウ：フィッシングの説明です。**フィッシング**とは，有名企業や金融機関などを装（よそお）った偽（にせ）のメールを送りつけ，偽のWebサイトに誘導して，個人情報を入力させてだまし取る行為です。
エ：スパムメール送信の説明です。**スパムメール**（迷惑メール）とは，受け取る側の意思に関係なく，一方的に送りつける電子メールです。

問10：**ウ**〔情報セキュリティマネジメント試験 平成29年秋 午前問28〕　用語p.167　問題p.421　やさしい

公開鍵暗号方式による暗号化の手順は，次のとおりです。

① 送信者が［受信者の公開鍵］で，平文を暗号化し，暗号文を受信者に送る。
② 受信者は［受信者の秘密鍵］で，暗号文を復号し，平文を取り出す。

［受信者の公開鍵］で暗号化すれば，復号できるのは，［受信者の秘密鍵］をもつ受信者だけです。万一，送信途中の暗号文を攻撃者が盗み見しても，［受信者の秘密鍵］が分からないため，解読できず盗聴できません。なぜなら復号に使う［受信者の秘密鍵］は，受信者が誰にも渡さず，自分しか使わないからです。

問11：**エ**〔情報セキュリティマネジメント試験 令和元年秋 午前問26〕　用語p.174　問題p.421　やさしい

ハイブリッド暗号の手順の説明です。暗号のため，**エ**の「内容の漏えいを防止」します(盗聴なし)。**ハイブリッド暗号**とは，公開鍵暗号方式の短所を，共通鍵暗号方式と組み合わせることで補う暗号方式です。平文を公開鍵暗号方式で暗号化するのではなく，平文を共通鍵暗号方式の共通鍵で暗号化し，その共通鍵を公開鍵暗号方式で暗号化します。共通鍵は，平文に比べて，ファイルサイズが小さいため，平文すべてを暗号化するよりも，共通鍵を暗号化した方が，処理時間を大幅に減らせます。

問12：**ウ**〔情報セキュリティマネジメント試験 平成29年秋 午前問18〕　用語p.179　問題p.422　やさしい

ハッシュ関数は，パスワード管理にも使われます。パスワードをコンピュータ内にそのまま保存すると，不正アクセスにより盗聴されるおそれがあります。そのため，パスワードは保存せず，パスワード（平文）をハッシュ化してできたハッシュ値（ダイジェスト）をコンピュータに保存します。

パスワードが正しいかどうかは，入力されたパスワードをハッシュ化してできたハッシュ値と，コンピュータに保存してあるハッシュ値とを比較すれば分かります。パスワード自体はどこにも保存しません。また，ハッシュ関数は一方向性のため，ダイジェストからパスワードを復元できず，盗聴できません。

問13：**ア**〔情報セキュリティマネジメント試験 平成30年春 午前問16〕　用語p.177～179　問題p.422　ふつう

ハッシュ関数は，異なる平文（ファイル）から同一のハッシュ値になることは，計算上ありえないため，既知のワーム検体と検索対象のファイルで，ハッシュ値が同一の場合，確実に同じワームだと分かります。

なお，SHA(シャー)-256とは，平文から256ビットのダイジェストを作るハッシュ関数です。MD5やSHA-1(シャーワン)よりも安全とされています。

ア：正解です。ハッシュ値が同じであれば，ワーム検体と同一のワームだと判断できます。

イ：特徴あるコード列が同じでも，ファイル自体は異なるため，ワーム検体とは別のハッシュ値となり，検知できません。

ウ：ファイルサイズが同じでも，ファイル自体は異なるため，ワーム検体とは別のハッシュ値となり，検知できません。

エ：亜種だと改造されており，ファイル自体は異なるため，ワーム検体とは別のハッシュ値となり，検知できません。

問14：エ〔情報セキュリティマネジメント試験 平成30年春 午前問29〕 用語p.179 問題p.422 やさしい

デジタル署名により，なりすましなしと改ざんなしを確かめられます。暗号文を［送信者の公開鍵］で復号できるということは，その暗号文は，ペアである［送信者の秘密鍵］で暗号化されたということです。その［送信者の秘密鍵］は，送信者以外は知りえないため，確実に送信者本人から送信されたことが分かります。

問15：ウ〔情報セキュリティマネジメント試験 平成31年春 午前問24〕 問題p.423 難しい

XML署名とは，XMLファイルにデジタル署名を付与することにより，XMLファイルの改ざんなしを確かめるためのものです。

ア：HTTPSの説明です。**HTTPS**（HTTP over TLS）とは，TLSにより暗号化したHTTP通信です。**TLS**とは，OSI基本参照モデルのトランスポート層で暗号化などを行うセキュアプロトコルです。

イ：Ajax（エイジャックス）の説明です。なお，Ajaxは，問われる用語ではないため，覚える必要はありません。

ウ：正解です。XML署名の説明です。

エ：ステガノグラフィの説明です。**ステガノグラフィ**とは，データに情報を埋め込む技術です。埋め込む情報の存在に気付かれない点が特徴です。

問16：ウ〔情報セキュリティマネジメント試験 平成30年春 午前問25〕 用語p.199 問題p.423 やさしい

リスクベース認証とは，不正アクセスを防ぐ目的で，普段と異なる利用環境から認証を行った場合に，追加の認証を行うための仕組みです。例えば，認証時の，IPアドレス・OS・Webブラウザなどが，普段と異なる場合に，攻撃者からのなりすましでないことを確認するため，合言葉による追加の認証を行うことです。

問17：ウ〔情報処理安全確保支援士試験 令和6年春 午前Ⅱ問17〕 用語p.247 問題p.423 やさしい

SBOM（エスボム）とは，ソフトウェアに含まれる構成要素の名称・バージョン・依存関係などをまとめたリストです。発見された脆弱性がある構成要素を使用しているかどうかを判定するために用います。

ア：CVSSの説明です。

イ：NIST SP800-40の説明です

ウ：正解です。SBOMの説明です。

エ：CVEの説明です。

問18：**ウ**〔応用情報技術者試験 平成27年春 午前問54〕　問題p.424 **難しい**

PMBOK（➡p.382）で定義されたリスク対応戦略は，次のとおりです。

- 回避
  リスクを生じさせる原因をなくしたり，別の方法に置き換えたりして，リスクそのものを取り去る方法。ISMSの**リスク回避**（➡p.236）と類似している。

- 軽減
  リスクの発生率を低下させたり，リスクが顕在化した場合の被害の影響度を低下させたりする方法。ISMSの**リスク低減**（➡p.237）と類似している。

- 転嫁
  リスクを他者と分割する方法。ISMSの**リスク共有**（➡p.237）と類似している。

- 受容
  リスクに対策を打たず，許容範囲内として，残したままにする方法。ISMSの**リスク保有**（➡p.237）と類似している。

ア：受容に該当します。
イ：軽減に該当します。
ウ：正解です。転嫁に該当します。
エ：回避に該当します。

問19：**ア**〔情報セキュリティマネジメント試験 令和元年秋 午前問9〕　問題p.424 **難しい**

JIS Q 27017:2016は，クラウドサービスの情報セキュリティ管理策の実践を支援する指針です。

問20：**エ**〔情報セキュリティマネジメント試験 平成30年秋 午前問10〕　問題p.424 **ふつう**

経営者は，情報セキュリティに関する，組織全体の対応方針を定めます。また，担当者に，対策の実行を指示します。

a：経営者でなく，情報セキュリティ監査の監査人が行う取組みです。
b：正しいです。経営者は，情報セキュリティ対策の見直しを指示します。
c：正しいです。経営者は，組織全体の対応方針を定めます。
d：正しいです。経営者は，新たな脅威に備えるため，最新動向を収集します。

よって，正解は**エ**（b，c，d）です。

問21：**イ** 〔情報セキュリティマネジメント試験 平成28年秋 午前問2〕 用語p.236 問題p.425 やさしい

リスク対応とは，リスクに対し，対策を打つ段階です。リスクアセスメントで，リスク分析した結果をリスク評価したうえで，対策を打つ段階です。4種のリスク対応（**リスク回避**・**リスク低減**・**リスク共有**・**リスク保有**）から，予算や優先順位などを踏まえて最適な対策を打ちます。

ア，**エ**：リスク対応のうちの分類でなく，リスク対応そのものの説明です。

イ：正解です。リスク共有の説明です。**リスク共有**とは，リスクを他者と分割する方法です。

ウ：リスク回避の説明です。**リスク回避**とは，リスクを生じさせる原因をなくしたり，別の方法に置き換えたりして，リスクそのものを取り去る方法です。

問22：**イ** 〔情報セキュリティマネジメント試験 平成29年春 午前問6〕 用語p.227 問題p.425 やさしい

4つのプロセスの順番は，次のとおりです。

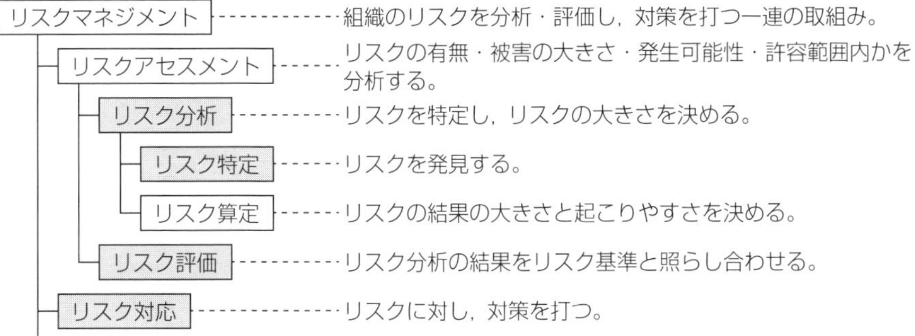

リスク分析には，リスク特定とリスク算定が含まれます。そのため，リスク特定とリスク算定の終了に伴って，リスク分析が終了することになります。

問23：**イ** 〔応用情報技術者試験 令和6年春 午前問39〕 用語p.250 問題p.425 やさしい

自社製品・サービスのインシデント発生時に対応する組織です。PSIRTとCSIRTとの違いは，次のとおりです。

- PSIRTは，自社製品・サービスのインシデント対応。
- CSIRTは，自社の組織内におけるインシデント対応。

よって，正解は**イ**です。

問24：**イ**　〔エンベデッドシステムスペシャリスト試験 令和5年秋 午前Ⅱ問15〕 用語p.252　問題p.426 やさしい

NOTICE（ノーティス）とは，IoT機器に対するサイバー攻撃の観測や，利用者への意識啓発・注意喚起を行う取組みです。

ア：DAEDALUS（ダイダロス）の説明です。

イ：正解です。NOTICEの説明です。

ウ：NOTICEでは，利用者からの申告がなくても調査するため異なります。

エ：NICT総合テストベッドの説明です。

問25：**イ**　〔情報処理安全確保支援士試験 令和2年秋 午前Ⅱ問7〕 用語p.253　問題p.426 やさしい

サイバー・フィジカル・セキュリティ対策フレームワーク（CPSF）とは，サイバー空間（仮想空間）とフィジカル空間（現実世界）を高度に融合させた社会（Society 5.0）におけるセキュリティ対策について経済産業省が策定したガイドラインです。新たな産業社会において直面するリスクを捉えるためのモデルを構築し，セキュリティ対策の全体像をまとめ，サプライチェーン全体のセキュリティ確保を目的としています。

ア："テレワークセキュリティガイドライン"の策定目的です。

イ：正解です。"サイバー・フィジカル・セキュリティ対策フレームワーク"の策定目的です。

ウ："クラウドサービス利用のための情報セキュリティマネジメントガイドライン"の策定目的です。

エ："データセンターセキュリティガイドブック"の策定目的です。

問26：ア 〔情報処理安全確保支援士試験 令和4年秋 午前Ⅱ問9〕 問題p.427 **難しい**

ア：正解です。ISO/IEC 15408は，情報セキュリティの観点から，IT製品が必要とするセキュリティ機能が適切に組み込まれていることを評価するための国際規格です。CC（Common Criteria（コモン クライテリア））ともいいます。

イ：ISO/IEC 27002は，情報セキュリティマネジメントの管理策を示した国際規格です。

ウ：ISO/IEC 27017は，クラウドサービスに関する情報セキュリティ管理策を示した国際規格です。

エ：ISO/IEC 30147は，IoT製品・システムを安全に実装するための国際規格です。

問27：エ 〔情報セキュリティマネジメント試験 平成31年春 午前問14〕 用語p.249 問題p.427 **難しい**

PCI DSS（PCIデータセキュリティスタンダード）とは，クレジットカード情報を保護するための，クレジット業界のセキュリティ基準です。カード会員情報を，格納・処理・伝送するすべての機関・加盟店に対して適用します。

カードセキュリティコードは，クレジットカード自体に印字されているだけで，クレジットカードにある磁気部分には，含まれていません。そのため，仮に磁気部分を不正に読み取られても（スキミング），取得できません。

ショッピングサイトで，クレジットカード決済をする際に，追加でカードセキュリティコードの入力を求めることで，クレジットカード自体を持っている本人かどうかを確認できます。これにより，スキミングにより不正に入手したクレジットカード番号の悪用を防げます。

カードセキュリティコードは，クレジットカード自体に印字されているだけであるため，加盟店（店舗）やサービスプロバイダ（クレジットカード会社）には保管しません。

よって，正解はエです。

問28：**ア**〔ITサービスマネージャ試験 令和5年春 午前Ⅱ問16〕 用語p.250 問題p.428 やさしい

CSIRT（シーサート）とは，情報セキュリティのインシデント発生時に対応する組織です。インシデント報告の受付・対応の支援・手口の分析・再発防止策の検討と助言を，技術面から行います。

ア：正解です。CSIRTの説明です。
イ：JIPDEC（日本情報経済社会推進協会）の説明です。
ウ：CRYPTRECの説明です。
エ：NISC（内閣サイバーセキュリティセンター）の説明です。

問29：**エ**〔情報セキュリティマネジメント試験 平成28年秋 午前問11〕 用語 付録PDF「『組織における内部不正防止ガイドライン』のポイント」 問題p.428 ふつう

ガイドラインの「(6) システム管理者の権限管理」に記載があります。システム管理者が内部不正を犯さないための対策を選びます。例えば，システム管理者IDごとに権限範囲を割り当て，相互に監視するようにします。

ア：相互に監視するために，会話・情報交換を制限する必要はありません。
イ：相互に監視するために，操作履歴を本人以外が閲覧することを制限してはいけません。
ウ：内部不正防止とは，無関係です。
エ：正解です。相互に監視するために，単独作業を制限することは，適切です。

問30：**イ**〔情報セキュリティマネジメント試験 平成29年秋 午前問25〕 用語p.069 問題p.428 ふつう

利用者権限の管理では，**最小権限**（need-to-know）のみ与えます。必要以上の権限を与えると，利用者が不正を行う危険性があるからです。

データ構造の定義用アカウントには，「テーブルの作成・削除権限」のみ与えます。また，データの入力・更新用アカウントには，「レコードの更新権限」のみ与えます。それ以外の権限は与えません。

- **付録PDF「『組織における内部不正防止ガイドライン』のポイント」**
  https://www.shoeisha.co.jp/book/download/9784798188874/
  ダウンロード期限：2025年12月31日

問31：**ア**〔情報セキュリティマネジメント試験 平成29年春 午前問27〕　用語p.087　問題p.429　やさしい

不正のトライアングルとは，「機会」，「動機」，「正当化」という3つの要因のことで，すべてそろった場合に，内部不正は発生するとされています。**機会**とは不正行為を行える状況，**動機**とは処遇面の不満・借金による生活苦，**正当化**とはみずからを納得させる自分勝手な理由付けです。

ア：正解です。機会とは不正行為を行える状況です。
イ：不正のトライアングルとは無関係の説明です。
ウ：「正当化」でなく，「動機」の説明です。
エ：「動機」でなく，「正当化」の説明です。

問32：**エ**〔情報セキュリティマネジメント試験 平成30年秋 午前問12〕　用語p.263　問題p.429　やさしい

割れ窓理論とは，軽微な不正や犯罪（割れ窓）を放置することで，より大きな不正や犯罪が誘発されるという理論です。

なお，**ウ**の**不正のトライアングル**理論とは，「機会」（不正行為を行える状況），「動機」（処遇面の不満・借金による生活苦），「正当化」（みずからを納得させる自分勝手な理由付け）という3つの要因のことで，すべてそろった場合に，内部不正は発生するとされている理論です。

問33：**イ**〔応用情報技術者試験 平成28年秋 午前問43〕　用語p.269　問題p.429　やさしい

SPFとは，受信側のメールサーバが，メールの送信元のドメイン情報と，送信元メールサーバのIPアドレスから，そのドメイン名が信頼できるかどうかを確認する送信ドメイン認証です。具体的には，受信側のメールサーバが，送信側のDNSサーバに対し，受信したメールアドレスのドメイン名（@以降）に対応したIPアドレスは何かを問い合わせます。そのIPアドレスと，受信メールに記載された送信元メールサーバのIPアドレスとを照合します。両者が適合すれば，送信元メールサーバのドメイン名になりすましがないと判定し，受信者にメールを転送します。

問34：**ウ**　〔情報セキュリティマネジメント試験 平成28年春 午前問17〕　問題p.430 

ア：圧縮しても解凍できれば，機密ファイルの情報漏えいの危険性があり，不適切です。

イ：マスターブートレコードとは，どこからOSを起動するかが記録されている領域です。これを消去しても，機密ファイル自体は残るため，不適切です。

ウ：正解です。機密ファイルを含め，全領域を上書きすれば，情報漏えい対策になります。

エ：ファイル名を変更しても，機密ファイルのデータ自体は残るため，不適切です。

問35：**イ**　〔情報セキュリティマネジメント試験 平成31年春 午前問12〕　問題p.430 ふつう

1ビットとは，2進数で1ケタのことです。同じ値について，8進数表現（0～7）と2進数表現（3ビット，2進数3ケタ）で記載した表は，次のとおりです。

8進数	2進数
$(0)_8$	$(000)_2$
$(1)_8$	$(001)_2$
$(2)_8$	$(010)_2$
$(3)_8$	$(011)_2$
$(4)_8$	$(100)_2$
$(5)_8$	$(101)_2$
$(6)_8$	$(110)_2$
$(7)_8$	$(111)_2$

〔試行結果〕から分かることは，次のとおりです。

- 「① 0を設定したら，読取り，書込み，実行ができなくなってしまった。」
  $(0)_8 = (\dot{0}\,\dot{0}\,\dot{0})_2$。2進数3ケタのうち，どのケタが読取り，書込み，実行かは不明ですが，0の場合，権限が不許可だと分かります。
- 「② 3を設定したら，読取りと書込みはできたが，実行はできなかった。」
  $(3)_8 = (\dot{0}\,1\,1)_2$。左端のケタが不許可。不許可なのは「実行」であるため，左端のケタが実行権限を表すと分かります。
- 「③ 7を設定したら，読取り，書込み，実行ができるようになった。」
  $(7)_8 = (1\,\dot{1}\,\dot{1})_2$。中央と右端の2ケタのうち，どれが読取り・書込み権限かは分かりません。

ア：$(2)_8 = (0\,1\,0)_2$。左端のケタは実行権限であり，0により不許可のため，実行はできません。「読取りと実行ができる」は不適切です。

イ：$(4)_8 = (1\,0\,0)_2$。左端のケタは実行権限であり，1により許可のため，実行できます。「実行だけできる」は適切です。

ウ：$(5)_8 = (1\,0\,1)_2$。左端のケタは実行権限であり，1により許可のため，実行できます。「書込みだけできる」は不適切です。

エ：$(6)_8 = (1\,1\,0)_2$。左端のケタは実行権限であり，1により許可のため，実行できます。「読取りと書込みができる」は不適切です。

よって，正解は**イ**です。

問36：**イ**〔応用情報技術者試験 平成23年秋 午前問18〕 用語p.358 問題p.431 ふつう

システムの信頼性指標をまとめた表は，次のとおりです。

用語	説明	求め方
MTBF (平均故障間隔)	平均稼働時間。 長いほど，優れている。	稼働時間の合計 ÷ 故障の回数
MTTR (平均修理時間)	平均故障時間。 短いほど，優れている。	故障時間の合計 ÷ 故障の回数
稼働率	正常に稼働した時間の割合。 100%や1に近いほど，優れている。	$\dfrac{\text{MTBF}}{\text{MTBF} + \text{MTTR}}$

つまり，稼働率 = MTBF ÷ (MTBF + MTTR)

この式をもとに，MTBF・MTTRがともに1.5倍の場合の式は，次のとおりです。

$$
\begin{aligned}
&1.5 \times \text{MTBF} \div (1.5 \times \text{MTBF} + 1.5 \times \text{MTTR}) \\
&= 1.5 \times \text{MTBF} \div (1.5 \times (\text{MTBF} + \text{MTTR})) \\
&= \text{MTBF} \div (\text{MTBF} + \text{MTTR})
\end{aligned}
$$

となるため，従来の稼働率と同じ値です。

よって，正解は**イ**です。

問37：**イ**〔基本情報技術者試験 平成25年春 午前問31〕 問題p.431 **難しい**

IPアドレスは，ネットワーク機器を識別するための番号です。IPv4では32ビット（2進数で32桁）であり，約43億の機器を同時に識別できます。

IPアドレス（IPv4）では，ネットワーク上を流れる電流を数値にして表現した2進数表記と，人間が読み取りやすくするため，8桁ごとに「.」を入れ，10進数に変換した10進数表記があります。

●IPアドレスの例

- 2進数表記：11000000101010000000000000000001 ―― 2進数では読み取りにくいため，
- 10進数表記：192.168.0.1 ―― 2進数で8桁ごとに「.」を入れ，10進数で表記する。

「.」で区切られた値は10進表記で0～255です。それぞれ8ビット（2進数で8桁）は2進数表記で00000000～11111111だからです。

そのため，その範囲を超える256を含むイはIPv4アドレス表記としては正しくありません。

よって，正解はイです。

問38：**エ**〔情報セキュリティマネジメント試験 平成30年春 午前問43〕　用語p.383　問題p.431　やさしい

アローダイアグラムとは，「プロジェクトを完了させるために必要な時間」を把握するために使う図です。プロジェクトの開始から終了までの全経路のうち，最も時間がかかる経路の総所要時間が「プロジェクトを完了するために必要な最短時間」（最短所要時間）となります。図のアローダイアグラムの全経路と所要日数の合計を求めます。このうち，最長の経路（最短所要時間）は，9日です。

- A（6）→D（2）＝8日
- B（3）→C（4）→D（2）＝9日　… 最短所要時間
- B（3）→E（4）→F（1）＝8日

短縮した各選択肢の最短所要時間を求め，短縮前と比べます。

ア（A，C，Eを短縮）
- A（5）→D（2）＝7日
- B（3）→C（3）→D（2）＝8日　… 1日短縮できる
- B（3）→E（3）→F（1）＝7日

イ（A，Dを短縮）
- A（5）→D（1）＝6日
- B（3）→C（4）→D（1）＝8日　… 1日短縮できる
- B（3）→E（4）→F（1）＝8日

ウ（B，C，Eを短縮）
- A（6）→D（2）＝8日　… 1日短縮できる
- B（2）→C（3）→D（2）＝7日
- B（2）→E（3）→F（1）＝6日

エ（B，Dを短縮）
- A（6）→D（1）＝7日
- B（2）→C（4）→D（1）＝7日　… 2日短縮できる
- B（2）→E（4）→F（1）＝7日

このうち，最短所要時間が2日短縮できるのは，**エ**のみです。

問39：**イ**〔情報セキュリティマネジメント試験 平成28年春 午前問3〕　　用語p.393　問題p.432　やさしい

ア：**コントロールセルフアセスメント（CSA）**とは，従業者が，自部門の活動の監査をみずから行う方式です。

イ：正解です。**情報セキュリティ監査**とは，組織の情報セキュリティマネジメント体制を対象にした，第三者の評価です。

ウ：**情報セキュリティ対策ベンチマーク**とは，自組織の情報セキュリティ対策状況と企業情報を回答することで，情報セキュリティレベルを確認できる自己診断システムです。

エ：**デジタルフォレンジックス**とは，情報セキュリティの犯罪の証拠となるデータを収集・保全することです。

問40：**イ**〔基本情報技術者試験 令和元年秋 午前問65〕　　用語p.405　問題p.432 

非機能要件とは，要件定義のうち，システムに求められる，機能要件以外の要件です。例は，次のとおりです。

- 品質（パフォーマンス・信頼性）
- 技術（プログラム言語・開発基準）
- 運用（作業手順・災害対策）
- 付帯作業（教育）

ア，ウ，エ：機能要件の定義で行う作業です。

イ：正解です。上記のうち「技術（プログラム言語・開発基準）」に該当します。

問41：**イ**〔基本情報技術者試験 平成24年春 午前問77〕　問題p.433　ふつう

図に固定費と利益を書き足します。

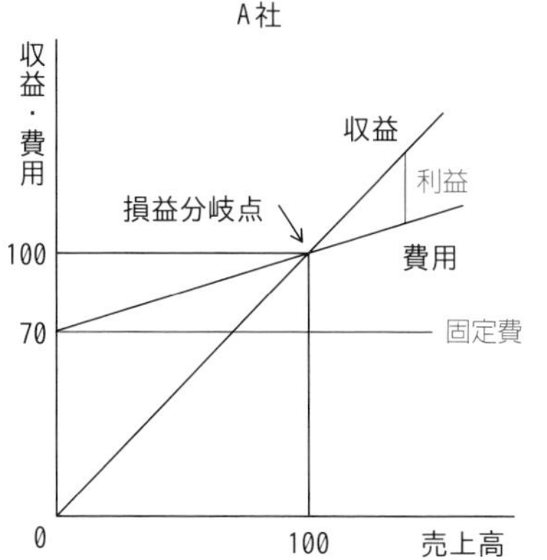

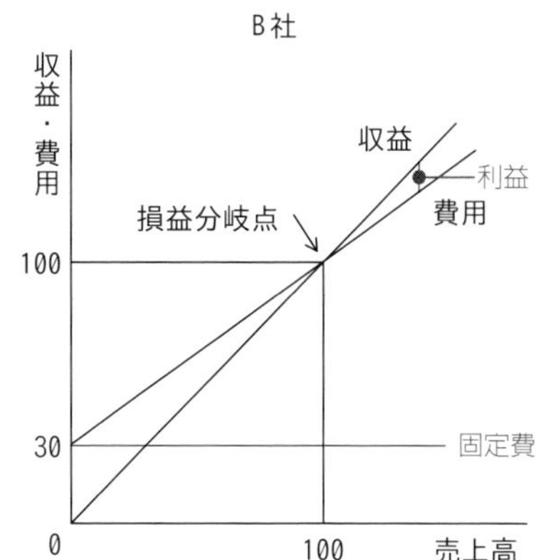

損益分岐点とは，「売上高 − 費用 = 0」の売上高のことです。

費用とは，「固定費 + 変動費」で求められます。

- 固定費とは，売上高の大小にかかわらず一定してかかる費用。
- 変動費とは，売上高の増加に比例して増加する費用。

利益とは，「収益 − 費用」で求められます。

ア：図中の「利益」のとおり，「固定費の少ないB社の方がA社よりも利益が大きい」ということはありません。両者はあべこべです。

イ：正解です。図中の「利益」のとおり，「損益分岐点を超えた等しい売上高のとき，B社に比べて利益が大きい」です。

ウ：図中の「利益」のとおり，「等しい利益を生み出すために必要な売上高は両社とも等しい」ということはありません。等しい利益を生み出すためにはB社はA社よりも売上高が大きい必要があります。

エ：図中の「固定費」のとおり，「固定費も等しい」ということはありません。固定費はA社は70，B社は30で異なります。

問42：**エ**〔プロジェクトマネージャ試験 令和2年秋 午前Ⅱ問13〕 問題p.434 ふつう

コストプラスインセンティブフィー契約とは，発注者が実コストを受注者に支払うとともに，契約条件に応じた基準を満たした場合に，追加で支払う契約です。

この問の〔契約条件〕では，実コストが，8,000万円，目標コストが9,000万円のため，「(3) 実コストが目標コストを下回ったときのインセンティブフィー」に該当します。

つまり「目標コストと実コストとの差額の70%を1,000万円に加えた額」で，(9,000万円－8,000万円) × 70% ＋ 1,000万円 ＝ 1,700万円。

よって，正解は**エ**です。

問43：**イ**〔応用情報技術者試験 令和6年春 午前問35〕 用語p.201 問題p.434 やさしい

3Dセキュア2.0とは，オンラインショッピングにおけるクレジットカード決済時に，不正取引を防止するための本人認証サービスです。3Dセキュア1.0では，クレジットカード発行会社にあらかじめ登録したパスワードなどにより利用者認証を行っていたため，正規の利用者でもその手間により，途中で購入を中止すること（カゴ落ち）がありました。

一方で，3D セキュア2.0では，利用者の過去の取引履歴や，決済に用いている情報機器の情報から不正利用と判断される場合だけ，追加の本人認証を行うため，利便性が高まります。

よって，正解は**イ**です。

問44：**ア**〔エンベデッドシステムスペシャリスト試験 令和3年秋 午前Ⅱ問18〕 問題p.435 難しい

エンベロープ暗号化とは，共通鍵を用いて平文を暗号化してできた暗号文を，さらに別の共通鍵を用いて暗号化することです。語源は，envelop（封筒）から。

問45：**ウ**〔応用情報技術者試験 令和2年秋 午前問74〕 問題p.435 難しい

ABC分析は，重要度の高い要素・項目を分析するための手法です。数値が大きい項目から順番に並べ，その累計比率によって項目をいくつかの階層に分け，高い階層に属する項目を把握します。

表の個数の合計は875なので，A群はその70%以上である612.5以上です。

製品	P	Q	R	S	T	U	V	W	X	合計
個数	182	136	120	98	91	83	70	60	35	875

318＝ 182 ＋ 136

438＝ 182 ＋ 136 ＋ 120

536＝ 182 ＋ 136 ＋ 120 ＋ 98

627＝ 182 ＋ 136 ＋ 120 ＋ 98 ＋ 91

数値が大きい項目から5つ加算すると，階層の数値が612.5以上となるのはP～Tの5種類です。

よって，正解は**ウ**です。

問46：**ウ**　〔情報セキュリティマネジメント試験 平成29年秋 午前問44〕　　問題p.435　**難しい**

ガントチャートの例は，次のとおりです。

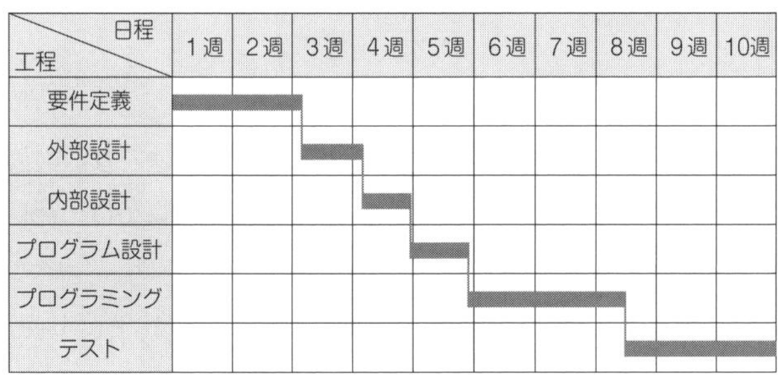

ア：マイルストーンチャートの説明です。
イ：アローダイアグラム（PERT図）の説明です。
ウ：正解です。ガントチャートの説明です。
エ：EVM（Earned Value Management）の説明です。

問47：**イ**　〔基本情報技術者試験 平成24年秋 午前問77〕　　問題p.436　**ふつう**

散布図は，縦軸と横軸に，２つの要素を対応付けて点をプロットし，その点の散らばりをもとに両者の相関関係を確認するための図です。**負の相関**は，片方の値が上がると，もう片方の値は下がる関係です。

問48：**ア**　〔ITストラテジスト試験 令和4年春 午前Ⅱ問9〕　　問題p.436　**難しい**

マーケットバスケット分析とは，販売データをもとに，ある商品と一緒に購入した別の商品の組合せを発見する分析手法です。これをもとに，関連性が高い商品が分かり，商品の陳列やマーケティング戦略を改善します。

ア：正解です。マーケットバスケット分析の説明です。
イ：エリアマーケティングの説明です
ウ：デルファイ法の説明です。
エ：ABC分析の説明です。

▶模擬問題〈科目B〉解説

問49　カ　〔情報セキュリティマネジメント試験 令和元年秋 午後問1改題〕 問題p.437

問題文をもとに検討します。

アは，Jサイトの脆弱性を悪用した攻撃についての記述が問題中にありません。

イは，電話での問合せ数と攻撃1の関係性を表す記述が問題中にありません。

ウは，攻撃1が「不正ログインの試み」であり，「**問合せフォームへのアクセス**」ではないため，無関係です。

エの「**同一の顧客用アカウントについて一定数以上のIPアドレスから**」試行したログイン数だけでは，ブルートフォース攻撃は検知できますが，攻撃1は検知できません。なぜなら攻撃1は「**980件の顧客用アカウントに対して1件ずつ**」行われた攻撃だからです。

オは，**エ**と同じ理由で攻撃1を検知できません。

カは，攻撃1への対策となります。攻撃1は「**980件の顧客用アカウントに対して1件ずつ**」行われた攻撃であり，その場合，カの「**複数の顧客用アカウントについて同一のIPアドレスから試行したログイン数**」が，一定数以上となった場合にメール通知することで攻撃を早期に検知できます。

よって，正解は**カ**です。

なお，今回の攻撃1はJサイトに実在するアカウントへの不正ログインの試みのため，パスワードリスト攻撃に似ていますが，正確にはクレデンシャルスタッフィング攻撃です。

クレデンシャルスタッフィング攻撃	侵害されたり，漏えいしたりした利用者の認証情報（利用者ID・パスワード）を悪用して，他のサービスへの大規模な不正ログインを試みる攻撃。語源は認証情報（credential）を使って次々に他のサービスへの不正ログインを試みる（stuffing，押し込む）ことから。
パスワードリスト攻撃	利用者ID・パスワードを使い回す利用者が多いことから，あるWebサイトやシステムから流出した利用者IDとパスワードのリストを使って，別のWebサイトやシステムへの不正ログインを試みる攻撃。

両攻撃の違いは，次のとおりです。

- **クレデンシャルスタッフィング攻撃**は，**大量**かつ**自動**的に不正ログインを試みる。
- **パスワードリスト攻撃**は，**手動**で不正ログインを試みる。

問50　カ　〔情報セキュリティマネジメント試験 平成29年春 午後問3改題〕 問題p.439

問題文と**［虎の巻］**をもとに検討します。なお，類題が出題されても対応できるように，No.1～No.3に該当する各対策の選択肢を検討するとよいでしょう。

（一）は，私物の持込みが制限されるため，記憶媒体の持込み（No.2）の対策になります。また，透明なバッグに入れることにより中身が見えるため，ノートPCの盗み出し（No.3）の対策になります。

［虎の巻］の関連記述は「・中が透(す)けて見える鞄(かばん)」「私物の鞄の持込みを禁止する代わりに貸し出す鞄。秘密書類や情報機器の持出しを防ぐ」です。（➡p.078）

（二）は，記憶媒体の使用を禁止すると，記憶媒体による情報を窃取ができなくなるため，記憶媒体の持込み（No.2）の対策になります。

（三）は，入館証のチェックにより，コールセンタ要員以外の者の侵入（No.1）の対策になります。また，持ち物チェックにより，記憶媒体の持込み（No.2）の対策と，ノートPCの盗出し（No.3）の対策になります。

（四）は，入館証の貸与・着用により，コールセンタ要員以外の者の侵入（No.1）の対策になります。

（五）は，No.1～No.3のどの対策にはなりません。プライバシフィルタとは，画面ののぞき見を防ぐために，周囲からは画面が見えにくくするものです。

［虎の巻］の関連記述は「・のぞき見防止フィルタ」「正面方向のみに光を通し，画面左右からののぞき見を防止する」です。（➡p.074）

（六）は，ノートPCを机に固定することで，ノートPCの盗出し（No.3）の対策になります。セキュリティケーブル（セキュリティワイヤ）とは，情報機器と机を結ぶためのチェーンです。不正な持出しを防ぎます。

［虎の巻］の関連記述は「・セキュリティワイヤ」「情報機器と机を結ぶための金属製のチェーン。情報機器の不正な持出しを防ぐ」です。（➡p.078）

（七）は，No.1～No.3のどの対策にはなりません。HIDS（ホスト型IDS）とはIDSの一種で，Webサーバなどのホストにインストールし，そのホストをリアルタイムで監視し，不正アクセスなどの異常を発見し，管理者に通報する製品です。（➡p.298）

適切なのは**（三）**，**（四）**だけです。

よって，正解は**カ**です。

問51　エ　〔情報セキュリティマネジメント試験 平成28年春 午後問3改題〕 問題p.440

評価結果（OK・NG・NAなど）と，評価根拠の両者が正しい組合せの選択肢を選びます。よくある出題パターンは，片方は正しいものの，もう片方は誤りである場合です。その選択肢は不正解です。片方が正しいからといって，もう片方の検討を怠ると，出題者のトラップに引っかかります。

組合せの選択肢では，片方は正しいが，もう片方は誤りの表現をあえて出題する。

表3のNo.11に関して，まず評価根拠を検討し，その次に評価結果を検討します。

アは，パスワードを変更していることが会社のルールで決められているという記述が問題中にありません。

イは，パスワードを変更していないという記述が問題中にありません。

ウは，たしかに問題文に「海外営業部の部員は，全員がデスクトップPC だけを使っている」，「ノートPCだけが，リモート接続サービスによる社内ネットワークへの接続を許可されている」とあるため，パスワードの変更以前に，そもそも「リモート接続ができない」と言えます。しかし，評価結果が「NG」だと，「評価項目どおりには実施しておらず」を意味することになります。実際には，パスワードの変更を実施していないのではなく，そもそもリモート接続自体をしないため，「NA」の「評価項目に関するリスクがそもそも存在しない場合」でなければなりません。

エは，正解です。**ウ**と同じ理由で，「部内ではリモート接続は誰も行わない」と言えます。また，評価結果が「NA」であり，適切です。

▶ **トラップ**　ウは，片方しか検討しない早とちりを狙ったトラップです。評価根拠だけでなく，評価結果も検討しなければ，出題者のトラップに引っかかります。

問52　オ　〔情報セキュリティマネジメント試験 平成29年春 午後問3改題〕 問題p.442

問題点2「個人情報が記録された紙媒体が，十分に管理がされていない」ことを改善する案を選びます。

(五) は，「業務上の必要の有無にかかわらず，1週間以内に細断し，廃棄する」場合，業務上必要であっても細断・廃棄することになり，不適切です。

(六) は，適切です。紙媒体のままでは，不正な持出しがされやすく，またそれに気づきにくいですが，PDFファイルなどに電子化すれば，そのファイルのアクセス管理ができたり，ログによりファイルのアクセス状況を記録できたりするため，不正な持出し対策になります。

(七) は，適切です。バインダにとじ，機密区分（極秘・社外秘・公開など）を明示すれば，重要度に気づかず誤って情報を漏えいするリスクを減らせます。キャビネット（書類棚）に施錠保管すれば，不正な持出しを減らせます。

(八) は，他の書類と混ぜて机の上に並べると，むしろ不正な持出しを助長するため，不適切です。

有効な改善案は **(六)**，**(七)** だけです。
よって，正解は**オ**です。

問53　エ　〔応用情報技術者試験 令和5年秋 午後問1改題〕 問題p.444

問題文と **[虎の巻]** (➡p.088) をもとに検討します。

(一) は，適切です。L主任が洗い出した問題点の（2）の「本文メールが通信経路上で何らかの手段によって盗聴された場合，PWメールも盗聴されるおそれがある」ため，DPWを別の方法（電話・SMS・チャットなど）で受信者に伝えて，両者を別の経路にすべきです。

(二) は，ワンタイムパスワードと使い捨てパスワード（DPW）は同義で使われる用語です。両者に違いがないため，PPAPの対策としては不適切です。

(三) は，適切です。**[虎の巻]** の関連記述は「添付ファイルを削除し，メール本文に「添付ファイルを削除しました」などと追記してメール受信者に知らせる機能を使う」です。(➡p.088)

(四) は，「300社の販売店に製品を卸してい」て，かつ「K社では，ファイルの受渡しが業務運営上欠かせない」にもかかわらず，ファイルの受渡しをすべて手渡しで行うのは現実的ではないため，不適切です。

(五) は，適切です。**[虎の巻]** の関連記述は「・認証機能のあるクラウドストレージにファイルを格納する。ファイル送信者はクラウドサービスに認証のうえ，ファイルを格納する。ファイル受信者は認証のうえ，そのファイルを入手する」です。(➡p.088)

適切なのは **(一)**，**(三)**，**(五)** だけです。
よって，正解は**エ**です。

問54　カ　〔情報セキュリティマネジメント試験 平成29年秋 午後問2改題〕 問題p.446

下線②の「**共用PCにおける閲覧リスクを低減するために**」追加すべき機能を検討します。また，S主任の発言で，「**児童の場合，…図書館，学校などの共用PCを利用することが多く，そこでログアウトを忘れることもあるので，閲覧リスクが大きいね**」とあります。

カの「**ログイン状態をタイムアウトさせる機能**」とは，ログインしていても，一定の時間が経過すると自動でログアウトさせる機能です。これにより，ログアウトを忘れたことによる閲覧リスクを低減できます。
よって，正解は**カ**です。

イ，**ウ**，**エ**，**オ**は，情報セキュリティ対策としてよくある機能ですが，設問で問われた閲覧リスクを低減できるわけではありません。

問55　ケ　〔情報処理安全確保支援士試験 平成29 春 午後Ⅱ問1改題〕 問題p.449

問題文と **[虎の巻]** (➡p.059) をもとに検討します。

(一) と **(二)** は，マルウェアの活動としては想定されますが，設問の「**不審PCをLANから切り離さない場合**」とは関係なく，LANから切り離されても切り離されなくてもどちらの場合でも，ファイルの暗号化・ソフトウェアの実行は生じうるため，不適切です。
(三) と **(四)** は，適切です。マルウェアによる感染拡大やインターネットへの情報送信を食い止めるために，感染した情報機器をネットワークから切り離します。**[虎の巻]** の関連記述は「他の情報機器に感染を拡大させたり，インターネットに情報を送信させたりしないために，感染被害の拡大を確認する方法」です。**[感染被害の拡大の確認方法]** (➡p.059)

適切なのは **(三)**，**(四)** だけです。
よって，正解は**ケ**です。

▶ トラップ　(一) と (二) は，一般的なマルウェアの説明としては適切です。ただし，設問にある条件とは無関係のため，不適切です。こうした設問の条件の読み落としには要注意です。

問56　ア　〔応用情報技術者試験 令和2年秋 午後問1改題〕 問題p.451

〔内部不正に対する技術面での対策〕として，メール管理システムの未使用の機能の設定を見直します。メール管理システムの機能については，次の記述があります。そのため，この設定を見直します。

「PCから送信されたメールは，メール管理サーバで一旦保留され，送信者によって，宛先，メール本文及び添付ファイルに間違いがないことの確認操作が行われた後に，メールサーバに転送される」

アは，適切です。従来のようにメールを単に自身で確認するのではなく，上司による承認のうえで送信するように設定することで，内部不正の機会を低減させられます。

イは，現時点で既に行われている設定のため，不適切です。

ウは，PPAPという脆弱なファイルの受渡し方法で，内部不正の機会を低減できる方法ではないため，不適切です。

[虎の巻] の関連記述は「ファイルの受渡しの際に，「パスワード付き圧縮ファイルをメールに添付して送り，あとで別メールでそのパスワードを送る」という方法」です。(➡p.087)

エは，「社員は，社外の関係者との間で，添付ファイル付きメールの送受信を行っている」というA社の業務内容を考慮していないため，不適切です。

よって，正解は**ア**です。

問57　エ　〔情報セキュリティマネジメント試験 平成30年春 午後問2改題〕 問題p.453

関連する用語は，次のとおりです。

不正のトライアングル	「動機・プレッシャ」，「機会」，「正当化」という3つの要因のことで，すべてそろった場合に，内部不正は発生するとされている。(➡p.087) ・動機・プレッシャ 処遇面の不満・借金による生活苦。例えば，人事評価が低い・仕事量が多い・達成が難しいノルマの設定・不当な解雇。 ・機会 不正行為を行える状況。例えば，アクセス制限の未設定・重要な内部情報にアクセスできる人が必要以上に多い場合。 ・正当化 みずからを納得させる自分勝手な理由付け。例えば，自分にとって都合のよい解釈・他人への責任転嫁・不満への報復。

問題文をもとに検討します。

空所のある表2の直前の記述に「H主任とG主任は，…顧客システムやメールの取扱い，J主任及びK所長との面談結果から…表2のとおり，…事案の原因を整理した」とあります。つまり，問題文・「図4　J主任との面談結果（抜粋）」・「図5　K所長との面談結果（抜粋）」をもとに，検討する必要があります。

アは，関連する記述が図4にも図5にもありません。

イは，図4の2の「退職後ももっていても構わない」のことです。これはみずからを納得させる自分勝手な理由付けであり，「**正当化**」に該当します。

ウは，図4の2の「K所長は外回りなどで多忙であり，…見つかりはしない」のことです。これは不正行為を行える状況であり，「**機会**」に該当します。

エは，図4の3の「同業他社に転職すればもっと実力を発揮でき，評価されると考えた」のことです。これは裏を返せば，現在の職場における処遇面の不満であり，「**動機**」に該当します。

オは，図5の3の「顧客ファイルをPCから消去するよう，…連絡があり，K所長からも…周知したが，…PCの中までは点検しなかった」のことです。これは不正行為を行える状況であり，「**機会**」に該当します。

[c]（動機・プレッシャ）に該当するのは**エ**です。

よって，正解は**エ**です。なお，類題が出題されても対応できるように，不正のトライアングルの3つの要因に該当する事案の原因はそれぞれ何であるかをこの解説をもとに確認するとよいでしょう。

問58　イ　〔情報セキュリティマネジメント試験 平成29年春 午後問1改題〕 問題p.455

下線⑥にある**可用性**とは，必要なときは情報資産にいつでもアクセスでき，アクセス不可能がないことです。(➡p.029)　可用性確保に効果があるものを検討します。

(一) は，正しいです。必要なときは情報資産にいつでもアクセスできるように，データが正しく復元できるかテストすることは効果があります。

(二) は，正しいです。地震などの自然災害で，地域全体が被害を受けても，事業を継続できるように，遠隔地にバックアップを配置する遠隔バックアップは，アクセス不可能がないようにするためのものです。

(三) と **(四)** は，機密性対策です。**機密性**とは，ある情報資産にアクセスする権限をもつ人だけがアクセスでき，それ以外の人には公開されないことです。(➡p.028)

正しいのは **(一)**，**(二)** だけです。

よって，正解は**イ**です。

▶ **トラップ**　(一) ～ (四) は，可用性対策と機密性対策を混在させています。下線⑥では，可用性対策が問われているのですが，それぞれの対策は正しいため，誤って機密性対策を選ぶことを狙っています。

問59　イ　〔情報セキュリティマネジメント試験 平成28年秋 午後問2改題〕 問題p.457

［　c　］の次の行に「・上記で特定したシステムにおいてFさんのアクセス権の無効化」とあることから，アクセス権の無効化を行う対象となるシステムが［　c　］に入ります。

空所は初動対応についてであり，関連する記述は，インシデントが発生した場合の対応手順である図1にあります。図1の「2. 初動対応」に「情報セキュリティリーダ（つまりK課長）は，当該拠点の情報システム担当（つまりW主任）と協力して」，次の内容を確認するという記述があります。

- 保存されていた情報に情報システムのアカウント情報が含まれる場合は，パスワードの変更やアカウントの停止を行う。

問題中の関連記述は，次のとおりです。

- NPCではクラウドサービスで提供される契約管理システムを利用している。
- 紛失している間に，外部の者によってNPCを操作されたり，NPCから情報を窃取されたりした可能性は否定できない。

つまり，紛失している間に，外部の者が，盗まれたアカウント情報を用いて契約管理システムに不正アクセスされる可能性があります。そして契約管理システムはクラウドサービスのため，外出先からインターネット経由でアクセスできます。それに備えて，そのアクセス権の無効化を行う必要があります。

アは，オフィスで使っているシステムと，盗まれたアカウント情報を用いた不正アクセスとは無関係のため，不適切です。

イは，適切です。外部の者が，盗まれたアカウント情報を用いて不正アクセスできるシステムは，Fさんが外出先からインターネット経由でアクセスできるシステムということになります。そのため，インターネット経由でFさんがアクセスできるシステムを特定します。

ウは，Fさんが顧客情報を保管しているシステムは，必ずしも外部の者が，盗まれたアカウント情報を用いて不正アクセスできるシステムとは限らないため，不適切です。

エは，外部の者が，盗まれたアカウント情報を用いて不正アクセスできるシステムとは無関係のため，不適切です。

なお，[c]で「Fさんが外出先からアクセスできるシステムの特定」をし，その次の次の行で「・上記で特定したシステムにおいて社外から不審なアクセスがないかどうかの幅広い確認」を実施しています。初動対応の段階ため，特定の攻撃に絞らず，システムへの不正アクセスの有無を幅広く確認します。

よって，正解は**イ**です。

問60 ウ 〔情報セキュリティマネジメント試験 平成31年春 午後問3改題〕 問題p.460

下線①の「…管理員間でNPC，利用者ID，パスワード，メールアドレスを共用している」ことにより，高くなるリスクに該当するかどうかを検討します。根拠を明確にするために，**(一)**～**(四)** の記述が，「NPC，利用者ID，パスワード，メールアドレス」の4つのどれを共用することを指すかを見極めながら検討するとよいでしょう。

(一) は，該当します。利用者IDを共用すると，どの管理員が操作したのか特定できないためです。

(二) は，該当します。利用者IDを共用すると，異動や退職があっても，管理員用として利用者IDは，引き続き使われがちなためです。

(三) は，該当します。パスワードを共用すると，パスワード変更時などにパスワードのやり取りが生じるためです。

(四) は，該当しません。4つのどれかを共用することによって，クリアスクリーンをし忘れる可能性が高まるわけではないためです。つまり，クリアスクリーンによるロックをし忘れたために，離席時に不正に操作されるリスクの高さは，4つのどれかを共用する場合でも共用しない場合でも，違いはありません。クリアスクリーンとは，のぞき見防止のために，離席時に画面にロックをかけることです。

該当する行為は **(一)**，**(二)**，**(三)** だけです。

よって，正解は**ウ**です。

サンプル問題

新試験開始直前の2022年（令和４年）12月26日に，情報処理推進機構（IPA）が公開した「サンプル問題」の問題と解説を掲載しています。

科目Ａ（問１～問48），科目Ｂ（問49～問60）ともに実践的な内容です。試験時間120分以内で解答できるか，時間を計測して挑戦するとよいでしょう。

・付録 Webアプリ
本書掲載のすべての練習問題・模擬問題〈科目Ａ〉・サンプル問題〈科目Ａ〉のWebアプリをご利用できます。詳しくはp.027をご覧ください。

▶サンプル問題〈科目A〉

出題数：48問（全問解答必須）　　　　試験時間：120分（両科目）

問1　JIS Q 27001:2014（情報セキュリティマネジメントシステム－要求事項）において，リスクを受容するプロセスに求められるものはどれか。　（解説p.531）

ア　受容するリスクについては，リスク所有者が承認すること
イ　受容するリスクを監視やレビューの対象外とすること
ウ　リスクの受容は，リスク分析前に行うこと
エ　リスクを受容するかどうかは，リスク対応後に決定すること

問2　退職する従業員による不正を防ぐための対策のうち，IPA“組織における内部不正防止ガイドライン（第5版）”に照らして，適切なものはどれか。　（解説p.531）

ア　在職中に知り得た重要情報を退職後に公開しないように，退職予定者に提出させる秘密保持誓約書には，秘密保持の対象を明示せず，重要情報を客観的に特定できないようにしておく。
イ　退職後，同業他社に転職して重要情報を漏らすということがないように，職業選択の自由を行使しないことを明記した上で，具体的な範囲を設定しない包括的な競業避止義務契約を入社時に締結する。
ウ　退職者による重要情報の持出しなどの不正行為を調査できるように，従業員に付与した利用者IDや権限は退職後も有効にしておく。
エ　退職間際に重要情報の不正な持出しが行われやすいので，退職予定者に対する重要情報へのアクセスや媒体の持出しの監視を強化する。

問3 JIS Q 27000:2019（情報セキュリティマネジメントシステム－用語）において，不適合が発生した場合にその原因を除去し，再発を防止するためのものとして定義されているものはどれか。 （解説 p.531）

ア 継続的改善　　イ 修正

ウ 是正処置　　エ リスクアセスメント

問4 JIS Q 27002:2014（情報セキュリティ管理策の実践のための規範）の“サポートユーティリティ”に関する例示に基づいて，サポートユーティリティと判断されるものはどれか。 （解説 p.532）

ア サーバ室の空調　　イ サーバの保守契約

ウ 特権管理プログラム　　エ ネットワーク管理者

問5 JIS Q 27000:2019（情報セキュリティマネジメントシステム－用語）における“リスクレベル”の定義はどれか。 （解説 p.532）

ア 脅威によって付け込まれる可能性のある，資産又は管理策の弱点

イ 結果とその起こりやすさの組合せとして表現される，リスクの大きさ

ウ 対応すべきリスクに付与する優先順位

エ リスクの重大性を評価するために目安とする条件

問6 サイバーセキュリティ基本法に基づき，内閣にサイバーセキュリティ戦略本部が設置されたのと同時に，内閣官房に設置された組織はどれか。 （解説 p.532）

ア IPA　　イ JIPDEC　　ウ JPCERT/CC　　エ NISC

問7 CRYPTRECの役割として，適切なものはどれか。 (解説p.533)

ア 外国為替及び外国貿易法で規制されている暗号装置の輸出許可申請を審査，承認する。
イ 政府調達においてIT関連製品のセキュリティ機能の適切性を評価，認証する。
ウ 電子政府での利用を推奨する暗号技術の安全性を評価，監視する。
エ 民間企業のサーバに対するセキュリティ攻撃を監視，検知する。

問8 緊急事態を装って組織内部の人間からパスワードや機密情報を入手する不正な行為は，どれに分類されるか。 (解説p.533)

ア ソーシャルエンジニアリング
イ トロイの木馬
ウ 踏み台攻撃
エ ブルートフォース攻撃

問9 A社では現在，インターネット上のWebサイトを内部ネットワークのPC上のWebブラウザから参照している。新たなシステムを導入し，DMZ上に用意したVDI (Virtual Desktop Infrastructure) サーバにPCからログインし，インターネット上のWebサイトをVDIサーバ上の仮想デスクトップのWebブラウザから参照するように変更する。この変更によって期待できるセキュリティ上の効果はどれか。 (解説p.533)

ア インターネット上のWebサイトから，内部ネットワークのPCへのマルウェアのダウンロードを防ぐ。
イ インターネット上のWebサイト利用時に，MITB攻撃による送信データの改ざんを防ぐ。
ウ 内部ネットワークのPC及び仮想デスクトップのOSがボットに感染しなくなり，C&Cサーバにコントロールされることを防ぐ。
エ 内部ネットワークのPCにマルウェアが侵入したとしても，他のPCに感染するのを防ぐ。

問10 デジタルフォレンジックスでハッシュ値を利用する目的として，適切なものはどれか。 (解説p.534)

ア 一方向性関数によってパスワードを復元できないように変換して保存する。
イ 改変されたデータを，証拠となり得るように復元する。
ウ 証拠となり得るデータについて，原本と複製の同一性を証明する。
エ パスワードの盗聴の有無を検証する。

問11 利用者PCの内蔵ストレージが暗号化されていないとき，攻撃者が利用者PCから内蔵ストレージを抜き取り，攻撃者が用意したPCに接続して内蔵ストレージ内の情報を盗む攻撃の対策に該当するものはどれか。 (解説p.534)

ア 内蔵ストレージにインストールしたOSの利用者アカウントに対して，ログインパスワードを設定する。
イ 内蔵ストレージに保存したファイルの読取り権限を，ファイルの所有者だけに付与する。
ウ 利用者PC上でHDDパスワードを設定する。
エ 利用者PCにBIOSパスワードを設定する。

問12 ルートキットの特徴はどれか。 (解説p.534)

ア OSなどに不正に組み込んだツールの存在を隠す。
イ OSの中核であるカーネル部分の脆(ぜい)弱性を分析する。
ウ コンピュータがマルウェアに感染していないことをチェックする。
エ コンピュータやルータのアクセス可能な通信ポートを外部から調査する。

問13 BEC（Business E-mail Compromise）に該当するものはどれか。 （解説p.535）

ア 巧妙なだましの手口を駆使し，取引先になりすまして偽の電子メールを送り，金銭をだまし取る。

イ 送信元を攻撃対象の組織のメールアドレスに詐称し，多数の実在しないメールアドレスに一度に大量の電子メールを送り，攻撃対象の組織のメールアドレスを故意にブラックリストに登録させて，利用を阻害する。

ウ 第三者からの電子メールが中継できるように設定されたメールサーバを，スパムメールの中継に悪用する。

エ 誹謗（ひぼう）中傷メールの送信元を攻撃対象の組織のメールアドレスに詐称し，組織の社会的な信用を大きく損なわせる。

問14 ボットネットにおけるC&Cサーバの役割として，適切なものはどれか。

（解説p.535）

ア Webサイトのコンテンツをキャッシュし，本来のサーバに代わってコンテンツを利用者に配信することによって，ネットワークやサーバの負荷を軽減する。

イ 外部からインターネットを経由して社内ネットワークにアクセスする際に，CHAPなどのプロトコルを中継することによって，利用者認証時のパスワードの盗聴を防止する。

ウ 外部からインターネットを経由して社内ネットワークにアクセスする際に，時刻同期方式を採用したワンタイムパスワードを発行することによって，利用者認証時のパスワードの盗聴を防止する。

エ 侵入して乗っ取ったコンピュータに対して，他のコンピュータへの攻撃などの不正な操作をするよう，外部から命令を出したり応答を受け取ったりする。

問15 PCへの侵入に成功したマルウェアがインターネット上の指令サーバと通信を行う場合に，宛先ポートとして使用されるTCPポート番号80に関する記述のうち，適切なものはどれか。 (解説p.535)

ア DNSのゾーン転送に使用されることから，通信がファイアウォールで許可されている可能性が高い。
イ Webサイトの HTTPS通信での閲覧に使用されることから，マルウェアと指令サーバとの間の通信が侵入検知システムで検知される可能性が低い。
ウ Webサイトの閲覧に使用されることから，通信がファイアウォールで許可されている可能性が高い。
エ ドメイン名の名前解決に使用されることから，マルウェアと指令サーバとの間の通信が侵入検知システムで検知される可能性が低い。

問16 特定のサービスやシステムから流出した認証情報を攻撃者が用いて，認証情報を複数のサービスやシステムで使い回している利用者のアカウントへのログインを試みる攻撃はどれか。 (解説p.536)

ア パスワードリスト攻撃　　イ ブルートフォース攻撃
ウ リバースブルートフォース攻撃　　エ レインボーテーブル攻撃

問17 攻撃者が用意したサーバXのIPアドレスが，A社WebサーバのFQDNに対応するIPアドレスとして，B社DNSキャッシュサーバに記憶された。これによって，意図せずサーバXに誘導されてしまう利用者はどれか。ここで，A社，B社の各従業員は自社のDNSキャッシュサーバを利用して名前解決を行う。 (解説p.536)

ア A社Webサーバにアクセスしようとする A社従業員
イ A社Webサーバにアクセスしようとする B社従業員
ウ B社Webサーバにアクセスしようとする A社従業員
エ B社Webサーバにアクセスしようとする B社従業員

問18 攻撃者が，多数のオープンリゾルバに対して，“あるドメイン”の実在しないランダムなサブドメインを多数問い合わせる攻撃（ランダムサブドメイン攻撃）を仕掛け，多数のオープンリゾルバが応答した。このときに発生する事象はどれか。

（解説p.537）

ア “あるドメイン”を管理する権威DNSサーバに対して負荷が掛かる。
イ “あるドメイン”を管理する権威DNSサーバに登録されているDNS情報が改ざんされる。
ウ オープンリゾルバが保持するDNSキャッシュに不正な値を注入される。
エ オープンリゾルバが保持するゾーン情報を不正に入手される。

問19 SEOポイズニングの説明はどれか。 （解説p.537）

ア Web検索サイトの順位付けアルゴリズムを悪用して，検索結果の上位に，悪意のあるWebサイトを意図的に表示させる。
イ 車などで移動しながら，無線LANのアクセスポイントを探し出して，ネットワークに侵入する。
ウ ネットワークを流れるパケットから，侵入のパターンに合致するものを検出して，管理者への通知や，検出した内容の記録を行う。
エ マルウェア対策ソフトのセキュリティ上の脆（ぜい）弱性を悪用して，システム権限で不正な処理を実行させる。

問20 データベースで管理されるデータの暗号化に用いることができ，かつ，暗号化と復号とで同じ鍵を使用する暗号方式はどれか。 （解説p.537）

ア AES　　イ PKI　　ウ RSA　　エ SHA-256

問21 OpenPGPやS/MIMEにおいて用いられるハイブリッド暗号方式の特徴はどれか。
(解説p.537)

ア 暗号通信方式としてIPsecとTLSを選択可能にすることによって利用者の利便性を高める。
イ 公開鍵暗号方式と共通鍵暗号方式を組み合わせることによって鍵管理コストと処理性能の両立を図る。
ウ 複数の異なる共通鍵暗号方式を組み合わせることによって処理性能を高める。
エ 複数の異なる公開鍵暗号方式を組み合わせることによって安全性を高める。

問22 デジタル署名に用いる鍵の組みのうち，適切なものはどれか。 (解説p.537)

	デジタル署名の作成に用いる鍵	デジタル署名の検証に用いる鍵
ア	共通鍵	秘密鍵
イ	公開鍵	秘密鍵
ウ	秘密鍵	共通鍵
エ	秘密鍵	公開鍵

問23 メッセージが改ざんされていないかどうかを確認するために，そのメッセージから，ブロック暗号を用いて生成することができるものはどれか。 (解説p.538)

ア PKI
イ パリティビット
ウ メッセージ認証符号
エ ルート証明書

問24 リスクベース認証に該当するものはどれか。 (解説p.538)

ア インターネットバンキングでの取引において，取引の都度，乱数表の指定したマス目にある英数字を入力させて認証する。
イ 全てのアクセスに対し，トークンで生成されたワンタイムパスワードを入力させて認証する。
ウ 利用者のIPアドレスなどの環境を分析し，いつもと異なるネットワークからのアクセスに対して追加の認証を行う。
エ 利用者の記憶，持ち物，身体の特徴のうち，必ず二つ以上の方式を組み合わせて認証する。

問25 Webサイトで利用されるCAPTCHAに該当するものはどれか。 (解説p.538)

ア 人からのアクセスであることを確認できるよう，アクセスした者に応答を求め，その応答を分析する仕組み
イ 不正なSQL文をデータベースに送信しないよう，Webサーバに入力された文字列をプレースホルダに割り当ててSQL文を組み立てる仕組み
ウ 利用者が本人であることを確認できるよう，Webサイトから一定時間ごとに異なるパスワードを要求する仕組み
エ 利用者が本人であることを確認できるよう，乱数をWebサイト側で生成して利用者に送り，利用者側でその乱数を鍵としてパスワードを暗号化し，Webサイトに送り返す仕組み

問26 HTTP over TLS (HTTPS) を用いて実現できるものはどれか。 (解説p.539)

ア Webサーバ上のファイルの改ざん検知
イ Webブラウザが動作するPC上のマルウェア検査
ウ Webブラウザが動作するPCに対する侵入検知
エ デジタル証明書によるサーバ認証

問27 SPF（Sender Policy Framework）を利用する目的はどれか。 （解説p.539）

ア　HTTP通信の経路上での中間者攻撃を検知する。
イ　LANへのPCの不正接続を検知する。
ウ　内部ネットワークへの侵入を検知する。
エ　メール送信者のドメインのなりすましを検知する。

問28 電子メールをドメインAの送信者がドメインBの宛先に送信するとき，送信者をドメインAのメールサーバで認証するためのものはどれか。 （解説p.539）

ア　APOP　　イ　POP3S　　ウ　S/MIME　　エ　SMTP-AUTH

問29 マルウェアの動的解析に該当するものはどれか。 （解説p.539）

ア　検体のハッシュ値を計算し，オンラインデータベースに登録された既知のマルウェアのハッシュ値のリストと照合してマルウェアを特定する。
イ　検体をサンドボックス上で実行し，その動作や外部との通信を観測する。
ウ　検体をネットワーク上の通信データから抽出し，さらに，逆コンパイルして取得したコードから検体の機能を調べる。
エ　ハードディスク内のファイルの拡張子とファイルヘッダの内容を基に，拡張子が偽装された不正なプログラムファイルを検出する。

問30 Webサーバの検査におけるポートスキャナの利用目的はどれか。 （解説p.540）

ア　Webサーバで稼働しているサービスを列挙して，不要なサービスが稼働していないことを確認する。
イ　Webサーバの利用者IDの管理状況を運用者に確認して，情報セキュリティポリシからの逸脱がないことを調べる。
ウ　Webサーバへのアクセスの履歴を解析して，不正利用を検出する。
エ　正規の利用者IDでログインし，Webサーバのコンテンツを直接確認して，コンテンツの脆（ぜい）弱性を検出する。

問31 個人情報保護委員会“特定個人情報の適正な取扱いに関するガイドライン（事業者編）令和4年3月一部改正”及びその“Q&A”によれば，事業者によるファイル作成が禁止されている場合はどれか。

なお，“Q&A”とは“「特定個人情報の適正な取扱いに関するガイドライン（事業者編）」及び「(別冊）金融業務における特定個人情報の適正な取扱いに関するガイドライン」に関するQ&A令和4年4月1日更新”のことである。 (解説p.540)

ア システム障害に備えた特定個人情報ファイルのバックアップファイルを作成する場合
イ 従業員の個人番号を利用して業務成績を管理するファイルを作成する場合
ウ 税務署に提出する資料間の整合性を確認するために個人番号を記載した明細表などチェック用ファイルを作成する場合
エ 保険契約者の死亡保険金支払に伴う支払調書ファイルを作成する場合

問32 企業が業務で使用しているコンピュータに，記憶媒体を介してマルウェアを侵入させ，そのコンピュータのデータを消去した者を処罰の対象とする法律はどれか。

(解説p.540)

ア 刑法
イ 製造物責任法
ウ 不正アクセス禁止法
エ プロバイダ責任制限法

問33 企業が，“特定電子メールの送信の適正化等に関する法律”に定められた特定電子メールに該当する広告宣伝メールを送信する場合に関する記述のうち，適切なものはどれか。 (解説p.541)

ア SMSで送信する場合はオプトアウト方式を利用する。
イ オプトイン方式，オプトアウト方式のいずれかを企業が自ら選択する。
ウ 原則としてオプトアウト方式を利用する。
エ 原則としてオプトイン方式を利用する。

問34 A社は，B社と著作物の権利に関する特段の取決めをせず，A社の要求仕様に基づいて，販売管理システムのプログラム作成をB社に委託した。この場合のプログラム著作権の原始的帰属に関する記述のうち，適切なものはどれか。 (解説p.541)

ア A社とB社が話し合って帰属先を決定する。
イ A社とB社の共有帰属となる。
ウ A社に帰属する。
エ B社に帰属する。

問35 システムテストの監査におけるチェックポイントのうち，最も適切なものはどれか。 (解説p.541)

ア テストケースが網羅的に想定されていること
イ テスト計画は利用者側の責任者だけで承認されていること
ウ テストは実際に業務が行われている環境で実施されていること
エ テストは利用者側の担当者だけで行われていること

問36 アクセス制御を監査するシステム監査人の行為のうち，適切なものはどれか。 (解説p.542)

ア ソフトウェアに関するアクセス制御の管理台帳を作成し，保管した。
イ データに関するアクセス制御の管理規程を閲覧した。
ウ ネットワークに関するアクセス制御の管理方針を制定した。
エ ハードウェアに関するアクセス制御の運用手続を実施した。

問37 我が国の証券取引所に上場している企業において，内部統制の整備及び運用に最終的な責任を負っている者は誰か。 (解説p.542)

ア 株主　イ 監査役　ウ 業務担当者　エ 経営者

問38 ヒューマンエラーに起因する障害を発生しにくくする方法に，エラープルーフ化がある。運用作業におけるエラープルーフ化の例として，最も適切なものはどれか。

（解説 p.542）

ア 画面上の複数のウィンドウを同時に使用する作業では，ウィンドウを間違えないようにウィンドウの背景色をそれぞれ異なる色にする。

イ 長時間に及ぶシステム監視作業では，疲労が蓄積しないように，2時間おきに交代で休憩を取得する体制にする。

ウ ミスが発生しやすい作業について，過去に発生したヒヤリハット情報を共有して同じミスを起こさないようにする。

エ 臨時の作業を行う際にも落ち着いて作業ができるように，臨時の作業の教育や訓練を定期的に行う。

問39 あるデータセンタでは，受発注管理システムの運用サービスを提供している。次の受発注管理システムの運用中の事象において，インシデントに該当するものはどれか。

（解説 p.542）

〔受発注管理システムの運用中の事象〕

夜間バッチ処理において，注文トランザクションデータから注文書を出力するプログラムが異常終了した。異常終了を検知した運用担当者から連絡を受けた保守担当者は，緊急出社してサービスを回復し，後日，異常終了の原因となったプログラムの誤りを修正した。

ア 異常終了の検知

イ プログラムの誤り

ウ プログラムの異常終了

エ 保守担当者の緊急出社

問40 ソフトウェア開発プロジェクトにおいてWBSを作成する目的として，適切なものはどれか。 (解説p.543)

ア 開発の期間と費用とがトレードオフの関係にある場合に，総費用の最適化を図る。
イ 作業の順序関係を明確にして，重点管理すべきクリティカルパスを把握する。
ウ 作業の日程を横棒（バー）で表して，作業の開始時点や終了時点，現時点の進捗を明確にする。
エ 作業を，階層的に詳細化して，管理可能な大きさに細分化する。

問41 プロジェクトの日程計画を作成するのに適した技法はどれか。 (解説p.543)

ア PERT　イ 回帰分析　ウ 時系列分析　エ 線形計画法

問42 一方のコンピュータが正常に機能しているときには，他方のコンピュータが待機状態にあるシステムはどれか。 (解説p.543)

ア デュアルシステム　イ デュプレックスシステム
ウ マルチプロセッシングシステム　エ ロードシェアシステム

問43 データベースの監査ログを取得する目的として，適切なものはどれか。
(解説p.544)

ア 権限のない利用者のアクセスを拒否する。
イ チェックポイントからのデータ復旧に使用する。
ウ データの不正な書換えや削除を事前に検知する。
エ 問題のあるデータベース操作を事後に調査する。

問44 社内ネットワークのPCから，中継装置を経由してインターネット上のWebサーバにアクセスする。中継装置は宛先のWebサーバのドメイン名からDNSを利用してグローバルIPアドレスを求め，そのグローバルIPアドレス宛てにアクセス要求の転送を行う機能を有する。この中継装置として，適切なものはどれか。 (解説p.544)

ア プロキシサーバ　　イ リピータ
ウ ルータ　　エ レイヤ2スイッチ

問45 BPOの説明はどれか。 (解説p.544)

ア 災害や事故で被害を受けても，重要事業を中断させない，又は可能な限り中断期間を短くする仕組みを構築すること
イ 社内業務のうちコアビジネスでない事業に関わる業務の一部又は全部を，外部の専門的な企業に委託すること
ウ 製品の基準生産計画，部品表及び在庫情報を基に，資材の所要量と必要な時期を求め，これを基準に資材の手配，納入の管理を支援する生産管理手法のこと
エ プロジェクトを，戦略との適合性や費用対効果，リスクといった観点から評価を行い，情報化投資のバランスを管理し，最適化を図ること

問46 製造業の企業が社会的責任を果たす活動の一環として，雇用創出や生産設備の環境対策に投資することによって，便益を享受するステークホルダは，株主，役員，従業員に加えて，どれか。 (解説p.545)

ア 近隣地域社会の住民　　イ 原材料の輸入元企業
ウ 製品を購入している消費者　　エ 取引をしている下請企業

問47 表から，期末在庫品を先入先出法で評価した場合の期末の在庫評価額は何千円か。

(解説p.545)

摘要		数量（個）	単価（千円）
期首在庫		10	10
仕入	4月	1	11
	6月	2	12
	7月	3	13
	9月	4	14
期末在庫		12	

ア 132　　イ 138　　ウ 150　　エ 168

問48 製造原価明細書から損益計算書を作成したとき，売上総利益は何千円か。

(解説p.546)

単位 千円

製造原価明細書	
材料費	400
労務費	300
経　費	200
当期総製造費用	□
期首仕掛品棚卸高	150
期末仕掛品棚卸高	250
当期製品製造原価	□

単位 千円

損益計算書	
売上高	1,000
売上原価	
期首製品棚卸高	120
当期製品製造原価	□
期末製品棚卸高	70
売上原価	□
売上総利益	□

ア 150　　イ 200　　ウ 310　　エ 450

サンプル問題〈科目B〉

出題数：12問（全問解答必須）　　試験時間：120分（両科目）

問49

解説 p.547

A社は，放送会社や運輸会社向けに広告制作ビジネスを展開している。A社は，人事業務の効率化を図るべく，人事業務の委託を検討することにした。A社が委託する業務（以下，B業務という）を図1に示す。

- 採用予定者から郵送されてくる入社時の誓約書，前職の源泉徴収票などの書類をPDFファイルに変換し，ファイルサーバに格納する。

（省略）

図1　B業務

委託先候補のC社は，B業務について，次のようにA社に提案した。

- B業務だけに従事する専任の従業員を割り当てる。
- B業務では，図2の複合機のスキャン機能を使用する。

- スキャン機能を使用する際は，従業員ごとに付与した利用者IDとパスワードをパネルに入力する。
- スキャンしたデータをPDFファイルに変換する。
- PDFファイルを従業員ごとに異なる鍵で暗号化して，電子メールに添付する。
- スキャンを実行した本人宛てに電子メールを送信する。
- PDFファイルが大きい場合は，PDFファイルを添付する代わりに，自社の社内ネットワーク上に設置したサーバ（以下，Bサーバという）に自動的に保存し，保存先のURLを電子メールの本文に記載して送信する。

図2　複合機のスキャン機能（抜粋）

A社は，C社と業務委託契約を締結する前に，秘密保持契約を締結して，C社を訪問し，業務委託での情報セキュリティリスクの評価を実施した。その結果，図3の発見があった。

- 複合機のスキャン機能では，電子メールの差出人アドレス，件名，本文及び添付ファイル名を初期設定[1]の状態で使用しており，誰がスキャンを実行しても同じである。
- 複合機のスキャン機能の初期設定情報はベンダーのWebサイトで公開されており，誰でも閲覧できる。

注[1]　C社の情報システム部だけが複合機の初期設定を変更可能である。

図3　発見事項

そこで，A社では，初期設定の状態のままではA社にとって情報セキュリティリスクがあり，対策が必要であると評価した。

設問　対策が必要であるとA社が評価した情報セキュリティリスクはどれか。解答群のうち，最も適切なものを選べ。

解答群

ア　B業務に従事する従業員が，B業務に従事する他の従業員になりすまして複合機のスキャン機能を使用し，PDFファイルを取得して不正に持ち出す。その結果，A社の採用予定者の個人情報が漏えいする。

イ　B業務に従事する従業員が，攻撃者からの電子メールを複合機からのものと信じて本文中にあるURLをクリックし，攻撃者が用意したWebサイトにアクセスしてマルウェア感染する。その結果，A社の採用予定者の個人情報が漏えいする。

ウ　攻撃者が，複合機から送信される電子メールを盗聴し，添付ファイルを暗号化して身代金を要求する。その結果，A社が復号鍵を受け取るために多額の身代金を支払うことになる。

エ　攻撃者が，複合機から送信される電子メールを盗聴し，本文に記載されているURLをSNSに公開する。その結果，A社の採用予定者の個人情報が漏えいする。

問50

解説 p.548

A社は，分析・計測機器などの販売及び機器を利用した試料の分析受託業務を行う分析機器メーカーである。A社では，図1の“情報セキュリティリスクアセスメント手順”に従い，年一度，情報セキュリティリスクアセスメントの結果をまとめている。

- 情報資産の機密性，完全性，可用性の評価値は，それぞれ0～2の3段階とし，表1のとおりとする。
- 情報資産の機密性，完全性，可用性の評価値の最大値を，その情報資産の重要度とする。
- 脅威及び脆弱(ぜい)性の評価値は，それぞれ0～2の3段階とする。
- 情報資産ごとに，様々な脅威に対するリスク値を算出し，その最大値を当該情報資産のリスク値として情報資産管理台帳に記載する。ここで，情報資産の脅威ごとのリスク値は，次の式によって算出する。
  リスク値＝情報資産の重要度×脅威の評価値×脆弱性の評価値
- 情報資産のリスク値のしきい値を5とする。
- 情報資産ごとのリスク値がしきい値以下であれば受容可能なリスクとする。
- 情報資産ごとのリスク値がしきい値を超えた場合は，保有以外のリスク対応を行うことを基本とする。

図1　情報セキュリティリスクアセスメント手順

表1　情報資産の機密性，完全性，可用性の評価基準

評価値		評価基準	該当する情報の例
機密性	2	法律で安全管理措置が義務付けられている。	• 健康診断の結果，保健指導の記録 • 給与所得の源泉徴収票
	2	取引先から守秘義務の対象として指定されている。	• 取引先から秘密と指定されて受領した資料 • 取引先の公開前の新製品情報
	2	自社の営業秘密であり，漏えいすると自社に深刻な影響がある。	• 自社の独自技術，ノウハウ • 取引先リスト • 特許出願前の発明情報
	1	関係者外秘情報又は社外秘情報である。	• 見積書，仕入価格など取引先や顧客との商取引に関する情報 • 社内規程，事務処理要領
	0	公開情報である。	• 自社製品カタログ，自社Webサイト掲載情報
完全性	2	法律で安全管理措置が義務付けられている。	• 健康診断の結果，保健指導の記録 • 給与所得の源泉徴収票
	2	改ざんされると自社に深刻な影響，又は取引先や顧客に大きな影響がある。	• 社内規程，事務処理要領 • 自社の独自技術，ノウハウ • 設計データ（原本）
	1	改ざんされると事業に影響がある。	• 受発注情報，決済情報，契約情報 • 設計データ（印刷物）
	0	改ざんされても事業に影響はない。	• 廃版製品カタログデータ
可用性	（省略）		

A社は，自社のWebサイトをインターネット上に公開している。A社のWebサイトは，自社が取り扱う分析機器の情報を画像付きで一覧表示する機能を有しており，主にA社で販売する分析機器に関する機能の説明や操作マニュアルを掲載している。A社で分析機器を購入した顧客は，A社のWebサイトからマニュアルをダウンロードして利用することが多い。A社のWebサイトは，製品を販売する機能を有していない。

A社は，年次の情報セキュリティリスクアセスメントの結果を，表2にまとめた。

表2　A社の情報セキュリティリスクアセスメント結果（抜粋）

情報資産名称	説明	機密性の評価値	完全性の評価値	可用性の評価値	情報資産の重要度	脅威の評価値	脆弱性の評価値	リスク値
社内規程	行動規範や判断基準を含めた社内ルール	1	2	1	2	1	1	2
設計データ（印刷物）	A社における主力製品の設計図	（省略）						
自社Webサイトにあるコンテンツ	分析機器の情報	a1	a2	2	a3	2	2	a4

設問　表2中の a1 ～ a4 に入れる数値の適切な組み合わせを，aに関する解答群から選べ。

aに関する解答群

	a1	a2	a3	a4
ア	0	0	2	8
イ	0	1	2	8
ウ	0	2	1	4
エ	0	2	2	8
オ	1	0	2	4
カ	1	1	2	8
キ	1	2	1	4
ク	1	2	2	8

問51

解説 p.549

A社は，金属加工を行っている従業員50名の企業である。同業他社がサイバー攻撃を受けたというニュースが増え，A社の社長は情報セキュリティに対する取組が必要であると考え，新たに情報セキュリティリーダーをおくことにした。

社長は，どのような取組が良いかを検討するよう，情報セキュリティリーダーに任命されたB主任に指示した。B主任は，調査の結果，IPAが実施しているSECURITY ACTIONへの取組を社長に提案した。

SECURITY ACTIONとは，中小企業自らが，情報セキュリティ対策に取り組むことを自己宣言する制度であるとの説明を受けた社長は，SECURITY ACTIONの一つ星を宣言するために情報セキュリティ5か条に取り組むことを決め，B主任に，情報セキュリティ5か条への自社での取組状況を評価するように指示した。

B主任の評価結果は表1のとおりであった。

表1　B主任の評価結果

情報セキュリティ5か条		評価結果
1	OSやソフトウェアは常に最新の状態にしよう！	一部のPCについて実施している
2	（省略）	（省略）
3	パスワードを強化しよう！	（省略）
4	共有設定を見直そう！	（省略）
5	脅威や攻撃の手口を知ろう！	（省略）

表1中の1の評価結果についてB主任は，次のとおり説明した。

- A社が従業員にPCを貸与する時に導入したOSとA社の業務で利用しているソフトウェア（以下，標準ソフトという）は，自動更新機能を使用して最新の状態に更新している。
- それ以外のソフトウェア（以下，非標準ソフトという）はどの程度利用されているか分からないので，試しに数台のPCを確認したところ，大半のPCで利用されていた。最新の状態に更新されていないPCも存在した。

A社では表1中の1について評価結果を“実施している”にするために新たに追加すべき対策として2案を考え，どちらかを採用することにした。

設問 表1中の1の評価結果を“実施している”にするためにA社で新たに追加すべき対策として考えられるものは次のうちどれか。考えられる対策だけを全て挙げた組合せを，解答群の中から選べ。

(一) PC上のプロセスの起動・終了を記録するEndpoint Detection and Response (EDR) の導入
(二) PCのOS及び標準ソフトを最新の状態に更新するという設定ルールの導入
(三) 全てのPCへの脆(ぜい)弱性修正プログラムの自動適用を行うIT資産管理ツールの導入
(四) 非標準ソフトのインストール禁止及び強制アンインストール
(五) ログデータを一括管理，分析して，セキュリティ上の脅威を発見するためのSecurity Information and Event Management (SIEM) の導入

解答群

ア	(一)，(二)	イ	(一)，(三)	ウ	(一)，(四)
エ	(一)，(五)	オ	(二)，(三)	カ	(二)，(四)
キ	(二)，(五)	ク	(三)，(四)	ケ	(三)，(五)
コ	(四)，(五)				

問52

解説 p.550

A社は，複数の子会社を持つ食品メーカーであり，在宅勤務に適用するPCセキュリティ規程（以下，A社PC規程という）を定めている。

A社は，20XX年4月1日に同業のB社を買収して子会社にした。B社は，在宅勤務できる日数の上限を週2日とした在宅勤務制度を導入しており，全ての従業員が利用している。

B社は，A社PC規程と同様の規程を作成して順守することにした。B社は，自社の規程の作成に当たり，表1のとおりA社PC規程への対応状況の評価結果を取りまとめた。

表1　A社PC規程へのB社の対応状況の評価結果（抜粋）

項番	A社PC規程	評価結果
1	（省略）	OK
2	（省略）	OK
3	会社が許可したアプリケーションソフトウェアだけを導入できるように技術的に制限すること	NG
4	外部記憶媒体へのアクセスを技術的に禁止すること	NG[1)]
5	Bluetoothの利用を技術的に禁止すること	NG

注記　評価結果が“OK”とはA社PC規程を満たす場合，“NG”とは満たさない場合をいう。
注[1)]　B社は，外部記憶媒体へのアクセスのうち，外部記憶媒体に保存してあるアプリケーションソフトウェア及びファイルのNPCへのコピーだけは許可している。

評価結果のうち，A社PC規程を満たさない項番については，必要な追加対策を実施することによって，情報セキュリティリスクを低減することにした。

設問　表1中の項番4について，B社が必要な追加対策を実施することによって低減できる情報セキュリティリスクは次のうちどれか。低減できるものだけを全て挙げた組合せを，解答群の中から選べ。ここで，項番3，5への追加対策は実施しないものとする。

（一）　B社で許可していないアプリケーションソフトウェアが保存されている外部記憶媒体がNPCに接続された場合に，当該NPCがマルウェア感染する。

（二）　外部記憶媒体がNPCに接続された場合に，当該外部記憶媒体に当該NPC内のデータを保存して持ち出される。

（三）　マルウェア付きのファイルが保存されている外部記憶媒体がNPCに接続された場合に，当該NPCがマルウェア感染する。

（四）　マルウェアに感染しているNPCに外部記憶媒体が接続された場合に，当該外部記憶媒体がマルウェア感染する。

解答群

ア　（一），（二）
イ　（一），（二），（三）
ウ　（一），（二），（四）
エ　（一），（三）
オ　（一），（四）
カ　（二），（三）
キ　（二），（四）
ク　（三），（四）

問53

解説 p.551

A社は，高級家具を販売する企業である。A社は2年前に消費者に直接通信販売する新規事業を開始した。それまでA社は，個人情報はほとんど取り扱っていなかったが，通信販売事業を開始したことによって，複合機で印刷した送り状など，顧客の個人情報を大量に扱うようになってきた。そのため，オフィス内に通販事業部エリアを設け，個人情報が漏えいしないよう対策した。具体的には，通販事業部エリアの出入口に，ICカード認証でドアを解錠するシステムを設置し，通販事業部の従業員だけが通販事業部エリアに入退室できるようにした。他のエリアはA社の全従業員が自由に利用できるようにしている。図1は，A社のオフィスのレイアウトである。

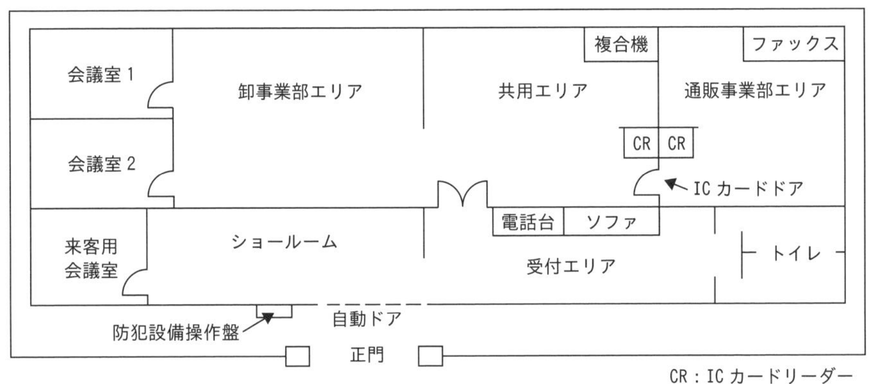

図1　A社のオフィスのレイアウト

このレイアウトでの業務を観察したところ，通販事業部エリアへの入室時に，A社の従業員同士による共連れが行われているという問題点が発見され，改善案を考えることになった。

設問 改善案として適切なものだけを全て挙げた組合せを，解答群の中から選べ。

（一） ICカードドアに監視カメラを設置し，1年に1回監視カメラの映像をチェックする。

（二） ICカードドアの脇に，共連れのもたらすリスクを知らせる標語を掲示する。

（三） ICカードドアを，AESの暗号方式を用いたものに変更する。

（四） ICカードの認証に加えて指静脈認証も行うようにする。

（五） 正門内側の自動ドアに共連れ防止用のアンチパスバックを導入する。

（六） 通販事業部エリア内では，従業員証を常に見えるところに携帯する。

（七） 共連れを発見した場合は従業員同士で個別に注意する。

解答群

ア （一），（二）	イ （一），（四）	ウ （一），（五）
エ （二），（三）	オ （二），（七）	カ （三），（六）
キ （三），（七）	ク （四），（六）	ケ （五），（六）
コ （五），（七）		

問54

解説 p.552

A社は旅行商品を販売しており，業務の中で顧客情報を取り扱っている。A社が保有する顧客情報は，A社のファイルサーバ1台に保存されている。ファイルサーバは，顧客情報を含むフォルダにある全てのファイルを磁気テープに毎週土曜日にバックアップするよう設定されている。バックアップは2世代分が保存され，ファイルサーバの隣にあるキャビネットに保管されている。

A社では年に一度，情報セキュリティに関するリスクの見直しを実施している。情報セキュリティリーダーであるE主任は，A社のデータ保管に関するリスクを見直して図1にまとめた。

1. ランサムウェアによってデータが暗号化され，最新のデータが利用できなくなることによって，最大1週間分の更新情報が失われる。
2. （省略）
3. （省略）
4. （省略）

図1 A社のデータ保管に関するリスク（抜粋）

E主任は，図1の1に関するリスクを現在の対策よりも，より低減するための対策を検討した。

設問 E主任が検討した対策はどれか。解答群のうち，最も適切なものを選べ。

解答群

ア 週1回バックアップを取得する代わりに，毎日1回バックアップを取得して7世代分保存する。

イ バックアップ後に磁気テープの中のファイルのリストと，ファイルサーバのバックアップ対象フォルダ中のファイルのリストを比較し，差分がないことを確認する。

ウ バックアップに利用する磁気テープ装置を，より高速な製品に交換する。

エ バックアップ用の媒体を磁気テープからハードディスクに変更する。

オ バックアップを二組み取得し，うち一組みを遠隔地に保管する。

カ ファイルサーバにマルウェア対策ソフトを導入する。

問55

解説 p.553

A社は，SaaS形式の給与計算サービス（以下，Aサービスという）を法人向けに提供する，従業員100名のIT会社である。A社は，自社でもAサービスを利用している。A社の従業員は，WebブラウザでAサービスのログイン画面にアクセスし，Aサービスのアカウント（以下，Aアカウントという）の利用者ID及びパスワードを入力する。ログインに成功すると，自分の給与及び賞与の確認，パスワードの変更などができる。利用者IDは，個人ごとに付与した不規則な8桁の番号である。ログイン時にパスワードを連続して5回間違えるとAアカウントはロックされる。ロックを解除するためには，Aサービスの解除画面で申請する。

A社は，半年に1回，標的型攻撃メールへの対応訓練（以下，H訓練という）を実施しており，表1に示す20XX年下期のH訓練計画案が経営会議に提出された。

表1　20XX年下期のH訓練計画案（抜粋）

項目	内容
電子メールの送信日時	次の日時に，H訓練の電子メールを全従業員宛に送信する。 ・20XX年10月1日　10時00分
送信者メールアドレス	Aサービスを装ったドメインのメールアドレス
電子メールの本文	次を含める。 ・Aアカウントはロックされていること ・ロックを解除するには，次のURLにアクセスすること 　・偽解除サイトのURL
偽解除サイト	・氏名，所属部門名並びにAアカウントの利用者ID及びパスワードを入力させる。 ・全ての項目の入力が完了すると，H訓練であることを表示する。
結果の報告	経営会議への報告予定日：20XX年10月31日

注記　偽解除サイトで入力された情報は，保存しない。A社は，従業員の氏名，所属部門名及びAアカウントの情報を個人情報としている。

経営会議では，表1の計画案はどのような標的型攻撃メールを想定しているのかという質問があった。

設問　表1の計画案が想定している標的型攻撃メールはどれか。解答群のうち，最も適切なものを選べ。

解答群

ア　従業員をAサービスに誘導し，Aアカウントのロックが解除されるかを試行する標的型攻撃メール

イ　従業員を攻撃者が用意したWebサイトに誘導し，Aアカウントがロックされない連続失敗回数の上限を発見する標的型攻撃メール

ウ　従業員を攻撃者が用意したWebサイトに誘導し，従業員の個人情報を不正に取得する標的型攻撃メール

エ　複数の従業員をAサービスに同時に誘導し，アクセスを集中させることによって，一定期間，Aサービスを利用不可にする標的型攻撃メール

問56

解説 p.554

A社は学習塾を経営している会社であり，全国に50の校舎を展開している。A社には，教務部，情報システム部，監査部などがある。学習塾に通う又は通っていた生徒（以下，塾生という）の個人データは，学習塾向けの管理システム（以下，塾生管理システムという）に格納している。塾生管理システムのシステム管理は情報システム部が行っている。塾生の個人データ管理業務と塾生管理システムの概要を図1に示す。

- 教務部員は，入塾した塾生及び退塾する塾生の登録，塾生プロフィールの編集，模試結果の登録，進学先の登録など，塾生の個人データの入力，参照及び更新を行う。
- 教務部員が使用する端末は教務部の共用端末である。
- 塾生管理システムへのログインには利用者IDとパスワードを利用する。
- 利用者IDは個人別に発行されており，利用者IDの共用はしていない。
- 塾生管理システムの利用者のアクセス権限には参照権限及び更新権限の2種類がある。参照権限があると塾生の個人データを参照できる。更新権限があると塾生の個人データの参照，入力及び更新ができる。アクセス権限は塾生の個人データごとに設定できる。
- 教務部員は，担当する塾生の個人データの更新権限をもっている。担当しない塾生の個人データの参照権限及び更新権限はもっていない。
- 共用端末のOSへのログインには，共用端末の識別子（以下，端末IDという）とパスワードを利用する。
- 共用端末のパスワード及び塾生管理システムの利用者のアクセス権限は情報システム部が設定，変更できる。

図1　塾生の個人データ管理業務と塾生管理システムの概要

教務部は，今年実施の監査部による内部監査の結果，Webブラウザに塾生管理システムの利用者IDとパスワードを保存しており，情報セキュリティリスクが存在するとの指摘を受けた。

設問 監査部から指摘された情報セキュリティリスクはどれか。解答群のうち，最も適切なものを選べ。

解答群

ア 共用端末と塾生管理システム間の通信が盗聴される。

イ 共用端末が不正に持ち出される。

ウ 情報システム部員によって塾生管理システムの利用者のアクセス権限が不正に変更される。

エ 教務部員によって共用端末のパスワードが不正に変更される。

オ 塾生の個人データがアクセス権限をもたない教務部員によって不正にアクセスされる。

問57

解説 p.555

A社は従業員600名の投資コンサルティング会社である。東京の本社には，情報システム部，監査部などの管理部門があり，関西にB支店がある。B支店の従業員は10名である。

B支店では，情報システム部が運用管理しているファイルサーバを使用しており，顧客情報を含むファイルを一時的に保存する場合がある。その場合，ファイルのアクセス権は，当該ファイルを保存した従業員が最小権限の原則に基づいて設定する。今年，B支店では，従業員にヒアリングを行い，ファイルのアクセス権がそのとおりに設定されていることを確認した。

〔自己評価の実施〕

A社では，1年に1回，監査部が各部門に，評価項目を記載したシート（以下，自己評価シートという）を配布し，自己評価の実施と結果の提出を依頼している。

B支店で情報セキュリティリーダーを務めるC氏は，監査部から送付されてきた自己評価シートに従って，職場の状況を観察したり，従業員にヒアリングしたりして評価した。自己評価シートの評価結果は図1の判定ルールに従って記入する。C氏が作成したB支店の評価結果を表1に示す。

- 評価項目どおりに実施している場合："OK"
- 評価項目どおりには実施していないが，代替コントロールによって，"OK"の場合と同程度にリスクが低減されていると考えられる場合："(OK)"（代替コントロールを具体的に評価根拠欄に記入する。）
- 評価項目どおりには実施しておらず，かつ，代替コントロールによって評価項目に関するリスクが抑えられていないと考えられる場合："NG"
- 評価項目に関するリスクがそもそも存在しない場合："NA"

図1　評価結果の判定ルール

表1　B支店の評価結果（抜粋）

No.	評価項目	評価結果	評価根拠
10	（省略）	OK	（省略）
19	ファイルサーバ上の顧客情報のアクセス権は最小権限の原則に基づいて設定されている。	a	
25	（省略）	OK	（省略）

設問　表1中の［　a　］に入れる字句はどれか。解答群のうち，最も適切なものを選べ。

aに関する解答群

	評価結果	評価根拠
ア	OK	アクセス権の設定状況が適切であることを確認した。
イ	OK	アクセス権を適切に設定するルールが存在することを確認した。
ウ	OK	ファイルサーバは情報システム部が運用管理している。
エ	NA	顧客情報をファイルサーバに保存することは禁止されている。

問58

解説 p.556

国内外に複数の子会社をもつA社では，インターネットに公開するWebサイトについて，A社グループの脆(ぜい)弱性診断基準（以下，A社グループ基準という）を設けている。A社の子会社であるB社は，会員向けに製品を販売するWebサイト（以下，B社サイトという）を運営している。B社サイトは，会員だけがB社の製品やサービスを検索できる。会員の氏名，メールアドレスなどの会員情報も管理している。

B社では，11月に情報セキュリティ活動の一環として，A社グループ基準を基に自己点検を実施し，その結果を表1のとおりまとめた。

表1　B社自己点検結果（抜粋）

項番	点検項目	A社グループ基準	点検結果
（一）	Webアプリケーションプログラム（以下，Webアプリという）に対する脆弱性診断の実施	• インターネットに公開しているWebサイトについて，Webアプリの新規開発時，及び機能追加時に行う。 • 機能追加などの変更がない場合でも，年1回以上行う。	• 3年前にB社サイトをリリースする1か月前に，Webアプリに対する脆弱性診断を行った。リリース以降は実施していない。 • 3年前の脆弱性診断では，軽微な脆弱性が2件検出された。
（二）	OS及びミドルウェアに対する脆弱性診断の実施	• インターネットに公開しているWebサイトについて，年1回以上行う。	• 毎年4月及び10月に，B社サイトに対して行っている。 • 今年4月の脆弱性診断では，脆弱性が3件検出された。
（三）	脆弱性診断結果の報告	• Webアプリ，OS及びミドルウェアに対する脆弱性診断を行った場合，その結果を，診断後2か月以内に各社の情報セキュリティ委員会に報告する。	• 3年前にWebアプリに対する脆弱性診断を行った2週間後に，結果を情報セキュリティ委員会に報告した。 • OS及びミドルウェアに対する脆弱性診断の結果は，4月と10月それぞれの月末の情報セキュリティ委員会に報告した。
（四）	脆弱性診断結果の対応	• Webアプリ，OS及びミドルウェアに対する脆弱性診断で，脆弱性が発見された場合，緊急を要する脆弱性については，速やかに対応し，その他の脆弱性については，診断後，1か月以内に対応する。指定された期限までの対応が困難な場合，対応の時期を明確にし，最高情報セキュリティ責任者（CISO）の承認を得る。	• 3年前に検出したWebアプリの脆弱性2件について，B社サイトのリリースの1週間前に対応した。 • 今年4月に検出したOS及びミドルウェアに対する脆弱性のうち，2件は翌日に対応した。残り1件は，恒久的な対策は来年1月のB社サイトの更改時に対応するものとし，それまでは，設定変更による暫定対策をとるという対応計画について，脆弱性診断の10日後にCISOの承認を得た。

サンプル問題〈科目B〉

設問 表1中の自己点検の結果のうち，A社グループ基準を満たす項番だけを全て挙げた組合せを，解答群の中から選べ。

解答群

ア （一），（二）
イ （一），（二），（三）
ウ （一），（二），（三），（四）
エ （一），（二），（四）
オ （一），（三），（四）
カ （一），（四）
キ （二），（三）
ク （二），（三），（四）
ケ （三），（四）

問59

解説 p.557

A社は従業員200名の通信販売業者である。一般消費者向けに生活雑貨，ギフト商品などの販売を手掛けている。取扱商品の一つである商品Zは，Z販売課が担当している。

〔Z販売課の業務〕

現在，Z販売課の要員は，商品Zについての受注管理業務及び問合せ対応業務を行っている。商品Zについての受注管理業務の手順を図1に示す。

商品Zの顧客からの注文は電子メールで届く。
(1) 入力
販売担当者は，届いた注文（変更，キャンセルを含む）の内容を受注管理システム[1)]（以下，Jシステムという）に入力し，販売責任者[2)]に承認を依頼する。
(2) 承認
販売責任者は，注文の内容とJシステムへの入力結果を突き合わせて確認し，問題がなければ承認する。問題があれば差し戻す。

注[1)] A社情報システム部が運用している。利用者は，販売責任者，販売担当者などである。
注[2)] Z販売課の課長1名だけである。

図1 受注管理業務の手順

〔Jシステムの操作権限〕

Z販売課では，Jシステムについて，次の利用方針を定めている。

［方針1］ある利用者が入力した情報は，別の利用者が承認する。

［方針2］販売責任者は，Z販売課の全業務の情報を閲覧できる。

Jシステムでは，業務上必要な操作権限を利用者に与える機能が実装されている。

この度，商品Zの受注管理業務が受注増によって増えていることから，B社に一部を委託することにした（以下，商品Zの受注管理業務の入力作業を行うB社従業員を商品ZのB社販売担当者といい，商品ZのB社販売担当者の入力結果をチェックするB社従業員を商品ZのB社販売責任者という）。

委託に当たって，Z販売課は情報システム部にJシステムに関する次の要求事項を伝えた。

［要求1］ B社が入力した場合は，A社が承認する。

［要求2］ A社の販売担当者が入力した場合は，現状どおりにA社の販売責任者が承認する。

上記を踏まえ，情報システム部は今後の各利用者に付与される操作権限を表1にまとめた。

表1　操作権限案

付与される操作権限 / 利用者	Jシステム		
	閲覧	入力	承認
a	○		○
（省略）	○	○	
（省略）	○		
（省略）	○	○	

注記　○は，操作権限が付与されることを示す。

設問　表1中の a に入れる適切な字句を解答群の中から選べ。

解答群

ア　Z販売課の販売責任者
イ　Z販売課の販売担当者
ウ　Z販売課の要員
エ　商品ZのB社販売責任者
オ　商品ZのB社販売担当者

問60

解説 p.557

A社は輸入食材を扱う商社である。ある日，経理課のB課長は，A社の海外子会社であるC社のDさんから不審な点がある電子メール（以下，メールという）を受信した。B課長は，A社の情報システム部に調査を依頼した。A社の情報システム部がC社の情報システム部と協力して調査した結果を図1に示す。

1　B課長へのヒアリング並びに受信したメール及び添付されていた請求書からは，次が確認された。

［項番1］　Dさんが早急な対応を求めたことは今まで1回もなかったが，メール本文では送金先の口座を早急に変更するよう求めていた。

［項番2］　添付されていた請求書は，A社がC社に支払う予定で進めている請求書であり，C社が3か月前から利用を開始したテンプレートを利用したものだった。

［項番3］　添付されていた請求書は，振込先が，C社が所在する国ではない国にある銀行の口座だった。

［項番4］　添付されていた請求書が作成されたPCのタイムゾーンは，C社のタイムゾーンとは異なっていた。

［項番5］　メールの送信者（From）のメールアドレスには，C社のドメイン名とは別の類似するドメイン名が利用されていた。

［項番6］　メールの返信先（Reply-To）はDさんのメールアドレスではなく，フリーメールのものであった。

［項番7］　メール本文では，B課長とDさんとの間で6か月前から何度かやり取りしたメールの内容を引用していた。

2　不正ログインした者が，以降のメール不正閲覧の発覚を避けるために実施したと推察される設定変更がDさんのメールアカウントに確認された。

図1　調査の結果（抜粋）

設問 B課長に疑いをもたれないようにするためにメールの送信者が使った手口として考えられるものはどれか。図1に示す各項番のうち，該当するものだけを全て挙げた組合せを，解答群の中から選べ。

解答群

ア ［項番1］，［項番2］，［項番3］
イ ［項番1］，［項番2］，［項番6］
ウ ［項番1］，［項番4］，［項番6］
エ ［項番1］，［項番4］，［項番7］
オ ［項番2］，［項番3］，［項番6］
カ ［項番2］，［項番5］，［項番7］
キ ［項番3］，［項番4］，［項番5］
ク ［項番3］，［項番5］，［項番7］
ケ ［項番4］，［項番5］，［項番6］
コ ［項番5］，［項番6］，［項番7］

▸サンプル問題 解答

- 試験時間：120分　　• 選択方法：全問必須
- 問題番号：問1～問60（科目Aは問1～問48，科目Bは問49～問60）

問題	解答	難易度	問題	解答	難易度	問題	解答	難易度
□問1	ア	やさしい	□問21	イ	やさしい	□問41	ア	難しい
□問2	エ	ふつう	□問22	エ	やさしい	□問42	イ	やさしい
□問3	ウ	ふつう	□問23	ウ	やさしい	□問43	エ	ふつう
□問4	ア	やさしい	□問24	ウ	やさしい	□問44	ア	ふつう
□問5	イ	やさしい	□問25	ア	やさしい	□問45	イ	やさしい
□問6	エ	やさしい	□問26	エ	やさしい	□問46	ア	ふつう
□問7	ウ	やさしい	□問27	エ	やさしい	□問47	ウ	難しい
□問8	ア	やさしい	□問28	エ	やさしい	□問48	ア	ふつう
□問9	ア	やさしい	□問29	イ	やさしい	□問49	イ	
□問10	ウ	やさしい	□問30	ア	やさしい	□問50	エ	
□問11	ウ	難しい	□問31	イ	ふつう	□問51	ク	
□問12	ア	やさしい	□問32	ア	やさしい	□問52	エ	
□問13	ア	やさしい	□問33	エ	やさしい	□問53	オ	
□問14	エ	やさしい	□問34	エ	ふつう	□問54	ア	
□問15	ウ	やさしい	□問35	ア	難しい	□問55	ウ	
□問16	ア	やさしい	□問36	イ	ふつう	□問56	オ	
□問17	イ	ふつう	□問37	エ	ふつう	□問57	ア	
□問18	ア	難しい	□問38	ア	難しい	□問58	ク	
□問19	ア	やさしい	□問39	ウ	ふつう	□問59	ア	
□問20	ア	やさしい	□問40	エ	難しい	□問60	カ	

凡例

やさしい ……… 計29問
本書に掲載された用語を覚えておけば，**ズバリ正解**できる。また，的中率も高く，学習のやりがいがある問題。

ふつう ……… 計12問
問題文を読解したり，情報セキュリティの考え方をもとにしたりすれば，正解できる**変化球問題**。

難しい ……… 計7問
「出題範囲」「シラバス」に掲載された用語例から逸脱した内容で，的中率が低く，正解はむずかしい**難問・悪問**。

- 予想配点：〈科目A〉48問×16点＋〈科目B〉12問×20点 ＝ 1,008点。
ただし合計得点の上限は1,000点とする。基準点（600点）以上の場合に合格。

サンプル問題〈科目A〉解説

問1：ア　　用語p.239　問題p.494　やさしい

リスク受容とは，リスク対策をせずに見送ることを，組織で意思決定することです。

ア：正解です。なお，**リスク所有者**とは，リスクについて，アカウンタビリティ（説明責任）や権限をもつ人などです。

イ：受容するリスクは，残留リスクとなり，繰り返しリスクアセスメントの対象になります。

ウ：リスク受容は，リスクアセスメント（リスク分析・リスク評価）後のリスク対応の段階で決定します。

エ：**リスク対応**とは，リスクに対し，対策を打つ段階です。リスク受容を行うかどうかは，リスク対応後でなく，リスク対応の段階で決めます。

問2：エ　　用語 付録PDF「『組織における内部不正防止ガイドライン』のポイント」　問題p.494　ふつう

ア：秘密保持の対象を明示しないと，重要情報を特定できず，誤って漏えいしかねないため，不適切です。

イ：職業選択の自由は，日本国憲法第22条によるものです。そのため，それを行使しないことを明記しても，契約では，制限の期間・場所や職種の範囲・代償の有無などを制限しないと，契約しても無効になる場合があるため，不適切です。

ウ：元従業員から重要情報が漏えいすることを防ぐため，従業員の雇用終了後，速やかに，従業員の利用者IDや権限を削除する必要があります。

エ：正解です。退職する従業員による不正を防ぐための対策として，適切です。

問3：ウ　　問題p.495　ふつう

ア：継続的改善とは，繰り返し行われる活動です。

イ：修正とは，不適合を除去することです。再発防止までは行いません。

ウ：正解です。是正処置では，不適合の原因を除去し，再発防止まで含めて行います。

エ：**リスクアセスメント**とは，リスクの有無・被害の大きさ・発生可能性・許容範囲内かを分析することです。

- **付録PDF「『組織における内部不正防止ガイドライン』のポイント」**
  https://www.shoeisha.co.jp/book/download/9784798188874/
  ダウンロード期限：2025年12月31日

問4：ア

用語 p.280　問題 p.495　やさしい

サポートユーティリティとは，電気・通信サービス・給水・ガス・下水・換気・空調などのことであり，その不具合による停電や故障から，装置を保護することが望ましいとされています。

問5：イ

用語 p.233　問題 p.495　やさしい

リスクレベルとは，リスク分析のリスク算定（リスクの結果の大きさと起こりやすさを決める）の段階で求められるリスク値であり，例えば，「リスクレベル＝情報資産の価値×脅威×脆弱性（ぜいじゃくせい）」で求められます。

ア：脆弱性の説明です。脆弱性とは，脅威（攻撃）がつけ込める弱点です。
イ：正解です。リスクレベルの説明です。
ウ：該当する定義の語はありません。
エ：リスク基準の説明です。リスク基準とは，リスクアセスメントの事前準備として，リスクの評価基準と対応する値を決めておくことです。

問6：エ

用語 p.330　問題 p.495　やさしい

サイバーセキュリティ基本法とは，国家レベルでサイバーセキュリティ対策を強化する体制を構築するための法律です。サイバーセキュリティ戦略本部を内閣官房に設置し，政府や行政機関のサイバーセキュリティ対策を指揮します。日本のサイバーセキュリティ分野の司令塔を担うために，サイバーセキュリティ戦略本部と，その事務処理を行う**内閣サイバーセキュリティセンター**（NISC（ニスク））が設置されました。

ア：IPA（独立行政法人 情報処理推進機構）は，頼れるIT社会の実現を目的に，情報処理技術者試験の実施や，国民への情報セキュリティの啓発を行っている経済産業省所管の独立行政法人です。
イ：JIPDEC（一般財団法人 日本情報経済社会推進協会）は，プライバシーマーク制度の運用などを行う一般財団法人です。なお，JIPDECは，問われる用語ではないため，覚える必要はありません。
ウ：JPCERT（ジェーピーサート）/CCとは，日本を代表するCSIRTです。CSIRT（シーサート）とは，情報セキュリティのインシデント発生時に対応する組織です。インシデント報告の受付・対応の支援・手口の分析・再発防止策の検討と助言を，技術面から行います。
エ：正解です。NISC（内閣サイバーセキュリティセンター）は，サイバーセキュリティ基本法に基づき設置されました。

問7：ウ　　用語p.159　問題p.496　(やさしい)

CRYPTREC（暗号技術調査評価委員会）では，**CRYPTREC暗号リスト**を公開しています。CRYPTREC暗号リストとは，総務省と経済産業省が安全性を認めた暗号技術のリストです。電子政府実現のために，各省庁が調達するシステムで使うべき暗号技術が掲載されています。客観的な検証の結果，危殆化したと認められた暗号技術は，改定時にリストから除外されます。

問8：ア　　用語p.152　問題p.496　(やさしい)

ア：正解です。**ソーシャルエンジニアリング**とは，技術を使わずに，人の心理的な隙や行動のミスにつけ込んで，秘密情報を盗み出す方法です。

イ：**トロイの木馬**とは，役立つように見せかけて，不正動作するプログラムです。

ウ：サイバー攻撃の攻撃者は，自身が犯人であることを隠すために，証拠を残さないよう第三者を経由して攻撃を仕掛けます。**踏み台**とは，中継点となる第三者のことです。

エ：**ブルートフォース攻撃**とは，パスワードの可能な組合せをしらみつぶしにすべて試す方法です。総当たり攻撃ともいいます。

問9：ア　　用語p.316　問題p.496　(やさしい)

VDIとは，通常は，情報機器が行う処理を，サーバ上の仮想環境上で行い，情報機器にはその画面だけを転送する方式です。アプリケーション・データなどはすべてサーバ上にあり，利用者の情報機器にはないことによるメリットは，次のとおりです。

- 情報機器の管理を，個人任せにせず，サーバ側で統括して行える。そのため，最新のウイルス定義ファイル・セキュリティパッチを速やかに適用でき，抜け・漏れを防げる。
- 情報機器にはデータが入っていないため，紛失・盗難があっても情報漏えいを防げる。

ア：正解です。VDIにより，ファイルのダウンロード先はPCでなく，VDIサーバになります。

イ：VDIにより，マルウェアに感染しにくくはなりますが，MITB攻撃による送信データの改ざんを防げるわけではありません。**MITB**（Man-in-the-Browser）とは，情報端末に潜伏し，Webブラウザがオンラインバンキングに接続すると，Webブラウザの通信内容を盗聴・改ざんして，不正送金を行う攻撃です。

ウ：VDIにより，マルウェアに感染しにくくはなりますが，感染しなくなるわけではありません。

エ：VDIにより，マルウェアに感染しにくくはなりますが，他のPCに感染するのを防げるわけではありません。

問10：ウ　　用語p.276　問題p.497　やさしい

デジタルフォレンジックスとは，情報セキュリティの犯罪の証拠となるデータを収集・保全することです。ハッシュ値（メッセージダイジェスト）とは，ハッシュ関数により計算された値です。異なる平文（元のデータ）から，同一のハッシュ値になることは，計算上ありえないため，2つの平文から作ったハッシュ値が同一であれば，改ざんなしを確かめられます。

ア，エ：デジタルフォレンジックスとは，無関係です。
イ：ハッシュ関数は，一方向性のため，ハッシュ値を使っても復元できません。
ウ：正解です。ハッシュ値を使って，原本と複製の同一性（改ざんなし）を証明できます。

問11：ウ　　用語p.078　問題p.497　難しい

ア，イ：内蔵ストレージを攻撃者のPCに接続し，専用のソフトウェアで操作すれば，ファイルを盗まれます。
ウ：正解です。**HDDパスワード**とは，HDDに設定し，HDDをPCに接続した際に入力を求められるパスワードです。攻撃者のPCに接続した場合にもHDDパスワードの入力を求められるため，情報漏えい対策になります。
エ：**BIOSパスワード**とは，PCのハードウェアに設定し，PCの起動時に入力を求められるパスワードです。別のハードウェアでは，BIOSパスワードが機能しないため，内蔵ストレージを抜き取り，攻撃者のPCに接続すれば，内蔵ストレージの内容は読み取られます。

問12：ア　　用語p.111　問題p.497　やさしい

ルートキット（rootkit）とは，システムに不正に侵入したあとで，管理者権限（root）を奪ったり，抜け道を仕掛けたり，侵入痕跡（こんせき）を削除したりするためのプログラム集（kit）です。

問13 ：ア　　用語p.147　問題p.498　やさしい

BEC（Business E-mail Compromise，ビジネスメール詐欺）とは，取引先になりすましして，偽のメールを送りつけ，金銭をだまし取る詐欺の手口です。

問14 ：エ　　用語p.109　問題p.498　やさしい

ボットとは，感染した情報機器を，インターネット経由で外部から操（あやつ）ることを目的とした不正プログラムです。ボットに感染した場合，攻撃者である**ボットハーダー**が，C＆Cサーバ経由でボットネット内のボットに対して指令を出し，遠隔操作されたボットが様々な攻撃を行います。**C＆Cサーバ**とは，ボットハーダーがボットに命令（command）を送り，遠隔操作（control）するためのサーバです。**ボットネット**とは，ボットに感染した複数のコンピュータで構成されたネットワークです。

ア：プロキシサーバの説明です。**プロキシサーバ**とは，社内ネットワークとインターネットの境界に配置し，インターネットとの接続を代理する機器です。
イ，ウ：認証サーバの説明です。
エ：正解です。C＆Cサーバの説明です。

問15 ：ウ　　用語p.290　問題p.499　やさしい

ポート番号とは，TCP/IPプロトコルで，どのような種類の通信かを識別するための番号です。宛先アドレスとともに送信されます。ポート番号は，0から65535まであり，Web閲覧（HTTPプロトコル）が80，メール送信（SMTPプロトコル）が25などと，プロトコルによって決まっています。

Web閲覧に関する記述はウだけです。よって，正解はウです。

問16：ア　　用語p.116　問題p.499　やさしい

ア：正解です。**パスワードリスト攻撃**とは，利用者ID・パスワードを使い回す利用者が多いことから，あるWebサイトやシステムから流出した利用者IDとパスワードのリストを使って，別のWebサイトやシステムへの不正ログインを試みる攻撃です。

イ：**ブルートフォース攻撃**とは，パスワードの可能な組合せをしらみつぶしにすべて試す方法です。**総当たり攻撃**ともいいます。

ウ：**リバースブルートフォース攻撃**とは，1つの利用者IDについて，様々なパスワードを試すブルートフォース攻撃とは対照的に，1つのパスワードについて，様々な利用者IDを試す方法です。1つの利用者IDについて，何度もログインを試すわけではないので，アカウントのロックアウトは，対策となりません。

エ：**レインボーテーブル攻撃**とは，予想したパスワードをもとに求められたハッシュ値と，利用者のパスワードのハッシュ値を照合し，パスワードを見破る方法です。パスワードは，通常，そのまま保存されず，パスワードをもとに，ハッシュ関数により計算されたハッシュ値が保存されています。予想したパスワードのハッシュ値の一覧表（**レインボーテーブル**）と，利用者のパスワードのハッシュ値を比較することで，パスワードを特定します。

問17：イ　　用語p.150　問題p.499　ふつう

攻撃者がDNSキャッシュサーバに偽の情報を覚え込ませて，利用者がWebサイトを開く際，偽のWebサイトに接続させることで，利用者をだます**DNSキャッシュポイズニング**攻撃の事例です。

具体的には，A社のWebサーバのFQDNをB社のDNSキャッシュサーバに問い合わせると，サーバXのIPアドレスを返答するように改ざんされています。なお，FQDN（Fully Qualified Domain Name，完全修飾ドメイン名）とは，例えば「https://www.kantei.go.jp/index.html」の場合，「www.kantei.go.jp」の部分です。

設問より，B社のDNSキャッシュサーバを利用するのはB社の従業員であり，A社のWebサーバのFQDNを問い合わせた際に，サーバXのIPアドレスに誘導されます。

問18：ア　　問題p.500　難しい

DNS水責め攻撃の説明です。**DNS水責め攻撃**（ランダムサブドメイン攻撃）とは，オープンリゾルバ（無条件に返答する状態のDNSキャッシュサーバ）に対して，ランダムなドメインの処理要求を大量に発生させることで，そのドメインを管理する権威DNSサーバを過負荷状態にする攻撃です。

問19：ア　　用語p.136　問題p.500　やさしい

SEOポイズニングとは，検索サイトの検索結果の上位に，マルウェアに感染させるWebサイトを表示する行為です。「検索結果の上位サイトをクリックしがち」，「検索結果の上位サイトは安全なサイトだと思いがち」という，Web閲覧者の心理を突いた手口です。

問20：ア　　用語p.164　問題p.500　やさしい

暗号化と復号とで同じ鍵を使用する暗号方式は，共通鍵暗号方式です。

ア：正解です。**AES**とは，共通鍵暗号方式の代表格の暗号技術です。
イ：**PKI**（公開鍵基盤）とは，なりすましなしで，確実に本人の公開鍵であると認証する仕組みです。
ウ：**RSA**とは，公開鍵暗号方式の代表格の暗号技術です。
エ：**SHA-256**とは，平文から256ビットのダイジェストを作るハッシュ関数です。

問21：イ　　用語p.173　問題p.501　やさしい

ハイブリッド暗号とは，公開鍵暗号方式の短所を，共通鍵暗号方式と組み合わせることで補う暗号方式です。

問22：エ　　用語p.179　問題p.501　やさしい

デジタル署名により，なりすましなしを確かめられます。デジタル署名を［送信者の公開鍵］で検証できるということは，そのデジタル署名は，ペアである［送信者の秘密鍵］で署名されたということです。その［送信者の秘密鍵］は，送信者以外は知りえないため，確実に送信者本人から送信されたことが分かります。

問23：ウ

用語p.194　問題p.501 **やさしい**

メッセージ認証符号（MAC）とは，通信データの改ざんなしを確かめるために作る暗号データです。共通鍵暗号方式，または，ハッシュ関数を使います。なお，ブロック暗号とは，共通鍵暗号方式の種類の一つで，平文を一定サイズ（ブロック）に分割し，そのブロックごとに暗号処理を行う方法です。

ア：PKI（公開鍵基盤）とは，なりすましなしで，確実に本人の公開鍵であると認証する仕組みです。

イ：パリティビットとは，通信データからエラーを検出する手法であるパリティチェックを行うために，元データに付加されるデータです。

ウ：正解です。メッセージ認証符号は，メッセージの改ざんを確認するためのものです。

エ：**ルート証明書**とは，最上位に位置する認証局が発行するデジタル証明書です。

問24：ウ

用語p.199　問題p.502 **やさしい**

リスクベース認証とは，不正アクセスを防ぐ目的で，普段と異なる利用環境から認証を行った場合に，追加の認証を行うための仕組みです。例えば，認証時の，IPアドレス・OS・Webブラウザなどが，普段と異なる場合に，攻撃者からのなりすましでないことを確認するため，合言葉による追加の認証を行うことです。

問25：ア

用語p.199　問題p.502 **やさしい**

CAPTCHA（キャプチャ）とは，プログラムは読み取れないが，人間なら読み取れる形状の文字のことです。例えば，Web サイトの利用者登録ページで，人間でなくプログラムが自動で文字を入力し，勝手に登録する手口があります。その対策として，Webサイト上でCAPTCHAを表示し，それを読み取った文字を利用者に入力させる形式にします。

プログラムはCAPTCHAの文字を読み取れないので，入力された文字が正しければ，確実に人間が操作したものだと判別でき，プログラムによる自動登録の手口を防げます。プログラムは，ゆがんでいたり，多くの色が組み合わさったりした文字の解析が苦手である特性を活用しています。

問26：エ

用語p.372　問題p.502 やさしい

HTTP over TLS（**HTTPS**）とは，TLSにより暗号化したHTTP通信です。TLSとは，OSI基本参照モデルのトランスポート層で暗号化などを行うセキュアプロトコルです。通信について記述されたものは，エだけです。

問27：エ

用語p.269　問題p.503 やさしい

SPFとは，受信側のメールサーバが，メールの送信元のドメイン情報と，送信元メールサーバの**IPアドレス**から，そのドメイン名が信頼できるかどうかを確認する送信ドメイン認証です。

具体的には，受信側のメールサーバが，送信側のDNSサーバに対し，受信したメールアドレスのドメイン名（@以降）に対応したIPアドレスは何かを問い合わせます。そのIPアドレスと，受信メールに記載された送信元メールサーバのIPアドレスとを照合します。両者が適合すれば，送信元メールサーバのドメイン名になりすましがないと判定し，受信者にメールを転送します。

問28：エ

用語p.267　問題p.503 やさしい

SMTP-AUTH（オース）とは，SMTPに，送信者認証機能を追加した方式です。メールソフトからメールサーバへのメール送信時に，利用者IDとパスワードにより送信者認証を行います。メールソフト・メールサーバの両方でこの方式に対応する必要があります。

問29：イ

用語p.284　問題p.503 やさしい

動的解析は，マルウェア対策ソフトが，ファイルが行う危険な行動（振舞い）を検出した時点で，マルウェアに感染したと判断します。

サンドボックスとは，マルウェアかどうかを識別するために，影響が他へ及ばないように隔離した領域内で，対象のプログラムを動作させることです。サンドボックス内では，実行可能な機能・ファイル操作・インターネット接続などが制限されています。

問30：ア　　用語p.121　問題p.503　やさしい

ポートスキャンを行うためのツールをポートスキャナといいます。**ポートスキャン**とは，不正アクセスを行う前に，接続先のポート番号に抜け穴があるかを調べる行為です。身近な例では，泥棒が侵入する前に，無施錠の住居を探す行為と似ています。サイバー攻撃の手法としてポートスキャンを行うだけでなく，システム管理者が自衛のために，自分のネットワークの脆弱性を調べる目的でも行います。

問31：イ　　用語p.333　問題p.504　ふつう

特定個人情報とは，個人番号（マイナンバー）を含む個人情報です。事業者が，特定個人情報を含むファイルを作成できるのは，税務・社会保障・災害対策の目的に限られます。

ア：バックアップファイルを作成することは，災害対策目的でもあるため，禁止されていません。
イ：正解です。業務成績を管理するファイルは，税務・社会保障・災害対策の目的ではないため，禁止されています。
ウ，エ：税務目的であるため，禁止されていません。

問32：ア　　用語p.332　問題p.504　やさしい

企業で使用されているコンピュータの記憶内容を消去した場合，コンピュータやデータを破壊し，業務を妨害することから，刑法の**電子計算機損壊等業務妨害罪**（ぼうがい）による処罰の対象となります。

ア：正解です。刑法に該当します。
イ：製造物責任法とは，製造物の欠陥により，被害が生じた場合における，製造業者の損害賠償の責任について定めた法律です。
ウ：**不正アクセス禁止法**とは，ネットワーク経由で，コンピュータへ不正にアクセスする行為や，それを助長する行為を処罰する法律です。この法律を適用するためには，利用者ID・パスワードの適切な管理が求められます。
エ：**プロバイダ責任制限法**とは，インターネットでプライバシや著作権が侵害された場合に，特定電気通信役務提供者（ISP（プロバイダ）やWebサイト管理者）に対し情報の開示を請求する権利や，ISPが負う損害賠償責任の範囲を定めた法律です。

問33：エ

用語p.335　問題p.504 やさしい

特定電子メール法（“特定電子メールの送信の適正化等に関する法律”）とは，迷惑メール・スパムメールを防止するための法律です。送信者の氏名やメールアドレスの表示義務・受信者の同意のないメールの規制・架空のメールアドレスによる送信の規制が定められています。

特定電子メール法では，広告・宣伝メールを送信するためには，オプトイン方式を採用しなければいけません。また，オプトアウト方式によるメール送信拒否の要求に応じなければいけません。

- **オプトイン方式**とは，メール受信者が，メール送信者からのメール送信にあらかじめ同意した場合だけ，メール送信者はメールを送信してよい方式。
- **オプトアウト方式**とは，メール送信者が，受信者からメール送信をしないように求める通知を受けたときは，メール送信を取りやめる方式。

問34：エ

用語p.326　問題p.505 ふつう

著作権とは，創作された表現に対する権利です。申請や出願が不要で，著作物が創作された時点で権利が発生します。原則として，創作した者が著作権を有するため，プログラムを作成したB社にプログラム著作権は帰属します。

問35：ア

問題p.505 難しい

システムテストとは，システム全体として，要求された仕様・機能を満たしているかを検証することです。

ア：正解です。様々なケースを想定したテストを行う必要があります。
イ：利用者側の責任者だけと限定する必要はありません。
ウ：実際の業務が行われている環境（本番環境）以外の環境でテストを実施しなければ，本番環境に悪影響を及ぼす危険性があります。
エ：利用者側の担当者だけと限定せず，開発者やテスト担当者も行う必要があります。

サンプル問題〈科目A〉解説

問36：**イ** 用語p.393 問題p.505 ふつう

システム監査とは，情報システムを対象にした，第三者の評価です。システムの複雑化・高度化に伴って，当事者以外の利害関係者が，システムの信頼性・安全性・効率性・有効性を把握しにくいため，依頼を受けたシステムの専門家が，システムの企画・開発・運用・保守・利用までの状況を客観的に評価します。

システム監査人は評価はしますが，**ア**の管理台帳の作成，**ウ**の管理方針の制定，**エ**の運用手続の実施は行いません。

問37：**エ** 用語p.395 問題p.505 ふつう

内部統制とは，企業が財務会計でミスや不正を行わないように，組織内部のルールや仕事のやり方を整備・実施・証明することです。例えば，担当者任せ・部署任せだと，不正行為が発生しやすくなるため，相互にチェックするルールを整備します。

内部統制の整備・運用に最終的な責任を負っている者は，経営者です。

問38：**ア** 問題p.506 難しい

エラープルーフ化（Error Proofing）とは，ヒューマンエラーによる問題を防ぐ目的で，作業方法を人間に合わせて見直すことです。具体的には，「人間を作業方法に合わせる」のではなく，「作業方法を人間に合わせる」ように作業方法を改善します。作業方法を人間に合わせて見直しているのは，アだけです。

問39：**ウ** 用語p.057 問題p.506 ふつう

インシデントとは，やりたいことができない状況です。システム障害だけでなく，印刷ができないなどのトラブルも含みます。注文書を出力するプログラムが異常終了したことは，やりたいことができない状況であり，インシデントに該当します。

問40：エ

問題p.507 難しい

WBS（Work Breakdown Structure，作業分割構成）とは，プロジェクトで実行する作業を，洗い出し，階層で分割して，管理すべき構成要素を整理するための図です。

ア：EVM（Earned Value Management）などの使用目的です。なお，トレードオフとは，一方を取れば，もう一方は取れない関係のことです。例えば，開発の期間を減らすためには，費用がかかるような関係です。それぞれの長所・短所を考慮したうえで，それに応じた総費用の最適化を図る必要があります。

イ：アローダイアグラムの使用目的です。

ウ：ガントチャートの使用目的です。

エ：正解です。WBSの使用目的です。

問41：ア

問題p.507 難しい

「プロジェクトを完了させるために必要な時間」を把握するために使う図をアローダイアグラム，別名PERT（パート）図といいます。

問42：イ

用語p.352～353　問題p.507 やさしい

ア：**デュアルシステム**とは，同じシステムを2組用意し，平常時には，両者に同じ処理をさせることで，万一，片方が故障した場合には，残るもう片方のシステムを使って，処理を継続する方式です。

イ：**デュプレックスシステム**とは，平常時には，片方に現用系として処理をさせ，もう片方に待機系として別の処理をさせる方式です。同じシステムを2組分用意するためコスト高であるデュアルシステムに比べ，システムを無駄なく効率的に使えます。

ウ：マルチプロセッシングシステムとは，複数台のプロセッサを並列に動作させ，処理能力を向上させる方式です。なお，マルチプロセッシングシステムは，問われる用語ではないため，覚える必要はありません。

エ：ロードシェアシステムとは，2つ以上の処理系をもち，ロードバランサなどを用いて各処理系を負荷分散させ，処理能力を向上させる方式です。なお，ロードシェアシステムは，問われる用語ではないため，覚える必要はありません。

問43：エ　用語p.081　問題p.507　ふつう

ログとは，通信履歴です。システムやネットワークで起きた異常を時系列に記録・蓄積したデータです。あとでたどったり，分析したりする目的で利用します。

ア：アクセス制御の説明です。
イ：トランザクションログの説明です。
ウ：ログは事前に検知するものではありません。
エ：正解です。ログは，事後に調査する目的で利用します。

問44：ア　用語p.314　問題p.508　ふつう

DNSサーバを用いてFQDNからグローバルIPアドレスを求め，アクセス要求を転送する機能は，本来，Webブラウザがある社内ネットワークのPCから行うべきです。それを代理する中継装置は，プロキシサーバです。

ア：**プロキシサーバ**とは，社内ネットワークとインターネットの境界に配置し，インターネットとの接続を代理する機器です。
イ：**リピータ**とは，弱くなった電気信号を増幅（ぞうふく）して，ケーブルの使用可能範囲を延長します。物理層（第1層）で中継する装置です。
ウ：**ルータ**とは，異なるネットワーク間を中継し，IPアドレスをもとに，最適な経路へと転送します。ネットワーク層（第3層）で中継する装置です。
エ：**レイヤ2スイッチ**とは，複数のLANケーブルを差し込み，ケーブル同士をつなげます。すべてを転送するリピータハブと異なり，レイヤ2スイッチは，宛先MACアドレスが該当するケーブルにのみ，通信を転送します。

問45：イ　用語p.403　問題p.508　やさしい

BPO（Business Process Outsourcing）とは，自社の業務の一部を，業務システムだけでなく業務そのものを含めて，外部企業に委託することです。

ア：BCP（Business Continuity Plan，事業継続計画）の説明です。**BCP**とは，災害・事故発生時に，基幹業務の継続を目的とした対応計画です。
イ：正解です。BPOの説明です。
ウ：MRP（Material Requirements Planning，資材所要量計画）の説明です。
エ：ITポートフォリオの説明です。

問46：ア

問題p.508 ふつう

CSR（Corporate Social Responsibility）とは，企業の**社会的責任**であり，利益の追求だけでなく，法令遵守・人権・自然環境などにおいて果たす責任です。雇用創出により企業の近隣地域の求人が増え，経済発展に貢献します。また，生産設備の環境対策により大気汚染や水質汚濁を防ぎ，近隣地域が住みやすくなります。

問47：ウ

問題p.509 難しい

先入先出法とは，先に仕入れた商品から先に販売したと仮定して，期末在庫の評価を行う方法です。

期首在庫と，4月から9月までの仕入を合計すると20個です。期末在庫は12個のため，この期間で8個が販売され取り出されました。この取出しは先入先出法では先に仕入れたものから行われます。そのため，期首在庫→4月仕入分→6月仕入分→7月仕入分→9月仕入分の順で販売され，在庫から取り出されます。つまり，販売される8個は，期首在庫分の10個の中から取り出します。

在庫評価額は，期首在庫に残る2個×10千円＋4月仕入分の1個×11千円＋6月仕入分の2個×12千円＋7月仕入分の3個×13千円＋9月仕入分の4個×14千円 ＝ 20＋11＋24＋39＋56 ＝ 150千円です。

サンプル問題〈科目A〉解説

問48：ア

用語p.411　問題p.509　ふつう

損益計算書とは，企業の一会計期間の儲けを示す財務諸表です。企業のどの部門でどう儲けたかという，利益の質を分析できます。損益計算書の報告式の区分（抜粋）は，次のとおりです。

売上高	商品・サービスの販売金額などの収益
売上原価	商品・サービスの原材料費・製造費・仕入費などの費用
売上総利益	商品・サービスの販売から得た利益。粗利

売上総利益を求めるためには，次の計算式を使います。

- 売上総利益 ＝ 売上高 － 売上原価

左側にある製造原価明細書をもとに，右側にある損益計算書の当期製品製造原価（③）を求め，それをもとに売上原価（④）を求めます。さらに売上高から売上原価を差し引くと，売上総利益（⑤）を求められます。

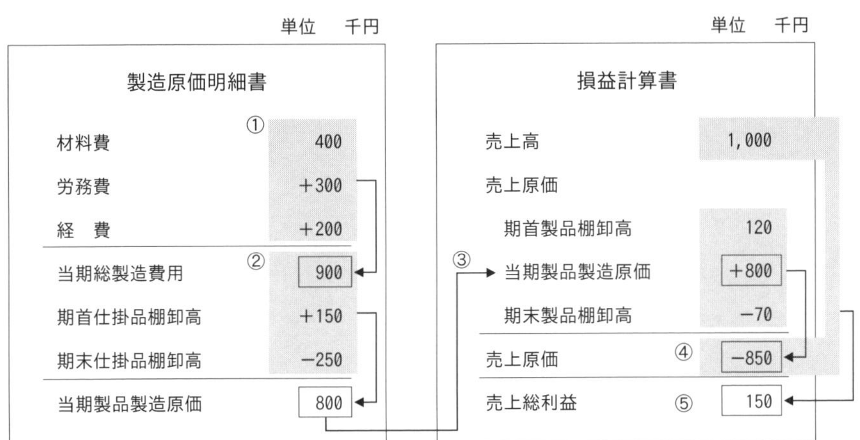

▸サンプル問題〈科目B〉解説

問49　イ　問題 p.510

問題中の「初期設定の状態のままではA社にとって情報セキュリティリスクがあり，対策が必要である」をもとに検討します。具体的には「電子メールの差出人アドレス，件名，本文及び添付ファイル名を初期設定の状態で使用しており」が該当します。

特に電子メールの差出人アドレス（宛先アドレスではない）が特定のものであり，かつ，その「初期設定情報はベンダーのWebサイトで公開されて」いるため，悪用される危険性があります。

アは，初期設定の状態とは無関係なため誤りです。また，「B業務だけに従事する専任の従業員を割り当てる」とあるため，他の従業員になりすましをしても，専任の従業員の中に不正を働いた者がいることが明らかであり，内部不正は起きにくいでしょう。

イは，正解です。初期設定の状態の差出人アドレスからの電子メールや，類似の差出人アドレスからの電子メールを複合機からのものと信じる情報セキュリティリスクがあります。

ウは，初期設定の状態とは無関係なため誤りです。また，添付ファイルは書類をスキャンしたものであり，原本が存在し復旧できるため，多額の身代金を支払うことにはなりません。

エは，初期設定の状態とは無関係なため誤りです。また，「URLをSNSに公開」しても，PDFファイルは「自社の社内ネットワーク上に設置したサーバ…に自動的に保存」されたものであり，社内ネットワーク以外からアクセスするのは困難なため個人情報が漏えいしません。

▶ **トラップ**　ウとエの「攻撃者が，複合機から送信される電子メールを盗聴し」は，初期設定の状態であるものが，電子メールの差出人アドレスでなく，宛先アドレスだと勘違いすることを誘った選択肢です。

問50　エ

問題 p.512

関連する用語は，次のとおりです。

機密性	ある情報資産にアクセスする権限をもつ人だけがアクセスでき，それ以外の人には公開されないこと。
完全性	情報資産の正確さを維持し，改ざんさせないこと。
可用性（かようせい）	必要なときは情報資産にいつでもアクセスでき，アクセス不可能がないこと。
情報資産	価値があるデータやシステム。単にコンピュータ内に保存されたものだけでなく，記憶媒体そのもの・紙に書かれた情報・人の記憶や知識を含む。
脅威（きょうい）	情報資産を危険にさらす攻撃。例不正アクセス・サイバー攻撃・誤操作。
脆弱性（ぜいじゃくせい）	脅威（攻撃）がつけ込める弱点。例セキュリティホール・プログラムのバグ（欠陥（けっかん））。

問題中の記述をもとに，検討します。

［a1］（機密性の評価値）については，問題中に「**A社のWebサイトは，自社が取り扱う分析機器の情報を画像付きで一覧表示する機能を有しており**」とあり，これは評価値0の「自社製品カタログ」に該当します。

［a2］（完全性の評価値）については，問題中の「**A社で分析機器を購入した顧客は，A社のWebサイトからマニュアルをダウンロードして利用することが多い**」ことから，評価値2の「**取引先や顧客に大きな影響がある**」に該当します。

［a3］（情報資産の重要度）については，図1の「**・情報資産の機密性，完全性，可用性の評価値の最大値を，その情報資産の重要度とする**」より，［a1］（評価値0），［a2］（評価値2），可用性の評価値2のうちの最大値である2となります。

［a4］（リスク値）については，図1の「**リスク値＝情報資産の重要度×脅威の評価値×脆弱性の評価値**」より，2×2×2＝8となります。

よって，正解は**エ**です。

問51　ク

問題 p.515

関連する用語は，次のとおりです。

SECURITY ACTION	中小企業がみずから情報セキュリティ対策に取り組むことを自己宣言する制度。IPAと中小企業関係団体が，“自発的な情報セキュリティ対策を促す”ための核となる取組みと位置付けている。
EDR	不正な挙動の検知と，マルウェア感染後の速やかなインシデント対応を目的に，組織内の情報端末を監視する製品。マルウェア感染を未然に防ぐことが困難なため，感染後の対応を効率的に行うことに主眼を置いている。 EDRは，Endpoint Detection and Responseの略。語源は，Endpoint（末端で）脅威をDetection（検知し）Response（対応）することを支援することから。
IT資産管理ツール	情報機器・ソフトウェアなどの構成情報を収集し，現状把握するためのソフトウェア。
SIEM（シーム）	サーバ・ネットワーク機器・セキュリティ関連機器・アプリケーションから集めたログを分析し，異常を発見した場合，管理者に通知して対策する仕組み。巧妙化するサイバー攻撃に対抗するため，事前の予兆から異常を発見する機能や，リスクが顕在化したあとで原因を追跡するための機能が備わっている。 SIEMは，Security Information and Event Management（セキュリティ情報イベント管理）の略。

表1中の1の「OSやソフトウェアは常に最新の状態にしよう！」を“実施している”にするために考えられる対策を検討します。

(一) は，不正な挙動の検知はできますが，OSやソフトウェアの最新化とは無関係です。

(二) は，OSや標準ソフトについては最新化できますが，非標準ソフトについては最新化できません。

(三) は，非標準ソフトについても脆弱性修正プログラムを自動適用するため，追加すべき対策として考えられます。

(四) は，非標準ソフトをなくすことにより，ソフトウェアは標準ソフトだけとなるため，OSやソフトウェアを最新化できます。そのため，追加すべき対策として考えられます。

(五) は，ログにより異常を発見できますが，OSやソフトウェアの最新化とは無関係です。

よって，正解は**ク**です。

問52　エ　問題 p.516

A社PC規程は，表1の項番4のとおり「**外部記憶媒体へのアクセスを技術的に禁止すること**」です。一方で，B社の対応状況は**注1)**のとおり「**B社は，外部記憶媒体へのアクセスのうち，外部記憶媒体に保存してあるアプリケーションソフトウェア及びファイルのNPCへのコピーだけは許可している**」です。つまり，B社は外部記憶媒体からNPC（ノートPC）へのコピーを許可しています。ここがA社PC規程を満たさないため，表1ではNGとなっています。

●A社PC規程

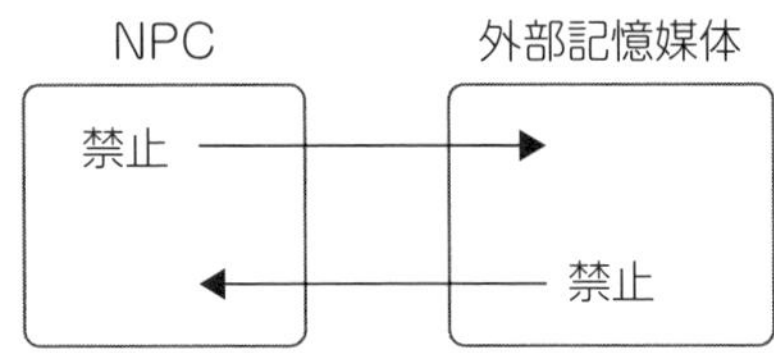

●B社の対応状況

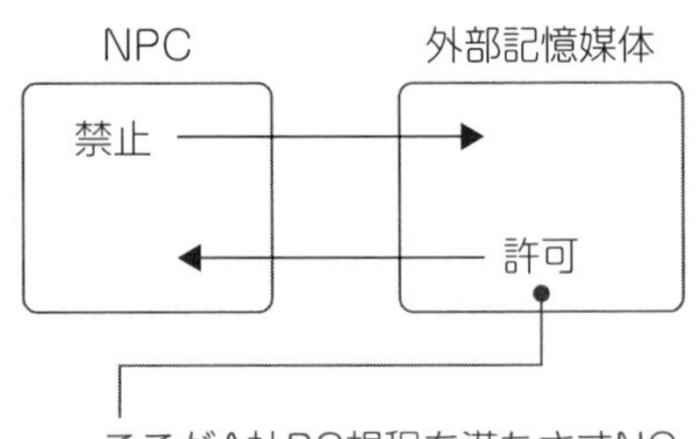

設問では，B社がA社PC規程を満たすために必要な追加の対策が何で，その対策により低減できる情報セキュリティリスクは何かを問うています。上図のとおり，追加の対策は「**外部記憶媒体からNPCへのコピーを禁止する**」ことであり，それにより低減できるものを解答します。

(一) と **(三)** は，情報セキュリティリスクを低減できます。「**外部記憶媒体からNPCへのコピーを禁止する**」という追加の対策により，NPCにソフトウェアをコピーできないため，マルウェア感染のリスクを低減できます。

(二) と **(四)** は，NPCから外部記憶媒体へのコピーについてはB社の対応状況でも既に禁止されており，「**外部記憶媒体からNPCへのコピーを禁止する**」という追加の対策をしても無関係です。そのため，情報セキュリティリスクが低減できるわけではありません。

よって，正解は**エ**です。

問53　オ　問題 p.518

関連する用語は，次のとおりです。

共連れ	侵入者が，正規の利用者と共に不正に入退室すること。背後に潜み，認証時に一緒に入り込み，2人以上が1回の認証で同時に入退室する。
AES	共通鍵暗号方式の代表格の暗号技術。語源は，Advanced Encryption Standard（高度暗号化標準）から。
アンチパスバック	共連れなどにより入室（または退室）の記録がない場合，認証を拒否して，退室（または入室）できないようにすること。

従業員同士による共連れ対策として適切なものを検討します。

（一） は，監視カメラを設置すること自体は共連れを発見したり，抑止効果が見込まれたりしますが，その映像のチェックが1年に1回では適切とは言えません。

（二） は，適切です。例えば「共連れで IC認証 台無しに」というスローガンを掲示することにより，共連れによる危険性を周知徹底するとともに，抑止効果が見込まれます。

（三） は，ICカードドアの鍵と，データを暗号化する際に用いる鍵とは無関係です。

（四） は，指静脈認証により，認証の精度は高まりますが，それにより共連れの対策になるわけではありません。

（五） は，共連れ防止用のアンチパスバックを導入することは共連れ対策になりますが，その設置場所が通販事業部エリアの出入口にあるICカードドアでなく，正門内側の自動ドアでは必要な共連れ対策になりません。

（六） は，従業員証を常に見えるところに携帯することで，部外者は見つけられますが，従業員同士による共連れの対策になりません。

（七） は，適切です。共連れを従業員同士で注意することで，抑止効果が見込まれます。

よって，正解は**オ**です。

▶ **トラップ**　**（五）は，アンチパスバックの設置場所が，共連れ対策として必要な通販事業部エリアの出入口にあるICカードドアでなく，正門内側の自動ドアです。その読み落としによる勘違いを誘っています。**

問54　ア　問題 p.519

関連する用語は，次のとおりです。

バックアップの世代管理	最新のデータだけでなく，それ以前のデータもバックアップによる復元の対象にすること。例えば，毎日1回バックアップを取る場合，1世代では1日前に，7世代は1日ごとに7日前まで復元できる。用途は，前日でなく数日前に削除したデータを復元したり，知らぬ間に感染したマルウェアの影響を受ける前のデータを復元したりすること。
ランサムウェア	コンピュータのファイルやシステムを使用不能にし，その復旧と引き換えに金銭を要求するソフトウェア。語源は，ransom（身代金（みのしろきん））＋ware（software：ソフトウェア）から。

A社では毎週土曜日にバックアップを取り，2世代分を保存するため，2週間前まで復元できます。図1の「**ランサムウェアによってデータが暗号化され，最新のデータが利用できなくなることによって，最大1週間分の更新情報が失われる**」というリスクをより低減するための対策を検討します。

アは，適切です。毎日1回バックアップを取得して7世代分保存することで，1日ごとに7日前まで復元できます。これにより「**最大1週間分の更新情報が失われる**」リスクを「**最大1日分の更新情報が失われる**」リスクに低減できます。

イは，過不足なくデータをバックアップすることにはなりますが，「**最大1週間分の更新情報が失われる**」というリスクは低減できません。

ウと**エ**は，バックアップの速度が向上し時間短縮になりますが，「**最大1週間分の更新情報が失われる**」というリスクは低減できません。

オは，災害時に片方を失っても，もう一組みのバックアップによりデータを復元できますが，「**最大1週間分の更新情報が失われる**」というリスクは低減できません。

カは，マルウェア対策ソフトによってランサムウェアに感染するリスクは低減しますが，仮にファイルサーバ以外の経路で感染した場合は「**最大1週間分の更新情報が失われる**」というリスクは低減できません。

問55　ウ

問題 p.520

関連する用語は，次のとおりです。

SaaS	**アプリケーション（ソフトウェア）**をサービスとして提供する方式。利用者は，インフラ・プラットフォームに加え，アプリケーションを導入・設置することなく，アプリケーションを利用できる。アプリケーションの例は，Webブラウザ上で閲覧できるメールソフト・スケジュール管理ソフト。
標的型攻撃メール	標的となる組織に存在するメールアドレスに送りつけるメール。
標的型攻撃メール訓練	従業者に対し，偽の標的型攻撃メールを送信し，添付ファイルの開封・本文中のURLのクリックなどの危険な行動を回避できるかを確認するための訓練。
アカウントのロック	ある回数以上パスワードを誤入力した場合，その利用者IDを使用禁止にすること。

表1のH訓練計画案では「Aアカウントはロックされていること」，「ロックを解除するには偽解除サイトのURLにアクセスすること」をメールの本文に含め，さらに偽解除サイトでは「氏名，所属部門名並びにAアカウントの利用者ID及びパスワードを入力させる」ようになっています。

表1の注記には「A社は，従業員の氏名，所属部門名及びAアカウントの情報を個人情報としている」とあります。つまり，偽解除サイトでは個人情報を入力させます。それを誘導するための標的型攻撃メールをH訓練では全従業員宛に送信します。

よって，正解は**ウ**です。

問56　オ　問題 p.522

監査部から受けた指摘は「**Webブラウザに塾生管理システムの利用者IDとパスワードを保存しており，情報セキュリティリスクが存在する**」です。

たしかに，図1のとおり，塾生管理システムでは利用者IDの共用はしていません。しかし共用端末のOSへのログインパスワードは共用しています。なぜなら「**・共用端末のOSへのログインには，共用端末の識別子（以下，端末IDという）とパスワードを利用する**」とあるからです。

つまり，「**共用端末の**」の部分は「**識別子**」と「**パスワード**」の両方ともを説明しており，共用端末の識別子（端末ID）と，共用端末のパスワードでログインしています。つまり，共用端末のパスワードは，共用のパスワードです。

そのため，利用者は共用端末へは端末IDと，共用端末のパスワードでログインし，そのうえでWebブラウザを用いて塾生管理システムへログインします。その際の塾生管理システムでの利用者IDは共用していません。

具体的には，次のとおりです。

・教務部員

　⬇ … 共用端末の識別子（端末ID）・共用端末のパスワード

・共用端末

　⬇ … 利用者ID（共用していない）・パスワード

・ 塾生管理システム

そこで，Webブラウザのオートコンプリート機能（Webブラウザに認証情報を保存する機能）により，塾生管理システムへの利用者IDとパスワードがWebブラウザに保存されていると，他の利用者IDで塾生管理システムへログインできるのです。

図1の「**・教務部員は，担当する塾生の個人データの更新権限をもっている。担当しない塾生の個人データの参照権限及び更新権限はもっていない**」にもかかわらず，他の利用者IDで塾生管理システムへログインすることにより可能となる情報セキュリティリスクを検討します。

アの通信の盗聴，**イ**の共用端末の不正持出しは，Webブラウザに保存された利用者IDとパスワードとは無関係です。

ウは，Webブラウザに保存された利用者IDとパスワードとは無関係です。また，Webブラウザに保存された利用者IDとパスワードでは端末のパスワードを変更できません。

エは，図1の「・共用端末のパスワード…は情報システム部が設定，変更できる」とあり，教務部員が変更できるという記述はありません。

オは，正解です。Webブラウザに保存された利用者IDとパスワードを用いて他の利用者になりすましをすることで不正にアクセスできます。

▶ トラップ 「利用者IDの共用はしていない」との記述が，塾生管理システムの利用者IDか，OSログイン時の利用者IDかのどちらのことかを勘違いさせる表現を使い，誤答を狙っています。

問57 ア

問題 p.523

関連する用語は，次のとおりです。

最小権限の原則	情報システムやファイルなどにアクセスするための権限は，「必要である者だけに対して必要な分だけを与え，必要のない者には与えない」という考え方。必要以上の権限を与えると，不正アクセスする危険性があるからである。

表1の「ファイルサーバ上の顧客情報のアクセス権は最小権限の原則に基づいて設定されている」に対応する評価結果は「OK」です。なぜなら問題中に「今年，B支店では，従業員にヒアリングを行い，ファイルのアクセス権がそのとおりに設定されていることを確認した」という記述があるためです。同じ理由で，評価根拠は「アクセス権の設定状況が適切であることを確認した」です。

よって，正解は**ア**です。

問58　ク

問題 p.525

それぞれ対応しているか，不足はないか，期限に間に合っているかを精査します。

未対応（機能追加時に対応する点検結果が存在しない）

項番	…	A社グループ基準	点検結果
(一)	…	• インターネットに公開しているWebサイトについて，Webアプリの新規開発時，及び機能追加時に行う。 • 機能追加などの変更がない場合でも，年1回以上行う。	• 3年前にB社サイトをリリースする1か月前に，Webアプリに対する脆弱性診断を行った。リリース以降は実施していない。 • 3年前の脆弱性診断では，**軽微な**脆弱性が2件検出された。
(二)	…	• インターネットに公開しているWebサイトについて，年1回以上行う。 対応	• 毎年4月及び10月に，B社サイトに対して行っている。 • 今年4月の脆弱性診断では，脆弱性が3件検出された。
(三)	…	• Webアプリ，OS及びミドルウェアに対する脆弱性診断を行った場合，その結果を，診断後2か月以内に各社の情報セキュリティ委員会に報告する。 対応（2か月以内に）	• 3年前にWebアプリに対する脆弱性診断を行った2週間後に，結果を情報セキュリティ委員会に報告した。 • OS及びミドルウェアに対する脆弱性診断の結果は，4月と10月それぞれの月末の情報セキュリティ委員会に報告した。
(四)	…	対応（軽微なため，1か月以内に） • Webアプリ，OS及びミドルウェアに対する脆弱性診断で，脆弱性が発見された場合，緊急を要する脆弱性については，速やかに対応し，その他の脆弱性については，診断後，1か月以内に対応する。指定された期限までの対応が困難な場合，対応の時期を明確にし，最高情報セキュリティ責任者（CISO）の承認を得る。	• 3年前に検出したWebアプリの脆弱性2件について，B社サイトのリリースの1週間前に対応した。 • 今年4月に検出したOS及びミドルウェアに対する脆弱性のうち，2件は翌日に対応した。残り1件は，恒久的な対策は来年1月のB社サイトの更改時に対応するものとし，それまでは，設定変更による暫定対策をとるという対応計画について，脆弱性診断の10日後にCISOの承認を得た。

対応

表中の　　部分は未対応であり，A社グループ基準を満たしていないため，除外します。
よって，正解は**ク**です。

問59　ア　問題 p.526

問題中の記述をもとに根拠を探します。

[a]は，閲覧権限と承認権限だけがあります。関連する記述は，図1の「(1) …販売責任者[2)]に承認を依頼する」，「(2) 販売責任者は…問題がなければ承認する」です。さらに**注**[2)]に「Z販売課の課長1名だけである」とあります。つまり，承認するのはZ販売課の課長である販売責任者です。

委託に当たっての［要求1］には「B社が入力した場合は，A社が承認する」とあり，かつ［要求2］には「A社の販売担当者が入力した場合は，現状どおりにA社の販売責任者が承認する」とあるため，承認するのは委託後も引き続き，Z販売課の課長である販売責任者です。

よって，正解は**ア**です。

問60　カ　問題 p.528

設問のとおり，不審な点があるメールを受信したB課長に疑いをもたれないようにするためにメールの送信者が使った手口を検討します。

項番1は，送金先の口座を早急に変更するように求めることは，むしろ疑いをもたれかねません。

項番2は，該当します。請求書がC社が3か月前から利用を開始したテンプレート（見本）を利用したものであれば，本物だと誤認する可能性が高まります。

項番3の振込先が，C社が所在する国ではない国にある銀行の場合や，**項番4**のC社のタイムゾーンと異なる場合は，むしろ疑いをもたれかねません。

項番5は，該当します。メールの送信者のメールアドレスが，類似するドメイン名であれば，本物だと誤認する可能性が高まります。

項番6は，メールの返信先がフリーメールだと，むしろ疑いをもたれかねません。

項番7は，該当します。何度かやり取りしたメールの内容を引用していると，本物だと誤認する可能性が高まります。

よって，正解は**カ**です。

索引

J

L

M

N

O

P

R

S

T

U

V

W

X

ア

イ

ウ

エ

サ

シ

ス

セ

ソ

タ

ヘ

ホ

マ

ミ

ム

メ

モ

ヤ

ユ

ヨ

ラ

リ

ル

レ

ロ

ワ

著者紹介

橋本 祐史（はしもと ゆうじ）

学校法人河合塾学園 トライデントコンピュータ専門学校に勤務。学生が抱える「分からない」という悩みをなくすために，情報処理技術者試験の対策授業で使うオリジナル教材を数多く執筆。その一部が，参考書として出版されている。名古屋市在住。著書は次のとおり。

- 『情報処理教科書 出るとこだけ！ 基本情報技術者［科目B］予想＋過去問題集』（2024年9月，翔泳社）
- 『情報処理教科書 出るとこだけ！ 情報セキュリティマネジメント テキスト&問題集［科目A］［科目B］2024年版』（2023年11月，翔泳社）
- 『情報処理教科書 出るとこだけ！ 基本情報技術者［科目B］第4版』（2023年10月，翔泳社）
- 『情報処理教科書 出るとこだけ！ 基本情報技術者［科目B］第3版』（2022年12月，翔泳社）
- 『情報処理教科書 出るとこだけ！ 情報セキュリティマネジメント テキスト&問題集［科目A］［科目B］2023年版』（2022年11月，翔泳社）
- 『情報処理教科書 出るとこだけ！ 情報セキュリティマネジメント テキスト&問題集 2022年版』（2021年11月，翔泳社）
- 『情報処理教科書 出るとこだけ！ 情報セキュリティマネジメント テキスト&問題集 2021年版』（2021年2月，翔泳社）
- 『情報処理教科書 出るとこだけ！ 基本情報技術者［午後］第2版』（2019年12月，翔泳社）
- 『情報処理教科書 出るとこだけ！ 情報セキュリティマネジメント テキスト&問題集 2020年版』（2019年11月，翔泳社）
- 『情報処理教科書 出るとこだけ！ 応用情報技術者［午後］』（2019年1月，翔泳社）
- 『情報処理教科書 出るとこだけ！ 情報セキュリティマネジメント 2019年版』（2018年12月，翔泳社）
- 『情報処理教科書 出るとこだけ！ 情報セキュリティマネジメント 2018年版』（2017年11月，翔泳社）
- 『情報処理教科書 出るとこだけ！ 基本情報技術者［午後］』（2017年7月，翔泳社）
- 『情報処理教科書 出るとこだけ！ 情報セキュリティマネジメント 2017年版』（2016年11月，翔泳社）
- 『情報処理教科書 情報セキュリティマネジメント 2016年秋期』（2016年6月，翔泳社）
- 『情報処理教科書 情報セキュリティマネジメント 要点整理&予想問題集』（2016年1月，翔泳社，共著）
- 『基本情報技術者午後問題 橋本のわかって解く！表計算教室』（2013年9月，技術評論社）

装丁・本文デザイン：植竹裕（UeDESIGN）
組版：株式会社シンクス

情報処理教科書
出るとこだけ！　情報セキュリティマネジメント
［科目A］［科目B］2025年版

2024年11月20日　初版　第1刷発行

著　者　橋本 祐史
発行人　佐々木 幹夫
発行所　株式会社翔泳社（https://www.shoeisha.co.jp/）
印　刷　昭和情報プロセス株式会社
製　本　株式会社国宝社

本書へのお問い合わせについては、002ページに記載の内容をお読みください。

造本には細心の注意を払っておりますが、万一、乱丁（ページの順序違い）や落丁（ページの抜け）がございましたら、お取り替えします。03-5362-3705までご連絡ください。

ISBN978-4-7981-8887-4　　Printed in Japan